HISTÓRIA DO ESTRUTURALISMO

FRANÇOIS DOSSE

HISTÓRIA DO ESTRUTURALISMO

VOL. I O campo do signo 1945-1966

TRADUÇÃO
Álvaro Cabral
REVISÃO TÉCNICA
Marcia Mansor D'Alessio

Título original em francês
Histoire du structuralisme. Tome I: Le champ du signe, 1945-1966

Direitos de publicação reservados à:
Fundação Editora da Unesp (FEU)
Praça da Sé, 108
01001-900 – São Paulo – SP
Tel.: (0xx11) 3242-7171
Fax: (0xx11) 3242-7172
www.editoraunesp.com.br
www.livrariaunesp.com.br
feu@editora.unesp.br

Dados Internacionais de Catalogação na Publicação (CIP) de acordo com ISBD

D724h

Dosse, François
História do estruturalismo: o campo do signo, 1945-1966 – volume I / François Dosse; tradução de Álvaro Cabral; revisão técnica de Marcia Mansor D'Alessio. São Paulo: Editora Unesp, 2018.

Tradução de: *Histoire du structuralisme. Tome I: le champ du signe, 1945-1966*
Inclui bibliografia, índice e anexo.
ISBN: 978-85-393-0758-6

1. Filosofia. 2. Estruturalismo. 3. História. 4. Escolas filosóficas de pensamento. I. Cabral, Álvaro. II. D'Alessio, Marcia Mansor. III. Título.

2018-1285 CDD 149.96
CDU 165.75

Elaborado por Vagner Rodolfo da Silva – CRB-8/9410

Índice para catálogo sistemático:
1. Filosofia: Estruturalismo 149.96
2. Filosofia: Estruturalismo 165.75

Editora afiliada:

Asociación de Editoriales Universitarias de América Latina y el Caribe

Associação Brasileira de Editoras Universitárias

O estruturalismo não é um método novo: é a consciência desperta e inquieta do saber moderno.

Michel Foucault, *Le mots et les choses*

Agradecimentos

Sou grato a todos os que tiveram a amabilidade de oferecer seu depoimento no transcorrer de entrevistas que foram reproduzidas na íntegra.[1] Seus testemunhos representam uma contribuição essencial, na medida em que constituíram material de suma importância para a realização deste capítulo da história intelectual francesa: Marc Abélès, Alfred Adler, Michel Aglietta, Jean Allouch, Pierre Ansart, Michel Arrivé, Marc Augé, Sylvain Auroux, Kostas Axelos, Georges Balandier, Étienne Balibar, Henri Bartolli, Michel Beaud, Daniel Becquemont, Jean-Marie Benoist, Alain Boissinot, Raymond Boudon, Jacques Bouveresse, Claude Brémond, Hubert Brochier, Louis-Jean Calvet, Jean-Claude Chevalier, Jean Clavreul, Claude Conté, Jean-Claude Coquet, Maria Daraki, Jean-Toussaint Desanti, Philippe Descola, Vicent Descombes, Jean-Marie Domenach, Joël Dor, Daniel Dory, Roger-Pol Droit, Jean Dubois, Georges Duby, Oswald Ducrot, Claude Dumézil, Jean Duvignaud, Roger Establet, François Ewald, Arlette Farge, Jean-Pierre Faye, Pierre Fougeyrollas, Françoise Gadet, Marcel Gauchet, Gérard Genette, Jean-Christophe Goddard, Maurice Godelier, Gilles Gaston-Granger, Wladimir Granoff, André Green, Algirdas-Julien Greimas, Marc Guillaume, Claude Hagège, Philippe Hamon, Georges-André

1 O leitor encontrará no Anexo o detalhamento das especialidades e funções atuais de cada uma das pessoas entrevistadas.

Haudricourt, Louis Hay, Paul Henry, Françoise Héritier-Augé, Jacques Hoarau, Michel Izard, Jean-Luc Jamard, Jean Jamin, Julia Kristeva, Bernard Laks, Jérôme Lallement, Jean Laplanche, Francine Le Bret, Serge Leclaire, Dominique Lecourt, Henri Lefebvre, Pierre Legendre, Gennie Lemoine, Claude Lévi-Strauss, Jacques Lévy, Alain Lipietz, René Lourau, Pierre Macherey, René Major, Serge Martin, André Martinet, Claude Meillassoux, Charles Melman, Gérard Mendel, Henri Mitterand, Juan-David Nasio, André Nicolaï, Pierre Nora, Claudine Normand, Bertrand Olgilvie, Michelle Perrot, Marcellin Pleynet, Jean Pouillon, Joëlle Proust, Jacques Rancière, Alain Renaut, Olivier Revault d'Allonnes, Élisabeth Roudinesco, Nicolas Ruwet, Moustafa Safouan, Georges-Élia Sarfati, Bernard Sichère, Dan Sperber, Joseph Sumpf, Emmanuel Terray, Tzvetan Todorov, Alain Touraine, Paul Valadier, Jean-Pierre Vernant, Marc Vernet, Serge Viderman, Pierre Vilar, François Wahl e Marina Yaguello.

Outras personalidades foram contatadas, mas não pude entrevistá-las: Didier Anzieu, Alain Badiou, Christian Baudelot, Jean Baudrillard, Pierre Bourdieu, Georges Canguilhem, Cornelius Castoriadis, Hélène Cixous, Serge Cottet, Antoine Culioli, Gilles Deleuze, Jacques Derrida, Louis Dumont, Julien Freund, Luce Irigaray, Francis Jacques, Christian Jambet, Catherine Kerbrat-Orecchioni, Victor Karady, Serge-Christophe Kolm, Claude Lefort, Philippe Lejeune, Emmanuel Lévinas, Jean-François Lyotard, Gérard Miller, Jacques-Alain Miller, Jean-Claude Milner, Edgar Morin, Thérèse Parisot, Jean-Claude Passeron, Jean-Bertrand Pontalis, Paul Ricœur, Jacqueline de Romily, François Roustang, Michel Serres e Louis-Vincent Thomas.

Agradeço também aos que aceitaram a pesada tarefa de rever este manuscrito e me auxiliaram proveitosamente com suas sugestões e correções, permitindo-me assim levar a bom termo este empreendimento: Daniel e Trudi Becquemont, Jean-Michel Besnier, Alain Boissinot, René Gelly, François Gèze e Thierry Paquot, Pierre Vidal-Naquet.

Sou grato também a Monique Lulin, pelas Éditions du Seuil, Pierre Nora, pelas Éditions Gallimard, e Christine Silva, pelas Éditions La Découverte, por terem me comunicado as tiragens de um certo número de obras desse período.

Sumário

PARTE 2
OS ANOS 1960: 1963-1966 – A *BELLE ÉPOQUE*

PARTE 3
UMA FEBRE HEXAGONAL

Prefácio à edição de 2012*

Esta história do estruturalismo, publicada há mais de vinte anos, em 1991 e 1992, mantém a meu ver toda sua atualidade, visto que descreve um grande momento intelectual, impregnado de efervescência, criatividade e abertura em relação à transversalidade do conhecimento. Esse momento estruturalista se subdivide em dois tempos. O primeiro é o da ascensão gradual pela qual ele se impõe e se sobrepõe ao momento existencialista do pós-guerra, fazendo valer os avanços de uma conduta julgada como mais científica. Esse momento atinge o apogeu em 1966, que qualifiquei como ano iluminista do estruturalismo. Em seguida, vem a época da desconstrução dirigida por Jacques Derrida a partir de 1967 e acelerada pela artilharia de Maio de 1968, trazendo de volta dois pontos cegos: o não discursivo (o referente) e a atenção aos acontecimentos. Finalmente, em 1980, triunfa a ideia de uma amnésia orquestrada por esse momento rejeitado por ter sacrificado o sujeito no altar das lógicas estruturais. Seria necessário voltar para esse rico período que deu a volta ao mundo sob o nome de *French Theory* nos Estados Unidos e que foi encarnado por vários mestres-pensadores transformados em heróis, simbolizando a influência do pensamento francês: Roland Barthes, Claude Lévi-Strauss, Michel

* Tradução de Constância Egrejas

Foucault, Louis Althusser ou Jacques Lacan tornaram-se celebridades ao longo desses anos. Com o falecimento desses intelectuais, imaginava-se uma derrocada de todas essas orientações de pesquisa, especialmente porque cada disciplina das ciências humanas buscava sua identidade singular.

Após essas retrações disciplinares ocorridas a partir dos anos 1980 durante o declínio do estruturalismo, como um desmoronamento da Torre de Babel após o qual cada uma delas se esforçou para reinventar seus próprios paradigmas e fundamentos teóricos, redescobrimos a partir dos anos 2000 o rico filão de recursos que constitui esse período considerado, a partir de então, como a idade de ouro das ciências sociais. Seus heróis se tornaram mitos e são unanimemente consagrados, constituindo mesmo um tesouro nacional, como acaba de ser qualificada a obra de Michel Foucault.

No final de 2008, o centenário de Claude Lévi-Strauss promoveu uma série de manifestações celebrando o mestre, com novas importantes publicações, como a de suas *Obras* pela coleção Bibliothèque de la Pléiade.[1] O Museu do Quai d'Orsay lhe dedicou um dia, assim como a rádio France-Culture e a Biblioteca Nacional da França (BNF). Uma nova geração mergulhou nessa obra para renovar sua leitura e seu uso, como Vincent Debaene ou Frédéric Keck. A contribuição mais recente vem do antropólogo Wictor Stoczkowski, que deu destaque para a soteriologia ("teologia da salvação") subjacente à obra de Lévi-Strauss que preconiza uma certa quantidade de remédios aos avanços inexoráveis do mal, aos artifícios da modernidade e às suas consequências desastrosas.[2] Sob o método estruturalista e o paradoxo das contradições aparentes entre a publicação de *Raça e história*, em 1952, e a de *Raça e cultura*, em 1971, Stoczkowski revela a visão de uma filosofia moral que se apresenta como um alargamento espacial, como reação às tragédias históricas do século XX.

O caso mais espetacular de reapropriação de uma obra é o de Michel Foucault, descoberto por uma nova geração, que a utiliza de

1 Claude Lévi-Strauss, *Oeuvres*, apresentada por Vincent Debaene, Frédéric Keck, Marue Mauzé e Martin Rueff. Paris: Gallimard, Paris, 2008, Bibliothèque de la Pléiade.

2 Wictor Stoczkowski, *Anthropologies rédemptrices. Le monde selon Lév-Strauss*. Paris: Hermann, 2008.

modo totalmente diferente daquele dos anos 1960. Essa renovação resulta em parte da visibilidade de parte submersa da obra com a publicação, em 1994, dos quatros volumes de *Ditos e escritos* e igualmente de seus cursos no Collège de France, entre os quais alguns, como *Os Anormais* (2000) ou *Nascimento da biopolítica* (2004), desarticulam as linhas estabelecidas do foucaltianismo. Dessa mudança de *corpus* surgiria um novo Foucault, e a jovem geração demonstra menos interesse em exaltá-lo e em comentá-lo, servindo-se dele como uma caixa de ferramentas. Atualmente, baseados nas utilizações feitas dos conceitos foucaultianos, conseguimos medir melhor sua atualidade e sua fecundidade. Novas formas de interdisciplinaridade surgem a partir desse encontro, como aquela de numerosos medievalistas que se inspiram explicitamente em Foucault, como Dominique Iogna-Prat, cujo título da tese, *Ordenar e excluir*,[3] alude a uma obra de Foucault. Vários são os sociólogos, historiadores, filósofos da nova geração que recuperam essa obra, como Frédéric Gros, Jean-François Bert, Judith Revel, Philippe Artières, Matthieu Potte-Bonneville ou Blaise Dufal... Dentre outras manifestações, um colóquio aconteceu em Aix-en-Provence entre maio e junho de 2011 sob a direção de Damien Bocquet e de Pauline Labey, sobre o tema "Os historiadores e Michel Foucault atualmente".

Dispomos igualmente hoje em dia de um *corpus* mais completo das obras de Roland Barthes com a publicação de cinco volumes de suas *Obras completas* pelas Edições Seuil, de suas aulas e seus seminários no Collège de France ou ainda com a publicação em 2009 de seu *Diário de luto*. Sua atualidade é incontestável, assim como seus múltiplos e novos usos, como os expostos em *Vivre le sens*, publicado em 2008, com contribuições de Carlo Ginzburg, Marie-Josée Mondzain, Michel Deguy, Antoine Culioli e Georges Didi-Huberman. Se a parcela polêmica e a vontade de conquista hegemônica desapareceram desses usos dos mestres-pensadores do estruturalismo, no entanto eles continuam muito atuais como recursos vivos vindos para alimentar a dupla virada que atravessamos desde os anos 1990, ao mesmo tempo hermenêutica e pragmática. A atualidade renovada desses pensamentos torna necessário o desvio pelos anos 1960 para conhecer melhor a

---

3 Dominique Iogna-Prat, *Ordonner et exclure: Cluny et la société chrétienne face à l'hérésie, au judaïsme et à l'islam, 1000-1150*. Paris: Aubier, 1998.

genealogia desses pensamentos, suas questões, suas ambições. Daí o reaparecimento desses dois volumes que tentam retraçar essa história. Eles foram alvo de críticas, às vezes duras, às quais respondo no posfácio do segundo tomo, especificando quais foram meu projeto e seu método.

Prefácio à edição brasileira de 2007

Da estrutura ao sujeito

O triunfo do estruturalismo nos anos 1950 e 1960 foi espetacular na medida em que se identificou com toda a história intelectual francesa a partir de 1945. Naquela época, não havia salvação possível fora daquilo que se apresentava, principalmente, como um novo olhar sobre o mundo e a produção simbólica da sociedade, a tal ponto que o treinador da seleção francesa de futebol, que naquela época ainda não ganhara o título mundial e que normalmente perdia as partidas internacionais, ao ser interrogado sobre a solução para resolver o impasse, respondeu dizendo que reorganizaria sua equipe de maneira estruturalista.

Tempo marcante do pensamento crítico e mesmo supercrítico, expressão de uma vontade emancipadora das jovens ciências sociais em busca de legitimação erudita e institucional, o estruturalismo suscitou um verdadeiro entusiasmo coletivo de toda a *intelligentsia* francesa durante pelo menos duas décadas.

Em seu sentido mais amplo, o vocábulo *estrutura* funcionou como senha para boa parte das ciências humanas e cumpriu um papel unificador, constitutivo de um momento, o momento estruturalista do pensamento francês. Nessa linha, Michel Foucault afirmava que o estruturalismo "não é um método novo, ele é a consciência despertada e inquieta do saber moderno". Jacques Derrida definia essa abordagem como uma "aventura do olhar", e Roland Barthes enxergava o estruturalismo como a passagem da consciência simbólica para a consciência paradigmática, quer dizer, o advento da consciência do paradoxo. O estruturalismo é, portanto, um movimento de pensamento, uma nova forma de relação com o mundo, muito mais amplo do que um simples método específico para um determinado campo de pesquisa. Esse posicionamento, no entanto, surtirá resultados diferentes conforme os campos de aplicação: linguística, antropologia, sociologia, filosofia, história geral, história da arte, psicanálise, crítica literária etc. Essa grade de leitura, que se pretende unitária, privilegia o signo à custa do sentido; o espaço, à do tempo; o objeto, à do sujeito; a relação, à do conteúdo; e a cultura à custa da natureza. Como explica o filósofo das ciências Michel Serres, em 1961, o estruturalismo nutre a ambição de constituir um único e vasto programa de análise, podendo ser aplicado a todos os campos do saber.

Esse programa, já de início, busca grande parte de sua inspiração em uma única fonte: a linguística saussuriana, tal como a teoriza o linguista Roman Jakobson nos anos 1940. Algumas ideias centrais são mantidas. A primeira delas, sem dúvida, postula que rigorosamente o objetivo das ciências humanas é estudar os sistemas formais. Segundo a teoria saussuriana, um signo não tira sua significação de sua relação com o objeto que representa, mas de sua oposição aos outros signos. Uma língua é, portanto, um sistema fechado de formas em mútua oposição e não um conjunto de conteúdos, de noções ou significações. Exportada para outras disciplinas, essa ideia colocará em primeiro plano o estudo das formas e das relações, excluindo o das substâncias e das qualidades: oposições binárias, em Claude Lévi-Strauss; quadrado semiótico, em Algirdas Julien Greimas; jogos de *língua*, em Jacques Lacan.

A segunda ideia decorre da precedente: para Ferdinand de Saussure, a *língua* é um sistema preexistente ao uso que dela fazemos. A *fala*, ou seja, as frases que produzimos ao utilizar essa *língua*, representa unicamente relações particulares e históricas. Daí a tendência, comum entre os estruturalistas, a privilegiar a dimensão sincrônica dos fenômenos por eles estudados. Também historiadores como Emmanuel Le Roy Ladurie privilegiarão uma "história imóvel".

A terceira ideia presente em Ferdinand de Saussure sustenta que a *língua* é um fenômeno social cujas regras se constituem em plena revelia do sujeito que delas faz uso. Daí, igualmente, a tendência – também alimentada por outras fontes – a ancorar suas análises em poderosos determinismos sociais e a eliminar a percepção consciente do sujeito. A ambição partilhada entre os pensadores estruturalistas é, com efeito, atingir um nível de realidade que não é imediatamente visível: é o inconsciente estrutural em Jacques Lacan; a estrutura narrativa profunda em Greimas; a "fórmula canônica" dos mitos em Lévi-Strauss; a "episteme" em Michel Foucault.

A época, enfim, por motivos tanto políticos quanto científicos, é marcada pela ideia segundo a qual o discurso serve tanto para mascarar a realidade quanto para traduzi-la. Assim, pôde-se qualificar a atitude estruturalista de "filosofia da desconfiança": é uma atitude dos intelectuais que estabelecem o objetivo de desmistificar as opiniões comuns, de recusar o sentido aparente, desestabilizá-lo e procurar por detrás do discurso a expressão da má-fé. Assim, integrando certas categorias marxistas, Roland Barthes busca, com suas *Mitologias*, desmascarar o espírito "pequeno-burguês" e chauvinista que inspira a estética do consumo moderno. O que se postula é a posição de classe do locutor ou sua posição libidinal, que permitem denunciar a ilusão a que estão condenadas todas as formas de discurso. Essa posição do desvelamento inscreve-se na filiação da epistemologia francesa, como a de Gaston Bachelard, que afirma haver uma separação entre competência científica e senso comum, sendo este último dominado pela ilusão, o que pressupõe uma posição de vantagem do pesquisador em relação à opinião comum.

Como pano de fundo desse pensamento de desconfiança, há, nos intelectuais, um sentimento de profundo pessimismo, uma atitude de crítica da modernidade ocidental com a qual se procura chegar ao avesso de tudo por meio das imagens da criança, do louco ou do selvagem. Como Michel Foucault em sua *Histoire de la folie à l'âge classique*, escava-se, por detrás do discurso liberador das Luzes, a disciplina do corpo, o fechamento, o grande fechamento do corpo social em uma lógica infernal do saber e do poder. Roland Barthes diz então: "Eu recuso profundamente minha civilização, até a náusea", e o epílogo de *O homem nu*, de Claude Lévi-Strauss, termina com um rotundo NADA, em letras maiúsculas, à maneira de um réquiem ou de um crepúsculo dos homens. Esse paradigma estruturalista terá feito triunfar uma suspensão do sentido como meio de combater o eurocentrismo e as diversas formas de teleologias ocidentalizadas em proveito de um pensamento diferencialista.

Assim o estruturalismo constitui-se em filosofia comum a três ciências que postulam o inconsciente como lugar mesmo da verdade: a linguística geral, ao fazer a separação, com Saussure, entre a *língua* como objeto legítimo e a *fala* relegada ao não científico; a antropologia, quando esta se interessa pelo código da mensagem mais do que pela própria mensagem, pelo jogo dos signos mais do que pelo seu conteúdo; a psicanálise, quando percebe o inconsciente como efeito da linguagem. Existe aí concomitantemente uma busca de legitimação e de implantação por parte das jovens ciências sociais que se deparam com a força das humanidades clássicas, a tradição e o conservadorismo da velha Sorbonne. O estruturalismo apresenta-se nesse nível como um terceiro discurso, entre literatura e ciências exatas, procurando se institucionalizar por meio da socialização, contornando assim o centro da Sorbonne pelas universidades periféricas, pela imprensa ou ainda por uma venerável instituição que será lugar de refúgio para a pesquisa de ponta: o Collège de France.

Nessa verdadeira guerra entre "antigos" e "modernos", a temática da separação, da ruptura, acontece em vários níveis. As ciências sociais veem no estruturalismo uma possibilidade de emancipação, de rompimento do cordão umbilical que as atrelava à filosofia, conferindo-lhe a validade de um método científico. Determinados filósofos, compreendendo a importância desses trabalhos, praticarão uma verdadeira revisão de seus programas e redefinirão a função da filosofia como filosofia do conceito, que resultará no que se chamou de "efeitologia", ou seja, a recuperação dos trabalhos das ciências humanas por meio da filosofia que desconstrói ao mesmo tempo as classificações em uso no interior das práticas. A filosofia preserva, dessa maneira, sua posição central ao clamar o seu fim. A grande importância do papel de filósofos como Louis Althusser está em sua capacidade de fazer prevalecer um programa unitário em plenos anos 1960 e de difundir a noção de estrutura como estandarte de unificação.

Essa história deve também ser explicada em termos de gerações. Diversos acontecimentos históricos encontram-se na origem da empresa comum que marca os intelectuais desse período. Em primeiro lugar, a Segunda Guerra Mundial e a dificuldade, sublinhada por Theodor Adorno, de considerar com o mesmo otimismo do princípio do século XX uma história ocidental que, depois de Auschwitz, transformou-se em abominação, em crime contra a humanidade. A história ocidental se torna o lugar mesmo da dúvida, do questionamento, da ultracrítica. O inferno já não é mais os outros, como dizia Sartre, mas o próprio "eu". O questionamento do "eu" e de suas ilusórias capacidades de dominação surge em meio a uma sociedade que reduziu o indivíduo a um número; a existência do sujeito e de suas ilusórias capacidades de domínio nada mais é do que uma ilusão perigosa. A desesperança que engendra a distância crítica da desconfiança acentuar-se-á no curso dos anos 1950 e 1960 com a progressiva emancipação dos povos colonizados, que romperão com o jugo colonial e conquistarão sua independência. Muitos intelectuais verão nessa rejeição da inserção ocidental a confirmação de sua posição crítica e considerarão a figura do Outro, a da alteridade absoluta em relação ao Ocidente, como o lugar mesmo da expressão da verdade e de uma certa pureza. Essa saída da história ocidental, que permite encontrar nos bororo ou nos nhambiquara a expressão do berço purificado da humanidade, será também reforçada pelas revelações sucessivas sobre o que ocorre de fato com o marxismo real nos países comunistas, que alguns haviam considerado como a encarnação de sua esperança. O ano de 1956, marcado pela invasão soviética da Hungria, é de máxima importância para uma geração de intelectuais marxistas que encontrarão refúgio em um marxismo estruturalizado, um "marxismo a vácuo", como disse Jean-Marie Domenach, que escapa ao peso dos desastres do comunismo real. Vários entre esses intelectuais romperão com a cultura comunista, abandonarão a história nas pontas dos pés e refugiar-se-ão na interioridade do texto, na ciência, na dissolução do sujeito e do significado.

No que se refere à sua periodização, esse momento estruturalista conhecerá dois tempos bem distintos: o da construção de um programa unitário até o ano 1966 e o de sua desconstrução progressiva até nossos dias. É portanto essencial situar exatamente cada obra conforme os momentos do debate em relação à evolução global sofrida pelo paradigma. A intensidade da circulação sincrônica dos conceitos torna ainda mais premente saber até que ponto precisamente se está diante da construção ou desconstrução do fenômeno estruturalista.

O agir e o fazer

Subitamente, no alvorecer dos anos 1980, tudo se desequilibra: a maior parte dos heróis franceses dessa aventura intelectual já desaparecera e, com eles, suas obras são rapidamente enterradas pela nova era que chega, acentuando a impressão do fim de uma época. Evitou-se, contudo, o luto que seria necessário para fazer justiça a um dos períodos mais fecundos de nossa história intelectual.

As ideias surgidas nos anos 1980 constituem, além de sua abundância e da pluralidade de suas formulações, uma nova configuração, chamada pós-estruturalista. As novas orientações emergentes, que substituirão as outras nas ciências humanas, são o traço de uma geração fortemente marcada pelos acontecimentos de Maio de 1968. A irrupção desse acontecimento induzia à pesquisa reavaliadora do lugar social do sujeito e ao pensamento que valorizava a ação. A história dos anos 1940 e 1950 viu-se atravessada pelas questões que forjavam as pesquisas geracionais. Assim, ela mal tinha saído da adolescência, em maio de 1968, e ninguém se surpreenderá por encontrar nesse momento um senso aguçado de engajamento, de preocupação com o social. Essa referência ao mundo certamente mudou bastante desde aquele momento e são múltiplas as evoluções posteriores. No entanto, verifica-se uma sensibilidade comum que abarca todos esses itinerários. Não se trata realmente de um paradigma comum, mas de uma mesma busca do sentido, de um mesmo horizonte de reconciliação com a democracia, da participação do cidadão nas ciências e na tecnologia, de uma problematização das relações entre o indivíduo e o político, de uma vontade de transcender as antigas clivagens artificiais entre individualismo e holismo e de romper, por isso mesmo, com as pretensões disciplinares. "A imaginação no poder" é o que se dizia no final dos anos 1960. Hoje se pode identificar uma aspiração comum à abertura, ao rompimento das barreiras, à transversalidade.

A partir desses intercâmbios, é possível discernir certo número de orientações inovadoras e comuns. Elas são o fruto da abertura de portas e janelas, da disposição ao diálogo entre os campos mais diversificados do saber. O abandono do hexagonalismo do período estrutural, reforçado por um antiamericanismo de boa qualidade no momento da Guerra Fria, constitui-se em obstáculo à difusão, na França, dos debates anglo-saxões. No final da década de 1970, alguns filósofos que marcarão o pós-estruturalismo francês fazem fisicamente o desvio pelos Estados Unidos: Jean-François Lyotard, Michel Serres, Jacques Derrida, Jean--Pierre Dupuy lá exercem o magistério, e Bruno Latour desenvolve suas pesquisas. A partir dos anos 1980, a multiplicação das traduções e a intensidade dos debates a respeito das teses dos universitários do além Atlântico atestam o fenômeno cada vez mais evidente da importação da filosofia de inspiração "analítica", que vem se enxertar ou romper com a tradição "continental".

De certa maneira, o desvio "americano" é um retorno aos antigos caminhos já percorridos pelos pensadores judeus da Europa central que escaparam do nazismo e foram assimilados na América. Essa abertura das fronteiras a um espaço intelectual mais internacionalizado contribuiu também para o redescobrimento de outras tradições além da tradição sociológica francesa. É assim que a filiação da sociologia de Dilthey, Simmel, Weber, introduzida na França por Raymond Aron e muito pouco conhecida, está sendo hoje ativamente revisitada ou redescoberta nas ciências sociais na França.

As ciências humanas, redescobrindo o conteúdo humano que as caracteriza, começam a escapar do causalismo próprio das ciências experimentais. A construção de uma física social sobre o modelo da física mecânica já perdeu seus atrativos. Isso se traduz, entre outras formas, pela busca de definição de um novo espaço, próprio das ciências humanas.

Nos anos 1980, ocorre nova mudança de paradigma marcada por uma orientação intelectual, em que o tema da historicidade ocupou o lugar que antes era da estrutura. Esse novo período é identificado especialmente pela reabilitação da parte explícita e reflexiva da ação. Não se trata de um simples retorno do sujeito como se imaginara antigamente na plenitude de sua soberania postulada e de uma transparência possível. Trata-se de uma reorientação da pesquisa para o estudo da consciência problematizada, e isso acontece graças a uma série de trabalhos como os da pragmática, da ciência cognitiva ou ainda dos modelos de escolha racional. No paradigma anterior, o esquema do desvelamento consistia em contornar, evitar o nível consciente para chegar diretamente até as motivações inconscientes. O novo paradigma subverte essa perspectiva, e o inconsciente deixa de ser ponto de partida para transformar-se em ponto de chegada. A mudança consiste, então, na preservação de fenômenos, ações e tudo o que parece significativo para explicar a consciência dos atores. Esse programa de investigação evita o reducionista. Trata-se de encontrar as contemporaneidades que conferem sentido pelo seu caráter conexo, sem procedimentos redutores. Essa parte explícita e refletida da ação, que volta para o primeiro plano, instala a identidade histórica no centro das interrogações, no quadro de um tríplice objeto privilegiado pelo historiador: uma história política, conceitual e simbólica renovada. O deslocamento para a parte explícita e refletida da ação tem particular importância na nova sociologia.

A nova sociologia considera que muitos de seus postulados devem ser discutidos. Em primeiro lugar, a separação radical, levada a cabo pelo paradigma crítico, entre competência científica e competência comum tem por efeito não levar a sério as ideias e as competências das pessoas comuns, cujos propósitos eram classificados como simples ilusões ideológicas. Em segundo lugar, o paradigma crítico estava animado por uma antropologia contaminada por um pessimismo implícito para o qual o interesse era o único motivo da ação. O interesse funcionou como uma alavanca em todas as iniciativas de desvelamento, de denúncia das pretensões dos atores. Em terceiro lugar, devia-se questionar o paradigma crítico que se apresentava como grade de leitura global do social capaz de tornar inteligíveis as condutas de todos os indivíduos em qualquer situação. Em quarto lugar, o paradigma estruturalista funcionava de maneira pouco coerente porque se pretendia crítico, denunciando o caráter normativo das posições dos atores, suas ilusões, suas crenças, sem desvelar seus próprios fundamentos normativos.

A crise do paradigma atual apoia-se nessas críticas para reconstruir um programa de pesquisa capaz de explicar elementos constitutivos da ação. Quando Luc Boltanski e Laurent Thévenot realizaram sua pesquisa sobre os litígios, os "casos" ou "contendas judiciais", eles formaram um importante *corpus* heteróclito. O problema, de um ponto de vista sociológico, era compreender quais condições deveriam estar presentes em uma denúncia pública para que esta pudesse ser acatada. Esse trabalho precisava discutir uma das grandes divisões do paradigma crítico, que opõe o singular ao geral. Apreender o processo de generalização, enquanto este acontece, pressupõe levar a sério os dizeres dos atores, reconhecer-lhes uma competência própria para analisar a situação. Isso foi determinante na ruptura com o paradigma crítico, pois implicou renunciar à postura denunciadora e começar a escutar os atores. A nova sociologia foi levada a questionar, como já haviam feito Bruno Latour e Michel Callon na antropologia das ciências, o que há em comum entre o conhecimento científico e a normatividade, entre o julgamento de fato e o julgamento de valor. O conhecimento comum, o senso comum, é então reconhecido como substrato de saberes e de *savoir-faire*.

A contribuição favorável da etnometodologia para esse deslocamento consistiu em pesquisar as semelhanças entre as explicações científicas e as dos próprios atores. Essa abordagem possibilitou uma subversão decisiva que transformou a crítica em objeto da sociologia. O antigo paradigma não podia tomar as operações críticas por objeto uma vez que, apoiando-se numa separação radical entre fatos e valores, colocava o sociológico ao abrigo de qualquer iniciativa crítica.

Evidencia-se novo paradigma na pesquisa de campo, no plano empírico. Mas o questionamento das grandes separações permite também reatar laços pacificadores entre filosofia e ciências humanas. O que se postula é a complementaridade entre esses dois níveis: as ciências humanas são vistas como a continuação da filosofia por outros meios, e contribuem para a realização do trabalho filosófico de constituição de uma gramática das ordens de justificação dos atores sociais. Essa nova orientação implica levar em consideração a "virada linguística" e prestar mais atenção aos discursos sobre a ação, à narração, à "intriga" das ações, sem por isso enclausurar-se na discursividade. O pesquisador deve então restringir-se a seguir, com a maior proximidade possível, os atores enquanto estes realizam seus trabalhos interpretativos. Ele leva a sério seus argumentos e as provas que trazem, sem querer reduzi-los ou desqualificá-los opondo-lhes uma interpretação mais consistente. Para realizar esse trabalho e evitar toda forma consolidada de interpretação, a nova sociologia deve realizar certo número de desvios, de investimentos rumo à filosofia analítica, à pragmática, à ciência cognitiva, à filosofia política, todos eles domínios conexos, caminhos entrecruzados que contribuem para fazer emergir um sentimento de unidade em torno da reviravolta em curso, rumo a um novo paradigma. Este pode ser qualificado de paradigma interpretativo, uma vez que visa evidenciar o lugar da interpretação na estruturação da ação ao revisitar toda a rede conceitual, todas as categorias semânticas próprias da ação: intenções, vontades, desejos, motivos, sentimentos... O objeto da sociologia passa, assim, de instituído a instituidor e reinveste os objetos do cotidiano bem como as esparsas e variadas formas da sociedade.

A hermenêutica da forma, como é concebida por Paul Ricœur, consistindo em situar-se no interior da tensão geralmente apresentada como alternativa entre explicação e compreensão, oferece um quadro de problematização particularmente fecundo para as ciências humanas. A partir de uma preocupação dialógica, essa atitude permite explorar todas as potencialidades desses dois polos, evitando ao mesmo tempo apresentá-los como expressão de uma dicotomia não superável entre aquilo que seria da alçada das ciências da natureza (explicação) e o que seria próprio das ciências do espírito (compreensão). Se por um lado essa grande divisão é recusada por Ricœur, por outro lado ele toma de Dilthey e Husserl a orientação inicial que deve partir do vivido subjetivo, de sua colocação no discurso e de seu desdobramento horizontal no universo intersubjetivo próprio da comunicação. O mundo da vida ou o mundo vivido e os diversos procedimentos de subjetivação e de socialização possíveis encontram-se, portanto, na base de um trabalho que apenas poderia reencontrar as ciências humanas no momento em que estas se interrogavam sobre o agir, vale dizer, sobre o sentido a ser atribuído à prática social.

À tendência para a filosofia da desconfiança, Paul Ricœur opõe o longo caminho sobre as condições de validação do discurso explicativo nas ciências sociais, "aquele da hermenêutica da compreensão histórica". O enxerto hermenêutico no projeto fenomenológico pressupõe um tríplice desvio, uma tríplice mediação que faz passar a busca eidética pelos signos, símbolos e textos. A atenção dada às formações discursivas não implica absolutamente fechar-se, da maneira estruturalista, no claustro do texto. Ela se faz acompanhar da superação da alternativa há muito defendida entre *língua* e *fala*, apoiando-se principalmente na teoria do enunciado de Benveniste e na atenção que deve ser consagrada à referência, a fim de reformular-se a questão do sentido.

O ponto de vista do sujeito em sua parte explícita fica assim reabilitado. Os atores não são mais ignorados em seus dizeres, suas representações, suas crenças. O que em nada impede de levar em conta, como fazem os estruturalistas, as condições e os pressupostos históricos, sociológicos e culturais, nos quais o sentido se manifesta e se desdobra.

Introdução

O êxito que o estruturalismo conheceu na França ao longo dos anos 1950 e 1960 não tem precedente na história da vida intelectual desse país. O fenômeno obteve a adesão da maior parte da *intelligentsia*, até reduzir a nada algumas resistências ou objeções que se manifestaram no período que se pode chamar de movimento estruturalista.

As razões desse êxito espetacular dependeram essencialmente do fato de que o estruturalismo se apresentou como um método rigoroso que podia trazer esperanças a respeito de certos progressos decisivos no rumo da ciência; mas também, simultaneamente, e de um modo mais fundamental, porque o estruturalismo constitui um momento particular da história do pensamento suscetível de ser qualificado como o tempo forte da consciência crítica. Essa conjunção é que permite compreender por que tantos intelectuais se reconheceram num mesmo programa que suscitou múltiplos entusiasmos, a ponto de o treinador da seleção nacional de futebol anunciar, na década de 1960, uma reorganização "estruturalista" da sua equipe a fim de melhorar os resultados.

O triunfo do paradigma estruturalista resulta, em primeiro lugar, de um contexto histórico particular marcado, desde o final do século XIX, pela progressiva tendência do Ocidente para uma temporalidade moderada. Mas também é fruto do notável desenvolvimento das ciências sociais, que se defrontaram com a dominação hegemônica da velha Sorbonne, detentora da legitimidade sábia e distribuidora das humanidades clássicas. Uma verdadeira estratégia inconsciente de superação do academismo no poder se consubstanciou então num programa estruturalista, que teve uma dupla função – de contestação e contracultura. O paradigma estrutural demonstrou sua eficácia nesse domínio ao garantir lugar a todo um saber proscrito, à margem das instituições canônicas.

Expressão da contestação, o estruturalismo corresponde, sem dúvida, a um momento da história ocidental como expressão de certa dose de autoaversão, de rejeição da cultura ocidental tradicional, de apetite de modernismo em busca de novos modelos. À glorificação de valores antigos, o estruturalismo terá oposto uma extrema sensibilidade para tudo o que foi recalcado nessa história ocidental, e não é um acaso as duas ciências-faróis do momento – a antropologia e a psicanálise – privilegiarem o inconsciente, o avesso do sentido manifesto, o reprimido, inacessível, da história ocidental.

É também o momento em que a linguística desempenha a função de ciência-piloto que orienta os passos da aquisição científica para as ciências sociais em geral. O estruturalismo terá sido, nesse plano, o estandarte dos modernos em sua luta contra os antigos. Terá sido o instrumento de uma desideologização para numerosos intelectuais comprometidos, ao ritmo das desilusões da segunda metade do século XX – conjuntura política particular marcada pelo desencanto, configuração do campo do saber que precisava fazer uma revolução para ver uma reforma ser bem-sucedida: essa conjunção permitiu ao estruturalismo ser o polo de convergência de uma geração inteira que descobriu o mundo por trás da grade estrutural.

Essa busca maior de uma saída para o desconcerto existencial teve por efeito uma tendência para ontologizar a estrutura: esta apresentou-se, em nome da Ciência, da Teoria, como alternativa para a velha metafísica ocidental. Ambição desmedida de um período que deslocava as linhas fronteiriças, os limites das figuras impostas, para aventurar-se nos caminhos mais recentes, abertos pela eclosão das ciências sociais.

Depois, subitamente, tudo foi abalado e um destino funesto golpeou o estruturalismo no início dos anos 1980. A maior parte dos heróis franceses dessa gesta épica, de fulgurante irradiação internacional, desapareceu num mesmo sopro da cena dos vivos, transferindo-se para outro palco, como se os teóricos da morte do homem se tivessem todos deixado arrebatar ao mesmo tempo por um espetacular trespasse. Nicos Poulantzas suicida-se, jogando-se de sua janela no dia 3 de outubro de 1979, após defender-se de ter traído Pierre Goldmann! Roland Barthes, após almoçar com Jacques Berque e François Mitterrand, então primeiro-secretário do Partido Socialista, é atropelado na rue des Écoles por uma camioneta de lavanderia. Sofre apenas um ligeiro traumatismo craniano, mas deixa-se morrer, segundo os testemunhos de quantos foram vê-lo no Hôpital de la Pitié-Salpêtrière; desaparece a 26 de março de 1980. Na noite de 16 de novembro de 1980, Louis Althusser estrangula sua fiel esposa Hélène. O eminente representante do mais rigoroso racionalismo é julgado e considerado irresponsável por seu ato, e vê-se hospitalizado em Sainte-Anne, antes de internar-se, graças ao seu antigo mestre de filosofia, Jean Guitton, numa clínica da região parisiense. O homem das palavras, o grande xamã dos tempos modernos, Jacques Lacan, extingue-se afásico em 9 de setembro de 1981. Passam-se alguns anos, poucos, e o vento ruim da morte volta a soprar para, dessa vez, arrebatar Michel Foucault no apogeu da popularidade e em plena atividade criativa. Escrevia uma história da sexualidade que o fustiga em cheio com a nova doença do século: a aids. Morre em 25 de junho de 1984.

Esses desaparecimentos, seu caráter incomum e quase simultâneo, acentuaram a impressão de fim de uma época. Alguns vão mesmo ao ponto de teorizar a coisa e vislumbrar, por trás da conjunção desses destinos trágicos, a revelação do impasse de um pensamento comum e geralmente chamado estruturalismo. O corte epistemológico de um pensamento especulativo com o real teria conduzido à autodestruição. É evidente que tal aproximação depende do artifício, ainda mais do que o dos anos 1960, que levava à glória midiática o banquete estruturalista: o dos quatro mosqueteiros que desta vez eram cinco: Michel Foucault, Louis Althusser, Roland Barthes, Jacques Lacan e o pai de todos eles – Claude Lévi-Strauss.

Mas esse naufrágio coletivo nem por isso deixa de representar um momento culminante na paisagem intelectual francesa. Esse desaparecimento dos mestres do pensamento, ao qual cumpre acrescentar o de Jean-Paul Sartre, inaugura um novo período de revisão e reformulação das questões fundamentais. Já um perfume de nostalgia flutuava no começo dos anos 1980, quando era comum novamente evocar essas figuras de nosso passado com um misto de distância e de fascínio, ainda mais forte, uma vez que elas acabaram sendo convertidas em heróis, em consequência do caráter excepcional do destino que lhes fora reservado. Enquanto aqui e ali havia quem se mostrasse deliciado em assinar o atestado de óbito do estruturalismo, o cadáver ainda se remexia, a crer na pesquisa de opinião realizada pela revista *Lire* em abril de 1981. À pergunta apresentada a várias centenas de escritores, jornalistas, professores, estudantes, políticos... – "Quais são os três intelectuais vivos, de ambos os sexos e de língua francesa, cujos escritos lhe parecem exercer, em profundidade, a maior influência sobre a evolução das ideias, das letras, das artes, das ciências etc.?" –, as respostas colocam em primeiro lugar, Claude Lévi-Strauss (101); na segunda posição, Raymond Aron (84); na terceira, Michel Foucault (83); e na quarta, Jacques Lacan (51)...

De onde vem o conceito de estruturalismo que suscitou tanta e tão exagerada admiração e tanto opróbrio? Derivado de estrutura (*structura* em latim, do verbo *struere*), teve no começo um sentido arquitetural. A estrutura designa "a maneira como um edifício é construído" (*Dictionnaire de Trévoux*, edição de 1771). Nos séculos XVII-XVIII, o sentido do termo "estrutura" modifica-se e amplia-se por analogia aos seres vivos: tanto o corpo do homem, percebido como uma construção em Fontenelle, quanto a língua, com Vaugelas ou Bernot. O termo assume então o sentido da descrição da maneira como as partes integrantes de um ser concreto se organizam numa totalidade. Pode abranger múltiplas aplicações (estruturas anatômicas, psicológicas, geológicas, matemáticas...). A postura estrutural só se apossou verdadeiramente do campo das ciências humanas num segundo tempo, recente, a partir do século XIX, com Spencer, Morgan e Marx. Trata-se então de um fenômeno duradouro que combina de maneira complexa as várias partes de um conjunto numa acepção mais abstrata. O termo "estrutura", ainda ausente em Hegel e pouco frequente em Marx, a não ser pelo prefácio à *Crítica da economia política* (1859), é consagrado no final do século XIX por Durkheim (*Les règles de la méthode sociologique*, 1895). A estrutura dá então origem ao que o *Vocabulaire* de André Lalande qualifica como neologismo: o estruturalismo, entre 1900 e 1926. O estruturalismo nasce nos psicólogos para opor-se à psicologia funcional no começo do século XX, mas o verdadeiro ponto de partida do método em sua acepção moderna, na escala de todas as ciências humanas, provém da evolução da linguística. Se Saussure emprega apenas em três ocasiões o termo "estrutura" no *Curso de linguística geral*, é sobretudo a Escola de Praga (Trubetzkoy e Jakobson) que difundirá o uso dos termos estrutura e estruturalismo. A referência ao termo estruturalismo como programa fundador, tendência especificada por seu método de abordagem, é reivindicada pelo linguista dinamarquês Hjelmslev, que fundou em 1939 a revista *Acta linguística*, cujo primeiro artigo trata de "linguística estrutural". A partir desse núcleo linguístico, o termo provocará uma verdadeira revolução de todas as ciências humanas em pleno século XX. Elas pensarão que adquiriram aí a sua ata de batismo científico.

Milagre ou miragem? A história das ciências não é a do cemitério de suas teorias? Isso não significa, em absoluto, que cada etapa ultrapassada deixa de ter eficiência, mas, simplesmente, que um programa perde a sua fecundidade, e que ele se abre então para uma necessária renovação metodológica. No caso do estruturalismo, essa mutação corre o risco, entretanto, de voltar a cair nas armadilhas que o método precedente evitava; daí a necessidade de restituir-lhe toda a riqueza, toda a fecundidade, antes de estabelecer-lhe os limites. É essa aventura que vamos acompanhar, pois os seus precursores, apesar dos obstáculos, permitiram lançar sobre a sociedade humana um olhar diferente, a tal ponto que não é mais possível pensar como se essa revolução nunca tivesse ocorrido.

Fragmento da nossa história intelectual, o momento estruturalista inaugurou um período particularmente fecundo da investigação nos domínios das ciências humanas – história cuja reconstituição é complexa, pois os contornos da referência estruturalista são sobremaneira vagos, difusos. Para ter acesso às principais orientações do período, cumpre reconstituir a pluralidade das abordagens, das personalidades, sem reducionismo, sem deixar de procurar alguns núcleos coerentes que revelem a matriz de uma abordagem, além da multiplicidade de seus objetos e das disciplinas em questão. Estratificar os níveis, diferenciar os estruturalismos por trás do rótulo "estruturalista", trazer para a luz os compromissos essenciais, tanto teóricos quanto disciplinares, no campo intelectual. Reconstituir a riqueza de itinerários individuais que não se deixam reduzir a uma história massificante. Contingências de encontros fortuitos mas essenciais, essa história se oferece como um combinatório de conceitos e de carne. Envolve múltiplos fatores explicativos e não pode, em nenhum caso, ser reduzida a um esquema monocausal.

Existem diversas formas de aplicação do estruturalismo no campo das ciências sociais. Além do jogo das adoções recíprocas, das correspondências, de uma contiguidade que nos caberá localizar e sinalizar – segundo o conselho de Barthes aos futuros historiadores do estruturalismo –, é possível efetuar uma distinção que não oculte as fronteiras disciplinares: de um lado, um estruturalismo científico, representado principalmente por Claude Lévi-Strauss, Algirdas Julien Greimas ou Jacques Lacan e envolvendo ao mesmo tempo, portanto, a antropologia, a semiótica e a psicanálise; do outro, contíguo a essa busca da Lei, um estruturalismo mais flexível, mais ondulante e cambiante, com Roland Barthes, Gérard Genette, Tzvetan Todorov ou Michel Serres, e que se poderia qualificar como estruturalismo semiológico. Enfim, também existe um estruturalismo historicizado ou epistêmico, no qual se encontrariam inseridos Louis Althusser, Pierre Bourdieu, Michel Foucault, Jacques Derrida, Jean-Pierre Vernant e, mais amplamente, a terceira geração dos *Annales*. Mas, além dessas diferenças, pode-se identificar uma comunidade de linguagem e de objetivos que dá, por vezes, a impressão de ler o mesmo livro apesar das variações de estilo e de disciplina que separam um Barthes, um Foucault, um Derrida, um Lacan... O estruturalismo terá sido a *koïné* de toda uma geração intelectual, mesmo que não exista solidariedade de doutrina e menos ainda de escola ou de combate entre seus diversos representantes.

O esboço de periodização tampouco é simples. Ele evidencia uma clara e irresistível progressão, nos anos 1950, da referência aos fenômenos de estrutura para transformar-se, nos anos 1960, em verdadeiro modo estruturalista que se assenhoraria do essencial do campo intelectual. O ponto central de referência a partir do qual a atividade estruturalista se propaga mais fortemente em todo o campo intelectual é o ano de 1966. É o momento-farol desse período pela intensidade, pelo brilho irradiante, pela fusão do universo dos signos que realiza além de todas as fronteiras disciplinares estabelecidas. Até 1966, é o progresso que parece irresistível, a fase ascendente da atividade estruturalista. A partir de 1967, é o início do refluxo, das críticas, das tomadas de posição de distanciamento em relação ao fenômeno estruturalista incensado em prosa e verso por toda a imprensa. O refluxo precede, portanto, o evento 1968; já é latente em 1967, quando os quatro mosqueteiros não descansaram enquanto não tomaram suas distâncias em relação ao fenômeno estruturalista.

Entretanto, por trás do refluxo, o prosseguimento das investigações universitárias oferece uma outra temporalidade que não se reduz aos efeitos de moda: estes se multiplicam no próprio momento em que se acredita enterrar um cadáver, ressurgências de um programa que perdeu em brilho midiático o que ganhava em eficácia pedagógica. A temporalidade do fenômeno tampouco é unívoca; é preciso levar em conta as múltiplas defasagens entre as diversas disciplinas das ciências humanas. Algumas delas, como a linguística, a sociologia, a antropologia ou a psicanálise encontraram com o estruturalismo o meio que lhes permitiu se apoiarem num modelo científico. Outras, mais instaladas no campo universitário, mais protegidas das turbulências epistemológicas, como a história, se transformarão mais tarde, integrando o programa estruturalista no momento do seu refluxo generalizado. Defasagens temporais, flutuações disciplinares nesses jogos de troca do campo intelectual, o estruturalismo permitiu, em todo caso, encetar numerosos diálogos, multiplicar colóquios e pesquisas fecundas, dedicar uma atenção ativa aos trabalhos e progressos das disciplinas vizinhas. Um período intenso, animado por pensadores que, para muitos, procuravam articular suas investigações na base de sua prática social. Uma verdadeira revolução que ainda condiciona a nossa visão do mundo.

O período atual, que alguns denominaram a *era do vazio* e outros a da pós-modernidade, induz uma abordagem do humano em que se expõe uma oposição binária, igualmente ilusória, entre a dissolução do homem do estruturalismo e seu inverso, a divinização do homem a que hoje se assiste em reação. O homem criativo, além das limitações de seu tempo, remete para a morte do homem como seu duplo. O homem, paradigma perdido da abordagem estrutural, ressurge na sua figura narcisista contrária às ciências sociais. A grande vaga estrutural impeliu as ciências humanas para as margens que as distanciaram da historicidade. Anuncia-se um ponto de mutação no sentido de um retorno à escrita antiga em nome do declínio do pensamento, da perda dos nossos valores, do recuo para os mais recônditos escaninhos de nossa herança. Os velhos cavalos estão de volta. Reencontram-se os discretos charmes das paisagens vidalianas, os heróis da história lavissiana, as obras-primas do patrimônio nacional dos Lagarde e Michard. Além desse retorno a um certo século XIX, o recuo atual nos arrasta para os horizontes de um século XVIII em que o homem é apreendido como abstração, livre das coações do tempo, senhor do sistema jurídico-político em que se realiza a sua racionalidade.

Pode-se pensar, entretanto, como se a revolução copernicano-galileana, os cortes freudiano e marxista e os avanços realizados pelas ciências sociais não tivessem acontecido? Colocar em evidência os impasses do estruturalismo não deve significar voltar à idade de ouro do Iluminismo, mas, pelo contrário, um salto à frente, rumo a um futuro – o da constituição de um humanismo histórico. Nessa perspectiva, importa identificar as falsas certezas e os verdadeiros dogmatismos, os procedimentos reducionistas, mecânicos, e interrogar a validade dos conceitos transversais utilizados pelas ciências sociais fora das fronteiras disciplinares. Não se trata de fazer ressurgir uma postura abrangente do todo, um magma informal, mas de extrair do movimento browniano em curso os prolegômenos de uma ciência do homem forjada a partir de um certo número de conceitos, de níveis estruturantes operacionais.

A experiência das ciências sociais é aqui chamada a responder à emergência de um humanismo do possível, talvez em torno da figura transitória do homem dialógico. Suplantar o estruturalismo impõe um retorno a essa corrente de pensamento que difundiu amplamente o seu método no campo das ciências sociais, refazer as etapas de sua conquista hegemônica, valorizar os processos de adaptação de um método à pluralidade disciplinar das ciências do homem, apreender seus limites e impasses em que se esgotou essa tentativa de renovação do pensamento.

Para reconstituir o histórico desse capítulo intelectual francês dos anos 1950 e 1960, interrogamos as principais obras desse período confrontando-as com os pontos de vista atuais de seus autores, seus discípulos, e com a postura crítica de outras escolas e correntes. Numerosas entrevistas (integradas no *corpus* deste histórico) foram realizadas com filósofos, linguistas, sociólogos, historiadores, antropólogos, psicanalistas e economistas acerca do lugar do estruturalismo em seus respectivos trabalhos de pesquisa, de sua contribuição e dos meios eventuais de sua superação. Essa investigação[1] revela, além da diversidade de pontos de

1 Organizada em dois volumes, correspondentes às duas fases da aventura estruturalista: a ascensão (v.1: O *campo do signo, 1945-1966*) e o declínio (v.2: O *canto do cisne, de 1967 aos nossos dias*).

vista, a importância central do fenômeno estruturalista e permite tentar a sua periodização.

Ir sempre mais longe na perspectiva de desconstrução da metafísica ocidental, levar a fissura até os fundamentos da semiologia, esvaziar todo o significado, todo o sentido, para fazer circular melhor um Significante puro: semelhante modo de crítica pertence a um momento da história ocidental de autoaversão do qual se saiu graças a uma progressiva reconciliação da *intelligentsia* com os valores democráticos. Mas essa evasão da era crítica não pode significar um simples retorno ao que a precedeu, pois o olhar sobre o outro, sobre a diferença, viu-se irremediavelmente transformado e requer, portanto, esse retorno a um período no qual um certo número de descobertas faz parte de um saber incontornável no conhecimento do homem.

PARTE 1

OS ANOS 1950

O PERÍODO ÉPICO

I

O eclipse de uma estrela
Jean-Paul Sartre

Para triunfar, o estruturalismo devia, como em toda tragédia, matar. Ora, a figura tutelar dos intelectuais do pós-guerra era Jean-Paul Sartre. Desde a Libertação, ele obtivera uma repercussão muito particular ao fazer a filosofia descer para a rua. Mas esta, pouco a pouco, lhe devolverá o rumor persistente de temas novos sustentados por uma geração ascendente, a qual progressivamente o encaminhará para a margem da estrada.

Nos anos 1950, decisivos para o que se denominará mais tarde o fenômeno estruturalista, Sartre conhece uma série de rupturas tão dolorosas quanto dramáticas que, ao longo dos anos, o isolarão, apesar do seu inegável sucesso público. Uma das razões desses dilaceramentos resulta, de fato, da sua vontade de apagar seus anos de apolitismo, de cegueira, nos quais se encerrara, e que o tornaram surdo e mudo perante a escalada do horror nazista, desatento e indiferente às lutas sociais dos anos 1930. Mordido na nuca pela sua própria história, Sartre procura superar essas lacunas do seu passado ligando-se de perto ao Partido Comunista Francês em 1952, em plena Guerra Fria, no mesmo momento em que toda uma geração de intelectuais começa a distanciar-se cada dia mais do partido em face das sucessivas revelações do que se passa na União Soviética. Explodirá e fragmentar-se-á a bela unidade que reinava ao tempo do *Rassemblement* democrático revolucionário que permitira reunir na mesma tribuna da Sala Pleyet, em 13 de dezembro de 1948, em torno do tema "O internacionalismo do espírito", André Breton, Albert Camus, David Rousset, Jean-Paul Sartre e muitos outros intelectuais.[1]

Começou então a era das rupturas para Sartre. As turbulências da Guerra Fria, com efeito, afetarão a equipe de *Les Temps Modernes*. "Não desesperar Billancourt" custará muito caro a Sartre, que se separa em 1953 de um colaborador essencial, pilar da revista, Claude Lefort, numa polêmica ácida.[2] Essa polêmica acontece após duas outras rupturas importantes, com Camus e depois com Etiemble, e precede aquela que oporá Sartre a um de seus amigos mais íntimos, membro de *Les Temps Modernes* desde a primeira hora, Maurice Merleau-Ponty. O par Sartre/Merleau-Ponty funcionara sem percalços até então, a ponto de "serem até, durante um certo tempo, substituíveis um pelo outro sem se notarem grandes diferenças".[3] Merleau-Ponty abandona *Les Temps Modernes* no verão de 1952 e, pouco depois, em 1955, publica *Les aventures de la dialectique*, em que denuncia o voluntarismo ultrabolchevista de Sartre. Mesmo que outras aventuras se preparem sem Sartre, o fascínio que ele exerce sobre a jovem geração continua muito forte: "Não éramos poucos, nos anos 1950, no meu liceu, a quem O *ser e o nada* fazia bater forte o coração", escreve Régis Debray.[4] Entretanto, o existencialismo é contestado, e o duelo oratório que opõe Sartre a Althusser em 1960 na École Normale Supérieure (ENS) de Ulm, na presença de Jean Hyppolite, Georges Canguilhem e Maurice Merleau-Ponty, termina, no dizer do próprio Régis Debray, que se preparava então para o concurso do magistério, a favor de Louis Althusser. Sartre, apesar de sua glória, figurará como valor do passado, encarnação das esperanças frustradas da Libertação, sua imagem colar-se-á à pele dele até ser ele próprio sua primeira vítima.

O eclipse da estrela sartriana, se é resultante de fatores políticos, também está ligado ao surgimento de uma nova configuração no campo intelectual: a ascensão das ciências humanas reivindicando um espaço institucional a fim de permitir a expressão de uma terceira via entre a

1 Ory; Sirinelli, *Les intellectuels en France, de l'affaire Dreyfus à nos jours*, p.166.
2 *Les Temps Modernes*, n.89, abr. 1953, "Le marxisme de Sartre", por Lefort, "Réponse à Claude Lefort", por J.-P. Sartre.
3 Cohen-Solal, *Sartre*, p.447.
4 Debray, *Le Nouvel Observateur*, 21 abr. 1980.

literatura e as ciências exatas. Daí resultou um deslocamento das interrogações que Sartre não acompanharia, absorvido como estava em seu esforço de recuperação política e fiel à sua posição de filósofo. Esta só lhe valeu até aí satisfações e reconhecimento, e ele permaneceu alheio às mutações em curso. Se Sartre se interroga em 1948, *O que é a literatura?*, é para formular a questão do autor e de seu público, de suas motivações, mas pressupõe estabelecida a singularidade, a existência da literatura. Ora, é justamente esse postulado que será posto em dúvida e contestado no final dos anos 1950.

O desmoronamento da figura tutelar de Sartre provocará uma crise, um momento de incerteza, de dúvida, nos filósofos que utilizarão especialmente as ciências sociais ascendentes para apurar seu questionamento crítico. Essa interrogação contesta o existencialismo como filosofia da subjetividade, como filosofia do sujeito. O homem sartriano só existe pela intencionalidade de sua consciência, condenado à liberdade porque "a existência precede a essência". Somente a alienação e a má-fé obstruem os caminhos da liberdade. Roland Barthes, que se definiu como sartriano no imediato pós-guerra, pouco a pouco se desligará de sua filosofia a fim de participar plenamente da aventura estruturalista. O sujeito, a consciência, apagar-se-ão em proveito da regra, do código e da estrutura.

Jean Pouillon: o homem do meio

Uma personagem simboliza, simultaneamente, essa evolução e a tendência para conciliar o que pode parecer antinômico: é Jean Pouillon. Companheiro íntimo de Sartre, ele se converterá na única ponte que permite a ligação entre *Les Temps Modernes* e *L'Homme*, ou seja, entre Sartre e Claude Lévi-Strauss. Jean Pouillon conheceu Sartre muito cedo, em 1937, e os dois homens cultivaram uma amizade recíproca e sem sombras até o fim, apesar dos diferentes rumos intelectuais. Sua carreira é, no mínimo, singular:

> Eu era professor de filosofia durante a guerra e depois, em 1945, Sartre perguntou-me se me divertia ocupar-me da filosofia. Respondi-lhe que

> bancar o bufão diante dos alunos não é de todo desagradável, mas o chato era corrigir as provas e ser mal pago. Ele me disse então que fosse ver um amigo normalista que tinha descoberto algo que existe ainda: o indicador analítico das Atas das Sessões da Assembleia Nacional. Em virtude da separação dos poderes, o Legislativo, ao votar o seu próprio orçamento, é mais generoso para com os seus próprios funcionários do que com os outros poderes. Recebem melhores salários e têm, em geral, seis meses de férias por ano. Fui aprovado no concurso realizado naquele momento e, ao mesmo tempo, fazia o que gostava: escrever em *Les Temps Modernes*. Foi por isso, sem dúvida, que Claude Lévi-Strauss me pediu que me ocupasse de *L'Homme* em 1960, porque não estava absorvido por uma carreira no ensino. Eu não fazia sombra a ninguém e, ao mesmo tempo, ninguém me fazia sombra.[5]

Jean Pouillon ignora por completo a etnologia até o instante em que é publicado, em 1955, *Tristes tropiques*. Sartre está entusiasmado e sugere a Jean Pouillon, no comitê de redação de *Les Temps Modernes*, que se encarregue de escrever o comentário sobre o livro: "E por que não você?". Em vez de dedicar-lhe um simples artigo elogioso sobre a qualidade do livro, Jean Pouillon empolga-se e decide escrever um verdadeiro estudo, interrogando-se mais sobre a evolução do pensamento de Claude Lévi-Strauss do que sobre o seu ponto culminante: *Tristes tropiques*. Lê então tudo o que Claude Lévi-Strauss publicou até então, *Les structures élémentaires de la parenté* e os artigos que só mais tarde aparecerão sob a forma de livro (1958) com o título geral de *Anthropologie structurale*. Portanto, o artigo de Jean Pouillon transcende o âmbito de uma resenha; procura determinar a posição exata da obra de Claude Lévi-Strauss, e seu ensaio é publicado em 1956 em *Les Temps Modernes*.[6]

O que parecia ser à primeira vista um desvio fortuito, uma evasão momentânea para outras latitudes, se tornará, para Jean Pouillon e para toda uma geração, o compromisso de uma vida, uma existência voltada

5 Jean Pouillon, entrevista com o autor.

6 Pouillon, L'œuvre de Claude Lévi-Strauss. *Les Temps Modernes*, n.126, jul. 1956, reimpresso em: *Fétiches sans fétichisme*.

para as novas interrogações, mais antropológicas, e que abandonarão a filosofia clássica. Jean Pouillon descobre o questionamento sobre a alteridade – como "É enquanto essencialmente outro que o outro deve ser visto"[7] – e assume a postura estrutural que permite a ultrapassagem do empirismo, do descritivo, do vivenciado. Ele encontra em Claude Lévi-Strauss um modelo rigoroso em que o racional permite construir "relações matematizáveis".[8] Adere totalmente à posição de Claude Lévi-Strauss, que visa conceder predominância ao modelo linguístico a fim de permitir transpor os resíduos da estreita ligação entre observador e objeto observado: "Dizia Durkheim que era preciso tratar os fatos sociais como coisas [...]. Cumpria, portanto, parafraseando Durkheim, tratá-los como palavras".[9]

É a uma verdadeira conversão a que se assiste em meados da década de 1950, com uma pequena ressalva quando Jean Pouillon retoma os argumentos de Claude Lefort sobre a relegação em vez do segundo plano da historicidade de Claude Lévi-Strauss. Nesse nível, ele se mantém fiel às posições sartrianas sobre a dialética histórica e opõe à lógica sincrônica do jogo de xadrez a diacrônica do jogo de *bridge*. Excetuando-se essa ressalva, a dupla adesão ao estruturalismo e à antropologia é total e, a partir daí, Jean Pouillon assiste aos seminários de Claude Lévi-Strauss na quinta seção da École des Hautes Études. De um comentário crítico passou-se a uma escolha de existência, e Jean Pouillon não resistiu ao apelo dos Trópicos. Obtém alguns recursos e parte em 1958 para o Chade, a conselho de Robert Jaulin, que lhe apresenta esse país como uma terra ainda inexplorada no plano etnológico.

Estaria Sartre ciente de que serrava o ramo sobre o qual se sentava? Certamente não, como explica Jean Pouillon:[10] Sartre enganava-se sobre a importância de *Tristes tropiques*, que lhe tinha agradado pela valorização da presença do observador na observação e da comunicação instituída com os indígenas. Sensível a uma etnologia mais compreensiva do que explicativa, é a esse mal-entendido que se deve a conversão de Jean Pouillon, que a isso chama gentilmente "a fecundidade dos

---

7 Idem, *Fétiches sans fétichisme*, p.301.
8 Ibidem, p.307.
9 Ibidem, p.312.
10 Idem, *Séminaire de Michelizard*, Laboratoire d'anthropologie sociale, 24 nov. 1988.

mal-entendidos": No Chade, Pouillon estuda sete ou oito grupos, no máximo de dez mil pessoas cada um, e identifica organizações sempre diferentes, uma repartição nunca semelhante das competências político-religiosas; em contrapartida, "o vocabulário, o léxico era sempre o mesmo, idêntico".[11] Para tornar inteligíveis essas diferenças, o recurso à estrutura era passagem obrigatória, não como realizada na vida concreta de tal ou tal grupo, mas como possibilidade de permuta, como lógica própria dessa gramática que permite compreender diversas realizações possíveis.

Em 1960, quando foi lançado o primeiro volume da *Critique de la raison dialectique*, Claude Lévi-Strauss, que tem ao seu alcance o melhor especialista em pensamento sartriano, convida-o a fazer no seu seminário uma apresentação daquela obra. Jean Pouillon consagra então três seminários de duas horas à leitura da *Critique de la raison dialectique*, e, sinal do interesse que Sartre continua suscitando, essas sessões que geralmente não mobilizavam mais que umas trinta pessoas se transformaram numa "multidão compacta que invadiu a sala, onde reconheci a presença de pessoas como Lucien Goldmann".[12] Se Jean Pouillon procurava conciliar Sartre e Claude Lévi-Strauss, deve ter experimentado uma certa decepção quando a resposta do segundo à *Critique de la raison dialectique* foi publicada em 1962, no final de *La pensée sauvage*. O ataque é violento, voltaremos a falar dele, mas isso não desesperou Pouillon que, em 1966, cotejará as duas obras em *L'Arc*, apresentando-as como complementares e incomensuráveis, ponto de vista que ele conserva ainda hoje: "É agradável dar atenção a um ou a outro sem perturbações de visão, pois quando um está presente, o outro não".[13]

Se Jean Pouillon se converteu a uma ciência humana promissora, a antropologia, Sartre, por sua vez, permaneceu muito distante, em face dos múltiplos desafios das diversas ciências humanas. A filosofia da consciência, do sujeito, levou-o a considerar a linguística uma ciência menor e a evitá-la quase sistematicamente. A psicanálise dificilmente se concilia com a sua teoria da má-fé, da liberdade do sujeito e, em *L'Être*

11 Jean Pouillon, entrevista com o autor.

12 Idem apud Cohen-Solal, *Sartre*, p.502.

13 Pouillon, *Séminaire de Michel Izard*, Laboratoire d'anthropologie sociale, 9 fev. 1989.

et le Néant (1943), considera Freud o instigador de uma doutrina mecanicista. Ele terá, porém, de penetrar no labirinto freudiano de um modo inteiramente imprevisto e até arriscado. Em 1958, Sartre é contatado por John Houston, que lhe encomenda um roteiro sobre Freud. Essa encomenda hollywoodiana obriga Sartre a ler toda a obra de Freud, assim como a sua correspondência. Em 15 de dezembro de 1958, envia a John Houston uma sinopse de 95 páginas e um ano mais tarde conclui o roteiro. Mas os dois homens se desentenderão, pois Houston quer que Sartre torne seu roteiro mais leve; acha-o excessivamente pesado e enfadonho, mas Sartre amplia-o cada vez mais e acaba por retirar seu nome dos créditos do filme *Freud, paixão secreta*. Portanto, Sartre se familiarizou com o freudismo no final dos anos 1950, mas, embora a psicanálise retenha pouco a pouco o seu interesse, ele permanecerá fechado para a noção central do inconsciente, a partir do postulado de que um homem pode ser integralmente compreendido na práxis, o que tentará demonstrar com o seu *Flaubert*, obra também inacabada. Não existia lugar, por certo, onde colocar juntos "esses dois canibais"[14] que são Sartre e Claude Lévi-Strauss, sem correr o risco de um comer o outro. Na falta de lugar, a história permitiu a um homem, Jean Pouillon, tornar impossível toda e qualquer tentativa de antropofagia.

A crise do intelectual engajado

O terceiro aspecto que se contestará em Sartre é sua concepção do intelectual engajado, tradição francesa que remonta ao processo Dreyfus e que Sartre encarna de maneira magnífica até o momento em que se restringe a autoridade do intelectual que não pode continuar manifestando o seu ponto de vista sobre qualquer domínio, mas deve ater-se estritamente ao seu campo de especialidade. O trabalho crítico do intelectual será considerado mais limitado, mais circunstanciado, mas ganhando em pertinência o que perde em possibilidades de intervenção. Essa retração da participação do intelectual em nome da

14 Ibidem.

racionalidade corresponde também a um desinvestimento e até mesmo a uma recusa da história *lato sensu*: "O estruturalismo surge uma dezena de anos após o fim da guerra; ora, a guerra terminou num mundo imobilizado. O ano de 1948 é a ameaça de uma repetição, dois blocos se defrontam, um gritando Liberdade, o outro gritando Igualdade. Tudo isso contribuiu para uma denegação da história".[15]

Duas grandes figuras do estruturalismo exprimem perfeitamente esse distanciamento em relação ao engajamento sartriano: Georges Dumézil e Claude Lévi-Strauss. Quando se lhe pergunta se nunca se sentiu próximo da tradição do intelectual engajado, Georges Dumézil responde: "Não, sinto até uma espécie de repulsa pelas pessoas que detêm esse papel. Por Sartre, em particular".[16] Esse desengajamento provém aqui de uma abordagem fundamentalmente reacionária que nada mais espera do futuro e encara o mundo com uma nostalgia incurável pelo passado mais longínquo: "O princípio não simplesmente monárquico, mas dinástico, que coloca o mais alto cargo do Estado ao abrigo de caprichos e ambições parecia-me, e continua parecendo-me, preferível à eleição generalizada em que vivemos desde Danton e Bonaparte".[17] Verifica-se o mesmo recuo diante de toda e qualquer tomada de posição na atualidade, de toda e qualquer adesão partidária, em Claude Lévi-Strauss, que à mesma pergunta sobre engajamento respondeu: "Não, eu considero que a minha autoridade intelectual, na medida em que se me reconheça possuir alguma, repousa na soma de trabalho, nos escrúpulos de rigor e de exatidão".[18] E compara a situação de Victor Hugo, que podia julgar-se capaz de dominar todos os problemas de sua época, à situação do intelectual no período atual, complexo e fragmentado demais para que se possa pretender apenas um único referencial de um só compromisso. É a figura do filósofo que se apaga então como sujeito questionador, como sujeito da problematização do mundo em sua diversidade. Com ela, é Sartre que se distancia e deixa o campo livre para as ciências humanas classificatórias e frequentemente deterministas.

---

15 Georges Balandier, entrevista com o autor.
16 Dumézil, *Entretiens avec D. Éribon*, p.204.
17 Ibidem, p.208.
18 Lévi-Strauss, *De près et de loi*, p.219.

2

O NASCIMENTO DE UM HERÓI
CLAUDE LÉVI-STRAUSS

O estruturalismo identificar-se-á rapidamente com um homem: Claude Lévi-Strauss. Num século em que a divisão do trabalho intelectual se limita a um saber cada vez mais fragmentado, ele foi tentado a apostar na realização do equilíbrio entre o sensível e o inteligível. Dividido entre a vontade de reconstruir as lógicas internas, subjacentes ao real, e uma sensibilidade poética que o liga fortemente ao mundo da natureza, Lévi-Strauss concebeu grandes sínteses intelectuais inspirado no modelo das partituras musicais.

Nascido em 1908, o seu meio familiar colocou-o sempre no âmago da criação artística. Descendente de um bisavô violinista, de pai e tios pintores, passa todas as suas horas de ócio, durante a adolescência, esquadrinhando antiquários e descobre, exultante, ele o citadino, uma natureza exótica quando seus pais compram uma casa nas montanhas das Cévennes. Percorre os campos em longas caminhadas de dez a quinze horas. É essa dupla paixão, a arte e a natureza, que marcará esse homem de entre-dois-mundos, seu pensamento em ruptura, a ambição essencialmente estética de sua obra. Entretanto, recusa-se a ceder à sedução que sua sensibilidade lhe propicia e, sem renegá-la, aspira a contê-la mediante a construção de grandes sistemas lógicos. É aí que vamos reconhecer sua dedicação infinita ao seu programa estrutural inicial, além das flutuações dos modos.

Seu interesse pelo mundo da natureza soma-se, desde muito cedo, a uma abertura para o mundo social. Já no liceu engaja-se no combate socialista. Adquire ainda cedo um conhecimento profundo da obra de Marx graças a um jovem socialista belga, Arthur Wanters, convidado num verão para a casa de sua família e que o faz ler Marx aos 17 anos: "Marx fascinou-me de imediato [...]. Não demorei muito a mergulhar na leitura de *O capital*".[1] Mas foi sobretudo nos preparatórios para o curso normal superior, no grupo de estudos socialistas, sob a influência de Georges Lefranc, que Lévi-Strauss deu uma base sólida ao seu engajamento. Multiplica as intervenções e declarações, a ponto de assumir importantes responsabilidades em 1928, quando foi eleito secretário-geral da Federação dos Estudantes Socialistas. Nesse final dos anos 1920, é também secretário de um deputado socialista, Georges Monnet, mas em 1930 deve abandonar essas pesadas responsabilidades a fim de preparar-se para o concurso de magistério superior em filosofia. Não se sente entusiasmado. Todos os seus professores, Léon Brunschvicg, Albert Rivaud, Jean Laporte, Louis Bréhier, deixam-no fundamentalmente insatisfeito: "Passei por tudo aquilo um pouco como um zumbi".[2] Isso em nada ofuscou o brilho com que foi aprovado em 1931, obtendo o terceiro lugar no concurso para docente de filosofia.

O seu engajamento socialista logo muda subitamente: um pequeno acidente e uma carta esperada que não chega seriam o motivo. Enquanto foi pacifista, o traumatismo de 1940, da "*drôle de guerre*" ou da "estranha derrota", como a chamava Marc Bloch, prevalece sobre o engajamento político. Extrai daí a ideia de que é perigoso "encerrar as realidades políticas no quadro de ideias formais".[3] Não se recuperará dessa decepção e não voltaremos a vê-lo num engajamento político qualquer, mesmo que, além de suas declarações, a sua posição de etnólogo tenha em si uma dimensão política. Mas essa mutação é importante, e, em vez de lançar seu olhar para o mundo vindouro, Lévi-Strauss se volta, nostálgico, para o passado, mesmo correndo o risco de parecer anacrônico, deslocado no tempo à maneira de Dom Quixote, que foi a sua paixão desde os 10 anos.

---

1 Lévi-Strauss, *De près et de loin*, p.15.

2 Ibidem, p.19.

3 Idem, entrevista com J.-M. Benoist, *Le Monde*, 21 jan. 1979.

A atração do longínquo

Sua carreira de etnólogo começa, como nos conta em *Tristes tropiques*, num domingo de outono de 1934, com um telefonema de Céléstin Bouglé, diretor da École Normale Superieure, que lhe propôs apresentar sua candidatura como professor de sociologia da Universidade de São Paulo. Céléstin Bouglé acreditava piamente que os subúrbios de São Paulo estavam coalhados de índios e sugeriu a Lévi-Strauss dedicar-lhes os seus fins de semana. Parte, portanto, para o Brasil, não para buscar aí o exotismo – "Detesto as viagens e os exploradores" –,[4] mas para abandonar a filosofia especulativa e converter-se definitivamente a uma jovem disciplina ainda muito marginal – a antropologia. Já havia nessa época um exemplo desse tipo de conversão, é o caso de Jacques Soustelle. Ele organiza uma exposição em Paris com o que conseguira reunir em dois anos e obtém recursos que lhe permitem montar uma expedição aos nhambiquara. Seus trabalhos começam a ser notados num reduzido círculo de especialistas, especialmente por Robert Lowie e Alfred Métraux. Mas, tendo voltado em 1939 à França, Lévi-Strauss tem de partir de novo, dessa vez para o exílio, a fim de escapar à ocupação alemã. Recebe um convite da New School for Social Research de Nova Iorque, no âmbito de um vasto plano de resgate dos homens de saber europeus, criada pela Fundação Rockefeller.

Cruza, pois, o Atlântico num navio pouco confiável, o Capitaine Paul-Lemerle, tendo por companheiros aqueles que os policiais qualificavam de escória: André Breton, Victor Serge, Anna Seghers... Assim que pisou a terra americana e se apresentou à New School, fizeram Lévi-Strauss compreender que deveria mudar de nome; passaria daí em diante a chamar-se, enquanto permanecesse nos Estados Unidos, Claude L. Strauss, a fim de evitar toda a confusão com a marca de jeans: "É raríssimo passar-se um ano sem que eu receba, em geral da África, uma encomenda de *jeans*".[5] À margem desses incômodos um tanto burlescos, Nova Iorque torna-se o lugar decisivo da elaboração de uma antropologia estruturalista, graças a um encontro decisivo entre Lévi-Strauss

4 Idem, *Tristes tropiques*, p.3.
5 Idem, *De près et de loin*, p.47.

e seu colega linguista da New School, Roman Jakobson, exilado como ele, que dá aulas de fonologia estrutural em francês. Esse encontro será particularmente fecundo, tanto no plano intelectual quanto no afetivo. Uma cumplicidade amistosa nasce desse momento e jamais será desmentida. Jakobson assiste aos cursos de Lévi-Strauss sobre o parentesco, e este acompanha os cursos de Jakobson sobre o som e o sentido: "Os seus cursos eram um deslumbramento".[6] É da simbiose de suas investigações respectivas que nascerá a antropologia estrutural. Aliás, é a conselho de Jakobson que Lévi-Strauss começa a redigir em 1943 a sua tese que se converterá em obra essencial: *Les structures élémentaires de la parenté*.

De volta à França em 1948, Lévi-Strauss assume algumas responsabilidades temporárias: professor de pesquisa no Centre National de la Recherche Scientifique, depois subdiretor do Musée de l'Homme. É eleito, finalmente, graças ao apoio de Georges Dumézil, para a quinta seção da École Pratique des Hautes Études (Ephe), ocupando a cátedra de "Religiões dos povos não civilizados", denominação que ele modifica rapidamente, em consequência de discussões com ouvintes negros. "Não se podia dizer que pessoas que vinham debater comigo na Sorbonne eram não civilizadas!"[7] A sua cátedra adota então o título de "Religiões dos povos sem escrita".

A ambição científica

O estruturalismo em antropologia não nasceu, contudo, por geração espontânea do cérebro de um cientista. É a resultante de uma situação particular da antropologia nascente e, de um modo mais amplo, do avanço do conceito de ciência no domínio do estudo das sociedades. Nesse plano, e mesmo que Lévi-Strauss se distancie e inove, o estruturalismo inscreve-se na filiação positiva de Auguste Comte, do seu cientificismo, e não do otimismo comtiano que vê na história da humanidade um progresso da espécie por etapas até chegar à idade positiva; mas a ideia de que um conhecimento só se reveste de interesse se inspirar-se no

6 Ibidem, p.64.
7 Idem, *De près et de loin*, p.81.

modelo da ciência, ou se conseguir transformar-se em ciência, em teoria, é uma ideia comtiana bem-sucedida: "Nesse plano, há uma fuga diante da filosofia tradicional",[8] característica no percurso de Lévi-Strauss. A outra vertente da influência comtiana está associada à globalidade de sua ambição, ao seu "holismo".[9] Encontramos em A. Comte a mesma condenação da psicologia que se verifica mais tarde em Lévi-Strauss. No campo da sociologia em gestação no começo do século XX, Durkheim é o herdeiro dessa ambição globalizante, limitando o seu objeto à ciência do homem. Embora Lévi-Strauss tenha partido para o Brasil, seduzido pela etnologia que se rebelava contra Durkheim, uma vez que este último não era homem de pesquisas de campo, a sua cultura sociológica não pôde deixar de ser alimentada, nos anos 1930, pelo durkheimismo. E pode-se dizer, portanto, como Raymond Boudon, que "do lado dos antropólogos, o holismo foi um pouco chupado na mamadeira".[10]

Para Durkheim, assim como para A. Comte, a sociedade constitui um todo irredutível à soma de suas partes. É sobre essa base que se constituirá a disciplina sociológica. O êxito crescente da noção de sistema, depois da noção de estrutura, encontra-se vinculado ao conjunto das mutações científicas das diversas disciplinas na virada do século, principalmente à sua capacidade para explicar a interdependência dos elementos constitutivos do seu objeto próprio. Essa mutação afetou tanto a sociologia quanto a linguística, a economia tanto quanto a biologia... Portanto, Lévi-Strauss não pode deixar de situar-se na filiação durkheimiana. Aliás, não retomou ele, em 1949, o desafio de F. Simiand de 1903 contra os historiadores? Entretanto, o encaminhamento de Lévi-Strauss é o inverso do adotado por Durkheim. No momento em que escreve *Les règles de la méthode*, Durkheim escolhe privilegiar os materiais dos historiadores, as fontes escritas, e desconfia das informações reunidas pelo etnógrafo. Estamos em plena era do positivismo histórico. Só tardiamente, por volta de 1912, Durkheim coloca os dois métodos, histórico e etnográfico, no mesmo plano, mudança acelerada pela fundação de *L'Année sociologique*. Em contrapartida, para Lévi-Strauss, que iniciou suas minuciosas pesquisas de campo no Brasil, a

8 Francine Le Bret, entrevista com o autor.

9 Raymond Boudon, entrevista com o autor.

10 Ibidem.

observação vem em primeiro lugar, anterior a toda construção lógica, a toda conceitualização. A etnologia é para ele, em primeiro lugar, uma etnografia: "A antropologia é, acima de tudo, uma ciência empírica... O estudo empírico condiciona o acesso à estrutura".[11] A observação não é, certamente, um fim em si – Lévi-Strauss se baterá também contra o empirismo –, mas um indispensável estágio inicial.

Contra o funcionalismo e o empirismo

O primeiro grande objeto de estudo de Lévi-Strauss, a proibição do incesto, é aliás a ocasião para que ele se distancie do que Durkheim havia dito em relação ao mesmo tema.[12] Em face de uma explicação que remete a origem da proibição do incesto a uma mentalidade já ultrapassada, a um medo do sangue menstrual, a crenças obsoletas e, portanto, a uma relação de heterogeneidade com a nossa modernidade, Lévi-Strauss, que não se satisfaz com uma delimitação do fenômeno a uma área geográfica e a uma era temporal, busca, pelo contrário, raízes atemporais, universais, que elucidam a permanência dessa interdição. Se Lévi-Strauss se situa na filiação de Auguste Comte, de Émile Durkheim e de Marcel Mauss, não se deve esquecer o papel importante que Marx desempenhou para ele. Já vimos que teve de Marx um conhecimento precoce e profundo, que alimentou na época o seu militantismo. Marx é apresentado como uma de suas "três amantes":[13] com Freud e a geologia. Assimila dos ensinamentos de Marx que as realidades manifestas podem não ser as mais significativas e que compete ao investigador construir modelos a fim de ter acesso aos fundamentos do real e ultrapassar a aparência sensível: "Marx nos ensinou que as ciências sociais não se constroem no plano dos acontecimentos do mesmo modo que a física não se sustenta em dados da sensibilidade".[14]

Fiel ao ensinamento de Marx, defende-se, numa estrita ortodoxia, de querer ocultar o papel determinante das infraestruturas, embora

11 Lévi-Strauss, *Le regard éloigné*, p.145.
12 Durkheim, La prohibition de l'inceste. *L'Année Sociologique*, v.I, 1898.
13 Lévi-Strauss, *Tristes tropiques*, p.44.
14 Ibidem, p.49.

seu intuito seja construir uma teoria das superestruturas: "Não pretendemos, de forma nenhuma, insinuar que transformações ideológicas engendram transformações sociais. A ordem inversa é a única verdadeira".[15] É certo que, com o passar dos anos, a impregnação marxista, o diálogo subjacente com Engels, tudo isso desaparecerá... Mas no ponto de partida, no Brasil, ele se apresenta sobretudo como marxista. A esse propósito, diz a Éribon que os brasileiros ficaram decepcionados por ver chegar um sociólogo não durkheimiano. Que outra coisa se poderia ser na época senão durkheimiano? "Eu apostava que ele era marxista. Estivera prestes a tornar-se o filósofo oficial da Seção Francesa da Internacional Operária (SFIO) [...]. Manifestamente, passou-se alguma coisa no Brasil que fez com que ele mudasse muito; deve ter sido o contato com o campo, mas não unicamente isso."[16]

Em confronto com o território da antropologia, Lévi-Strauss recusa os dois caminhos que se lhe oferecem como as únicas possibilidades de pesquisa nesse domínio: o evolucionismo ou o difusionismo, e o funcionalismo. Admira, sem dúvida, a qualidade do trabalho de campo de Malinowski, seus estudos sobre a vida sexual na Melanésia ou sobre os argonautas, mas denuncia neles o culto do empirismo e seu funcionalismo: "A ideia de que a observação empírica de uma sociedade qualquer permite atingir motivações universais aparece nela [na obra de Malinowski], constantemente, como um elemento de corrupção que corrói e diminui o alcance de notações, das quais se conhece, aliás, a vivacidade e a riqueza".[17] O funcionalismo de Malinowski, no entender de Lévi-Strauss, cai na armadilha da descontinuidade, da singularidade. Ao confundir estruturas sociais e relações sociais visíveis, essa análise mantém-se à superfície das coisas e passa, portanto, à margem da essencialidade dos fenômenos sociais. Assim, a respeito da proibição do incesto, Malinowski não ultrapassa as considerações de ordem biológica sobre a incompatibilidade dos sentimentos parentais e das relações amorosas. Um pouco mais próximo de uma abordagem estrutural, Radcliffe-Brown já utilizara o conceito de estrutura social a propósito do estudo dos sistemas de parentesco australianos. Procurou classificar de maneira sistemática,

15 Lévi-Strauss, *La pensée sauvage*, p.155.
16 Philippe Descola, entrevista com o autor.
17 Lévi-Strauss, *Anthropologie structurale*, p.19.

especificar cada sistema e, depois, oferecer generalizações válidas para o conjunto das sociedades humanas: "A análise procura reduzir a diversidade (de duzentos a trezentos sistemas de parentesco) a uma ordem, qualquer que possa ser".[18] Mas Lévi-Strauss considera que a metodologia de Radcliffe-Brown continuou sendo excessivamente descritiva e empirista e que compartilha em definitivo com Malinowski uma interpretação funcionalista que não vai além da superfície dos sistemas sociais.

Ao abandonar a corrente do empirismo anglo-saxônico, Lévi-Strauss encontrará seus mestres em antropologia nos herdeiros da escola histórica alemã que se desviaram da história, defensores que são do relativismo cultural: Lowie, Kroeber e Boas, "autores frente aos quais sinto necessidade de proclamar-me em dívida".[19] Ele vê em R. H. Lowie o iniciador, aquele que, a partir de 1915, abria o caminho promissor do estudo dos sistemas de parentesco: "A própria substância da vida social pode ser, por vezes, analisada de maneira rigorosa de acordo com o modo de classificação dos pais e demais parentes".[20] Quanto a Franz Boas, Lévi-Strauss procurou imediatamente encontrar-se com ele após sua chegada a Nova Iorque. Boas dominava então a antropologia norte-americana, e seu campo de curiosidades e investigações não conhecia limites. Lévi-Strauss assistiu até ao falecimento do grande mestre, no decorrer de um almoço organizado por Boas em homenagem a Rivet, que visitava a faculdade de Columbia: "Boas estava muito alegre. No meio da conversa, empurrou violentamente a mesa e caiu para trás. Eu estava sentado a seu lado e precipitei-me para erguê-lo... Boas estava morto".[21] A mais importante contribuição de Boas e sua influência sobre Lévi-Strauss terão sido a ênfase que deu à natureza inconsciente dos fenômenos culturais e a colocação das leis da linguagem no centro da inteligibilidade dessa estrutura inconsciente. O impulso linguístico estava dado, oriundo do campo da antropologia, a partir de 1911, e favoreceria a fecundidade do encontro entre Lévi-Strauss e Jakobson.

---

18 Radcliffe-Brown, The Study of Kinship Systems. *Journal of the Royal Anthropology Institute*, p.17, 1941.

19 Lévi-Strauss, *Tristes tropiques*, p.52.

20 Lowie, Exogamy and the Classificatory Systems of Relationship. *American Anthropologist*, v.17.

21 Lévi-Strauss, *De pres et de loin*, p.58.

A importação do modelo linguístico

É nesse ponto preciso que Lévi-Strauss inova *stricto sensu*, ao transpor para a antropologia o modelo linguístico, quando até então, na França, a antropologia estava ligada às ciências da natureza, sendo dominante a antropologia física ao longo de todo o século XIX. Esses modelos das ciências da natureza estão, além disso, ao seu alcance imediato, visto que, tendo regressado à França em 1948, Lévi-Strauss é nomeado subdiretor do Musée de l'Homme. Entretanto, ele não adota esse enfoque, e vai buscar nas ciências humanas, mais precisamente na linguística, um modelo de cientificidade. Por que esse desvio criador?

> Eu tenho uma resposta para isso, que me proponho apresentar-lhe. A antropologia biológica, física, comprometeu-se tanto com os racismos de todas as espécies, que era difícil recorrer a essa disciplina e basear nela esse sonho de uma ciência geral, de uma antropologia geral que integrasse tanto o físico quanto o cultural. Houve uma liquidação histórica da antropologia física, o que provocou a economia de um debate teórico. Claude Lévi-Strauss chegou e o lugar foi limpo pela história.[22]

A ruptura realizada por Lévi-Strauss é ainda mais espetacular, visto que a filiação naturalista e biologista da antropologia francesa era amplamente dominante; essa disciplina designava a pesquisa das bases naturais do homem e se fundamentava, portanto, num determinismo essencialmente biológico. A esse respeito, a guerra deixou o terreno limpo, e Lévi-Strauss pôde então, sem risco ideológico, reapossar-se do termo antropologia, elevando a antropologia francesa ao nível do campo semântico da antropologia anglo-saxônica, alicerçando-a numa disciplina-piloto: a linguística.[23]

---

22 Jean Jamin, entrevista com o autor.

23 Lévi-Strauss, L'analyse structurale en lingustique et en anthropologie, *Word*, v.I, n.2, p.1-21, 1945; idem, Linguistique et anthropologie, *Supplement to International Journal of American Linguistics*, v.19, n.2, abr. 1953.

3

NA SUTURA NATUREZA/CULTURA

O INCESTO

De regresso à França, em 1948, Claude Lévi-Strauss defende, portanto, a sua tese, *Les structures élémentaires de la parenté*, e apresenta a sua tese complementar, *La vie familiale et sociale des Nambikwara*, perante uma banca examinadora composta por Georges Davy, Marcel Griaule, Émile Benveniste, Albert Bayet e Jean Escarra. A publicação da tese em livro no ano seguinte[1] é um dos mais importantes acontecimentos da história intelectual do pós-guerra e a pedra angular nas fundações do programa estruturalista. Quarenta anos depois, esse evento continua sendo percebido pelos antropólogos como um momento culminante de criação e inovação:

> O que me parece mais importante, fundamental, são *Les structures élémentaires de la parenté*, pelo empenho científico aí introduzido na análise da progressão social, buscando um modelo mais abrangente para explicar fenômenos que, à primeira vista, não parecem depender das mesmas categorias de análise, e pela passagem de uma problemática da filiação a uma problemática da aliança.[2]

1 Lévi-Strauss, *La vie familiale et saciale des indiens Nambikwara; Les structures élémentaires de la parenté.*

2 Marc Augé, entrevista com o autor.

Se a escola antropológica francesa conhece uma verdadeira revolução epistemológica com a publicação da tese de Lévi-Strauss, outras áreas do conhecimento, e é claro que os filósofos, também ficarão assombrados. Foi o que aconteceu na época com um jovem professor de filosofia Olivier Revault d'Allonnes: "É um momento importante, decisivo. Eu acabara de ser nomeado para um liceu de Lille, após minha aprovação no concurso para professor de filosofia em 1948, e isso foi um vislumbre fundamental. Eu via, à época, em *Les structures élémentaires de la parenté,* uma confirmação de Marx".[3] O impacto ultrapassa o pequeno círculo da antropologia, além de instalar-se duradouramente. Cerca de dez anos após a sua publicação, um jovem normalista descobre também com assombro *Les structures élémentaires de la parenté* quando ingressa na École Normale Supérieure (ENS), em 1957: Emmanuel Terray. Filósofo, ele sente, já tentado pela antropologia, necessidade de deixar a França em plena guerra colonial que reprova e contra a qual se engaja. Seu amigo, Alain Badiou, empresta-lhe então *Les structures élémentaires de la parenté,* porque era difícil adquirir o livro:

> Alain emprestou-me esse livro do qual recopiei uma centena de páginas que ainda conservo. E, quando terminei de reproduzir essas cem páginas, considerando o esforço que isso representava, Alain não pôde deixar de me dar o seu exemplar. Eis como obtive a primeira edição. Para mim, na época, e ainda creio nisso, representou um avanço comparável, no seu domínio, a *O capital,* de Marx, ou à *Interpretação de sonhos,* de Freud.[4]

Aqui, também, é a capacidade de sistematizar um domínio aparentemente entregue à incoerência total, ao empírico, o que seduz o nosso jovem filósofo, e esse fascínio confirmará para ele uma escolha de carreira e de existência: a antropologia.

3 Olivier Revault d'Allonnes, entrevista com o autor.
4 Emmanuel Terray, entrevista com o autor.

A invariante universal

Na busca de invariantes que possam explicar universais nas práticas sociais, Lévi-Strauss encontra a proibição do incesto, comportamento inalterável apesar da diversidade das sociedades humanas. Realiza um deslocamento fundamental em relação à abordagem tradicional, uma vez que se tinha o hábito de pensar o fenômeno em termos de interdições morais e não no plano de sua positividade social. Era essa a concepção de Lewis-Henry Morgan, para quem a proibição do incesto era uma proteção da espécie contra os efeitos funestos dos casamentos consanguíneos. Para Edward Westermarck, ela se explica pelo enfraquecimento do desejo sexual resultante dos hábitos cotidianos, tese derrotada pela teoria freudiana do Édipo. A revolução lévi-straussiana consiste em desbiologizar o fenômeno, em retirá-lo tanto do esquema simples da consanguinidade quanto de considerações morais etnocêntricas. A hipótese estruturalista procede aí a um deslocamento do objeto para restituir-lhe plenamente o seu caráter de transação, de comunicação que se instaura com a aliança matrimonial, e situa as relações de parentesco como base primeira da reprodução social.

Para não se perder no labirinto das múltiplas práticas matrimoniais, Lévi-Strauss opera uma redução no sentido matemático do termo, considerando um número limitado de possíveis que ele define como as estruturas elementares de parentesco: "Entendemos por estruturas elementares de parentesco [...] os sistemas que prescrevem o casamento com um certo tipo de parentes ou, se se prefere, os sistemas que, embora definindo todos os membros do grupo como parentes, distinguem-nos em duas categorias: cônjuges possíveis e cônjuges proibidos".[5] As estruturas elementares permitem, a partir de uma nomenclatura, determinar o círculo dos parentes e o dos aliados. Assim, nesse tipo de estrutura, são proscritos os casamentos com irmãos, irmãs e primos paralelos [primos derivados de coirmãos do mesmo sexo], e prescritos os casamentos com primos cruzados [primos derivados de coirmãos de sexos opostos] e, por vezes, mais precisamente, primos cruzados

---

5 Lévi-Strauss, *Les structures élémentaires de la parenté* (1949). Prefácio da primeira edição, p.IX.

matrilineares. As sociedades dividem-se, portanto, em dois grupos: o dos cônjuges possíveis e o dos cônjuges proibidos. Reencontra-se esse sistema nos australianos que Lévi-Strauss estuda: o *sistema kariera* ou o *sistema aranda*. No *kariera*, a tribo está dividida em dois grupos locais, os quais se subdividem, por sua vez, em duas seções, e a pertença aos grupos locais transmite-se em linha patrilinear, mas o filho pertence à outra seção. Temos, portanto, em primeiro lugar, uma alternância das gerações e um sistema de aliança que se forma com a prima bilateral cruzada (a prima é bilateral porque é, ao mesmo tempo, filha da irmã do pai e filha do irmão da mãe de Ego). O sistema *aranda* é semelhante, mas possui classes matrimoniais. Trata-se, nesse caso, de alianças simétricas que Lévi-Strauss reagrupa sob a forma de trocas restritas que se opõem a sistemas, também elementares, mas com um número indefinido de grupos, com alianças unilaterais; neste caso, temos trocas generalizadas: "Desde que um sistema de aliança bilateral pode funcionar com duas linhagens, são necessárias pelo menos três para permitir um sistema de aliança unilateral: se A toma suas esposas em B, é necessário que ele dê suas mulheres a uma terceira linhagem C, a qual pode eventualmente dar as suas a B, fechando o ciclo".[6] Ao contrário desses sistemas elementares de parentesco que procuram manter a aliança no quadro do parentesco, outras estruturas, semicomplexas como os sistemas *crow-omaha*, procuram tornar incompatíveis os vínculos de aliança e os de parentesco. Nesse caso, é proibido que alguém se case num clã que já tenha dado, no decurso de um certo número de gerações, um outro cônjuge ao seu clã.

Portanto, Lévi-Strauss sai de uma análise em termos de filiação, de consanguinidade, para mostrar que a união dos sexos é o objeto de uma transação cuja responsabilidade é assumida pela sociedade; trata-se, pois, de um fato social, cultural. A proibição não é mais vista como fato puramente negativo, mas, pelo contrário, como positivo, criador do social. O sistema de parentesco é analisado como dependente de um sistema arbitrário de representação, à maneira da arbitrariedade do signo saussuriano.

Lévi-Strauss realiza nesse ponto um importante deslocamento, ao romper com o naturalismo que cercava a noção de proibição do incesto

---

6 Sperber, *Le structuralisme en anthropologie*, p.26.

e ao fazer desta a pedra de toque da passagem da natureza para a cultura. O social nasce dessa organização da troca em torno da proibição do incesto, que se reveste, por conseguinte, de importância capital: "A proibição do incesto exprime a passagem do fato natural da consanguinidade para o fato cultural da aliança".[7] É a intervenção decisiva no nascimento da ordem social. Por sua situação mediana e fundadora, não pode ser unicamente referida no nível da ordem natural, cujo caráter universal, espontâneo, ela possui, nem apenas no nível cultural caracterizado por uma norma, leis particulares, um caráter restritivo. A proibição do incesto pertence, pois, aos dois domínios simultaneamente, colocada na sutura da natureza e da cultura. Constitui a indispensável regra arbitrária estabelecida pelo homem em substituição à ordem natural. Na proibição do incesto existem, ao mesmo tempo, regras particulares, um código normativo (a cultura) e um caráter universal (a natureza): "A proibição do incesto situa-se, simultaneamente, no limiar da cultura, na cultura e, num sentido, é a própria cultura".[8] As estruturas elementares que resultam dessa proibição não devem ser consideradas fatos da natureza, perceptíveis e reconstituíveis a partir de uma observação; elas dependem de "uma grade de decifração ou, em termos kantianos, de um esquema, no qual não é necessário que estejam presentes todos os termos ou todos os aspectos para que funcione de modo eficiente".[9] Lévi-Strauss realiza com esse estudo exemplar a emancipação da antropologia das ciências da natureza, colocando-a de imediato no terreno exclusivo da cultura.

O encontro com Jakobson

O modelo que permitirá a Lévi-Strauss operar esse deslocamento é a linguística estrutural. A esse respeito, o nascimento e os desenvolvimentos da fonologia abalarão o campo do pensamento nas ciências sociais. Semelhante transformação afigurou-se, aos olhos de

7 Lévi-Strauss, *Les structures élémentaires de la parenté*, p.36.

8 Ibidem, p.14.

9 Benoist, *La révolution structurale*, p.112.

Lévi-Strauss, como algo análogo a uma verdadeira revolução copernicano-galileana: "A fonologia não pode deixar de desempenhar, perante as ciências sociais, o mesmo papel renovador que a física nuclear, por exemplo, desempenhou no conjunto das ciências exatas".[10] Os êxitos crescentes do método fonológico traduzem a existência de um sistema eficaz do qual a antropologia pode extrair lições essenciais para aplicá-las ao campo complexo do social. Lévi-Strauss, portanto, retomará por conta própria, quase termo a termo, os paradigmas básicos desse sistema. A fonologia tem por objetivo ultrapassar o estágio dos fenômenos linguísticos conscientes, não se contenta em considerar os termos em sua especialidade, mas busca apreendê-los em suas relações internas; introduz a noção de *sistema* e visa à construção de *leis gerais*. Toda a abordagem estruturalista insere-se nessa ambição.

Essa contribuição lhe é fornecida, evidentemente, pelas conversas que teve com Roman Jakobson em Nova Iorque: "Eu era na época uma espécie de estruturalista simplista. Fazia estruturalismo sem sabê-lo. Jakobson revelou-me a existência de um corpo de doutrina já constituído numa disciplina: a linguística, que eu jamais praticara. Para mim, foi uma revelação".[11] Lévi-Strauss não se limita, porém, a acrescentar um continente novo do saber, justaposto ao seu; incorpora-o no seu método, subvertendo assim a perspectiva global: "Tal como os fonemas, os termos de parentesco são elementos de significação; como eles, só adquirem essa significação sob a condição de se integrarem em sistemas".[12] Lévi-Strauss, que assiste em Nova Iorque aos cursos de Jakobson, os prefaciará em 1976.[13]

As duas grandes lições que ele conserva para a antropologia são, por um lado, a investigação de invariantes para além da multidão de variedades identificadas e, por outro lado, o afastamento de todo e qualquer recurso à consciência do sujeito falante, daí a preponderância dos fenômenos inconscientes da estrutura. Essas duas orientações são tão válidas, segundo Lévi-Strauss, para a fonética quanto para a antropologia. As duas disciplinas nem por isso deixam de atender à realidade

10 Lévi-Strauss, *Anthropologie structurale*, p.39.

11 Idem, *De près et de loin*, p.63.

12 Idem, *Anthropologie structurale*, p.40-1.

13 Jakobson, *Six leçons sur le son et le sens*. In: Lévi-Strauss, *Le regard éloigné*.

concreta, em proveito de um formalismo sistemático, e Lévi-Strauss invoca, nesse domínio, a postura do fonólogo russo Nicolai Trubetzkoy: "A fonologia atual não se limita a declarar que os fonemas são sempre membros de um sistema; ela mostra sistemas fonológicos concretos e coloca em evidência a sua estrutura".[14] A antropologia estruturalista deve, portanto, acompanhar o linguista nesse caminho traçado pela linguística estrutural, que renunciou à explicação maciça da evolução linguística para dedicar-se a localizar e identificar os elementos diferenciais entre as línguas. Essa decomposição do material complexo da língua num limitado número de fonemas deve servir à antropologia em sua abordagem dos sistemas em vigor nas sociedades primitivas; deve igualmente desconstruir, reduzir o real observável, já que se dedica a seguir um número também limitado de variáveis. É o que ocorre com os sistemas matrimoniais que se organizarão em torno da relação entre a regra de filiação e a de residência, relação tão arbitrária quanto o signo saussuriano. Ao inspirar-se em Jakobson, Lévi-Strauss assimila o corte saussuriano.

Se retoma, por exemplo, a famosa distinção de Saussure entre significante e significado, adapta-a ao terreno antropológico ao atribuir ao significante o lugar da estrutura e ao significado o do sentido, ao passo que em Saussure trata-se, antes, de opor som e conceito. Mas se nesse plano existe transformação do modelo, no que tange às relações entre sincronia e diacronia, Lévi-Strauss reassume totalmente a preponderância da sincronia própria da linguística saussuriana, e esse recurso contém em si mesmo as futuras polêmicas contra a história. Em consequência da adoção do modelo fonológico, "Claude Lévi-Strauss inicia a crítica da eficácia da abordagem histórica ou da consciência na explicação científica dos fenômenos sociais".[15]

Lévi-Strauss une-se, pois, à escola dos linguistas, fascinado pelo êxito do modelo deles: "Gostaríamos de apreender dos linguistas o segredo do seu sucesso. Não poderíamos, nós também, aplicar ao campo complexo de nossos estudos [...] esses métodos rigorosos dos

14 Troubetzkoy, La phonologie actuelle. In: *Psychologie du langage*, p.243 apud Lévi-Strauss, *Anthropologie structurale*, p.40.

15 Simonis, *Lévi-Strauss ou la passion de l'inceste*, p.19.

quais a linguística verifica diariamente a eficácia?".[16] Mas seria desconhecer Lévi-Strauss pensar numa simples renúncia do antropólogo ao encontrar no linguista seu mestre. Pelo contrário, essa contribuição do linguista inscreve-se numa perspectiva abrangente que integra a própria linguística num projeto mais geral, cujo mestre de obras seria o antropólogo. A interpretação do social seria, dessa forma, o resultado de uma "teoria da comunicação"[17] em três estágios: a comunicação das mulheres entre os grupos graças às regras de parentesco; a comunicação de bens e serviços graças às regras econômicas; a comunicação de mensagens graças às regras linguísticas. Dado que esses três níveis se incorporam num projeto antropológico global, a analogia entre os dois métodos é constante em Lévi-Strauss: "O sistema de parentesco é uma linguagem";[18] "Postulamos, portanto, a existência de uma correspondência formal entre a estrutura da língua e a do sistema de parentesco".[19] A linguística foi, assim, elevada por Lévi-Strauss à categoria de ciência-piloto, de modelo primordial. Ela deve permitir à antropologia basear-se no cultural, no social, desligar-se completamente do seu passado de antropologia física. Graças a Jakobson, Lévi-Strauss percebe desde muito cedo esse papel estratégico, portanto, não se pode concordar com Jean Pouillon quando este reduz a contribuição da linguística em Lévi-Strauss ao simples fato de pensar que "o sentido é sempre um sentido de posição".[20] A partir de *Les structurales élémentaires de la parenté*, encontraremos sempre os dois principais polos de impulsão do paradigma estruturalista: a linguística, mas também a linguagem formalizada por definição, as matemáticas. Lévi-Strauss requer os serviços das matemáticas estruturais do grupo Bourbaki, graças a um encontro com o irmão de Simone Weil, André Weil, que escreve o apêndice matemático do livro. Lévi-Strauss encontrou nessa transcrição matemática de suas descobertas o prolongamento de um deslocamento análogo ao operado por Jakobson: da atenção aos termos das relações para a preponderância acordada às próprias relações entre esses termos, independentemente do seu conteúdo.

---

16 Lévi-Strauss, *Anthropologie structurale*, p.79.

17 Ibidem, p.95.

18 Ibidem, 1958 (1945), p.58.

19 Ibidem, 1958 (1951), p.71.

20 Jean Pouillon, entrevista com o autor.

Essa dupla fecundidade, essa dupla contribuição de rigor, de cientificidade, no ventre macio de uma ciência social ainda balbuciante e não implantada, só podia fazer nascer o sonho de se ter, enfim, alcançado o derradeiro estágio de cientificidade, em pé de igualdade com as ciências exatas. "Tem-se a impressão de que as ciências humanas se tornarão ciências completas, como a física de Newton. Isso existe em Claude Lévi-Strauss. [...] O cientificismo torna-se digno de crédito porque a linguística se apresenta como algo científico, no sentido das ciências da natureza [...], e é essa, fundamentalmente, a chave do êxito."[21] Caminho fecundo, por certo, mas chave também para devaneios e miragens que pairarão, durante vinte anos, sobre a comunidade científica, no domínio das ciências humanas.

Um acontecimento marcante

O acolhimento dispensado à publicação de *Les structures élémentaires de la parenté* teve repercussões imediatas, pois é Simone de Beauvoir quem assina um comentário sumamente elogioso em *Les Temps Modernes*, cujo público formado em sua grande maioria por intelectuais *lato sensu* permite dar ao livro um eco instantâneo, bem mais amplo do que o do restrito círculo de antropólogos, sem que isso signifique, no entanto, que se chegasse ao ponto de ler a volumosa tese. Jean Pouillon está nesse caso, pois só começa a ler Lévi-Strauss a partir de *Tristes tropiques*. O acaso provocou, portanto, esse paradoxo: a primeira resenha dessa obra estrutural-estruturalista foi publicada justamente no próprio órgão de expressão do existencialismo sartriano, *Les Temps Modernes*. Simone de Beauvoir, que era da mesma idade de Lévi-Strauss e o conhecera superficialmente antes da guerra, por ocasião do seu período de professora estagiária, estava prestes a terminar *Le deuxième sexe*.

Ela toma conhecimento por Michel Leiris de que Lévi-Strauss publicaria sua tese sobre os sistemas de parentesco. Interessada no ponto de vista antropológico sobre a questão, Simone de Beauvoir pede a Leiris que interceda em seu favor junto a Lévi-Strauss, que lhe remete

21 Raymond Boudon, entrevista com o autor.

as provas do livro antes que ela termine sua própria obra. "Para agradecer o gesto de Claude Lévi-Strauss, ela escreve um extenso comentário para *Les Temps Modernes*."[22] Esse artigo é particularmente positivo quanto ao valor das teses de Lévi-Strauss: "Eis que a sociologia francesa estava mergulhada no sono há muito tempo".[23] Simone de Beauvoir adere ao método e às suas conclusões, convida à leitura mas, ao mesmo tempo, integra a obra no grupo sartriano ao dar-lhe um alcance existencialista, o que resulta manifestamente do mal-entendido ou da distorção. Constatando que Lévi-Strauss não diz de onde provêm as estruturas cuja lógica descreve, ela fornece a sua resposta, sartriana: "Lévi-Strauss absteve-se de se aventurar no terreno filosófico, jamais se afastando de uma rigorosa objetividade científica; mas o seu pensamento inscreve-se, evidentemente, na grande corrente humanista que considera que a existência humana contém em si a sua própria razão".[24]

Também em *Les Temps Modernes*, que decididamente contribuirá muito para tornar conhecida a obra de Lévi-Strauss, Claude Lefort intervém, dessa vez de maneira crítica, no início do ano de 1951. Censura Lévi-Strauss por colocar o sentido da experiência fora da própria experiência e fazer prevalecer o modelo matemático apresentado como mais real que a realidade: "O que se criticaria ao sr. Lévi-Strauss é o fato de apreender na sociedade mais as regras do que os comportamentos".[25] Jean Pouillon responderá mais tarde às críticas de Lefort quando, em 1956, determina a posição ocupada pela obra de Lévi-Strauss. Considera infundado o ponto de vista de Lefort, posto que Lévi-Strauss evita simultaneamente confundir a realidade e sua expressão matemática, sem tampouco separá-las a fim de fazer prevalecer a segunda. Não há, portanto, ontologização do modelo, visto que "essa expressão matemática do real jamais é confundida com o real".[26] É nessa adesão global ao método que ficaremos, em meados dos anos 1950, aguardando as críticas tanto anglo-saxônicas quanto francesas, a partir do momento em que o paradigma estruturalista for fragilizado, sobretudo em consequência de maio de 1968.

22 Jean Pouillon, entrevista com o autor.
23 Beauvoir, *Les Temps Modernes*, p.943, nov. 1949.
24 Ibidem, p.949.
25 Lefort, L'échange et la lutte des hommes, *Les Temps Modernes*, fev. 1951.
26 Pouillon, L'œuvre de Claude Lévi-Strauss, *Les Temps Modernes*, n.226, jul. 1956.

4
Peçam o programa
Mauss

Se Lévi-Strauss se dedica em *Les structures élémentaires de la parenté* ao estudo de um tema específico, o parentesco, próprio da antropologia, o *status* de sua "Introduction à l'œuvre de Marcel Mauss" (1950) é diferente. Não se limita a uma simples apresentação da obra de um dos mestres, durkheimiano, da antropologia francesa, mas aproveita a ocasião para definir o seu próprio programa, estruturalista, que é a exposição de uma rigorosa metodologia. Curiosamente, portanto, o que de início parece ser um modesto e ritual prefácio acabou fazendo época e constituiu a primeira definição de um programa unitário proposto ao conjunto das ciências do homem desde a tentativa dos ideólogos do começo do século XIX que tinham definido, com Destutt de Tracy, uma vasta ciência das ideias que permanecera apenas tolerada. Outro motivo de espanto é o sociólogo Georges Gurvitch, mais tarde muito hostil às teses de Lévi-Strauss, que pede a este último que redija essa "Introduction" para uma coleção que ele tinha fundado nas Presses Universitaires de France (PUF).

Georges Gurvitch, aliás, percebeu logo a distância que o separava de Lévi-Strauss, e acrescentou um pós-escrito para exprimir suas reservas, qualificando a interpretação de Lévi-Strauss de leitura muito particular da obra de Marcel Mauss: "Foi aí que as coisas começaram a se estragar".[1] Algirdas-Julien Greimas não se engana sobre a importância

1 Lévi-Strauss, *De près et de loin*, p.103.

desse texto. Encontra-se então em Alexandria e, ávido de alimento intelectual, descobre a "Introduction à l'œuvre de Marcel Mauss". Essa leitura, juntamente com outras, o encorajará em seu projeto de construção de uma metodologia globalizante para as ciências do homem: "Se os livros realmente contam, talvez seja esse o que desempenhará o papel mais importante. O estruturalismo é, em última análise, o encontro da linguística e da antropologia".[2] Lévi-Strauss apoia-se, portanto, na autoridade que a obra de Marcel Mauss adquiriu para alicerçar a antropologia em teoria, e formula esta de acordo com um modelo capaz de explicar o sentido dos fatos observados no campo da pesquisa. Daí o recurso à linguística, apresentada como o melhor meio de tornar o conceito adequado ao seu objeto. Ele parte do postulado, semelhante ao da linguística moderna, de que somente existem fatos construídos. A linguística torna-se, portanto, a ferramenta capaz de aproximar a antropologia da cultura, do simbólico, retirando-a assim dos antigos modelos naturalistas ou energéticos. Pela definição desse programa metodológico, Lévi-Strauss singulariza-se ainda em relação ao ambiente etnológico francês, estabelecendo uma distância que separa de forma clara a antropologia da tecnologia, dos museus, e a orienta resolutamente para o conceito e a teoria: "Tudo parte do museu e tudo para aí retorna. Ora, Lévi-Strauss afasta-se dele para fundar teoricamente a antropologia".[3] Lévi-Strauss vê em Mauss, portanto, o pai espiritual do estruturalismo. A escolha tem, por certo, como toda escolha, um aspecto arbitrário, com suas injustiças que Jean Jamin sublinha quando exuma do esquecimento Robert Hertz, por ele considerado ainda mais pioneiro do que Marcel Mauss na arqueologia do paradigma estruturalista. Morto durante o primeiro conflito mundial, em 1915, Robert Hertz deixou alguns estudos: "Em minha opinião, um dos fundadores do estruturalismo, a ponto de o etnólogo britânico Needham dedicar todo um livro, *Right and Left*, em homenagem a Robert Hertz".[4] Num desses textos encontra-se, com efeito, a binariedade estrutural. "A preeminência da mão direita"[5] é uma descoberta da polaridade religiosa

2 Algirdas-Julien Greimas, entrevista com o autor.
3 Jean Jamin, entrevista com o autor.
4 Ibidem.
5 Hertz, *Mélanges de sociologie religieuse et folklore*.

entre um direito sagrado e um esquerdo sagrado... Robert Hertz mostra que a lateralização, que talvez tenha um fundamento biológico, fundamenta-se sobretudo no plano simbólico e opõe o aspecto fasto e puro da direita ao impuro e nefasto da esquerda: "Essa descoberta terá uma importância muito mais acentuada do que se julga, visto que, no Colégio de Sociologia, M. Leiris, G. Bataille e R. Caillois retomarão essa polaridade do sagrado".[6]

O inconsciente

Mas é em Mauss que Lévi-Strauss procura apoio, sublinhando-lhe "o modernismo".[7] Vê no autor do *Manuel d'ethnographie* aquele que percebeu e abriu a investigação antropológica às outras ciências humanas e assim traçou os prolegômenos das aproximações vindouras. É o caso das relações entre a etnologia e a psicanálise, que se descobrem com um objeto comum de análise: o campo do simbólico, que integra igualmente os sistemas econômicos, de parentesco ou de religião. Também nesse ponto Lévi-Strauss apoia-se em Marcel Mauss, que desde 1924 definia a vida social como "um mundo de relações simbólicas",[8] e prosseguiu na mesma filiação ao citar os seus próprios trabalhos de comparação do xamã em transe com o neurótico.[9] Lévi-Strauss retoma, evidentemente, a ambição, expressa por Mauss no *Essai sur le don*, de estudar o fato social total. Entretanto, só existe totalidade a partir do momento em que se supera o atomismo social e se é capaz de integrar todos os fatos numa antropologia percebida como sistema global de interpretação que "explica simultaneamente os aspectos físico, fisiológico, psíquico e sociológico de todas as condutas".[10] No centro dessa totalidade, o corpo humano, signo aparente da natureza mas, de fato, inteiramente cultural. Ora, Mauss introduz "uma arqueologia das

6 Jean Jamin, entrevista com o autor.

7 Lévi-Strauss, Introduction à l'œuvre de Marcel Mauss. In: Mauss, Sociologie et anthropologie, p.X.

8 Ibidem, p.XVI.

9 Idem, Le sorcier et sa magie. *Les Temps modernes*, mar. 1949.

10 Idem, Introduction à l'œuvre de Marcel Mauss, p.XXV.

atitudes corporais",[11] programa que será retomado em maior detalhe e com pleno êxito por Michel Foucault.

No cerne corporal, o inconsciente, cuja preponderância – o que se tornará importante traço do paradigma estruturalista – Lévi-Strauss sublinha, vendo uma vez mais uma intenção precursora em Mauss: "Nada tem de surpreendente que Mauss [...] tenha recorrido constantemente ao inconsciente como fornecedor do caráter comum e específico dos fatos sociais".[12] Ora, o acesso ao inconsciente passa pela mediação da linguagem e, nesse domínio, Lévi-Strauss mobiliza a linguística moderna, saussuriana, para a qual os fatos da língua situam-se no estágio do pensamento inconsciente: "É uma operação do mesmo tipo que, na psicanálise, permite reconquistar para nós mesmos o nosso eu mais estranho e, na investigação etnológica, nos faz ter acesso ao mais estranho dos outros como a um outro nós".[13] Lévi-Strauss sela aqui a união fundamental das duas ciências-faróis do grande período estruturalista: a antropologia e a psicanálise, ambas apoiando-se numa outra ciência (ciência-piloto), verdadeiro modelo heurístico: a linguística.

Outra característica desse período, que já se expressa nesse texto-manifesto de Lévi-Strauss e que veremos ser particularmente desenvolvida em Jacques Lacan é a retomada do signo saussuriano, forçando-o no sentido de um esvaziamento do significado ou, em todo caso, de sua atenuação em proveito do significante: "Tal como a linguagem, o social é uma realidade autônoma; os símbolos são mais reais do que o que eles simbolizam, o significante precede e determina o significado".[14] É aí que se consolida o projeto globalizante para o conjunto das ciências do homem, convocadas com vistas à realização de um vasto programa semiológico que seria animado pela antropologia, a única em condições de realizar a síntese de seus trabalhos. Além do horizonte interdisciplinar que aí é definido por Lévi-Strauss, este enuncia uma tese canônica do estruturalismo ao afirmar que o código precede a mensagem, que é independente dela, e que o sujeito está submetido à lei do significante. É nesse nível que se encontra o núcleo estrutural da abordagem:

11 Ibidem, p.XIV.
12 Ibidem, p.XXX.
13 Ibidem, p.XXXI.
14 Ibidem, p.XXXII.

"A definição de um código é ser traduzível num outro código: a essa propriedade que o define dá-se o nome de estrutura".[15]

A dívida para com Marcel Mauss

Se Lévi-Strauss aponta de maneira um tanto forçada Marcel Mauss como pioneiro do seu programa estruturalista, liquida assim a sua dívida para com ele, pois foi Marcel Mauss quem, de fato, inspirou no essencial a tese central de *Les structures élémentaires de la parenté*. O *Essai sur le don* serviu, a esse respeito, de modelo, com sua teoria da reciprocidade, ampliada e sistematizada por Lévi-Strauss em sua abordagem das relações de parentesco. A regra da reciprocidade, sua tríplice obrigação, dar, receber, restituir, fundamenta a economia das trocas matrimoniais. O dote e o contradote permitem apreender a rede de conexões, equivalências, solidariedades que ultrapassam, pela universalidade de suas regras, o dado empírico. É nesse nível que a proibição do incesto recebe, simultaneamente, o esclarecimento que a torna inteligível e a universalidade que lhe confere valor de chave para o conjunto das sociedades: "A proibição do incesto, como a exogamia que é a sua expansão social ampliada, é uma regra de reciprocidade. [...] O conteúdo da proibição do incesto não se esgota no fato da proibição: esta só é instaurada para garantir e fundamentar, direta ou indiretamente, imediata ou mediatamente, uma troca".[16]

A troca situa-se, portanto, no centro do fenômeno da circulação das mulheres nas alianças matrimoniais e constitui uma verdadeira estrutura de comunicação a partir da qual os grupos instituem sua relação de reciprocidade. O que desqualifica o incesto não é a reprovação moral, a passionalidade, mas o valor de troca que fundamenta a relação social. Casar com a irmã é um absurdo para os informantes de Margaret Mead, os *arapesh* das montanhas [cf. M. Mead, *Sex and Temperament in Three Primitive Societies*], pois é privar-se de cunhado, e sem cunhado, com quem pescar ou caçar? "O incesto é socialmente absurdo antes de ser

15 Descombes, *Le même et l'autre*, p.121.

16 Lévi-Strauss, *Les structures élémentaires de la parenté*, p.64-5.

moralmente culpado."[17] O *Essai sur le don* inaugura, portanto, uma nova era que Lévi-Strauss, extraindo dela todas as lições, compara à descoberta da análise combinatória para o pensamento matemático moderno: "A proibição do incesto é menos uma regra que proíbe casar-se com mãe, irmã ou filha, do que uma regra que obriga a dar mãe, irmã ou filha a outrem. É a regra do dote por excelência".[18] Há aí uma fecundidade e uma filiação manifestas que a "Introduction à l'œuvre de Marcel Mauss" reconstitui com brilho. Do ponto de vista maussiano sobrepõem-se, no programa traçado por Lévi-Strauss, a contribuição decisiva da fonologia, os trabalhos de Trubetzkoy e de Jakobson, suas noções de variantes facultativas, de variantes combinatórias, de termos de grupo, de neutralização, que permitem as reduções necessárias do material empírico. Lévi-Strauss define bem nesse texto o programa estruturalista. "Para mim, o estruturalismo é a teoria do simbólico na 'Introduction à l'œuvre de Marcel Mauss': a independência da linguagem e das regras de parentesco é a autonomização do simbólico, do significante."[19]

Uma forma de kantismo

De maneira não explícita, pois Lévi-Strauss abandonou o território do filósofo para ganhar outros continentes do saber, pode-se considerar o embasamento desse programa estruturalista como marcado pela filosofia kantiana em sua vontade de vincular todos os sistemas sociais a categorias primordiais que funcionam como categorias numênicas. O pensamento está aí controlado por essas categorias apriorísticas, embora sem deixar de aplicar-se de maneira apropriada a cada caso nas diversas sociedades. Entretanto, é o espírito que se encontra em cada caso. Esse aspecto kantiano, Lévi-Strauss foi buscá-lo mais na fonologia do que na filosofia. Assim se correspondem, termo a termo, a definição de Jakobson do fonema zero (1949) e a de Lévi-Strauss do valor simbólico zero. Para o primeiro, o fonema zero opõe-se a todos

17 Ibidem, p.556.
18 Ibidem, p.552.
19 Vicent Descombes, entrevista com o autor.

os outros fonemas pelo fato de que não comporta nenhum caráter diferencial e nenhum valor fonético constante, assim como por sua função própria de opor-se à ausência de fonema. Para Lévi-Strauss, é a definição do sistema de símbolos que constitui toda a cosmologia dada: "Isso seria simplesmente um valor simbólico zero, ou seja, um signo assinalando a necessidade de um conteúdo simbólico suplementar àquele que o significado já carrega, mas que pode ser um valor qualquer".[20]

Se Gurvitch considera que a apropriação da obra de Mauss por Lévi-Strauss é a expressão de uma deformação da obra, esse é um sentimento que compartilha com Claude Lefort que, no artigo de *Les Temps Modernes* de 1951, rejeita as teses de *Les structures élémentaires de la parenté* e da "Introduction à l'œuvre de Marcel Mauss" para denunciar nelas a vontade de matematização das relações sociais e a perda de significação que resulta desse programa. Para Claude Lefort, a redução dos fenômenos sociais à sua natureza de sistema simbólico "parece-nos estranha à sua inspiração; Mauss visa à significação, não ao símbolo; ele quer compreender a intenção imanente nas condutas, sem abandonar o plano de vivência, e não para estabelecer uma ordem lógica em relação à qual o concreto seria apenas aparência".[21] Claude Lefort critica o cientíssimo subjacente no programa de Lévi-Strauss, a sua crença numa realidade mais profunda, subjacente à realidade matemática. Ele também identifica aí os vestígios do idealismo kantiano para o qual o inconsciente significaria a consciência transcendental e revela-se pelas expressões de "categoria inconsciente" e de "categoria do pensamento coletivo".[22] E Claude Lefort derruba o idealismo lévi-straussiano ao afirmar que o comportamento dos sujeitos empíricos não se deduz de uma consciência transcendental, mas, pelo contrário, constitui-se na experiência. Tanto na enunciação do programa quanto nas críticas formuladas por Claude Lefort, tem-se o núcleo racional a partir do qual se desenvolverão todos os debates e combates dos anos 1950 e 1960 em torno do banquete estruturalista.

---

20 Lévi-Strauss, Introduction à l'œuvre de Marcel Mauss, p.L.
21 Lefort, L'échange et la lutte des hommes.
22 Lévi-Strauss, Introduction à l'œuvre de Marcel Mauss, p.XXXI.

5

Um franco-atirador
Georges Dumézil

A 13 de junho de 1979, a Academia Francesa recebe Georges Dumézil. O padrinho que o acolhe para fazer a síntese de sua obra não é outro senão Claude Lévi-Strauss. Essa escolha não se deve ao acaso das circunstâncias, mas a um parentesco de seus projetos, apesar da manifesta singularidade de cada um. É certo que Dumézil se mostrou constantemente desconfiado de todo e qualquer enquadramento de seus trabalhos num modelo no qual não se reconhecia. Dificilmente admitiria ser citado numa história do estruturalismo, ao qual se sentia estranho: "Não sou, não pretendo ser nem deixar de ser estruturalista".[1] A sua posição é intangível, e ele chega ao ponto de privar-se de toda e qualquer referência à palavra "estrutura" para evitar as formas de cobrança. Acalentado por seus entusiasmos de juventude pelos sistemas abstratos, atém-se ao domínio – protegido de turbulências – da filologia.

Não resta dúvida de que o lugar de Dumézil é singular. A lógica das filiações que possibilitou sua obra, assim como a da herança que ela deixou, desenvolve-se por meandros difíceis de catalogar. Sem obrigações de mestre-escola, sem a bandeira programática de uma determinada disciplina a defender, diferentemente de Lévi-Strauss, Georges Dumézil figura como genial inovador, franco-atirador solitário, verdadeiro arauto de uma mitologia comparada cujos contornos traçou sozinho, à

1 Dumézil, Introduction. In: *Mythe et Épopée*.

margem dos trilhos disciplinadores que ele ignorava e que o ignoravam. Ele terá renovado e fecundado múltiplas investigações sem a preocupação de monopolizá-las ou de lhes dar bases institucionais. Pode-se por isso ir contra a sua vontade e evocar sucintamente algumas pistas inovadoras percorridas por esse aventureiro da mitologia indo-europeia no âmbito do processo de elaboração do paradigma estruturalista? Sim, e Lévi-Strauss teve razão em recebê-lo, na Academia, dizendo-lhe que o termo estrutura, estrutural, acudiria imediatamente ao espírito para qualificar o seu corpo de doutrina, se ele não o tivesse recusado em 1973.

A cumplicidade intelectual dos dois homens não data, aliás, do ingresso de Dumézil na Academia Francesa. Eles se conheciam desde 1946, e Dumézil desempenhou um papel decisivo, primeiro na eleição de Lévi-Strauss para a École des Hautes Études, depois, em 1959, na sua eleição para o Collège de France. A proximidade entre eles não se realizou na base da carreira profissional. Lévi-Strauss descobriu a obra de Dumézil ao preparar-se para o concurso para professor universitário, mas esse foi apenas um primeiro contato, fortuito. Mais tarde, depois da guerra, é que, como etnólogo, medita longamente sobre suas descobertas e se diz convencido de que Dumézil "foi o iniciador do método estrutural".[2] Aliás, encontramos em ambos dois mestres que lhes são comuns: Marcel Mauss, cuja importância para Lévi-Strauss vimos e cujas aulas serão frequentadas por Dumézil, e Marcel Granet, de quem Lévi-Strauss recordou a importância que teve para ele em sua escolha do estudo das relações de parentesco. Com efeito, ele descobre Marcel Granet muito cedo, no liceu de Montpellier, pela leitura de *Catégories matrimoniales et relations de proximité dans la Chine ancienne*. Quanto a Dumézil, foi ainda mais marcado pela obra de Marcel Granet, pois frequentou seus cursos na Escola de Línguas Orientais, de 1933 a 1935: "Foi ouvindo e vendo Granet trabalhar que ele provocou em mim uma espécie de metamorfose ou de amadurecimento que não posso definir".[3]

Dumézil ocupa, efetivamente, um lugar à parte, no que se refere ao movimento estruturalista, e que explica as suas reticências quanto a ser assimilado a essa corrente; trata-se da ausência daquele que se converteu em referência obrigatória de toda a obra estrutural: Ferdinand

2 Lévi-Strauss, Dumézil et les sciences humaines, *France-Culture*, 2 out. 1978.

3 Dumézil, *Entretiens avec D. Éribon*, p.64.

de Saussure. Dumézil apresentou-se sempre como um filólogo e, por esse título, sua obra inscreve-se numa herança anterior ao "corte" saussuriano, na esteira do comparatismo dos filólogos do século XIX, principalmente dos trabalhos dos irmãos Friedrich e August Wilhelm von Schlegel, de Auguste Schleicher e, sobretudo, de Franz Bopp, que elucidou os parentescos lexicais e sintáticos do sânscrito, do grego, do latim e do eslavo.[4] Portanto, Dumézil liga-se mais a essa corrente da linguística histórica que parte, desde o começo do século XIX, do postulado de um parentesco entre essas diversas línguas, descendentes de uma raiz comum, a de uma língua-mãe, indo-europeia. É dessa corrente de filologia histórica que Dumézil extrai também a noção essencial de transformação, básica no nascimento da ciência da linguagem. Essa noção conhecerá um êxito retumbante: não tardará a encontrar-se no âmago da maior parte das obras estruturalistas. E Lévi-Strauss considera Dumézil, também nesse ponto, um pioneiro: "Com a noção de transformação, que você foi o primeiro dentre nós a utilizar, deu [às ciências humanas] sua melhor ferramenta".[5]

É claro que Dumézil não permaneceu à margem da linguística moderna. Se ignorou, quanto ao essencial, a obra de Saussure, conheceu pelo menos a de um dos seus discípulos, Antoine Meillet, e, sobretudo, a de Émile Benveniste, que o apoiará com todo o seu peso a fim de elegê-lo para o Collège de France em 1948, numa rude batalha em que todos os defensores da tradição se opõem a esse decifrador incômodo. Dumézil enfrenta ao mesmo tempo o medievalista Edmond Faral, o especialista em Roma André Piganiol, o eslavista André Mazon, mas levou a melhor graças ao combate conduzido por Émile Benveniste e ao apoio de Jules Bloch, Lucien Febvre, Louis Massignon, Alfred Ernout e Jean Pommier. Portanto, tem ao mesmo tempo do seu lado a vontade durkheimiana expressa por Marcel Mauss do fato social total, o fato de pensar sociedade, mitologia e religião como um todo, o que naturalmente o levará a utilizar a noção de estrutura. E também tem em comum com os outros estruturalistas o fato de considerar a língua o vetor essencial de inteligibilidade, veículo da tradição, encarnação da

4 Bopp, *Systheme de conjugation de la langue sanscrite, comparé à celui des langues grecque, latine, persane et germanique.*

5 Lévi-Strauss, Réponse à Dumézil reçu à l'Academie française, *Le Monde*, 15 jul. 1979.

invariante que permite encontrar, sob as palavras, a permanência dos conceitos. Para apreender as variações do modelo, ele utiliza as noções de diferença, semelhança, de oposição de valor, que são outros tantos instrumentos de um método que se pode indiferentemente qualificar como comparatista ou estruturalista.

A trifuncionalidade

A verdadeira bomba que Georges Dumézil deposita sob as nossas certezas data de 1938, ainda que só venha a explodir, de fato, após a guerra. Se existe um corte epistemológico na longa sequência de seus trabalhos, cuja publicação começa em 1924, ele se situa no momento em que, em 1938, após ter sondado as possibilidades de comparação entre um grupo de fatos indianos e um de fatos romanos, encontra a explicação dos três flâmines principais de Roma, sacerdotes a serviço de Júpiter, Marte e Quirino, por seu paralelismo com as três classes sociais da Índia védica: sacerdotes, guerreiros e produtores.[6] É dessa descoberta que data a hipótese de uma ideologia tripartida, trifuncional, comum aos indo-europeus, sobre a qual Dumézil não deixará de trabalhar, até sua morte, convertendo-se assim no arqueólogo do imaginário indo-europeu. Essa descoberta o situa, de fato, diga-se o que se disser, entre os pioneiros do estruturalismo, uma vez que ele então organizará toda a sua leitura da história ocidental em torno do esquema organizador que chamará ciclo, depois sistema e, enfim, estrutura, o qual toma a forma dessa trifuncionalidade. Esse esquema comum das representações mentais dos indo-europeus tem suas raízes mergulhadas, para Dumézil, numa vasta área cultural entre o Báltico e o Mar Negro, entre os Cárpatos e o Ural, no fim do terceiro milênio a.C. Existe portanto, para ele, uma singularidade do fenômeno que não se vincula, e é nesse ponto que se opõe a Lévi-Strauss, às leis do espírito humano em sua universalidade. A sua abordagem aproxima-se também da estruturalista, pois não considera que essa invariante trifuncional resulte de sucessivas

6 Dumézil, La préhistoire des flamines majeurs, *Revue d'Histoire des Religions*, v.CVIII, p.188-220, 1938.

aquisições, a partir de um núcleo original de difusão. Ele preconiza, pelo contrário, um método de comparatismo genérico que elimina a tese do empréstimo. Num enfoque que qualifica de ultra-história, uma vez que tem por objeto os mitos, Dumézil compara sistematicamente os dados dos vedas, depois do *Mahabharata*, com os dos citas, romanos, irlandeses... e reagrupa todas essas sociedades e essas diferentes épocas numa estrutura que lhes é comum, à qual opõe a função de soberania, de sacerdócio – *Zeus, Júpiter, Mitra, Odin* –, a função guerreira – *Marte, Indra, Tyr* – e, enfim, a função produtora, nutriente – *Quirino, Nasatya, Njördr*.

O relativo isolamento de Dumézil também resulta das dificuldades de exportação do seu modelo, o que não significa que sua obra tenha ficado sem continuadores. Mas a partir do momento em que o seu esquema organizador fica delimitado a uma área particular, ele se fecha a todas as extrapolações generalizadoras que florescerão na *belle époque* estruturalista. Por outro lado, Dumézil situa seu método numa posição intermediária entre a pesquisa de elementos exógenos aos mitos para explicá-los e a de um confinamento numa estrutura interna independente daquilo a que os mitos remetem. Integrando ao mesmo tempo a articulação dos conceitos entre si em sua estrutura própria e os aspectos do universo tratados nos mitos, Dumézil situa-se a meio caminho entre os filólogos comparatistas do século XIX e o método estruturalista. É esse caráter híbrido de Dumézil, sua consideração da história ("gostaria de me definir como historiador")[7] o que favorecerá um vasto prolongamento de suas descobertas entre os historiadores da terceira geração dos *Annales*. Embora o esquema trifuncional não seja um dado importante do mundo helênico, os especialistas da Grécia antiga, Pierre Vidal-Naquet, Jean-Pierre Vernant, Marcel Detienne, renovaram, a partir de Dumézil, sua abordagem do Panteão, e os medievalistas como Jacques Le Goff ou Georges Duby, diante de uma sociedade separada em três ordens, não podiam deixar de interrogar-se sobre os fundamentos dessa divisão. Mas esses prolongamentos são mais tardios, datam dos anos 1970, e a eles voltaremos ao tratar desse período.

Portanto, as lições de Dumézil não desaparecem nesse dia de 11 de outubro de 1986 quando ele faleceu, aos 88 anos, no hospital de

7 Dumézil, *Entretiens avec D. Éribon*, p.174.

Val-de-Grâce. É um linguista, Claude Hagège, quem lhe rende homenagem em *Le Monde*. Sob o título "La clé des civilisations", escreveu: "Depois de Dumézil, a ciência das religiões não pode mais ser o que era antes dele. A razão pôs ordem no caos. Ele substituiu as blandícias de uma vaga noção de religiosidade pela claridade iluminadora das estruturas do pensamento. É uma de suas grandes lições".[8] Decididamente, a estrutura o perseguiu contra a sua vontade para além da morte, mas o sentido de uma obra não traduz necessariamente a vontade de seu autor. Georges Dumézil terá sido, sem dúvida, um iniciador, um arauto da epopeia estrutural.

8 Hagège, *Le Monde*, 14 out. 1986.

6

A PASSARELA FENOMENOLÓGICA

Nos anos 1950, a filosofia francesa está dominada pelo projeto fenomenológico. Na filiação da obra de Husserl, cumpre retornar às "próprias coisas" e ao seu corolário, a intencionalidade da consciência, sempre orientada para as coisas. Essa postura fica, portanto, muito atenta ao vivenciado, ao descritivo, ao concreto, e atribui à subjetividade uma preponderância manifesta. O projeto de Husserl consiste em conduzir a filosofia do estágio de ideologia para o estatuto de ciência. Na base da postura fenomenológica, não são os fatos, mas as essências que constituem o fundamento originário na acepção das condições de possibilidades da consciência, correlativamente ao seu objeto.

No período da Libertação, a fenomenologia na França era, sobretudo, sartriana, e enfatizava a consciência, uma consciência transparente em si mesma. Por seu lado, Maurice Merleau-Ponty retoma o projeto de Husserl, mas orienta-o mais para a dialética que se trava entre o sentido proferido e aquele que se revela nas coisas. Isso o conduzirá a um diálogo cada vez mais íntimo com as ciências do homem, tanto mais que estas se encontram em pleno desenvolvimento. Ele retoma a ideia de Husserl de expurgar os dados da experiência oferecidos ao fenomenologista de todos os elementos herdados do pensamento científico, dos quais a filosofia teria abdicado. Daí a fórmula de Merleau-Ponty: "A fenomenologia é, em primeiro lugar, a negação da ciência". Mas, longe de negá-la, Merleau-Ponty espera, de fato, reinstalá-la no campo do pensamento filosófico. Ele começa, desde a guerra, a conduzir esse trabalho tendo em vista a biologia e, sobretudo, a psicologia, criticando nelas o seu caráter coisificante e mecanicista.[1] Entretanto, questiona igualmente o idealismo de uma consciência pura e por isso se interessa cada vez mais pelas estruturas de significações que as novas ciências humanas lhe oferecem. Estas últimas são, para ele, outros tantos focos de ontologias regionais de que o filósofo poderá reapropriar-se, reiterando as perspectivas e restituindo-lhes o sentido, graças à sua importante posição de sujeito, concebido como transcendência do mundo em sua globalidade. "Merleau-Ponty alimentava um projeto muito ambicioso que consistia em manter uma espécie de relação de complementaridade entre a filosofia e as ciências do homem. Portanto, esforçou-se por seguir todas as disciplinas."[2]

O programa fenomenológico

O texto essencial pelo qual Merleau-Ponty dará a conhecer aos filósofos os conhecimentos adquiridos pela linguística moderna e os avanços da antropologia foi publicado em 1960 pela Gallimard: *Signes*. Nessa obra, de suprema importância para toda uma geração, Merleau-Ponty retoma uma comunicação que fizera em 1951,[3] na qual mostra toda a importância da obra de Saussure como inauguração da linguística moderna: "O que aprendemos em Saussure é que os signos, um por um, nada significam, que cada um deles exprime menos um sentido do que assinala uma diferença de sentido entre ele próprio e os outros".[4] Na mesma obra, ele trata das relações entre a filosofia e a sociologia para deplorar a fronteira que as separa e apelar para um trabalho comum: "A separação que combatemos não é menos prejudicial à filosofia do que ao desenvolvimento do saber".[5] Para Merleau-Ponty compete ao filósofo

1 Merleau-Ponty, *Structure du comportement*; idem, *Phénomenologie de la perception*.
2 Vincent Descambes, entrevista com o autor.
3 Merleau-Ponty, *Sur la phénoménologiedu langage*. Comunicação no Primeiro Colóquio Internacional de Fenomenologia, Bruxelas, 1951.
4 Ibidem, p.49.
5 Idem, *Cahiers Internationaux de sociologie*, v.X, p.55-69, 1951.

delimitar o campo dos possíveis, interpretar o trabalho empírico realizado pelas ciências sociais; ele fornece a cada uma das positividades, mediante um trabalho hermenêutico, a questão do sentido. Por outro lado, o filósofo tem necessidade dessas ciências positivas, visto que lhe cumpre raciocinar com base no conhecido, validado por procedimentos científicos.

A outra ponte lançada por Merleau-Ponty em *Signes* visa, dessa vez, à antropologia social de Lévi-Strauss. Após seu rompimento com Sartre, Merleau-Ponty aproximou-se de Lévi-Strauss, e foi ele quem, eleito para o Collège de France desde 1952, sugeriu a Lévi-Strauss que se apresentasse em 1954, sacrificando "três meses de uma vida cujo fio se romperia tão depressa".[6] Merleau-Ponty consagra o quarto capítulo de sua obra à antropologia: "De Marcel Mauss a Claude Lévi-Strauss". Faz aí uma ardorosa defesa do programa definido desde 1950 por Lévi-Strauss em sua "Introduction à l'œuvre de Marcel Mauss": "Os fatos sociais não são coisas nem ideias, são estruturas [...]. A estrutura nada tira à sociedade de sua espessura ou de seu peso. Ela própria é uma estrutura das estruturas".[7] Nascerá dessa cumplicidade intelectual uma verdadeira amizade, e a fotografia de Merleau-Ponty estará sempre presente no escritório de Lévi-Strauss.

Mas qual era o objetivo perseguido por Merleau-Ponty nesses diálogos múltiplos? Acharia ele necessário depor as armas do filósofo perante as ciências humanas? Certamente que não, pois considerava que o papel do filósofo fenomenólogo consistia em dar continuidade às contribuições de Mauss, Lévi-Strauss, Saussure, Freud, não para dar fundamentos epistemológicos a cada uma de suas disciplinas, mas na perspectiva de uma reapresentação fenomenológica de todos os seus materiais, redefinindo-os do ponto de vista filosófico – entendendo-se que o filósofo aceita como válida a informação do especialista, que ele, aliás, não pode verificar. Portanto, a ideia é fazer o fenomenólogo desempenhar o papel do regente de orquestra, que acolheria todos os resultados objetivos fornecidos pelas ciências do homem, apontando-lhes um sentido, um valor em termos de experiência subjetiva, de significação global: "Lembro-me do seu curso sobre Lévi-Strauss,

---

6 Lévi-Strauss, *De près et de loin*, p.88.

7 Merleau-Ponty, *Signes*, p.146-7.

apresentava-o como a álgebra do parentesco que precisava ser completada pela significação do familiar para os humanos: a paternidade, a filiação...".[8]

A derrubada do paradigma

Nos anos 1950, com essa aproximação que Merleau-Ponty tentou entre filosofia e ciências humanas, perfila-se no horizonte uma inversão do paradigma. Já não é a antropologia que procura situar-se em relação ao discurso filosófico, como quando Marcel Mauss recorria à noção de fato social total postulada pelo seu professor de filosofia, Alfred Espinas. É, pelo contrário, a filosofia, nesse caso Merleau-Ponty, que se situa em relação à antropologia, à linguística, à psicanálise, enquanto a revista *Les Temps Modernes* se abre para os trabalhos de Michel Leiris, de Claude Lévi-Strauss... Merleau-Ponty inaugura perspectivas muito promissoras quando escreve: "A tarefa consiste, pois, em ampliar a nossa razão a fim de torná-la capaz de compreender o que em nós e nos outros precede e excede a razão".[9] Ele abre o campo filosófico à inteligibilidade do irracional, sob a dupla figura do louco e do selvagem. Dava-se a duas disciplinas, a antropologia e a psicanálise, uma posição de destaque que elas ocupariam efetivamente nos anos 1960.

Mas por que a filosofia terá perdido as suas certezas? Por que o projeto fenomenológico se deteve tão depressa e inconcluso? A primeira resposta, de ordem biográfica, consiste em imputar esse fracasso à morte prematura, em 4 de maio de 1961, daquele que encarnava esse projeto. Merleau-Ponty faleceu aos 54 anos de idade, deixando uma construção que mal começara e muitos órfãos. Mas de um modo mais preciso, a resposta de Vincent Descombes é esclarecedora: "Esse projeto filosófico estava condenado ao fracasso por uma razão muito simples: é que as disciplinas científicas já procediam à sua própria elaboração conceitual. Portanto, não tinham necessidade de Merleau-Ponty ou de qualquer outro filósofo para dar um sentido às suas descobertas.

---

8 Vincent Descombes, entrevista com o autor.

9 Merleau-Ponty, *Signes*, p.154.

Todas elas já trabalhavam em dois níveis".[10] O projeto de recuperação das ciências humanas vai, portanto, transformar-se em armadilha para uma filosofia propensa à dúvida e que será abandonada em proveito dessas jovens e promissoras ciências sociais. Foi nesse sentido que Merleau-Ponty desempenhou um importante papel para toda uma geração de filósofos que, despertados para novas problematizações, graças a ele, deixaram o navio filosófico com armas e bagagens a fim de se tornarem antropólogos ou linguistas ou psicanalistas. Essa queda do paradigma dominará todo período estruturalista dos anos 1960. No domínio da antropologia, isso modifica de forma considerável a paisagem da disciplina. Com raras exceções, como Lucien Lévy-Bruhl, Marcel Mauss, Jacques Soustelle ou Claude Lévi-Strauss, que vêm da filosofia, os etnólogos são oriundos de horizontes muito diversos, efeito mais da fusão do que da filiação:[11] Paul Rivet provém do meio médico, como a maior parte dos outros pesquisadores; Marcel Griaule, o pioneiro, provém das línguas orientais; Michel Leiris vem da poesia e do surrealismo; Alfred Métraux, da Escola de Cartografia, na qual foi condiscípulo de Georges Bataille. Meio marcado por sua heterogeneidade, os etnólogos "não dependem de uma lógica tribal".[12]

É sobretudo por Merleau-Ponty que toda uma geração de jovens filósofos afluirá, portanto, para as ciências modernas. Estudante de filosofia na Sorbonne em 1952-1953, Alfred Adler descobre a obra de Merleau-Ponty: "Graças a Merleau-Ponty, tem-se interesse na psicanálise, na psicologia infantil, nos problemas teóricos da linguagem".[13] Esse despertar e a evolução da situação política completar-se-ão para fazer desse estudante de filosofia dos anos 1950 um etnólogo no começo do decênio seguinte. No campo da linguística, Michel Arrivé confirma esse importante papel de Merleau-Ponty: "Merleau-Ponty foi um mediador considerável; foi certamente por ele que Lacan leu Saussure".[14] Hipótese inteiramente verossímil, a da descoberta de Saussure por Jacques Lacan graças a Merleau-Ponty, pois nesse começo dos anos 1950 eles se viam assiduamente em particular, com Michel Leiris e Claude Lévi-Strauss.

10 Vincent Descombes, entrevista com o autor.

11 Stocking, *Histoires de l'anthropologie: VIe-XIXe siècles*, p.421-31.

12 Jamin, *Les enjeux philosophiques des annés cinquante*, p.103.

13 Adler, *Séminaire de Michel Izard*, Laboratório de Antropologia Social, 17 nov. 1988.

14 Michel Arrivé, entrevista com o autor.

O texto de Merleau-Ponty sobre Saussure data de 1951, e o discurso de Roma de Lacan é de 1953. É a mesma importância que lhe reconhece Algirdas-Julien Greimas:

> O tiro de largada foi a aula inaugural de Merleau-Ponty no Collège de France (1952), quando ele disse que se verá claramente não ter sido Marx, mas Saussure quem inventou a filosofia da história. É um paradoxo que me fez refletir sobre o fato de que antes de fazer a história dos eventos seria necessário fazer a história dos sistemas de pensamento, dos sistemas econômicos, e somente então procurar saber como eles evoluem.[15]

O filósofo Jean-Marie Benoist, próximo de Lévi-Strauss, autor de *La révolution structurale* (1975), também confirma que teve acesso à obra de Lévi-Strauss por intermédio de Merleau-Ponty, lido desde os tempos de estagiário do magistério superior, em 1962: "Merleau-Ponty funcionou como estágio precursor de uma condição de disponibilidade para acolher a fecundidade do trabalho estruturalista".[16]

Resulta de todas essas conversões uma verdadeira hemorragia, da qual a filosofia terá dificuldade de recuperar-se. Ela está ainda nos primeiros abalos, pois chega um de seus filhos pródigos que aplicará o golpe de misericórdia no projeto fenomenológico e nas pretensões de uma filosofia acima das querelas das ciências empíricas: Michel Foucault. A sua crítica só virá mais tarde, no decorrer dos anos 1960, mas o seu encaminhamento parte, sobretudo, de uma insatisfação a respeito do programa fenomenológico que dominava o campo filosófico enquanto ele escrevia *L'histoire de la folie* (1955-1960). Ele censura-lhe o fato de se limitar ao estrito domínio acadêmico e de sempre evitar a questão kantiana de saber qual é a nossa atualidade. Michel Foucault abrirá a interrogação para novos objetos e deslocará a perspectiva fenomenológica, ou seja, a descrição interiorizada da experiência vivida, que abandona em proveito da elucidação de práticas e instituições sociais problematizadas: "Tudo o que se passou em torno dos anos 1960 provinha, de fato, dessa insatisfação com a teoria fenomenológica

---

15 Algirdas-Julien Greimas, entrevista com o autor.
16 Jean-Marie Benoist, entrevista com o autor.

do sujeito".[17] A bifurcação que Foucault realiza situa-se, aliás, tanto em relação à problemática fenomenológica quanto ao marxismo. A fenomenologia inspirou, entretanto, uma abertura importante para o questionamento filosófico, ao enfatizar o fato de que o homem não é aquele que é conhecido, mas aquele que conhece; vem daí a impossibilidade para a instância cognoscente de ter acesso ao autoconhecimento a não ser por um jogo de espelho que torna manifesta a diferença invisível entre o rosto e sua representação.

Essa perspectiva será amplamente retomada por Jacques Lacan no período anterior à guerra contra a "fase do espelho". Ele busca nesse momento, nos fenomenólogos, o meio de evitar o reducionismo biológico. O próprio Foucault começa *Les mots et les choses* pelo famoso quadro *As meninas* e mostra um sujeito-rei que só entra no quadro graças ao espelho. Mas a fenomenologia não pôde ou não soube apartar-se do círculo antropológico, e é um avanço fundamental o que Foucault propõe: "É impossível, sem dúvida, atribuir valor transcendental aos conteúdos empíricos, ou deslocá-los do lado de uma subjetividade constituinte, sem dar lugar, pelo menos silenciosamente, a uma antropologia".[18]

A investigação fenomenológica, em sua tensão interna entre o empírico e o transcendental, mantidos separados mas ambos focalizados, ao mesmo tempo, na noção de vivenciado, deve ser deslocada para que se possa indagar se verdadeiramente o homem existe, se ele não é o lugar da falta do ser em torno da qual o humanismo ocidental dormia com absoluta impunidade. O impasse da tentativa fenomenológica, apesar de sua ambição de afirmar-se capaz de manter-se simultaneamente no interior e fora do seu próprio campo de percepção e de cultura, provém da sua vontade de fundar o impensado no próprio homem, quando ele está, para Foucault, em sua sombra, no Outro, numa alteridade e num dualismo sem recurso. Esse dobramento tem de ser desfeito para dar lugar ao que no sujeito vivo, falante e trabalhador escapa ao primado do "Eu" (*Je*) e, suplantando o empirismo do vivido, permite o desenvolvimento pleno das ciências da linguagem e da psicanálise. O projeto

---

17 Foucault, Structuralism and post-structuralism, *Telos*, v.16, p.195-211, 1983. Entrevista com Georges Raulet.

18 Foucault, *Les mots et les choses*, p.261.

foucaultiano tem como objetivo realizar a travessia da consistência tangível do que fala no homem, mais do que daquilo que ele ouve dizer. O sujeito fenomenológico encontra-se, evidentemente, desqualificado nesse projeto, o que se tornará, um pouco mais tarde, um dos aspectos mais importantes e mais discutidos da filosofia estruturalista.

7

O corte saussuriano

Se o estruturalismo engloba um fenômeno muito diversificado, mais do que um método e menos do que uma filosofia, ele encontra seu cerne, sua base unificadora, no modelo da linguística moderna e na figura daquele que é apresentado como o seu iniciador: Ferdinand de Saussure. Daí o tema do retorno a Saussure que dominará esse período e se inscreverá num movimento mais geral de "retorno a..." Marx, Freud, como se um programa que pretende encarnar a modernidade, a racionalidade, finalmente, encontrada nas ciências humanas, tivesse necessidade de mobilizar o passado, pressupondo assim uma perda entre os dois momentos: o do corte inicial e o da sua redescoberta.

Saussure figura, portanto, como pai fundador, mesmo que em tantas investigações o conhecimento de sua obra seja mediado por este ou aquele. Ele dá a sua solução para o velho problema formulado por Platão no *Crátilo*. Com efeito, Platão opõe duas versões das relações entre natureza e cultura: Hermógenes defende a posição segundo a qual os nomes atribuídos às coisas são arbitrariamente escolhidos pela cultura e Crátilo vê nos nomes um decalque da natureza, uma relação fundamentalmente natural. Esse velho debate, recorrente, encontra em Saussure aquele que dará razão a Hermógenes com a sua noção de arbitrariedade do signo. Jocosamente, Vincent Descombes evoca o caráter "revolucionário" dessa descoberta fazendo do mestre de filosofia que Molière coloca em cena em O *burguês fidalgo* (Ato II, cena V) o iniciador do método estruturalista.[1] A história é muito conhecida: *Monsieur* Jourdain, que dominava a prática sem a ciência, quer escrever uma carta a uma marquesa para dizer-lhe: "Bela marquesa, vossos belos olhos fazem-me morrer de amor". Essa simples declaração dá lugar a cinco posições sucessivas, decomponíveis em 120 permutações sucessivas, e faz variar outras tantas vezes a conotação a partir de uma mesma denotação.

Foi necessário, porém, esperar a publicação do *Cours de linguistique générale* (chamado *CLG*) para assistir ao nascimento da linguística moderna. Como se sabe, essa obra de Saussure é oral, resulta dos cursos que ele ministrou entre 1907 e 1911 e da coleta, depuração e ordenamento dos raros escritos deixados pelo mestre, assim como dos apontamentos recolhidos por seus alunos durante as aulas. São dois professores de Genebra, Charles Bally e Albert Séchehaye, que publicam o *CLG* após a morte de Saussure, em 1915. O essencial da demonstração consiste em fundamentar o arbitrário do signo, em mostrar que a língua é um sistema de valores constituído não por conteúdos ou produtos de uma vivência, mas por diferenças puras. Saussure oferece uma interpretação da língua que a coloca resolutamente do lado da abstração para afastá-la do empirismo e das considerações psicologizantes. Funda assim uma nova disciplina, autônoma em relação às outras ciências humanas: a linguística. Uma vez estabelecidas as suas regras próprias, ela vai, por seu rigor, seu grau de formalização, arrastar em sua esteira todas as outras disciplinas e fazê-las assimilar seu programa e seus métodos.

O destino dessa publicação é deveras paradoxal. Françoise Gadet, que acompanhou seu percurso,[2] mostra sua fraca repercussão quando da sua publicação, em contraste com o período que vai dos anos 1960 até os dias atuais. O ritmo de traduções e reedições amplia-se e acompanha a onda crescente do estruturalismo generalizado: cinco traduções de 1916 a 1960 e doze para o curto período de 1960 a 1980. Dois acontecimentos desempenharão um papel decisivo nesse êxito cada vez maior do *CLG*, que se tornará o livrinho vermelho do estruturalista de base. O primeiro fator relaciona-se com a preponderância assumida pelos

1 Descombes, *Le même et l'autre*, p.100.

2 Gadet, Le signe et le sens, *DRLAV, Revue de Linguistique*, n.40, 1989.

russos e suíços após a Primeira Guerra Mundial numa disciplina linguística dominada até então pelos alemães, propensos essencialmente a uma filosofia comparativa. No I Congresso Internacional de Linguística, realizado em Haia em 1928, sela-se uma aliança prenunciadora de um grande futuro: "As propostas apresentadas pelos russos Jakobson, Karcevski e Trubetzkoy, de um lado, e pelos genebrinos Bally e Séchehaye, de outro, têm em comum destacar a referência a Saussure para descrever a língua como sistema".[3] Portanto, Genebra e Moscou estão na base de definição de um programa estruturalista. Aliás, foi nessa ocasião que Jakobson empregou pela primeira vez o termo "estruturalismo"... Saussure só fizera uso do termo sistema, múltiplas vezes citado, 138 vezes nas trezentas páginas do *CLG*.

O segundo acontecimento que condiciona o futuro do *CLG*, dessa vez na França, é, entre outros fatores, o artigo de Greimas, que data de 1956: "L'actualité du saussurisme", publicado em *Le Français Moderne* (v.3, 1956). "Nesse artigo, eu mostrava que a linguística era invocada por toda a parte: Merleau-Ponty em filosofia, Lévi-Strauss em antropologia, Barthes em literatura, Lacan em psicanálise, mas que nada acontecia na linguística propriamente dita, e que seria tempo, portanto, de repor Ferdinand de Saussure em seu justo lugar."[4] Manifestamente, a definição progressiva nesses anos 1950 e 1960 de um programa semiológico global, suplantando a linguística para englobar todas as ciências humanas num projeto comum, que foi a grande ambição do período, encontra sua justificação e seus incentivos na definição de Saussure para a semiologia como "a ciência que estuda a vida dos signos no seio da vida social".

O tema do corte

Para compreender o paradigma estruturalista é necessário, portanto, partir do corte saussuriano, visto que o *CLG* foi lido e entendido por toda uma geração como o momento criador. Isso basta para

3 Ibidem, p.4.
4 Algirdas-Julien Greimas, entrevista com o autor.

tornar tangível o postulado do corte, mesmo que seja, segundo certos especialistas, em boa parte mítico. Não obstante, e para que melhor se avalie a sua importância, pode-se indagar se houve, efetivamente, um corte entre uma linguística pré- e pós-saussuriana. A essa indagação, as respostas divergem de acordo com os linguistas. Ninguém, evidentemente, tem a ingenuidade de supor que o pensamento linguístico saiu pronto e acabado para consumo imediato da cabeça do único indivíduo Ferdinand de Saussure, mas alguns insistem mais sobre a descontinuidade que ele representa e outros, sobre uma mudança mais contínua.

Françoise Gadet defende a ideia de um corte muito nítido entre "a concepção que tinha sido a do período pré-saussuriano"[5] e aquela que Saussure inaugurou. A abordagem descritiva, a prevalência do sistema, a preocupação em remontar até as unidades elementares a partir de procedimentos construídos e explícitos, tal é a nova orientação, oferecida por Saussure, que constituirá o menor denominador comum de todos os movimentos estruturalistas. Também para Roland Barthes, Saussure representa o verdadeiro nascimento da linguística moderna: "Com Saussure ocorre uma mudança epistemológica: o analogismo toma o lugar do evolucionismo, a imitação substitui a derivação".[6] Em seu entusiasmo, Roland Barthes apresenta Saussure até como portador do modelo democrático, graças à homologia que se pode formular entre contrato social e contrato linguístico. Toda uma filiação remete, nesse ponto, a um enraizamento de longa duração do estruturalismo. Com efeito, essa corrente deve muito ao romantismo alemão, o qual já defendera a concepção de uma arte como estrutura que escapa à imitação do real. A poesia devia ser um discurso republicano, segundo os irmãos Wilhelm e Friedrich Schlegel.[7]

Claudine Normand, professora de linguística em Paris-X, adepta da linguística a partir da ideia do corte saussuriano, vê realmente um corte, mas não onde ele se encontra habitualmente: "É difícil situá-lo: o discurso saussuriano é muito confuso, uma vez que é fruto da discussão positivista do seu tempo".[8] A contribuição essencial de Saussure

5 Gadet, *Le signe et le sens*, p.18, 1989.

6 Barthes, Saussure, le signe, la démocratie, *Le Discours Social*, n.3-4, abr. 1973.

7 Ver Todorov, *Théories du symbole*.

8 Claudine Normand, entrevista com o autor.

não seria a descoberta do arbitrário do signo, do qual todos os linguistas já estavam convencidos no final do século XIX. Todos os trabalhos comparatistas já tinham adotado o ponto de vista convencionalista e rejeitado o modelo naturalista. Entretanto, "ele fez outra coisa: vinculou-o ao princípio semiológico, ou seja, à teoria do valor, o que lhe permite dizer que na língua há apenas diferenças sem signo opositivo".[9] A ruptura situar-se-ia, portanto, essencialmente, no plano da definição de uma teoria do valor, nos princípios de generalidade de descrição, na abstração da postura. Para ele o sistema é a expressão da construção de uma postura abstrata, conceitual, pois um sistema não se observa, e no entanto cada elemento linguístico depende dele. Quanto à oposição diacronia/sincronia, Claudine Normand considera que ela já estava em gestação antes de Saussure, especialmente em todos os trabalhos de dialetologia que deviam naturalmente fazer prevalecer, na ausência de traços escritos, a sincronia em sua coleta de dialetos. Sobre esse ponto, Saussure não teria feito mais do que "sistematizar as coisas que começavam a dizer-se, a fazer-se".[10]

Jean-Claude Coquet, por sua vez, faz remontar ao século XIX e até mesmo ao final do século XVIII os grandes movimentos constitutivos da linguística contemporânea. A noção de sistema preexistia a Saussure: "É, em primeiro lugar, uma noção taxionômica e, portanto, foi do lado dos biólogos que se observaram os primeiros esforços coroados de êxito. É a época de Goethe e de Geoffroy Saint-Hilaire".[11] Portanto, com Saussure dá-se apenas uma solidificação, um endurecimento, por assim dizer, da ideia de sistema que, para dar-lhe o máximo de alcance, reduz o seu campo de estudos ao sistema sincrônico, deixando de lado os aspectos históricos, pancrônicos. Jean-Claude Milner, na esteira de Michel Foucault, vê em Bopp a base essencial, a da constituição de uma gramática que sai do universo da Idade Clássica, da representação. Saussure teria simplesmente dado forma aos princípios fundamentais de que a linguística do seu tempo, ou seja, a linguística histórica, tinha necessidade. Precisava-se novamente de uma linguística geral desde finais do século XIX, e de reatar assim os seus vínculos com um período anterior

9 Ibidem.
10 Ibidem.
11 Jean-Claude Coquet, entrevista com o autor.

em que a linguística geral existia, antes de ser reprimida pelo historicismo das pesquisas filológicas: "Não cabe, pois, privilegiar o ponto de vista descontinuísta",[12] visto que a linguística geral é um termo que se começa a encontrar desde a década de 1880. Quanto a André Martinet, se contribuiu muito para fazer ler e conhecer Saussure, ele considera que, pela distinção que estabeleceu entre língua e fala, Saussure cedeu à pressão da sociologia e "fracassou em seu programa de estudar o fenômeno linguístico em si mesmo e por si mesmo".[13] Segundo Martinet, é necessário esperar pelo Círculo de Praga e pela fonologia para ver definido o programa realmente fundador do estruturalismo: "Eu sou saussuriano, e apesar da maior admiração por Saussure, digo que ele não é o fundador do estruturalismo".[14]

Preponderância da sincronia

André Martinet critica, sobretudo, a abstenção diante do grande problema que se apresenta na época de Saussure e que não encontrou resposta no *CLG*: por que as mudanças fonéticas são regulares? Ora, para apreender esse fenômeno, não era preciso encerrar a estrutura na sincronia, no estático: "Uma estrutura mexe-se".[15] As categorias saussurianas, portanto, servirão de instrumento epistêmico ao estruturalismo generalizado, mesmo que os diversos trabalhos tomem certas liberdades com a palavra saussuriana a fim de adaptá-la à especificidade de seus respectivos campos. A principal inflexão será a preponderância atribuída à sincronia. Saussure ilustra esse privilégio e seu corolário, a insignificância da historicidade, com a metáfora do jogo de xadrez. A inteligência da partida resulta da visão do lugar e das combinações possíveis das peças colocadas no tabuleiro de jogo: "É totalmente indiferente que se tenha chegado a ela por um caminho ou outro".[16] É no estudo da combinação recíproca de unidades distintas que as leis internas que regem uma língua

12 Sylvain Auroux, entrevista com o autor.
13 André Martinet, entrevista com o autor.
14 Ibidem.
15 Ibidem.
16 Saussure, *Cours de linguistique générale*, p.126.

podem ser reconstituídas. Essa tese da independência da investigação sincrônica para ter acesso ao sistema rompe com a postura dos comparatistas e da filosofia clássica, baseada na busca de sucessivos empréstimos, dos diversos estratos na constituição das línguas.

Essa radical mudança de perspectiva relega a diacronia ao *status* de simples derivada, e a evolução de uma língua será concebida como a passagem de uma sincronia para uma outra sincronia. Não se pode deixar de pensar nas epistemes foucaultianas, embora a referência a Saussure em Foucault não seja verdadeiramente explícita. Esse *tour de force* permitiu à linguística libertar-se da tutela historiadora, favorecendo a sua autonomização como ciência, mas ao alto custo de uma a-historicidade e, portanto, de uma amputação que se tornou talvez necessária a fim de romper com o evolucionismo em curso, mas que conduzirá a aporias por não ter sabido dialetizar os vínculos diacronia/sincronia. Mas Saussure terá permitido mostrar que uma língua não muda de acordo com as mesmas leis da sociedade e, por conseguinte, entender que uma língua não é a simples expressão de algum particularismo racial, como pensavam os linguistas do século XIX, que reconstituíam a história das sociedades indo-europeias por meio das línguas certificadas.

O fechamento da língua

A outra inflexão essencial da abordagem saussuriana é o fechamento da língua sobre si mesma. O signo linguístico une não uma coisa ao seu nome, mas um conceito a uma imagem acústica num vínculo arbitrário que remete a realidade, o referente, para o exterior do campo do estudo a fim de determinar a perspectiva, por definição restrita, do linguista. O signo saussuriano só envolve, portanto, a relação entre significado (o conceito) e significante (imagem acústica), com exclusão do referente. É o que opõe o signo ao símbolo, dado que este último conserva um vínculo natural na relação significado/significante. "A língua é um sistema que só conhece a sua própria ordem"; "A língua é uma forma, não uma substância".[17] Nesse sentido, a unidade linguística,

17 Ibidem, p.43, 157, 169.

por seu duplo aspecto fônico e semântico, remete sempre para todas as outras numa combinatória puramente endógena.

A função referencial, também chamada denotação, é portanto reprimida. Situa-se num outro nível, o das relações entre o signo e o referente. Se Saussure não concede preponderância alguma ao significante em relação ao significado, os quais são para ele indissociáveis como duas faces de uma folha de papel, o significante define-se por sua presença sensível, ao passo que o significado se caracteriza por sua ausência: "O signo é, ao mesmo tempo, marca e carência: originalmente duplo".[18] Essa relação desigual, constitutiva da significação, será retomada, especialmente por Jacques Lacan, a fim de minorar o significado em proveito do significante numa torção que acentua ainda o caráter imanente da abordagem da língua. Por essa orientação imanentista, Saussure limita o seu projeto e escapa a toda e qualquer correlação entre duas de suas proposições: "aquela segundo a qual a língua é um sistema de signos, e aquela segundo a qual a língua é um fato social".[19] Ele encerra sua linguística num estudo restritivo do código, separada de suas condições de aparecimento e de sua significação.

Saussure fez, portanto, a escolha do signo contra o sentido, devolvido ao passado metafísico, escolha que se converterá numa das características do paradigma estruturalista. Essa formalização permitirá que se realizem progressos muito significativos na descrição das línguas; mas se transformará, com frequência, de meio em finalidade e, por essa razão, será repetidamente dissimuladora, senão mistificadora, em seu fechamento. Dois modos de alinhamento permitem a inteligibilidade da combinatória interna da língua: as relações de contiguidade, chamadas sintagmáticas, lineares, e as relações *in absentia*, a que Saussure chama relações associativas, e que serão retomadas mais tarde na noção de paradigma.

Se a postura saussuriana é, pois, restritiva por definição, ela se inscreve, não obstante, numa ambição muito ampla de construção de uma semiologia geral que integre todas as disciplinas que se interessam pela vida dos signos no seio da vida social: "A linguística é apenas uma

---

18 Ducrot; Todorov, *Dictionnaire encyclopédique des sciences du langage*, p.133.

19 Calvet, *Pour et contre Saussure*, p.82-3.

parte dessa ciência geral".[20] É na realização desse ambicioso programa que se inscreve o projeto estruturalista, reagrupando em torno de um mesmo paradigma todas as ciências do signo. É esse impulso que fará da linguística a ciência-piloto, no centro do projeto, com a força de um método que pode prevalecer-se de resultados; ela se apresentará como o cadinho, o *melting-pot* de todas as ciências humanas.

O caráter excepcional e inovador dessa configuração na paisagem intelectual francesa deve, não obstante, ser moderado, se o compararmos com a situação similar que prevaleceu na Alemanha no século XIX, em que a filologia e a gramática comparada são as primeiras disciplinas a se institucionalizarem sob a forma da ciência moderna. A comparação do número de cátedras universitárias, de créditos, de revistas que serviam de indicador confirma essa anterioridade: "Penso que a gramática comparada custa mais caro do que a física no século XIX na Alemanha".[21] A filiação saussuriana reterá, pois, quanto ao essencial, o *CLG*, o qual é apenas um dos aspectos da personalidade de Saussure; o seu lado sistemático, formalista, aí se expõe como programa, embora enunciado em aulas como uma improvisação sem apontamentos, além de um vago pedaço de papel dobrado em quatro, segundo o testemunho de seus alunos.

Dois Saussures?

O binarismo redescobre-se nos centros de interesse e na própria personalidade do linguista genebrino, que trocava frequentemente Genebra por Marselha; nessas viagens regulares, ele levava pequenos cadernos que cobria de meditações sobre os textos védicos e saturninos da poesia sagrada da Índia e de Roma. Assim foi que ele encheu duzentos cadernos a respeito dos anagramas e efetuou toda uma pesquisa cabalística para ver se não haveria um nome próprio disseminado no interior desses textos que fosse, ao mesmo tempo, o destinatário e o sentido fundamental da mensagem.

---

20 Saussure, *Cours de linguistique générale*, p.33.

21 Sylvain Auroux, entrevista com o autor.

Perturbado por suas descobertas, Saussure até se interessa por sessões de espiritismo durante os anos de 1895-1898. Essa dualidade não é, aliás, exclusiva de Saussure; vamos encontrá-la também em outros cientistas. Foi o que ocorreu com Newton, por exemplo, que enchia milhares de páginas sobre alquimia ao mesmo tempo que redigia os seus *Principia*. O fundador da mecânica clássica e da racionalidade ocidental estava também empenhado na descoberta da pedra filosofal. Haveria, portanto, naquele que Louis-Jean Calvet denominou o segundo Saussure,[22] a ideia da existência de uma linguagem sob a linguagem, de uma codificação consciente ou inconsciente das palavras sob as palavras, uma busca de estruturas latentes, das quais não existe o menor traço no *CLG*, no Saussure oficial, ajardinado. Saussure chegou mesmo a ser convocado em 1898 por um professor de psicologia de Genebra, Fleury, para examinar o caso de glossolalia de mlle. Smith que, sob hipnose, declarava falar sânscrito. Saussure, professor de sânscrito, deduziu que "não era sânscrito, mas que nada havia que fosse contra o sânscrito".[23]

Todos esses cadernos foram cuidadosamente mantidos em segredo pela família e somente em 1964 Jean Starobinski pôde publicar parcialmente esses anagramas.[24] Poder-se-á então inaugurar uma nova direção nas investigações apoiando-se nessa descoberta, em meados dos anos 1960, com destaque para Julia Kristeva. Pode-se falar, com Jakobson, da "segunda revolução saussuriana", por muito tempo reprimida.

O sujeito ausente

Essa segunda filiação permitirá o retorno ao sujeito. Contudo, este é explicitamente reduzido à insignificância, senão ao silêncio, pelo *CLG*, com a distinção essencial que Saussure estabelece entre linguagem e fala. Essa oposição encobre a distinção entre social e individual, concreto e abstrato, contingente e necessário; por essa razão, a ciência linguística deve limitar-se a ter por objeto a língua, único objeto que pode

22 Calvet, *Pour et contre Saussure*.

23 Louis-Jean Cavet, entrevista com o autor.

24 Starobinski, *Mercure de France*, fev. 1964; depois, *Les mots sous les mots*.

dar lugar a uma racionalização científica. A consequência disso é a eliminação do sujeito falante, do homem de fala: "A língua não constitui, pois, uma função do falante: é o produto que o indivíduo registra passivamente [...]. A língua, distinta da fala, é um objeto que se pode estudar separadamente. Não falamos mais as línguas mortas, mas podemos perfeitamente assimilar-lhes o organismo linguístico".[25] A linguística só tem acesso ao estágio de ciência, para Saussure, na condição de delimitar muito bem o seu objeto específico, a língua, e deve, portanto, desembaraçar-se dos resíduos da fala, do sujeito, da psicologia. O indivíduo é expulso da perspectiva científica saussuriana, vítima de uma redução formalista na qual não tem mais seu lugar.

Essa negação do homem, já ângulo morto do horizonte saussuriano, também passará a ser um elemento essencial do paradigma estruturalista, além do campo linguístico. Ela leva ao paroxismo um formalismo que, depois de já se ter esvaziado de sentido, exclui também o locutor para culminar numa situação em que "tudo se passa como se ninguém falasse".[26] O preço a pagar pela linguística moderna para impor-se é, como se vê, muito pesado, por suas negações de princípio e consequências. Mas também nesse capítulo a singularidade de Saussure deve ser relacionada com a tradição dos comparatistas alemães do século XIX: estes buscavam as verdadeiras estruturas na língua, considerando que a atividade da fala destruía a estrutura linguística. Portanto, essa corrente já considerava indispensável reconstituir uma estrutura da língua, que se encontrava exterior ao que se lhe fazia. Também nesse plano Saussure teria apenas, em última instância, sistematizado algo que preexistia a ele.

Subentendidos nessa oposição língua/fala, há para Oswald Ducrot dois planos confundidos por Saussure "e que seria interessante distinguir bem, que foi o que procurei fazer".[27] A oposição língua/fala pode ser considerada, em primeiro lugar, como a distinção entre o dado – a fala – e o construído – a língua. Essa distinção metodológica ou epistemológica é indispensável e sempre válida: ela é, inclusive, a condição da postura científica, mas não pressupõe a segunda oposição formulada

25 Saussure, *Cours de linguistique générale*, p.30.
26 Hagège, *L'homme de parole*, p.305.
27 Oswald Ducrot, entrevista com o autor.

por Saussure, esta contestável, entre um sistema linguístico abstrato, do qual o sujeito foi suprimido, e a atividade da fala, entre um código objetivo e a utilização desse código pelos sujeitos. Mas para toda a corrente saussuriana dos anos 1960, a confusão entre esses dois níveis será maciçamente retomada e produzirá temas da morte do homem, do anti-humanismo teórico. Levará ao seu paroxismo a esperança científica, finalmente desembaraçada do sujeito da enunciação.

8

O homem-orquestra
Roman Jakobson

O êxito do estruturalismo na França é, entre outros fatores, o resultado de um encontro particularmente fecundo em 1942, em Nova Iorque, entre Claude Lévi-Strauss e Roman Jakobson. Nascida com base num mal-entendido, essa amizade produzirá seu máximo brilho na unidade de suas obras respectivas, que pertencem ao mesmo movimento de pensamento e método. Se Jakobson se deixa enganar quando vê em Lévi-Strauss aquele com quem poderá beber a noite inteira, em contrapartida a cumplicidade de ambos nunca será desmentida. No entardecer da vida, Roman Jakobson envia uma separata de um artigo ao seu amigo com a dedicatória: "A meu irmão Claude". Por um lado, Lévi-Strauss adota o modelo fonológico em que Jakobson o iniciou; por outro, Jakobson abre a linguística para a antropologia.

No capítulo em forma de programa "Le langage commun des linguistes et des anthropologues",[1] Jakobson destaca o papel da teoria matemática da comunicação e da teoria da informação nos progressos da linguística desde Saussure e Peirce, seu contemporâneo. Cumpre, portanto, abrir resolutamente a linguística ao campo da significação, pôr fim ao jogo de esconde-esconde entre signo e significação: "Estamos diante da tarefa de incorporar as significações linguísticas à ciência

1 Jakobson, texto conclusivo da Conferência de Antropólogos e Linguistas realizada na Universidade de Indiana em 1952, *Essais de linguistique générale.*

da linguagem".[2] Um vasto programa comum de pesquisas abre-se, pois, tanto para o linguista quanto para o antropólogo na comutação dos códigos de uma língua para outra, o que é possibilitado pela isomorfia de suas estruturas internas. A mesma vontade de universal se reencontra em Jakobson e em Lévi-Strauss: "Chegou o momento de enfrentar a questão das leis universais da linguagem".[3] Percebe-se aí o mesmo desejo de ancoragem na modernidade das ciências exatas. Jakobson compara os desenvolvimentos recentes da linguística geral, sua passagem do enfoque genético à abordagem descritiva, à transformação da mecânica clássica em mecânica quântica: "A linguística estrutural, à semelhança da mecânica quântica, perde em determinismo temporal o que perde em determinismo mórfico".[4]

Essa abertura para a antropologia em Jakobson não data, porém, do seu encontro com Lévi-Strauss. É-lhe anterior, visto que Jakobson se situa na dupla filiação da linguística europeia e das aquisições de uma linguística norte-americana, baseada no trabalho dos antropólogos, a partir das línguas ameríndias, da etnolinguística: Sapir, Boas... Por caminhos diferentes dos de Saussure, essa tradição também enfatizou a prevalência do descritivo das línguas e da comprovação de sua estrutura interna. Cumpria encontrar, com efeito, a coerência dessas línguas ameríndias o mais depressa possível, uma vez que estavam ameaçadas de desaparecer com grande rapidez.

Mas antes de se integrar à vida americana, Roman Jakobson teve um percurso surpreendente. Verdadeiro *globe-trotter* do estruturalismo, ele deve sua posição central e sua influência a um percurso que o levou de Moscou a Nova Iorque, passando por Praga, Copenhague, Oslo, Estocolmo e Upsala, sem contar com as viagens muito frequentes a Paris. Reconstituir o seu itinerário equivale a seguir as voltas e os desvios do paradigma estruturalista nascente, em sua escala internacional.

---

2 Ibidem, p.42.

3 Ibidem, p.72.

4 Ibidem, p.74.

O círculo linguístico de Moscou

Personalidade extremamente receptiva a tudo o que se relaciona com a modernidade, tanto em arte quanto em ciência, Jakobson nasceu a 11 de outubro de 1896 em Moscou. Seu interesse recai desde muito cedo sobre os contos que ele devora sofregamente, pois é já um "leitor furioso"[5] aos 6 anos de idade! Também aprende desde muito jovem as línguas estrangeiras, o francês, o alemão, descobre a poesia: Puchkin, Verlaine, depois Mallarmé aos 12 anos! Em 1912, é o choque: alia-se a uma nova corrente particularmente criadora: a corrente futurista. Lê os poemas de Velimir Khlebnikov, depois os de Vladimir Maiakovski, de quem se tornará amigo, bem como do pintor Kazimir Malévitch: "Cresci num ambiente de pintores".[6] Jakobson tem pois em comum com Lévi-Strauss essa proximidade com a pintura que, para ele, encarna a cultura criativa no que ela tem de mais intenso.

Em 1915, Jakobson toma a iniciativa da criação do Círculo Linguístico de Moscou, que se impõe como tarefa promover a linguística e a poética. A primeira sessão do Círculo realiza-se na sala de jantar da residência dos pais de Jakobson. Mas o fato de animar um Círculo em plena guerra sob o regime czarista é perigoso, e ele será rapidamente colocado na dependência do Comitê de Dialetologia da Academia das Ciências. Esse impulso dado ao estudo linguístico provém, portanto, no caso de Jakobson, essencialmente, dos meios formalistas e futuristas. A filiação saussuriana ocorrerá mais tarde, pois Jakobson só descobre o *CLG* em 1920, em Praga. Entretanto, em 1914-1915, trava conhecimento, decisivo, com o príncipe Nicolai Trubetzkoy, que lhe fala dos trabalhos franceses da Escola de Meillet.

Segundo Antoine Meillet, Trubetzkoy era o líder obstinado da linguística moderna. Ele estará na origem da renovação decisiva da linguística, graças à fonologia. Uma grande amizade o ligará a Jakobson, sobretudo depois de 1920 e até sua morte em 1938, ao ponto de Jakobson dizer que já não sabia muito bem o que era seu e o que pertencia ao seu amigo, tão numerosas e fecundas eram suas conversas e contribuições

---

5 Jakobson, entrevista realizada por Todorov, *Poétique*, n.57, p.4, fev. 1984.

6 Ibidem, p.12.

recíprocas. "Era uma cooperação espantosa, tínhamos necessidade um do outro."[7] De Husserl, lê as *Logische Untersuchungen*, "que tiveram talvez a maior influência sobre os meus trabalhos teóricos".[8] No começo de 1917, participa na criação, em São Petersburgo, do Opoyaz; esse círculo de São Petersburgo é uma sociedade para o estudo da linguagem poética. Ele desenvolve ainda as relações entre teoria, poética e prática, num ambiente de poetas (Eikhenbaum, Polivanov, Yakoubinski e Chklovski): "O aspecto linguístico da poesia foi deliberadamente enfatizado em todos esses empreendimentos".[9]

Jakobson defende então a ideia da imanência do estudo do texto literário, de sua coerência interna, que faz dele um todo superior à soma de partes. Jakobson, que quer assim conseguir a junção entre criação e ciência, graças à linguística, espera obter o acesso dessa última ao estágio de ciência nomotética. A linguagem poética lhe oferece um bom ponto de partida pelo seu caráter fundamentalmente autotélico, o que a distingue da linguagem cotidiana determinada por elementos exteriores à sua lógica própria, logo, excessivamente marcada de heterotelismo. Essa postura formalista não se coaduna com o manto de chumbo stalinista que se abateu sobre a Rússia dos anos 1920 e 1930.

O Círculo de Praga

Ao contrário do seu amigo E. Polivanov, que fica na Rússia, Jakobson deixa o seu país e vai para a Tchecoslováquia, no começo como intérprete da missão da Cruz Vermelha soviética em Praga. "Foi, portanto, um acidente da história que propiciou o desenvolvimento do estruturalismo no Ocidente."[10] Com efeito, poderia desenvolver-se na União Soviética, e os soviéticos poderiam, portanto, encontrar-se na vanguarda das investigações linguísticas. É certo que linguistas como E. Polivanov optaram por ficar na Rússia, mas serão rapidamente

7 Idem, em *Archives du XXe siècle*, de Marchand, entrevistas de 10 fev. 1972, 2 jan. 1973, 14 set. 1974, redistribuição, *La Sept*, out. 1990.

8 Ibidem, p.16.

9 Idem, Préface. In: Todorov, *Théorie de la littérature*, p.9.

10 Marina Yaguello, entrevista com o autor.

liquidados, eles e suas obras, pelas autoridades soviéticas. Essa repressão prova, aliás, *a contrario*, os limites das teses formalistas: ela põe de manifesto o compromisso político da escritura e contradiz, de fato, o postulado formalista segundo o qual a literatura não tem outra finalidade senão ela própria, para além de todo o contexto histórico. Jakobson é nomeado adido cultural soviético na embaixada de Praga, graças ao embaixador Antonov, que tomara de assalto o Palácio de Inverno em outubro de 1917, sob a direção de Trotsky, crime suficiente para que também fosse liquidado pouco depois: "Antonov foi chamado a Moscou com todo o pessoal da embaixada, que será fuzilado de A a Z, incluindo os moços de recados do escritório e a faxineira".[11]

Jakobson entedia-se em Praga. Orienta-se, então, para o frequente convívio com poetas tchecos e, em seus encontros, traduz para o tcheco os poetas russos, pois na época a cultura russa ainda não era a de um país irmão. Foi nessa leitura em tcheco de Gorki, de Maiakovski..., nas traduções improvisadas que propiciavam discussões acaloradas, que Jakobson descobriu de súbito "essa diferença de musicalidade entre as duas línguas, e a diferença de tonalidade entre o russo e o tcheco, duas línguas muito próximas por suas raízes e bases lexicais mas com preferências fonológicas muito diversas, ainda que bastante próximas para que se perceba ser preciso muito pouco para que a diferença pertinente mude".[12]

A fonologia estrutural nasceu assim dessa interação entre línguas naturais, línguas culturais e língua poética. Jakobson reencontra-se também com o príncipe russo Nicolai Trubetzkoy, a quem conhecia desde 1915 e que se refugiara em Viena, fugindo da revolução bolchevique. Em 16 de outubro de 1926, por iniciativa dos tchecos Vilém Mathesius, Mukaróvsky e J. Vachek, e dos russos Nicolai Trubetzkoy, Roman Jakobson e Serge Karcevski, é fundado o Círculo Linguístico de Praga. Daí sairão, a partir de 1929, os trabalhos que definirão um programa explicitamente estruturalista: "Ele próprio [o Círculo] deu-se o nome de estruturalista, sendo seu conceito fundamental a estrutura, concebida como um todo dinâmico".[13] O Círculo de Praga situa seus trabalhos na filiação saussuriana, bem como na do formalismo

11 Jean-Pierre Faye, entrevista com o autor.

12 Ibidem.

13 Mukaróvsky, publicado por *Change*, n.3, 1971.

russo, de Husserl, da *Gestalt*, e estabelece, por outro lado, vínculos com o Círculo de Viena. "As teses de 1929" do Círculo de Praga terão valor de programa para várias gerações de linguistas. Elas definem uma rigorosa distinção entre a linguagem interna e a linguagem manifesta: "Em seu papel social, cumpre distinguir a linguagem segundo a relação existente entre ela e a realidade extralinguística. Ela tem ora uma função de comunicação, ou seja, que está dirigida para o significado, ora uma função poética, isto é, que está dirigida para o próprio signo".[14] O Círculo de Praga pretende essencialmente consagrar-se ao estudo, até então negligenciado, da linguagem poética.

Professor na Universidade de Brno até 1939, Jakobson, como vice-presidente do Círculo, contribuirá para a difusão do programa estruturalista no Ocidente, e especialmente graças ao I Congresso de Linguística Geral em Haia, de 10 a 15 de abril de 1928. O Círculo de Praga chega a esse congresso com teses modernistas prévia e cuidadosamente preparadas. Assim, os dois primeiros dias serão consagrados, sob o seu impulso, a questões de ordem teórica: "Pela primeira vez, empregamos a expressão linguística estrutural e funcional. Apresentamos a questão da estrutura como central, sem a qual nada pode ser tratado em linguística".[15] Jakobson terá também excelentes relações com o Círculo de Copenhague, criado em 1939 por Louis Hjelmslev e Viggo Brondal, ambos convidados a realizar conferências perante o Círculo de Praga. Reencontramos Jakobson, além disso, colaborando na revista do Círculo de Copenhague, *Acta Linguística*, apesar das divergências, em especial com Hjelmslev, que, segundo Jakobson, quer ir longe demais em sua vontade de eliminar toda a substância fônica e semântica do estudo da língua.

Mas a colaboração dos Círculos de Praga e de Copenhague abortará, uma vez mais por razões históricas, com a invasão da Tchecoslováquia pelas tropas nazistas em 1939. Jakobson foge para a Dinamarca, depois para a Noruega e a Suécia. Porém, as tropas nazistas avançam implacavelmente na direção oeste e Jakobson deve abandonar a Europa para encontrar refúgio, em 1941, em Nova Iorque, na Escola Livre de Altos Estudos. Ora, paralelamente, constituíra-se em 1934 um círculo

14 Les theses de 1929, *Change*, p.31, 1969.
15 Jakobson, em *Archives du XXe siècle*.

linguístico em Nova Iorque. Portanto, ele desembarcou em terras receptivas às suas teses, e a revista com que o Círculo se dotou em 1945, *Word*, conta com Jakobson entre os membros do seu comitê de redação. O primeiro número é, aliás, uma condensação do programa estruturalista, pois trata das aplicações da análise estrutural em linguística e em antropologia. E como *Word* se propõe consolidar "a cooperação entre linguistas americanos e europeus de diversas escolas",[16] ter-se-á compreendido que, uma vez mais, Jakobson se encontra entre os mais bem situados para obter êxito num tal empreendimento.

O momento mais fecundo e fundamental é em Praga nas décadas de 1920 e 1930. Ora, o Círculo de Praga, ao mesmo tempo que situa suas teses numa perspectiva saussuriana, também mantém uma certa distância de Saussure em diversos pontos essenciais. Em primeiro lugar, o Círculo de Praga definiu sua concepção da língua como um sistema funcional. Ora, "o adjetivo funcional introduz uma teleologia que lhe é [a Saussure] estranha, mais inspirada nas funções de Bühler".[17] Por outro lado, as teses de Praga também divergem do corte saussuriano diacronia/sincronia, recusando-se a aceitar essa cesura como uma barreira intransponível. Jakobson recusa por diversas vezes essa linha divisória e prefere a noção de sincronia dinâmica: "Sincrônico não é igual a estático".[18] Mais do que um modelo linguístico, o que constituirá o núcleo racional do estruturalismo, o modelo dos modelos, é a fonologia estrutural.

Em Praga, o melhor especialista nesse estrito domínio fonológico é Nicolai Trubetzkoy, que escreve o que virá a tornar-se um clássico: os *Principes de phonologie* (1939). Ele define aí o fonema por seu lugar no sistema fonológico: o método consiste em identificar as oposições fônicas, levando-se em conta quatro traços distintivos que são a nasalidade, o ponto de articulação, a labialidade e a abertura. Reencontra-se aí o princípio saussuriano da diferença pertinente, da investigação de unidades mínimas de pertinência: neste caso, o fonema. O distanciamento do referente próprio de Saussure é retomado, assim como essa investigação das leis internas do código da língua. A fonologia mantém-se à

16 *Word*, editorial, n.1, 1945.
17 Gadet, Le signe et le sens, *DRLAV, Revue de linguistique*, n.40, p.8, 1989.
18 Jakobson, *Essais de linguistique générale*, p.35-6.

margem de toda a realidade extralinguística. Essa descrição do material sonoro que a fonologia quer realizar redundará, em Jakobson, num quadro em que ele reúne todos os traços pertinentes a partir de doze oposições binárias, as quais se supõe explicarem todas as oposições em todas as línguas do mundo e, portanto, realizarem o sonho de universalidade que anima a corrente estruturalista.[19]

Tal como a linguagem formal matemática, o código fonemático também é, para Jakobson, binário desde a mais tenra infância. O binarismo está no âmago do sistema fonológico, em que se reencontra o pensamento dicotômico de Ferdinand de Saussure. Ao dualismo do signo entre significante e significado, entre o sensível e o inteligível, responde o binarismo do sistema fonológico.

A abertura para a psicanálise

Jakobson permitirá, por exemplo, a ampliação do campo de difusão do modelo fonológico à psicanálise, graças aos estudos sobre a afasia. De fato, ele distingue nesse distúrbio da linguagem dois tipos de alteração que permitem reconstituir os mecanismos de aquisição da linguagem, portanto, de suas leis próprias, e extrair ensinamentos clínicos sobre dois tipos de disfunção. Opõe a combinação dos signos entre eles e a seleção, que é a possibilidade de substituir um dos termos pelo outro. Retoma assim a oposição saussuriana entre sintagma e associação. "Para os afásicos do primeiro tipo (deficiência na seleção), o contexto constitui um fator indispensável e decisivo. [...] Quanto mais suas palavras dependem do contexto, melhor se sai de sua tarefa verbal. [...] Assim, é somente a armação, os elos de conexão da comunicação que estão salvaguardados nesse tipo de afasia."[20] Esse tipo de afasia opõe-se àquele em que o doente sofre, pelo contrário, de uma deficiência quanto ao contexto, de distúrbio de contiguidade, o que redunda em

19 Jakobson, Les douze traits de sonorité, em: Phonologie et phonétique (1956). In: *Essais de linguistique générale*, p.128-9.

20 Idem, Deux aspects du langage et deux types d'aphasie (1956). In: *Essais de linguistique générale*, p.50-1.

agramatismo ou caos verbal. Jakobson vincula os dois fenômenos às duas grandes figuras de retórica que são a metáfora, impossibilitada no primeiro caso de afasia, ou seja, no caso de perturbação da similaridade, e a metonímia, que se torna impossível no caso de perturbação de contiguidade.

Jacques Lacan, que se encontra com Jakobson em 1950 e que virá a ser seu íntimo, retomará essa distinção deslocando-a, no campo freudiano, para as noções de condensação e de deslocamento, a fim de explicar o modo de funcionamento do inconsciente.

> A fonologia serviu de modelo para as disciplinas que se relacionam com a linguagem, aquelas tantas disciplinas que tinham uma formalização bastante débil. A fonologia apresentava-lhes um sistema de formalização por pares, por oposições, simultaneamente simples e sedutor, porquanto exportável. A fonologia é o elemento transportador do estruturalismo.[21]

Entretanto, esse modelo aperfeiçoado no final dos anos 1920 só conhecerá sua verdadeira expansão a partir do pós-Segunda Guerra Mundial, e é necessário esperar o final da década de 1960 na França para assistir à sua institucionalização. Para compreender essa defasagem, cumpre considerar a situação da linguística na França nos anos 1950.

21 Jean-Claude Chevalier, entrevista com o autor.

9

Uma ciência-piloto sem avião

A linguística

Na França, a efervescência linguística tal como se manifesta na Europa nos anos 1930 não tardou a conhecer prolongamentos, mas uma distorção causará problemas. A lentidão institucional freará a implantação da linguística moderna na universidade; essa disciplina sitiará a fortaleza da Sorbonne, mas sem êxito. Será necessária uma verdadeira estratégia de assédio para conseguir uma vitória difícil diante das posições bem estabelecidas do mandarinato acadêmico.

O meio dos linguistas franceses, dominado pela personalidade de Antoine Meillet, e dispondo de uma sociedade de linguística e de um *Bulletin* dessa sociedade, mantém-se ao corrente da revolução em curso; mas se a informação passa, ela permanece um pouco distante das preocupações de investigadores fundamentalmente marcados por sua função clássica e pelo peso das tradições greco-latinas. A modernidade dos métodos estruturais tem, portanto, dificuldade em penetrar profundamente num meio não obstante aberto e que conta com Antoine Meillet, Grammont ou Vendryes, discípulos de Saussure, mais influenciados, porém, pelo Saussure comparatista do final do século XIX do que pelo Saussure do *CLG*.

Quanto à universidade, está completamente divorciada dessas preocupações, e o seu sono prolongar-se-á por muito tempo, apesar dos repetidos safanões. O que caracterizava a linguística na França nos anos 1930 já corresponde muito bem ao que fará desmoronar o edifício em 1968: é a centralidade. Nesse domínio, a autoridade de Antoine Meillet parece ter sido absoluta. O classicismo das formações, portanto das orientações, preponderou na época, salvo raras exceções. No essencial, os linguistas eram professores de gramática, por isso, defensores de uma linguística muito tradicional. Há, sem dúvida, casos atípicos, como o de Guillaume, que reagrupará à sua volta numerosos discípulos nesse enclave da modernidade que é a École des Hautes Études: "O caso de Guillaume é interessante. Era bancário. Meditara solitariamente sobre os problemas linguísticos. Meillet facilitou sua nomeação como encarregado de conferências em 1919-1920 nos Hautes Études".[1] Há também o trabalho muito inovador de Georges Gougenheim, publicado em 1939, *Système grammatical de la langue française*. Mas os que seguem o curso clássico superior têm, então, todas as possibilidades de passar à margem do fenômeno estruturalista, nascente em linguística.

Se a modernidade tem dificuldade em impor-se antes da guerra, o que se passa nos anos 1950? Verifica-se que o atraso da França acentua-se, que o abismo entre a Sorbonne e alguns lugares onde se promove a pesquisa em linguística continua enorme. Quanto àquele que teria podido dinamizar a paisagem, André Martinet, encontra-se nos Estados Unidos, de onde só regressará em 1955. Além disso, o desaparecimento de Antoine Meillet em 1936 e a morte de Edouard Pichon em 1940 acentuam a defasagem da França em relação ao resto da Europa e aos Estados Unidos. Se o ingresso de R. L. Wagner na Sorbonne representa uma esperança de renovação, ela será logo dificultada pela cátedra que ele ocupa, a de francês arcaico. R. L. Wagner deplora essa situação: "É evidentemente anormal que a França seja, na Europa, o país onde os estudos de linguística francesa têm menos êxito entre aqueles cuja função é e será ensinar francês".[2] Há, não obstante, alguns cientistas, aqui ou ali, que representam polos de renovação, ainda muito isolados. É o caso de Marcel Cohen, que ensina etíope no Institut des Langues Orientales e na École des Hautes Études: "Desde antes de 1950, Marcel

1 Martinet, *Langue Française*, n.63, p.61, set. 1984, entrevista com Chevalier e Encrevé.

2 Wagner, prefácio de *Introduction à la linguistique française*, 1947 apud Chevalier e Encrevé, *Langue Française*, n.63, set. 1984.

Cohen é o linguista mais sensível às novidades [...]. Ele foi para mim um guia muito importante e muito incentivador".[3]

A maior parte daqueles que conseguirão impor a mudança no final dos anos 1960 está, desde esse momento, em plena formação. Ora, quanto ao essencial, eles saíram de fileiras muito clássicas. Há sobretudo os *afrancesantes*, professores de gramática como Jean-Claude Chevalier, Jean Dubois ou Michel Arrivé. Para eles, o encontro com a linguística moderna foi tardio, pois sua formação ignorava-a soberanamente. Professor de gramática em 1945, Jean Dubois só em 1958 ouviu falar de Saussure! Acompanha, entretanto, os cursos de filologia, mas a linguística geral estava totalmente ausente deles: "Os clássicos, como eu, aprovados para o ensino de gramática, podiam perfeitamente não saber o que era a linguística".[4]

Em contrapartida, os mais afastados do classicismo desfrutaram de mais oportunidades para descobrir a linguística moderna, fosse no Collège de France, na École des Hautes Études ou no Institut de Linguistique. Foi o caso de Bernard Pottier ou de Antoine Culioli. É, portanto, nesses espaços marginalizados em relação ao dispositivo universitário que serão lançadas as fundações da revolução vindoura: "Desde o começo, eu tinha vontade de ser linguista... Comecei com a fonética experimental, com Fouché na Sorbonne. Foi sobretudo nos Hautes Études que me formei: frequentei os cursos em 1944 e nos anos seguintes e, de maneira irregular, até 1955".[5] Mas se Bernard Pottier participa desde cedo nas atividades e publicações linguísticas, foi como hispanizante que ele pôde se abrir para esse novo campo. Quanto a Antoine Culioli, foi como anglicista, à semelhança de André Martinet, que se tornou linguista.

Em meados dos anos 1950, uma jovem geração de linguistas começa, pois, a instalar-se no campo universitário, mas ainda na periferia, se excetuarmos Jean-Claude Chevalier, que se torna o mais jovem assistente da Sorbonne, graças a Antoine, desde 1954. Quanto a Bernard Pottier, é nomeado mestre de conferências em Bordéus em 1954, Jean Perrot vai lecionar em Montpellier, Antoine Culioli e Jean Dubois

3 Quémada, entrevista com Chevalier e Encrevé, *Langue Française*, n.63, set. 1984.
4 Michel Arrivé, entrevista com o autor.
5 Pottier, entrevista com Chevalier e Encrevé, *Langue Française*, n.63, set. 1984.

ingressam no Centre National de la Recherche Scientifique (CNRS)... André Martinet regressa dos Estados Unidos e substitui Michel Lejeune na Sorbonne. Mas a diplomação em Linguística Geral, da qual é encarregado, só intervém como opção para o quarto diploma de licenciatura em línguas estrangeiras.

A periferia sitia o centro

O sopro de novidade, em vez de Paris, chegará da província, e a campanha sitiará progressivamente a Sorbonne, pedra angular do edifício universitário francês. A administração desempenhou, aliás, um papel dinamizador nessa estratégia de conquista, pois foi o próprio diretor do Ensino Superior, Gaston Berger, quem criou, em 1955-1956, os primeiros centros de pesquisas linguísticas no interior da Universidade.

Em Estrasburgo, Gaston Berger cria o centro de filologia neolatina, no qual Imbs e depois Georges Straka multiplicam os colóquios internacionais que permitem aos linguistas franceses se atualizarem nas pesquisas mais modernas e ficar conhecendo, pela publicação das atas desses colóquios, o estado mais recente da investigação. Uma verdadeira comunidade internacional reencontra-se, pois, em Estrasburgo, em torno dos investigadores do centro, a partir de 1956, em torno do tema das "tendências atuais da linguística estrutural", com Georges Gougenheim, Louis Hjelmslev, André Martinet, Knud Togeby...

O diretor, Gaston Berger, cria também nesse ambiente dos anos 1950 um centro de lexicologia em Besançon, onde se encontra desde essa data o lexicólogo Bernard Quémada. Este último fará de Besançon um centro particularmente dinâmico. Supera a especialidade lexicológica ao criar um centro de aprendizagem de línguas, depois um centro de linguística aplicada que reúne "até 2.200 estagiários no verão, frequentemente por um período de oito semanas".[6] Esse centro de formação permite não só difundir os novos métodos, mas também obter créditos suplementares e, portanto, multiplicar as mesas-redondas. Bernard

6 Chevalier e Encrevé, *Langue Française*, n.63, set. 1984.

Quémada convida para Besançon toda a jovem geração de linguistas: Henri Mitterand torna-se seu assistente, e chegam ao centro Algirdas--Julien Greimas, Jean Dubois, Henri Meschonnic, Guilbert, Wagner e Roland Barthes, no momento da publicação de *Mythologies*. Essa atividade intensa é ignorada, evidentemente, pela Sorbonne, mas começa a fazer-se conhecer mediante suas publicações. Quémada assume a direção, em Besançon, dos *Cahiers de Lexicologie*, em 1959, com uma tiragem de 1.500 exemplares. Essa revista periódica já se dirige a um vasto público: "A minha convicção era que a lexicologia era uma disciplina--encruzilhada que, embora se revestindo de algum interesse para os linguistas, interessava muito mais a outros domínios, aos homens de letras, historiadores, filósofos, militares...".[7]

Bernard Quémada, talentoso chefe do empreendimento da linguística estrutural, lança uma outra revista a partir de suas atividades em Besançon em 1960, os *Études de Linguistique Appliquée*, também com uma tiragem de 1.500 exemplares e com o apoio de um editor nacional, Didier. A ideia de Gaston Berger de contornar a Sorbonne – que tinha recusado a criação desses centros de pesquisa – prossegue seu caminho e permite ao jovem assistente Jean-Claude Chevalier quebrar o seu isolamento na vetusta Sorbonne ao participar dos múltiplos grupos de trabalho que se constituem. Ele reencontra no Centro de Estudo e de Pesquisa Marxista (CERM) os linguistas filiados ao Partido Comunista Francês (PCF) – Jean Dubois, Henri Mitterand, Antoine Culioli – e multiplica suas viagens a Besançon: "Todos se reencontravam lá durante as férias, Barthes, Dubois, Greimas, e era lá que se tinha notícia dos primos da América".[8]

Se uma certa efervescência atinge o meio dos linguistas, os métodos estruturais terão mais dificuldades ainda no meio literário, cujos representantes estão no centro do dispositivo das humanidades clássicas e para quem toda evocação de ordem lógica ou científica é profundamente incongruente no campo literário: "Pode-se dizer que, paradoxalmente, é a supervalorização sistemática da literatura, objeto privilegiado do ensino secundário e universitário e unicamente ensinada como história

7 Quémada, entrevista com Chevalier e Encrevé, *Langue Française*, n.63, set. 1984.
8 Jean-Claude Chevalier, entrevista com o autor.

literária, que impediu antes de 1955-1960 a renovação de uma verdadeira reflexão teórica".[9]

É certo que também aí, no domínio da análise do texto literário, encontraremos alguns inovadores isolados, como P. Guiraud, que participa do Colóquio de Liège em 1960 sobre a literatura moderna, com uma comunicação que se intitula "Para uma semiologia da expressão poética". Léo Spitzer, que participa desse colóquio, distingue três razões para o atraso francês: em primeiro lugar, o encerramento das universidades francesas dentro das fronteiras do país, o que as mantinha no desconhecimento dos trabalhos dos formalistas russos, dos da nova crítica anglo-saxônica, assim como das pesquisas alemãs; em segundo lugar, o predomínio dos estudos da gênese, da história literária tradicional; em terceiro lugar, a prática escolar, didática, da explicação de texto. A essas três razões Phillippe Hamon acrescenta uma quarta: "Um desconhecimento quase total da linguística como disciplina autônoma".[10] É necessário esperar, portanto, que a linguística se imponha para que o modo de abordagem da literatura se renove. Isso não ocorrerá antes de 1960, se excetuarmos alguns casos singulares, como Roland Barthes, que estabelece o vínculo entre as duas disciplinas, com um êxito imediato e espetacular: "Lembro-me de conversas com R. Barthes nos anos 1950, quando ele dizia que era absolutamente imprescindível ler Saussure".[11]

A abertura na França: André Martinet

Uma personalidade domina, porém, a linguística na França nos anos 1950: é André Martinet, ainda que se encontre nos Estados Unidos até 1955. Professor de gramática, ele se beneficiará muito cedo, desde 1928, de uma interessante proposta de Vendryes, que é garantir a tradução de *Language*, de Otto Jespersen. Essa tradução põe-no a caminho da Dinamarca, onde se encontra com Jespersen e Hjelmslev. Publica o seu primeiro artigo em 1933 no *Bulletin de la Société de Linguistique*

9 Hamon, Littérature. In: *Les sciences du langage en France au XXᵉ siècle*, p.285.
10 Ibidem, p.284.
11 Gérard Genette, entrevista com o autor.

e já inova no plano do que virá a ser a sua especialidade: a fonologia. É publicado pelos *Travaux du Cercle Linguistique de Prague* em 1936 e colabora com Trubetzkoy. Portanto, Martinet participa ativamente nessa renovação da linguística europeia dos anos 1930, o que resulta na sua eleição em 1937 para uma nova cátedra de fonologia criada para ele na École des Hautes Études.

A guerra, entretanto, o conduzirá ao exílio, não em 1941, como Jakobson, mas em 1946! Foi paradoxalmente a Libertação que o forçou a partir, não que ele tivesse algo a ser reprovado, pois foi até prisioneiro dos alemães; mas tinha se casado com uma sueca que, ela sim, havia colaborado com os alemães, obrigando assim André Martinet a abandonar suas raízes tanto familiares quanto nacionais. Foi o exilado Jakobson quem o acolheu em Nova Iorque. Martinet assume então responsabilidades particularmente importantes, a direção da maior revista de linguística dos Estados Unidos, *Word*, órgão do Centro de Linguística de Nova Iorque. Assim, o acaso colocou muito bem Martinet no centro da Europa quando esta se encontrava na vanguarda. Ele pôde então, ao lado de Jakobson, estabelecer a ponte com a linguística anglo-saxônica, visto que leciona e dirige o departamento de linguística da Universidade de Columbia, Nova Iorque, de 1947 a 1955.

Quando regressa à França em 1955, Martinet já é, portanto, mundialmente conhecido nos meios linguísticos; não obstante, o acolhimento que a França lhe reservou é significativo em relação ao caráter marginal que se atribuía à linguística. "Ele estava numa posição difícil ao chegar à França. Lembro-me muito bem, eu era então assistente na Sorbonne e ele aparecia aos olhos dos *sorbons* literários e historiadores como um terrível e escandaloso renovador, um anti-humanista a empurrar para fora."[12] Apesar de sua notoriedade, Martinet teve de brigar e ameaçar, pedir a sua demissão, se não o nomeassem professor titular na Sorbonne. Nesse mesmo ano de 1955, faz publicar sua principal obra teórica, claramente inscrita na filiação do Círculo de Praga, *Économie des changements phonétiques*. Defende aí uma abordagem linguística que parece mais dinâmica do que a de Saussure e que buscará no Círculo de Praga a insistência sobre a função da comunicação da língua:

12 Jean-Claude Chevalier, entrevista com o autor.

> Isso provém de Praga. A grande ideia é a noção de pertinência. Toda ciência baseia-se numa pertinência. Uma ciência só pode desenvolver-se independentemente de uma metafísica se se concentrar num único aspecto da realidade. [...] Ora, é porque a linguística serve para a comunicação que podemos saber o que o linguista deve procurar [...]. Não tem o menor sentido fazer estruturalismo em linguística se não for funcional.[13]

Martinet concentra, pois, o seu estudo nas escolhas que a língua possibilita, a partir de uma abordagem em primeiro lugar sintagmática, permitindo delimitar o inventário de possibilidades, antes de abordar, em segundo lugar, a análise paradigmática. Se Martinet abre o estudo linguístico ao social, ao considerar a função de comunicação como sua identidade própria, a sua delimitação restritiva da singularidade do trabalho linguístico, que consiste em estudar a língua por e para ela mesma, separa-o das outras ciências sociais e encerra-o no terreno estrito da descrição do modo de funcionamento das línguas. Ele se dedica, pois, a delimitar as unidades distintivas de base da língua, a que chama monemas (unidades de primeira articulação) e fonemas (unidades de segunda articulação). Essas regras de descrição serão codificadas por Martinet no que se tornará, em escala internacional, o *best-seller* dos anos 1960, *Éléments de linguistique générale*.

Um itinerário pouco clássico: André-Georges Haudricourt

Um outro grande linguista francês, essencialmente autodidata, testemunha, por seu itinerário um pouco desconexo e sua marginalidade permanente, as dificuldades que a linguística conhece para criar raízes na França e os meandros que deve percorrer para progredir. Trata-se de André-Georges Haudricourt. Com um artigo sobre a fonologia publicado em 1939 pelo Círculo de Praga, Haudricourt é um personagem deveras curioso em comparação com os nossos gramáticos clássicos. Não pôs os pés na escola antes dos 14 anos, pois vivia na fazenda

13 André Martinet, entrevista com o autor.

familiar da Picardia, à margem do mundo urbano. Aprende ortografia com a viúva do mestre-escola da aldeia vizinha e termina o secundário na sétima tentativa, para seguir logo o curso de agronomia, o que lhe permite obter o diploma de engenheiro agrônomo em 1931, mas desenvolve-se nele uma aversão irreversível por essa ciência. Três personalidades então adquirirão enorme importância para ele: Marcel Mauss, "que me domesticou",[14] Marc Bloch, que publica o seu primeiro artigo em 1936 nos *Annales*, e Marcel Cohen, seu mestre e amigo. Quando este último ingressa na Resistência oferece a Haudricourt sua biblioteca para que esta não caia em poder dos alemães – "Vá buscar os livros que lhe interessam. Dirigi-me a Viroflay com cestas de vime para recolher esses livros"[15] –; eis o nosso futuro linguista indo fazer suas provisões.

É a partir daí que ele troca a botânica pela linguística, mudando de especialidade no seio do CNRS. Haudricourt se encontra na situação de Antoine Meillet: "A linguística, aprendi-a em Meillet".[16] Mas não reconhece nenhuma autoridade científica em Saussure – "esse pobre suíço alcoólico que morreu de *delirium tremens*, essa criatura grotesca!" – nem em Jakobson, "esse *clown* de Moscou, muito simpático, mas que contava qualquer lorota".[17] Haudricourt mantém-se um comparatista, muito próximo, como Meillet, de uma postura histórica.

Compartilha com André Martinet de uma mesma concepção funcional e diacrônica da língua. Se Martinet supervisionou um grande número de teses sobre as línguas africanas, Haudricourt, por seu lado, permitiu a reconstituição de numerosas línguas asiáticas. Do seu duplo interesse pela botânica e pela linguística, retira uma abordagem concreta da língua, uma recusa do formalismo lógico-matemático, separado do social. Personalidade renitente às normas, Haudricourt se considera o inventor da fonologia: "Martinet ficaria louco, furioso, mas, entenda, a fonologia fui eu quem a inventou".[18] Portanto, à linguística não faltam pilotos na França, mas nem por isso deixa de ser ainda muito marginal nos anos 1950, na ausência de legitimação científica e

14 André-Georges Haudricourt, entrevista com o autor.
15 Ibidem.
16 Ibidem.
17 Ibidem.
18 Ibidem.

institucional bastante sólida. Esse atraso explica o caráter febril que marcará o período subsequente, e também uma certa ingenuidade na descoberta de teorias que são assimiladas à expressão da derradeira modernidade, ao passo que, com bastante frequência, elas já estão prestes a ser ultrapassadas.

10

As portas de Alexandria

Se a fortaleza da Sorbonne continua sendo uma Bastilha inexpugnável ao longo dos anos 1950, a renovação prosseguirá por caminhos sinuosos, e é preciso chegar às portas do Oriente, a Alexandria, para encontrar um dos polos essenciais na definição do paradigma estruturalista. É aí que se encontra um importante linguista, Algirdas-Julien Greimas, formado na França, natural da Lituânia. Ele nasceu em 1917, e foi realizar seus estudos de filologia em Grenoble antes da guerra. Seus professores são adeptos de uma linguística clássica, hostis às teses saussurianas. Em 1939, um de seus professores, Duraffour, chegou mesmo a comparar Trubetzkoy com Tino Rossi para explicar ao seu auditório, composto de numerosos americanos, a significação do qualificativo "*con*".* Greimas conserva, porém, uma excelente lembrança dessa aquisição dos métodos da linguística do século XIX. Depois, teve de regressar ao seu país natal, onde passa toda a guerra, primeiro sob ocupação russa, logo alemã, até reencontrar em 1945 o caminho da França, a fim de concluir seu doutorado. Constata amargamente o tênue dinamismo da linguística em Paris e afasta-se, portanto, da maioria dos ensinos prodigalizados para consagrar-se inteiramente à sua tese, sob a direção de Charles Bruneau, sobre o vocabulário da moda. Nesse pós-guerra

* Em gíria, um indivíduo que ludibria outros com palavras insinuantes e falsas demonstrações de amizade; vigarista. [N.T.]

imediato, já se constitui um pequeno grupo em Paris, no qual se encontram Algirdas-Julien Greimas, Georges Matoré e Bernard Quémada, que descobre e trabalha a obra de Saussure com a intenção de criar uma nova disciplina, a lexicologia.

Em 1949, Greimas torna-se lente em Alexandria. "É a grande decepção, pensei que encontraria a Biblioteca e não havia absolutamente nada!"[1] É do deserto egípcio, porém, que nascerá um grupo dinâmico em torno de Greimas e de Charles Singevin. Na falta de livros, certo número de pesquisadores europeus, uma dezena de pessoas, passa a reunir-se, de 1949 a 1958, ao menos uma vez por semana, em torno de uma garrafa de uísque. "Ora, do que é que se pode querer falar quando estão juntos um filósofo, um sociólogo, um historiador e um linguista? O único tema comum é pensar em epistemologia. Recordo-me de ter lançado a palavra, porque zombaram de mim no começo, não sabendo lá muito bem o que ela envolvia. A moda era falar de fenomenologia. Fazia-se fenomenologia a propósito de qualquer coisa, não importava o quê."[2]

Foi em Alexandria que houve um encontro decisivo, prenunciador também de uma grande cumplicidade e amizade, entre Greimas e aquele que se tornaria vedete do estruturalismo: Roland Barthes. Foi lá que Greimas aconselhou Barthes, que chegara ao mesmo tempo ao Egito, a ler Saussure e Hjelmslev... Por seu lado, Barthes fez Greimas ler o começo do que viria a ser o *Michelet par lui même*: "Está muito bem – comentou Greimas – mas você poderia utilizar Saussure. 'Quem é Saussure? – perguntou Barthes.' Mas é impossível não conhecer Saussure!' – respondeu o outro, peremptório".[3] É verdade que Barthes não pôde prolongar sua estada em Alexandria por causa dos seus problemas pulmonares, mas o impulso está dado e Greimas, de volta a Paris todos os verões, não perde o precioso contato com seu amigo Barthes. Essa influência de Greimas sobre este último é tal que Charles Singevin poderá dizer: "Barthes encontrou o caminho de Greimas, como São Paulo o caminho de Damasco...".[4] Ora, Greimas dedica-se à linguística moderna, considera-se o continuador do corte saussuriano e, nessa

---

1 Algirdas-Julien Greimas, entrevista com o autor.
2 Ibidem.
3 Greimas e Barthes apud Calvet, *Roland Barthes*, p.124.
4 Singevin apud Calvet, *Roland Barthes*, p.124.

perspectiva, é particularmente seduzido pelos trabalhos do Círculo Linguístico de Copenhague, com destaque para Hjelmslev, que ele apresentará como o único herdeiro fiel aos ensinamentos do mestre genebrino: "O verdadeiro, talvez o único, continuador de Saussure, que soube tornar explícitas as suas intenções e dar-lhes uma formulação perfeita".[5]

Filiação hjelmsleviana

Greimas vê, pois, em Hjelmslev, o verdadeiro fundador da linguística moderna, simultaneamente por sua concepção muito restritiva da língua, reduzida a um esquema, por seu aprofundamento do corte saussuriano, por uma postura mais axiomatizada, mas também por sua aspiração à ampliação de um método a todo um vasto campo semiótico que ultrapassa o terreno restrito da disciplina linguística. Hjelmslev define uma nova disciplina à qual chama glossemática, e que ele insere na tradição saussuriana. Enfatiza o afastamento de toda realidade extralinguística para concentrar o esforço do linguista na sua busca de uma estrutura subjacente à ordem interna da língua, independente de toda e qualquer referência à experiência.

Hjelmslev definiu seu projeto em 1943 nos *Prolegômenos a uma teoria da linguagem*. Mas a obra só será traduzida para o francês em 1968 pela editora Minuit. Contudo, é essencialmente por Greimas e Barthes que Hjelmslev terá, nesse meio tempo, um prolongamento na França. Ele modifica um pouco os termos saussurianos, reformulando a distinção significante/significado pela expressão (significante)/conteúdo (significado). Esses deslizamentos semânticos correspondem ao desejo de dissociar os dois níveis de análise, o que permite pensar a estrutura separável daquilo que ela estrutura e, portanto, elevá-la a um nível puramente formal: "É somente pela tipologia que a linguística se eleva a pontos de vista gerais e assim se converte numa ciência".[6]

Mais do que em Saussure, o modelo matemático desempenha aqui um papel central na busca da cientificidade. A estrutura subjacente em

5 Greimas, Préface. In: Hjelmslev, *Le langage*.

6 Hjelmslev, *Le langage*, p.129.

toda sequência de linguagem deve ser reencontrada por abstração, a partir de um código que é uma combinatória de associações, de comutações. A glossemática toma por modelo as teorias lógicas, arriscando-se a fazer resvalar sub-repticiamente a linguística como epistemologia geral, caso particular de uma abordagem logicista global, para uma antologização da estrutura subjacente: "Não se vê com clareza se essa álgebra pertence à etapa hipotético-dedutiva da pesquisa ou se faz parte do modo de funcionamento da própria língua".[7] Os princípios de redução lógica apresentados por Hjelmslev participam de forma crescente do êxito do formalismo na Europa, seja na Alemanha com a descoberta do Barroco, na França com a descoberta da arte romântica por Focillon ou na Rússia com Propp; uma só episteme liga entre si todas essas pesquisas formais. E, por outro lado, Hjelmslev terá uma grande difusão na França, onde a "miragem linguística" e a ambição de cientificidade estarão particularmente vivas nas ciências humanas durante a década de 1960. Da conceitualização mais extensa, a do Círculo de Viena, de Rudolf Carnap e Ludwig Wittgenstein, passou-se depressa à ideia de uma possível matematização do conjunto do campo das ciências do homem. Hjelmslev contribuiu para dar corpo a essa esperança um tanto ilusória por intermédio de uma redução matemática cada vez mais rigorosa do dado linguístico, postulando que toda e qualquer outra realidade além daquelas das relações internas da língua depende "da hipótese metafísica de que a linguística faria muito melhor em libertar-se".[8] Hjelmslev levou ao extremo a lógica da abstração, até construir uma escolástica fechada sobre si mesma. Foi manifestamente essa orientação a que prevaleceu.

Havia, entretanto, outras orientações possíveis no mesmo Círculo de Copenhague. O compatriota e adversário de Hjelmslev, mais velho do que ele, Viggo Brondal, oferece ao mesmo tempo uma orientação um tanto diferente de uma linguística igualmente ciosa de rigor, de estrutura, "mas também aberta para a história e para o movimento: existe nele toda uma parte dinâmica que considerava que os fatos da língua deviam ser tomados em seu desenvolvimento e não no interior de um sistema fechado".[9] O sistema de relações internas da língua não basta,

7 Pavel, *Le mirage linguistique*, p.92.

8 Hjelmslev, *Prolégomênes à une théorie du langage*, p.41.

9 Jean-Claude Coquet, entrevista com o autor.

segundo Brondal, para chegar àquela exaustividade que Hjelmslev pensa alcançar, graças a um enfoque puramente imanentista. A noção de totalidade é, pelo contrário, aberta em Brondal, assim como em Benveniste. Entretanto, "há períodos durante os quais as noções mais rígidas preponderam, como é o caso de Hjelmslev em relação a Brondal".[10] Se a filiação hjelmsleviana passa incontestavelmente por Greimas, para quem tudo parte da glossemática, André Martinet, no entanto, conheceu Hjelmslev nos começos dos anos 1930, quando foi ver Jespersen em Copenhague: "Mantivemo-nos em contato até a sua morte".[11] Seus vínculos são, de início, bastante estreitos, e Martinet, presente no Congresso de Fonética realizado em Londres em 1935, aconselhou Hjelmslev, que apresenta as suas teses sob o nome de "fonemática", a mudar de denominação: "Eu lhe disse, não, meu velho, isso não pode ser a fonemática, visto que não se ocupa de substância. Não deve ser 'fone'. [...] E no ano seguinte passava a chamá-la glossemática. [...] Recebi o trabalho dele depois da guerra e suei sangue e água para compreendê-lo".[12]

Martinet, herdeiro da escola de Praga, contra a qual Hjelmslev, que detestava Trubetzkoy, tentou criar uma teoria diferente, não podia aderir às suas teses antifuncionalistas. Mas nem por isso deixará de apresentar na Sorbonne as teses de Hjelmslev, desconhecidas até a sua tradução tardia. Portanto, ele desempenha, paradoxalmente, um papel não desprezível na difusão da obra de Hjelmslev, à qual, porém, não se une de forma nenhuma: "A tradução de *Prolegômenos* foi tardia. Só em 1968 se tem acesso ao texto em francês. O primeiro conhecimento que tive desse livro chegou-me pela apresentação que dele fez Martinet",[13] depõe Serge Martin,[14] que aplicará no domínio da semiótica musical os princípios hjelmslevianos: a retirada de todos os elementos transcendentes e a construção de hierarquias sobrepostas de classes, constitutivas da estrutura global.[15]

---

10 Ibidem.

11 André Martinet, entrevista com o autor.

12 Ibidem.

13 Idem, exposição sobre os *Prolegômenos* de Hjelmslev, no *Bulletin de la Société de Linguistique*, v.42, p.17-42, 1946.

14 Serge Martins, entrevista com o autor.

15 Martin, *Langage musical, sémiotique des systèmes*.

II

A figura-mãe do estruturalismo
Roland Barthes

Em 1953, um livro recebe acolhimento unânime e torna-se rapidamente o sintoma de uma nova exigência literária, um ato de ruptura com a tradição e a expressão de uma profunda perturbação que se alimenta de *L'étranger*, de Camus: é *Le degré zéro de l'écriture*, de Roland Barthes. Depois do seu encontro com Greimas em Alexandria, ele já não é mais o sartriano que foi no imediato pós-guerra e, no entanto, ainda não é o linguista que será no final dos anos 1950. Já se pode perceber nele aquele que conquistará a adesão da maioria, sua mobilidade, sua flexibilidade diante das teorias: pronto para encampá-las, ele é igualmente rápido para desprender-se delas.

Figura mítica do estruturalismo, Roland Barthes é sua encarnação ondulante e sutil, feita mais de humores do que de rigor; é o melhor barômetro, capaz tanto de registrar as perturbações em curso quanto de pressentir as que estão por acontecer. Essa sensibilidade extrema encontrará, porém, no âmbito das estruturas, o meio de exprimir-se; mas trata-se de uma estrutura cambiante, mais uma cosmogonia encarnando o universo fusional da relação com a imagem materna do que uma estrutura binarizada funcionando como uma mecânica implacável. Barthes será o indicador sensível do estruturalismo. Nele atuarão, por uma sutil escrita feita de intertextualidade, todas as vozes/vias do paradigma. O simples exame das referências dos seus textos permite discernir essa posição-encruzilhada. Verdadeiro magneto entre os diversos estruturalismos, Barthes será amado, porquanto se exprime nele mais do que um programa metodológico; ele é um receptáculo do período, indicador sensível das múltiplas variações dos valores. O império dos signos prolonga-se nele em império dos sentidos, e a figura-mãe que ele encarna pode ser utilmente confrontada ao seu oposto binário, a do pai severo do estruturalismo: Jacques Lacan.

O grau zero

Com *Le degré zéro de l'écriture*, Barthes participa da corrente formalista, preconizando uma ética da escritura, libertada de todas as restrições: "O que se pretende fazer aqui é esboçar essa ligação. É afirmar a existência de uma realidade formal independente da língua e do estilo".[1] Barthes retoma o tema sartriano da liberdade conquistada pelo ato de escrever, mas inova ao situar o compromisso que a escrita representa, não no conteúdo do escrito, mas em sua forma. A linguagem passa do *status* de meio ao de finalidade, identificada com a liberdade reconquistada. Ora, a literatura encontra-se num ponto zero e pode avançar entre duas formas alternativas igualmente deslizantes que são a sua dissolução na língua cotidiana feita de hábitos, de prescrições, e a estilística que remete para uma autonomia, uma ideologia que apresenta o autor separado da sociedade, reduzido a um esplêndido isolamento.

Reencontra-se em Barthes esse tema, próprio da linguística moderna e da antropologia estrutural, da prevalência da troca, da relação primeira que deve partir de um ponto nodal, de um ponto zero, não definido por seu conteúdo empírico, mas pelo fato de permitir ao conteúdo instituir-se numa posição relacional. Há a mesma busca do grau zero de parentesco em Lévi-Strauss, do grau zero da unidade linguística em Jakobson e do grau zero da escritura em Barthes: a busca de um pacto, do contrato inicial que fundamenta, neste último, a relação do escritor com a sociedade. Entretanto, Barthes ainda não possui em 1953 uma bagagem estrutural sólida. É receptivo, sem dúvida, aos conselhos que lhe dá Greimas nesse domínio, e já conhece um pouco Brondal e

1 Barthes, *Le degré zéro de l'écriture*, p.10.

Jakobson; mas ainda não são para ele mais do que curiosidades entre muitas outras. A motivação essencial de Barthes é então, sobretudo, observar de perto as máscaras que a ideologia enverga sob a forma de expressão literária. Mais tarde, com outros objetos, essa orientação subsistirá como um parâmetro constante de sua obra.

Le degré zéro de l'écriture deve seu êxito ao fato de participar de uma nova sensibilidade literária, de uma exigência que se consubstanciará no que se convencionou chamar de *nouveau roman*, uma nova estilística, fora das normas tradicionais do romance. Existe, portanto, um lado manifesto no discurso de Barthes, mas também um aspecto desesperado na busca de uma nova escrita, separada de toda linguagem de valor, a qual parece exprimir o impasse de toda forma de escrita, depois do ponto culminante a que o romance foi levado por Marcel Proust. A obra, que foi publicada pela editora Seuil em 1953, recebeu, aliás, a consagração da crítica. Maurice Nadeau dedica-lhe oito páginas em *Les Lettres Nouvelles*. Conclui o seu artigo celebrando o jovem autor que ele descobrira em 1947: "Uma obra cujos primeiros passos cumpre saudar. Eles são notáveis, uma vez que anunciam o nascimento de um ensaísta que se destaca de todos os outros".[2] Quanto a Jean-Bertrand Pontalis, ele celebra sobretudo, em *Les Temps Modernes*, o surgimento de um escritor: "Um grande escritor está presente entre nós de um modo que nada tem a ver com um mobiliário de época, uma organização econômica ou mesmo uma ideologia".[3]

Barthes passa em revista em sua obra todas as escritas alienadas: o discurso político "só pode confirmar um universo policialesco": a escrita intelectual está condenada a ser uma "paraliteratura";[4] quanto ao romance, é a expressão característica da ideologia burguesa em sua pretensão de universalidade que soçobrou em meados do século XIX, para dar lugar a uma pluralidade de escritas pelas quais o escritor se situa em relação à condição burguesa. Mas essa pluralidade, essa desconstrução do universal, nunca é mais do que a expressão de um período que deixou de ser levado avante pela dialética histórica: "O que a modernidade dá a ler na pluralidade de suas escrituras é o impasse de sua

2 Nadeau, *Les Lettres Nouvelles*, p.599, jul. 1953.
3 Pontalis, *Les Temps Modernes*, p.934-8, nov. 1953.
4 Barthes, *Le degré zéro de l'écriture*, p.24.

própria história".[5] Uma vez que o criador deve perturbar a ordem instituída e não pode mais fazê-lo contentando-se em acrescentar sua partitura a uma orquestra já preparada para acolhê-lo, nada mais lhes resta senão, para perturbar, escrever a partir e em torno da falta, do silêncio: "Criar uma escrita branca".[6] Barthes prossegue e desloca a busca do tempo perdido de Proust pela procura de um lugar de nenhuma parte da literatura: "A literatura torna-se a utopia da linguagem".[7] Dessa procura nascerá, simultaneamente, uma nova estética e, para Barthes, a tomada de consciência da impossibilidade de escrever como escritor, assim como o esboço de teorização do escrevente [*écrivant*] como escritor [*écrivain*] da modernidade.

Itinerário

Se Roland Barthes está buscando um não lugar, isso não significa que ele não sinta, pessoalmente, um enraizamento muito profundo que o devolve a toda sua infância passada com a mãe no sudoeste, em Bayonne. Esse período muito denso se desenrola em torno da figura ausente do pai, morto durante a Primeira Guerra Mundial, menos de um ano após o nascimento de Roland Barthes. Essa falta será compensada por um superinvestimento da imagem materna: "Simula-se sempre, na relação afetiva, quer seja amistosa ou amorosa, um certo espaço maternal que é um espaço de segurança, um espaço de dádiva".[8] Depois, aos 10 anos de idade, Roland Barthes "sobe" para Paris, indo morar no bairro Saint-Germain-des-Près; faz seus estudos nos liceus Montaigne e Louisle-Grand, e inicia em 1935 o curso de letras clássicas na Sorbonne. Ao mesmo tempo, participa de atividade teatral e cria com Jacques Veille o teatro antigo da Sorbonne, que produzirá, entre outras, uma montagem de *Os persas*, de Ésquilo, no dia da vitória da Frente Popular, a 3 de maio de 1936. Passa a guerra de cama num sanatório

5 Ibidem, p.45.
6 Ibidem, p.55.
7 Ibidem, p.65.
8 Idem, entrevista com Benoist e Lévy, *France-Culture*, fev. 1977, reeditada em 1º dez. 1988.

perto de Grenoble, em Saint-Hilaire-du-Touvet. Ao terminar a guerra, Barthes é ao mesmo tempo sartriano – "Descobria-se Sartre com paixão"[9] – e marxista. Com efeito, ele conhecera no sanatório um tipógrafo trotskista, Georges Fournié, amigo de Maurice Nadeau, que o tinha iniciado no marxismo. Sua doença pulmonar e o tratamento que ela exige tornam impossível candidatar-se ao magistério superior. A carreira universitária clássica está, portanto, fechada para ele; envereda então pelo caminho jornalístico, graças a Maurice Nadeau, que lhe pede artigos literários para o jornal *Combat*.

Esse desvio espacial – Barthes parte para a Romênia em 1948, depois para o Egito em 1949, regressando a Paris em 1950 – e institucional – ele não se encontra mais numa carreira universitária clássica – terá uma dupla consequência principal: em primeiro lugar, como já vimos, o encontro com Greimas em Alexandria, e depois, o desejo que animará Barthes a vida inteira de ajustar suas contas com a universidade, uma vontade incessantemente manifestada de ser reconhecido por ela, vontade ainda mais aguda visto que Barthes jamais aceitou o fato de ser apenas um licenciado; só se sentiria verdadeiramente entronizado no dia em que, em 1976, ingressou no Collège de France. Até então, é uma luta contínua consigo mesmo, e ele confidencia a Louis-Jean Calvet: "Eu, você sabe, cada vez que publico um livro é uma tese".[10] Barthes também participará plenamente da aventura estruturalista em consequência da fragilidade de sua base institucional; o seu caso é semelhante ao da maior parte dos estruturalistas que tiveram de contornar a velha Sorbonne para impor-se.

Mitologias

Durante dois anos, de 1954 a 1956, Barthes envia mensalmente a Maurice Nadeau um artigo para *Les Lettres Nouvelles*. Neles dá prosseguimento regular a um trabalho de depuração dos mitos contemporâneos, uma crítica ideológica à cultura de massa que começa, a favor da

9 Barthes, *Océaniques*, FR3 (nov. 1970-maio 1971), reedição em 27 jan. 1988.
10 Louis-Jean Calvet, entrevista com o autor.

reconstrução e dos "trinta gloriosos" a propagar-se na vida cotidiana dos franceses. Barthes enfrenta com sarcasmo o que qualifica como ideologia pequeno-burguesa, expressa pelos gostos e valores veiculados pela mídia, cujo papel não parará de crescer. Essa ideologia pequeno-burguesa reveste-se, para Barthes, de uma significação essencialmente ética, à maneira de Flaubert, conceito simultaneamente social, ético e estético: é tudo o que "provoca em mim a náusea do meio-termo, do meio caminho, da vulgaridade, do medíocre e, sobretudo, do estereótipo".[11]

Barthes empreende, portanto, contra a naturalização dos valores transformados em estereótipos evidentes, uma obra sistemática de desmontagem, de desmistificação, mostrando como funciona um mito na sociedade contemporânea a partir dos casos concretos da vida cotidiana. Essa soma de artigos, em número de 54 estudos, foi reunida por Barthes e constitui uma das principais obras do período, *Mythologies*, editada por Le Seuil em 1957. Somente *a posteriori* Barthes elaborará a teorização desses casos concretos, numa segunda parte da obra, *Le mythe aujourd'hui*, que se apresenta como a definição de um programa semiológico global, dessa vez alimentado por uma formação linguística recente, uma vez que Barthes lera Saussure somente em 1956 e acabara de descobrir Hjelmslev.

A formalização é, portanto, posterior aos estudos dos mitos oferecidos pela atualidade em que o adversário designado é a pequena burguesia: "Já assinalei a predileção da pequena burguesia pelos raciocínios tautológicos".[12] Ora, são justamente as falsas evidências, cujas máscaras pretende despedaçar, que Barthes quer desestabilizar. Assim, investe sucessivamente contra o *catch*, a operação Astra, o rosto da Garbo, o bife com fritas, os *Guides Bleus*, o novo Citroën, a literatura segundo Minou Drouet...

A parte teórica da obra tem uma dupla filiação de Saussure (citado duas vezes), de quem retoma essencialmente as noções de significante/significado, e de Hjelmslev (não citado), de quem utiliza as distinções entre denotação e conotação e entre linguagem-objeto e metalinguagem. É certo que se observam ainda algumas flutuações na assimilação das noções saussurianas, e Louis-Jean Calvet pode opor a fórmula que

11 Barthes, *Océaniques*, FR3 (1970-1971), reedição em 27 jan. 1988.
12 Idem, *Mythologies*, p.109.

figura no prefácio, "o mito é linguagem", àquela que está em epígrafe na parte teórica: "O mito é uma fala".[13] Portanto, Barthes ainda não encampou a distinção, essencial para Saussure, entre língua e fala. Com *Le mythe aujourd'hui*, realiza, contudo, a sua conversão à linguística, e isso representa, em 1957, uma reviravolta essencial, ao mesmo tempo em sua obra e de um modo mais global: "Ele ingressa definitivamente na linguística, como se ingressa na religião".[14]

Já fascinado pelo formalismo, Barthes encontra na semiologia os meios para erigir o seu programa como ciência. Ela permite pôr de lado o conteúdo em proveito da lógica das formas. Também buscará em Saussure o estudo sincrônico, e desse empréstimo resultará, em toda a obra de Barthes, um olhar mais espacial do que temporal: "O modo de presença da forma é espacial".[15] É uma outra ruptura com a obra *Le degré zéro de l'écriture*, em que se desenvolve uma diacronia em relação à escrita. O mito é um objeto particularmente apropriado à aplicação dos princípios saussurianos: "A função do mito é esvaziar o real"; "O mito é constituído pela dissipação da qualidade histórica das coisas".[16] Barthes pode, portanto, utilizar tanto a prevalência saussuriana acordada à sincronia quanto o afastamento do referente para um plano secundário.

A escrita barthesiana, a utilização distinta de um código num discurso acessível, a abertura científica e seu corolário crítico, todos esses ingredientes farão da obra um grande êxito de público que assegura a Barthes um considerável contingente de leitores conquistados de antemão. O êxito supera de longe as tiragens habituais no setor das ciências humanas: 29.650 exemplares na coleção *Pierres vives*, 350 mil exemplares na Points-Seuil a partir de 1970. É grande a repercussão nos mais diversos meios intelectuais, favorecendo as aproximações interdisciplinares. André Green, psicanalista, muito interessado por *Mythologies*, escreve um extenso comentário à obra na revista *Critique* e encontra-se com Barthes nessa ocasião, em 1962. Já se conheciam porque participaram de atividades teatrais comuns no grupo do teatro antigo da Sorbonne. Barthes, então diretor de estudos da École des Hautes Études,

---

13 Calvet, *Roland Barthes*, p.67.

14 Ibidem, p.67.

15 Barthes, *Mythologies*, p.229.

16 Ibidem, p.251.

pede a André Green que faça uma exposição sobre Lacan dentro do seu seminário:

> O que eu fiz, era o meu período lacaniano, e em seguida fomos beber um trago no botequim da esquina. Barthes inclina-se então para o meu lado e diz-me a meia voz: "Está vendo aqueles dois ali? Eles vêm a todos os meus seminários, me perseguem, me contradizem de maneira muito desagradável, querem me ver em pedaços". Eram Jacques-Alain Miller e Jean-Claude Milner.[17]

A nova estética

Durante os anos 1950, Barthes também participa ativamente numa revista teatral, *Théâtre Populaire,* na qual convive com Jean Duvignau, Guy Dumur, Bernard Dort e Morvan Lebesque. Defende o Théâtre National Populaire (TNP) de Jean Vilar e contribui para que ele atraia um público vastíssimo. É devido a essa atividade de crítico teatral que ele assiste, entusiasmado, a uma representação pelo Berliner Ensemble de *Mãe coragem,* de Brecht, no Teatro das Nações em 1955: foi um choque. Ele vê então em Brecht aquele que realiza no teatro o que ele ambiciona fazer com a literatura ou com os mitos contemporâneos. O distanciamento brechtiano, seu estetismo, geram a sua adesão total: "Brecht rejeita [...] todos os estilos de *envisgamento* [*empoissement*] ou de participação que levariam o espectador a identificar-se completamente com *Mãe Coragem,* a perder-se nela, a deixar-se arrastar em sua cegueira ou em sua futilidade".[18] Barthes vê no teatro de Brecht o esboço de uma nova ética da relação entre o dramaturgo e o seu público, uma escola da responsabilidade, um deslocamento do *páthos* psicológico em inteligência das situações. Essa dramaturgia mostra que convém menos exprimir o real do que significá-lo. Portanto, ele vê nessa arte revolucionária, nessa arte de vanguarda, a própria realização do método semiológico e crítico.

---

17 André Green, entrevista com o autor.

18 Barthes, Mère courage aveugle. In: *Essais critiques;* idem, "Théâtre Populaire". In: Essais critiques.

Com Barthes, o projeto estruturalista alçará voo, graças à irradiação inigualável de que ele dispõe nesse período, mesmo que assuma liberdades bastante consideráveis em face do saussurismo propriamente dito ou dos cânones da linguística. Mais do que um "*outsider* do estruturalismo, ele é fundamentalmente um retórico".[19] Assim, Georges Mounin qualifica a semiologia de Barthes de semiologia desviante em relação a Saussure, que estabeleceu as regras de uma semiologia da comunicação, ao passo que Barthes teria formulado apenas uma semiologia da significação: "O que Barthes procurou sempre fazer foi uma sintomatologia do mundo burguês".[20] Para Georges Mounin, Barthes confunde signos, símbolos e índices. É verdade que Barthes dá então uma acepção muito ampla à noção de signo, que engloba tudo o que reveste uma significação. Ele procura nesta o conteúdo latente, e por essa razão Mounin considera mais legítimo falar de psicologia social ou de psicossociologia do que de semiologia.

Ainda que os linguistas profissionais já não encontrem aí o seu objeto, a visão muito extensiva da linguagem que Barthes propõe contribuirá imensamente para o êxito do modelo linguístico e para o seu papel de ciência-piloto.

19 Georges-Elia Sarfati, entrevista com o autor.
20 Mounin, *Introduction à la sémiologie*, p.193.

12

A exigência epistêmica

A 4 de dezembro de 1951, um importante historiador da filosofia ingressou no Collège de France: Martial Guéroult. Foi escolhido em detrimento de Alexandre Koyré, e essa opção é sintomática do período. Koyré aproximava sua postura filosófica da dos historiadores dos *Annales* e mantinha relações estreitas com Lucien Febvre. O seu projeto para a candidatura ao Collège de France enfatizava, pois, o vínculo entre a história das ciências e a história das mentalidades, que Lucien Febvre encarnava na época com seus trabalhos sobre Martinho Lutero e François Rabelais, em torno da noção de ferramentas mentais: "A história do pensamento científico, tal como o entendo e me esforço por praticá-lo [...]: é essencial repor as obras estudadas em seu meio intelectual e espiritual, interpretá-las em razão de hábitos mentais, de preferências e aversões de seus autores".[1] A abordagem de Martial Guéroult situa-se, ao contrário dessa abertura do texto filosófico para o contexto histórico global, exclusivamente no campo do mental, e o seu êxito "assinala claramente os limites do reconhecimento de uma problemática de historicização da verdade no decorrer dos anos 1950".[2]

Martial Guéroult construiu a partir dos anos 1930 a sua obra à margem dos projetores midiáticos, e permanece ignorado pelo grande

1 Koyré, *De la mystique à la science; cours, conférences et documents, 1922-1962*, p.129.

2 Fabiani, *Les enjeux philosophiques des années cinquante*, p.125.

público. Em 1951, sucedeu a Étienne Gilson na cátedra de história e tecnologia dos sistemas filosóficos. Desde sua aula inaugural, Martial Guéroult defendeu o interesse maior e a legitimidade de uma história da filosofia, apesar da antinomia que se pode observar entre o que se dá como aleatório, a história, e o que, pelo contrário, apresenta-se como eterno, intemporal, a filosofia. Ora, essa aparente heterogeneidade pode ser superada por uma dupla atitude do historiador da filosofia, simultaneamente cético como historiador e dogmático como filósofo.

Martial Guéroult oferece uma solução que deve evitar que a história da filosofia vacile e seja absorvida pela psicologia, a sociologia, a epistemologia, convertendo-se em simples ciência auxiliar. Espera alcançar e reconstituir, por sua postura de historiador, "a presença de uma certa substância real em cada filosofia... É esse essencial (a própria filosofia) que, tornando os sistemas dignos de uma história, os subtrai ao tempo histórico".[3] A sua postura de historiador pretende ser, portanto, negadora da temporalidade, da diacronia, da busca de filiações, da gênese dos sistemas. Reencontramos aqui um dos elementos característicos do paradigma estruturalista, a atenção dada essencialmente à sincronia, mesmo que no caso de Martial Guéroult essa orientação nada deva a Saussure. Guéroult justifica assim o interesse das monografias, pois a estrutura a que ele tem acesso é aquela, singular, de um autor, de uma obra apreendida em sua coerência interna. Ele renuncia a localizar aí uma estrutura das estruturas, mas empenha-se em "averiguar como cada doutrina se constitui através e por meio das complexidades de suas estruturas arquitetônicas".[4]

O método Guéroult

Tomar uma obra de filosofia como tal, em sua singularidade, e cortá-la ficticiamente de suas raízes, do seu aspecto polêmico, para descrever melhor a sua coerência interna, o encadeamento dos conceitos, identificar suas lacunas e contradições, eis o método que Guéroult

3 Guéroult, *Leçon inaugurale au Collège de France*, p.16-7, 4 dez. 1951.

4 Ibidem, p.34.

aplicará a Fichte, Descartes, Spinoza...: "Um dos modos de penetração da noção de estrutura parece-me advir de Martial Guéroult".[5] Embora ele tenha apenas meia dúzia de discípulos e não tenha constituído escola alguma, conta, não obstante, com alguns admiradores como Gilles Gaston-Granger, que foi seu amigo, e alguns discípulos como Victor Goldschmidt.

Entretanto, o seu método, correspondente ao espírito da época, constituirá para muitos filósofos a própria base de sua formação filosófica. Esse é o caso da jovem geração do final da década de 1960. Marc Abéles acompanha os cursos de filosofia de Guéroult na Escola Normal Superior de Saint-Cloud: "Guéroult nos ensinou a ler os textos com um ponto de vista que podemos chamar de estrutural. Contudo, um dia alguém o qualificou, por zombaria, como estruturalista. Ele negou com veemência toda e qualquer aproximação; considerava-se um professor tradicional, um verdadeiro historiador da filosofia".[6] O seu ensino devia permitir toda uma ginástica intelectual, e os alunos de Saint-Cloud eram submetidos ao que ele chamava de "o pequeno exercício Guéroult", que consistia, a partir de uma proposição de um filósofo, em demonstrar que ele teria podido fazer de outro modo a mesma demonstração, de uma maneira mais econômica: "Fascinante devido ao trabalho que realizava com o texto, o método Guéroult consistia sempre em supor que era possível reconstruir virtualmente o texto".[7] Essa contribuição didática de Guéroult terá marcado toda uma época.

Outro parâmetro do paradigma estruturalista presente em Guéroult: o enfoque imanente que ele preconiza, liberto de causalidades exógenas ao discurso filosófico, de ordem psicossociológica. Portanto, Guéroult retira dos sistemas filosóficos toda e qualquer função representativa da realidade, tal como Saussure separara o signo do referente. Ele confere a esses sistemas filosóficos uma autonomia fundamental em relação à realidade exterior. O interesse desses sistemas não reside no que ele considera ser a "missão intelectiva" deles, mas "o que é estritamente filosófico é justamente essa realidade autônoma das estruturas da

5 Gilles Gaston-Granger, entrevista com o autor.
6 Marc Abéles, entrevista com o autor.
7 Ibidem.

obra".[8] Os discursos filosóficos são apreendidos pelo historiador como "monumentos filosóficos porque possuem esse valor intrínseco que os torna independentes do tempo".[9] Essa transformação do documento em monumento e a analogia arqueológica que lhe é implícita serão retomadas mais tarde por Michel Foucault. A restituição da coerência interna de uma obra exige uma postura globalizante que seja exaustiva e situe numa relação de solidariedade indissociável as teses formuladas pelo autor, a arquitetônica de sua obra e seus procedimentos argumentativos. Guéroult defende por isso "uma doutrina holística da obra".[10]

Se uma obra filosófica é uma unidade fechada sobre si mesma, ela pressupõe uma concepção descontinuísta da história da filosofia que terá um prolongamento espetacular com a noção de episteme de Michel Foucault, grande conhecedor da obra de Guéroult. No prefácio de seu livro sobre Descartes,[11] Guéroult definiu sua escolha metodológica para fundamentar e legitimar o interesse pela história da filosofia que, apesar das contradições dos sistemas entre si, deve escapar ao relativismo e ao ceticismo: "O historiador dispõe, a esse respeito, de duas técnicas: a crítica propriamente dita e a análise das estruturas".[12]

A resposta de Guéroult à modernidade

Essa perspectiva pertence plenamente a uma época que busca o sentido nas profundezas das estruturas subjacentes, pois se a crítica é considerada um estágio necessário, ela só é atribuída a uma tarefa preparatória da descoberta da estrutura que detém a verdade essencial da obra. Ele dá, portanto, a sua resposta ao desafio das ciências humanas, às injunções da modernidade, quando despacha para a masmorra os sistemas filosóficos passados que se basearam em postulados científicos ultrapassados. Guéroult recusa-se, portanto, a considerar a filosofia como tendo concluído sua tarefa. O estruturalismo filosófico,

8 Jean-Christophe Goddard, entrevista com o autor.

9 Guéroult, *Leçon Inaugurale au Collège de France*, p.18, 4 dez. 1951.

10 Proust, *Bulletin de la Société Française de Philosophie*, p.81, jul.-set. 1988.

11 Guéroult, *Descartes selon l'ordre des raisons*.

12 Ibidem, p.10.

a defesa da realidade autônoma dos sistemas filosóficos, serve-lhe de quebra-mar a fim de evitar que a filosofia se dissolva no campo das ciências humanas. Outros, mais tarde, inspirando-se no mesmo método, porém mais audaciosos, ocuparão os espaços em que brotam as jovens ciências sociais, em vez de se barricarem atrás da legitimação filosófica. É sobretudo por isso que Guéroult terá poucos discípulos diretos. O retumbante sucesso do estruturalismo arrastou seus discípulos potenciais para outros horizontes. A ambição de Guéroult situa-se na estrita filiação filosófica, junta-se à de Kant e de Fichte "de realizar, graças a esse estruturalismo metodológico, a revolução copernicana que eles não puderam concluir".[13] Ele censura a esses dois filósofos terem permanecido prisioneiros das realidades e de sua representação. Opõe-lhes a autossuficiência dos sistemas filosóficos numa abordagem em que se reconhece o formalismo do período: "O objetivo filosófico aplicado aos objetos da história da filosofia [...] é um modo de encarar a matéria dessa história, ou seja, os sistemas como objetos que têm em si mesmos um valor, uma realidade que só a eles pertence e só por eles se explica".[14] Ao fechamento do texto sobre si mesmo pelos linguistas corresponde, pois, o fechamento do sistema filosófico sobre si mesmo, em Guéroult.

O outro parentesco de Guéroult com o fenômeno estruturalista situa-se no caráter insignificante da personalidade filosófica que se encontra por trás do sistema evidenciado, sua intencionalidade, a relação de intersubjetividade, o diálogo instituído pela criação de uma obra, tudo isso é subtraído do mesmo modo que a consciência do sujeito falante na linguística saussuriana ou hjelmsleviana. De certa maneira, e mesmo que Guéroult estude sucessivamente Fichte, Descartes, Spinoza..., "não se leem mais os filósofos, não se está em relação de comunidade ou de intersubjetividade",[15] mas numa relação de descontinuidade, de distanciamento máximo com uma lógica a que é necessário restituir uma coerência simultaneamente interna ao autor e exterior ao leitor. Essa descentralização do sujeito permitiu a abertura para investigações particularmente fecundas que se dedicaram a

13 Jean-Christophe Goddard, entrevista com o autor.

14 Guéroult, *Philosophie de l'histoire de la philosophie*, p.243.

15 Jean-Christophe Goddard, entrevista com o autor.

identificar o campo de constituição e de validade dos conceitos. Pensa-se, uma vez mais, na importância para Michel Foucault dessa orientação do trabalho filosófico.

O todo epistemológico

Esse impulso ampliou a significação dada ao termo epistemologia, que ultrapassa então o plano estrito da reflexão sobre os procedimentos científicos para abrir-se ao social e estabelecer uma dialética com o ideológico. Esse período estruturalista é também o do êxito da reflexão epistemológica. As disciplinas interrogam-se agora sobre o seu objeto, sobre a validade dos seus conceitos, sua ambição científica. Os cientistas são propensos a abandonar a filosofia, preterida em favor das ciências do homem, à maneira de Lévi-Strauss.

É o que ocorre com um dos grandes espistemólogos do período, Jean Piaget: "A unidade da ciência que é o nosso objetivo comum [...] só pode ser realizada à custa da filosofia. [...] Todas as ciências se dissociaram da filosofia, desde as matemáticas, ao tempo dos gregos, até a psicologia experimental em fins do século XIX".[16] Libertar-se da tutela filosófica parece ser para alguns o caminho a seguir para fazer das ciências humanas ciências "duras", à maneira das ciências exatas. Jean Piaget propõe, portanto, livrar as ciências humanas de todo questionamento exterior ao seu próprio objeto, que dependeria da metafísica. O único critério consiste em saber como aumentar os conhecimentos num determinado domínio. Piaget distingue-se, entretanto, do paradigma geral porque se interessa pela historicidade das noções utilizadas, e pode-se, a esse respeito, qualificar o seu estruturalismo como genético.[17] Percebe-se esse geneticismo na sua teoria da evolução da percepção na criança, que conhece várias etapas de equilibração constituídas em sistemas de transformação, permitindo assim a assimilação de esquemas, de estruturas novas de percepção.

16 Piaget, *Psychologie et épistémologie*.
17 Idem, *Éléments d'épistémologie génétique*.

A reflexão epistemológica no domínio das ciências humanas é tributária das mutações em curso nas ciências "duras" e, nesse plano, constata-se a mesma inflexão formalista. O exemplo mais impressionante é a evolução da matemática, com o grupo Bourbaki, que resultará nas famosas matemáticas modernas nos anos 1950 e 1960. As matemáticas aplicam-se então a conjuntos de elementos cuja natureza não é especificada; elas se deduzem a partir dos axiomas de estruturas-mães. O protótipo é a estrutura algébrica, o grupo é a estrutura de ordem e, enfim, a estrutura topológica. Reencontraremos esses modelos estruturais tanto em Claude Lévi-Strauss, por intermédio de André Weil, quanto em Jacques Lacan, com toda a sua topologia dos nós borromeanos, dos gráficos... Mas de um modo mais amplo no plano metafórico e como condição científica, as ciências humanas alimentar-se-ão de um discurso lógico-matemático que permite efetuar generalizações, explicar processos de autorregulação para além dos casos concretos estudados. Outros impulsos também contaram, como o da biologia e da psicologia experimental com a teoria da *Gestalt*, o da cibernética que permite a regulação perfeita e, portanto, a autoconservação da estrutura.

Mas o grande fenômeno intelectual no plano epistemológico, durante os anos 1930, situa-se fora da França: é a conexão entre esse formalismo das ciências "duras" e o positivismo lógico que se desenvolve, por um lado, no Círculo de Viena com Moritz Schlick e Rudolf Carnap e, por outro, na Inglaterra, em Cambridge, em torno de Bertrand Russell, e ainda com a obra de Ludwig Wittgenstein, ligado tanto ao Círculo vienense quanto a Bertrand Russell, a quem se juntou em Cambridge a partir de 1911. Esses lógicos defendem a ideia de uma ciência unificada, codificada, a partir da lógica formal, em torno de um método puramente dedutivo. A formalização é proposta, nesse caso, como horizonte comum a todas as ciências. Nessa perspectiva, as matemáticas são integradas como uma linguagem entre outras. Na medida em que a lógica não está ligada a conteúdo particular algum, ela se oferece como quadro comum para explicar a universalidade das estruturas. O Círculo de Viena privilegiará a linguagem visto que o problema filosófico primeiro situa-se no nível da significação; a lógica tornar-se-á a sua ferramenta e a língua, o seu objeto essencial. Esse duplo impulso, lógico e linguístico, deixará como herança a chamada filosofia analítica da linguagem.

Diante dessa renovação do pensamento lógico na Europa, dessa efervescência teórica, a França mantém-se à margem: "Isso foi barrado pela ação conjugada de Poincaré e de Brunschvig".[18] Daí um atraso no ensino de lógica, distanciado das faculdades de letras e do ensino de filosofia, ao contrário do que se passa em outros centros. A semiótica dos anos 1960 pode ser percebida a partir desse ponto de vista como um *ersatz* dessa lógica que escapou aos franceses.

A filosofia do conceito: Cavaillès

Há, contudo, um filósofo francês, epistemólogo, cujo objeto privilegiado foram as matemáticas, e que esteve associado ao início do Círculo de Viena: é Jean Cavaillès. Mas a história prematura e brutalmente interromperá o curso de sua vida e de sua obra. Ele morre como herói, na Resistência, sob as balas nazistas em 1944, aos 41 anos de idade. A ciência, para Jean Cavaillès, é demonstração, ou seja, lógica. Dá-lhe o nome de filosofia do conceito. Mas não compartilha da posição do Círculo de Viena, seu extremo formalismo e sua vontade de construir uma grande lógica na qual as matemáticas encontrariam seus problemas resolvidos. Sua abordagem visava apreender o par operação/objeto, o gesto criador do encadeamento das operações do pensamento, aquilo a que chamava "a ideia da ideia". O destino do seu pensamento sofrerá as consequências do seu brutal desaparecimento. Entretanto, suas teses conhecerão um ressurgimento espetacular cerca de vinte anos após sua morte com o êxito do paradigma estruturalista. Ele terá lançado os fundamentos teóricos de um estruturalismo conceitual que será retomado nos anos 1960.

Na obra que escreveu enquanto foi prisioneiro dos alemães e que só será publicada depois da guerra,[19] Cavaillès introduz o conceito de estrutura. Ora, esse conceito já corresponde àquele que triunfará após o parêntese existencialista. Ele valoriza a estrutura como contestação radical das filosofias da consciência. Inspirado por Spinoza, Jean Cavaillès

18 Vincent Descombes, entrevista com o autor.

19 Cavaillès, *Sur la logique et la théorie des sciences*.

empreendeu a construção de uma filosofia sem sujeito e já censura à fenomenologia de Husserl o fato de conceder excessiva importância ao *cogito*. Também reconhece a orientação formalista que permite à ciência, segundo Cavaillès, escapar ao domínio do mundo ambiente, à experiência comum. A verdade da estrutura só se dá nas próprias regras que a regem, não existe estrutura da estrutura, metalinguagem. Se os elementos exógenos da estrutura forem eliminados do campo da análise, cumpre reencontrar, em contrapartida, o movimento autônomo, original, da ciência que desenvolve suas próprias leis. É nesse fechamento que cumpre permanecer, nessa autonomização da ciência, nesse estrito ponto de vista que somente considera a sua coerência discursiva. Reconhece-se aí uma semelhança tanto com a abordagem dos textos filosóficos que Guéroult preconizava quanto com o ponto de vista formalista dos semiólogos.

Bachelard e a ruptura

Essa reflexão epistemológica prossegue no pós-guerra imediato, apesar do desaparecimento de Cavaillès, e encarna-se na pessoa de Gaston Bachelard, que terá um vastíssimo público e uma influência profunda. Reencontra-se em Gaston Bachelard a ideia da possibilidade de constituir uma ciência da ciência, a partir do desenvolvimento de processos e leis constitutivos das próprias ciências. Abre-se um campo de reflexão para a epistemologia que deve operar a separação com os investimentos do sujeito humano, com a vivência, a experiência. O fechamento é aí apresentado como uma ruptura epistemológica indispensável para dar lugar aos próprios processos do pensamento rigoroso.

Bachelard nega o evolucionismo e opõe-lhe um relativismo que permite ressituar o percurso científico como uma longa caminhada, feita de investigações, mas também de erros e desvios. Bachelard ficou um tanto isolado no pós-guerra essencialmente existencialista, mas terá grande repercussão mais tarde com a sua noção de ruptura epistemológica, a qual será retomada e acentuada por Louis Althusser em sua leitura de Marx, ou ainda em Michel Foucault com a sua noção descontinuísta da história.

O papel seminal de Canguilhem

O sucessor de Bachelard na Sorbonne em 1955 é menos conhecido. Georges Canguilhem, entretanto, desempenhará um papel importante na reflexão epistemológica do período. Retoma a herança de Bachelard a respeito da reflexão sobre as ciências e dirige o Instituto de História das Ciências da Universidade de Paris. O contraste entre os dois homens é, contudo, gritante: "Bachelard era um vinhateiro borgonhês, de transbordante vitalidade; Canguilhem era um homem de alta tensão interior, um cátaro, um homem duro, no sentido do rigor extremo".[20] Tendo ingressado na École Normale Supérieure em 1924, foi aluno de Alain. A partir de 1936 é professor no liceu de Toulouse, no qual lhe confiam o ensino preparatório para a École Normale Supérieure: "Quando cheguei à classe de Canguilhem em Toulouse, em 1940, pretendia fazer letras clássicas. Canguilhem estava dando um curso sobre a inversão copernicana ao longo da história, a partir de Kant. Quando descobri esse indivíduo, disse para mim mesmo: as letras que se danem, eu quero mesmo é fazer filosofia".[21] Nesse meio-tempo, Canguilhem começou os estudos de medicina. De início pacifista, como bom discípulo de Alain, a guerra fará dele um resistente ativo, membro da rede Libération-Sud. Sua tomada de consciência do perigo hitlerista remonta a 1934-1935, momento em que abandona suas posições pacifistas e "conscientiza-se de que é impossível tratar com Hitler".[22] A escolha decisiva em favor da resistência é imediata para Canguilhem. Na França de 1940, essencialmente favorável a Pétain, recusa todo ato de submissão ao regime de Vichy: "Não me formei em filosofia para ensinar Trabalho, Família e Pátria",[23] declara ele prontamente ao reitor da academia de Toulouse, Robert Deltheil. Muito marcado pela Segunda Guerra Mundial, o combate que ele trava nem por isso o incita ao otimismo; conservará e transmitirá um pessimismo profundo que, não obstante, não constitui um obstáculo à ação, é um "pessimismo tônico".[24]

---

20 Pierre Fougeyrollas, entrevista com o autor.
21 Ibidem.
22 Canguilhem, entrevista com Sirinelli, *Génération intellectuelle*, p.597.
23 Ibidem, p.598.
24 Saint-Sernin, *Revue de métaphysique et de morale*, p.86, jan. 1985.

Seu caminho está semeado de infortúnios e provações, e a morte paira à sua volta, duplamente, pela guerra e pelos estudos de medicina que empreendeu e o levam a refletir sobre a proximidade entre saúde e doença, vida e morte, razão e demência. Defendendo sua tese em 1943, *Essai sur quelques problèmes concernant le normal et le pathologique*, Canguilhem converte-se, pois, no epistemólogo do saber médico: "O presente trabalho é um esforço para integrar à especulação filosófica alguns dos métodos e aquisições da medicina".[25]

Ele interroga a noção de norma e mostra até que ponto é frágil a fronteira entre racional e irracional, e que é inútil procurar um momento fundador da norma, mesmo em algum corte bachelardiano. O ponto de vista de Canghilhem repele toda visão evolucionista de um progresso contínuo da ciência e da razão. Opõe-lhe um ponto de vista nietzschiano, em substituição a um discurso historicista sobre a construção do saber médico, uma busca das configurações conceituais e institucionais que possibilitaram tal ou qual delimitação do normal e do patológico. A postura que Canguilhem adota leva-o, portanto, a rechaçar toda visão dialética, hegeliana: "Canguilhem tem uma aversão absoluta a Hegel".[26] A ideia de um progresso histórico é-lhe estranha e fundamenta o pessimismo de sua filosofia. Se na raiz dessa desesperança histórica encontra-se o traumatismo da Segunda Guerra Mundial, Canguilhem vê uma outra razão para o desmoronamento da ideia de progresso, as consequências da invenção da máquina a vapor, dos princípios de degradação energética, portanto, o princípio de Carnot: "A potência motriz do fogo [...] contribuiu para a decadência da ideia de progresso pela introdução em filosofia de conceitos elaborados pelos fundadores da termodinâmica. [...] Percebeu-se rapidamente a morte no horizonte da degradação energética".[27]

Esse princípio de explicação ilustra, por outro lado, o método de Canguilhem e leva-o a cruzar as fronteiras disciplinares a fim de descobrir coerências epistêmicas num mesmo período, cortes transversais

25 Canguilhem, *Le normal et le pathologique*, p.8.
26 Pierre Fougeyrollas, entrevista com o autor.
27 Canguilhem, La décadence de l'idée de progrès. *Revue de Métaphysique et de Morale*, n.4, p.450, 1987.

fundamentando aquilo que Michel Foucault chamará epistemes. Canguilhem tem, com efeito, em Foucault um herdeiro direto que, aliás, ele reconhece como tal quando faz o comentário sobre *Les mots et les choses* na revista *Critique*. Canguilhem interroga-se, na conclusão do seu artigo sobre essa obra de Foucault, a respeito do que quereria dizer Cavaillès quando apelava para uma filosofia de conceitos: não seria o estruturalismo a realização desse desejo? Sem deixar de fazer referência a Lévi-Strauss e a Dumézil, ele vê em Michel Foucault esse filósofo do conceito para o futuro.

Michel Foucault, por seu lado, sublinhou a importância que teve para ele e para todos os filósofos do seu tempo o ensino de Canguilhem: "Façam desaparecer Canguilhem e não compreenderão muita coisa de uma série de discussões que ocorreram entre os marxistas franceses; tampouco entenderão o que há de específico em sociólogos como Bourdieu, Castel, Passeron... Deixarão escapar todo um aspecto do trabalho teórico realizado pelos psicanalistas e, em particular, pelos lacanianos".[28]

Os lugares do discurso científico

Canguilhem realiza um deslocamento fundamental da pergunta tradicional acerca da busca das origens questionando o lugar, o domicílio do discurso. Isso culmina no estabelecimento de uma correlação entre o discurso dito e o espaço institucional que permitiu seu surgimento e que constitui a sua base. Essa busca de delimitação das condições de enunciação do saber científico tornar-se-á o eixo fundamental das investigações de Michel Foucault sobre a clínica, a prisão, a loucura...

Canguilhem também rompe com a concepção cumulativa do progresso científico, opõe-lhe uma abordagem simultaneamente descontinuísta e na qual as fronteiras internas do saber científico elaborado estão em incessante deslocamento, sujeitas a remanejamentos e refundições sucessivas. Portanto, a história das ciências não é mais considerada a elucidação progressiva do verdadeiro, como o desvendamento por etapas da verdade, mas feitas de aporias, de reveses: "O erro é para

28 Foucault, *Revue de Métaphysique et de Morale*, jan. 1985, p.3.

Canguilhem o acaso permanente em torno do qual se enrolam a história da vida e o devir do homem".[29] Canguilhem, por essa investigação do campo de constituição e de validade dos conceitos, abre, portanto, uma vasta área de estudos para elucidação das relações mantidas entre a elaboração do saber das diversas ciências e o grau de realidade institucional, social, que nele se contenha. Resultará daí uma abertura sócio-histórica da problematização filosófica inteiramente fecunda. A influência de Canguilhem também será muito importante para toda a corrente althusseriana. Sem dúvida, o terreno de investigação está muito distanciado entre a tentativa de revivescência de conceitos marxistas e a reflexão sobre o patológico, mas em ambos os casos está em questão o *status* da ciência, a validade dos conceitos.

Pierre Macherey não se engana sobre a importância da obra de Canguilhem, à qual dedica o primeiro estudo aprofundado em janeiro de 1964.[30] É o próprio Louis Althusser quem apresenta o artigo de Pierre Macherey, e saúda essa renovação do pensamento epistemológico que rompe não só com as crônicas científicas descritivas, mas também com uma abordagem idealista da história do progresso das ciências, seja ela mecanicista (d'Alembert, Diderot, Condorcet) ou dialética (Hegel, Husserl...). A revolução que Canguilhem representa na história das ciências é saudada por Pierre Macherey com entusiasmo. "Com a obra de G. Canguilhem, possui-se, no sentido muito forte e não especializado que Freud dava a essa palavra, isto é, no sentido objetivo e racional, a análise de uma história."[31]

Também no terreno da psicanálise Canguilhem corroborará a ruptura lacaniana em virtude de suas posições antipsicologistas. É essencialmente contra a psicologia que Canguilhem terá batalhado. Ele opõe a esse saber positivo uma desconstrução do seu edifício disciplinar ao pluralizar a psicologia em múltiplas psicologias.[32] Essa desconstrução que visa desestabilizar uma disciplina determinada, mostrando que o

29 Ibidem, p.14.

30 Macherey, La philosophie de la science de Canguilhem, *La Pensée*, n.113, jan. 1964.

31 Ibidem, p.74.

32 Canguilhem, Qu'est-ce que la psychologie?, conferência de 18 dez. 1956 no Collège Philosophique de Jean Wahl, reeditada em *Revue de Métaphysique et de Morale*, p.12-25, 1958, depois em *Cahiers pour l'Analyse*, n.2, mar. 1966, e em *Études d'histoire et de philosophie des sciences*.

seu saber não é acumulável, que engloba paradigmas incompatíveis, será ulteriormente dirigida contra a própria disciplina histórica por Michel Foucault, em nome de uma abordagem arqueológica, numa perspectiva análoga. Georges Canguilhem também interpela o psicólogo no plano da ética, questionando-o para saber se ele trabalha para a ciência ou para a polícia. Esse misto de questionamento de ordem sociológica, de história das ciências e de consciência moral constituirá uma fecunda epistemologia histórica francesa, mas "cumpre admitir que a exposição de Canguilhem sobre a psicologia não é epistemológica no sentido em que se entende a epistemologia em toda parte salvo na França".[33] Essa postura crítica, especificamente francesa, tem portanto em Georges Canguilhem um importante iniciador que se reconhece no horizonte de todos os trabalhos do período estruturalista, mesmo que tenha preferido ficar na sombra do paradigma para cujo nascimento ele terá, no entanto, largamente contribuído.

A loganálise de Michel Serres

Essa filosofia do conceito, assim denominada por Cavaillès, conhecerá um ressurgimento espetacular com a obra de Michel Serres. Nele se conjuga o duplo ensino de Cavaillès e de Canguilhem numa investigação dos modelos epistêmicos característicos de uma época, para além das fronteiras disciplinares. A história das ciências é, nesse caso, uma sucessão de estratos, de cortes sincrônicos: ao paradigma do ponto fixo, da harmonia preestabelecida de Leibniz, segue-se a Idade Moderna com a termodinâmica que vale como modelo não só para todas as ciências mas também para as mentalidades, para a literatura ou as visões de mundo que estão todas impregnadas pelo modelo dominante. É assim que Michel Serres verá operando, nos Rougon-Macquart de Zola, o próprio princípio da termodinâmica. Daí resulta uma outra linha divisória diferente da que separa o saber científico do universo ficcional, os quais se encontram reunidos, em última instância, na mesma adesão ao paradigma dominante da época. Portanto, a mitologia une-se à

33 Descombes, *Les enjeux philosophiques des années cinquante*, p.159.

ciência do mesmo modo que, em Canguilhem, o patológico corrobora a normalidade: "Os mitos estão cheios de saber, e o saber está repleto de sonhos e ilusões",[34] e o erro também é, por conseguinte, consubstancial à verdade.

Michel Serres será, sem dúvida, o primeiro filósofo a definir um programa global explicitamente estruturalista no campo da filosofia, a partir de 1961.[35] Ele vislumbra a ocorrência de uma segunda revolução do século XX como resultado da utilização crítica de uma noção importada das matemáticas: a noção de estrutura. Vê em Gaston Bachelard o remate final de um século XIX simbolista que substitui os arquétipos-heróis por arquétipos-elementos como a terra, a água, o fogo... O estruturalismo inaugura uma nova era cujo método é qualificado por Michel Serres como "loganálise".[36]

O novo método visa, pois, depurar a estrutura de todo o conteúdo significativo, retirar dela todo o conteúdo semântico: "Uma estrutura é um conjunto operacional de significação indefinida, agrupando elementos em qualquer número, cujo conteúdo não se especifica, e relações, em número finito, cuja natureza não se especifica, mas cuja função e certos resultados se definem quantos aos elementos".[37] A análise estrutural situa-se acima do sentido, ao contrário da análise simbólica que seria esmagada por este; daí uma concepção kantiana da estrutura à qual Michel Serres adere ao estabelecer uma distinção entre estrutura e modelo, equivalente à distinção kantiana entre número e fenômeno. Há nesse texto de 1961 a promessa de realização de um programa filosófico muito ambicioso, pois se esse método provém de uma região do saber, as matemáticas modernas, ele deve poder exportar-se para todos os outros campos problemáticos. Existe, portanto, uma possibilidade de englobar todos os campos do saber, dos mitos às matemáticas, a partir de um paradigma comum qualificado por Michel Serres de loganálise, ou seja, esse ordenamento realizado a partir da acumulação e dispersão cultural. Esse avanço conceitual oferece também, aos olhos de Serres, a possibilidade de reatamento com a abstração do classicismo

34 Serres, *La traduction*, p.259.

35 Serres, Structure et importation: des mathématiques aux mythes, nov. 1961; reimpresso em *Hermes I: La communication*.

36 Ibidem, p.26.

37 Ibidem, p.32.

e de "compreensão instantânea do milagre grego das matemáticas e do florescimento delirante de sua mitologia",[38] graças ao desaparecimento dos compartimentos escolásticos que separam ciência e letras, graças à universidade e transversalidade histórica do projeto.

Enquanto Merleau-Ponty definia o seu programa fenomenológico, em 1960, Michel Serres se preparava para colocar em órbita, em 1961, o programa estruturalista. É este que decolará nos anos 1960.

38 Ibidem, p.34.

13

Um rebelde chamado Jacques Lacan

Se Roland Barthes evoca uma imagem ondulante do estruturalismo, dir-se-á, no âmbito de uma análise binária própria do paradigma estruturalista, que Jacques Lacan é a sua vertente abrupta, encarnação do pai-severo, empenhado sempre em alcançar o mais alto grau de cientificidade a fim de defender a prática analítica. Sua influência no período dos anos 1960 será espetacular, mas o essencial de sua obra é, no entanto, anterior, e quando os leitores descobrem Jacques Lacan em 1966 por seus *Écrits*, a ruptura em questão remonta, na verdade, ao começo da década de 1950. O inconsciente está no centro do paradigma estruturalista e não somente pelo substancial progresso registrado pela prática terapêutica que é a psicanálise; vimo-lo em ação na antropologia preconizada por Lévi-Strauss e na distinção estabelecida entre linguagem e fala por Saussure. Essa importância atribuída ao inconsciente ao longo do referido período favorece a difusão de que Lacan se beneficiará.

Oriundo de um meio católico, Lacan depressa renuncia à fé, e simboliza essa ruptura mediante o abandono de uma parte do seu prenome: de Jacques-Marie manterá apenas o Jacques. Entretanto, ver-se-á mais tarde que isso não basta, de maneira alguma, para romper com a cultura católica que impregna boa parte da sua releitura de Freud. Lacan, em todo caso, conhece aí apenas a primeira de uma longa série de rupturas. Ele procede por acumulação de sucessivas camadas sedimentares de um saber que monopoliza em proveito da especialidade que escolheu, primeiro a neuropsiquiatria, depois a psicanálise. Vincula-se desde o início dos anos 1930 a todas as formas de modernidade, ao dadaísmo no domínio da expressão artística e ao hegelianismo, assistindo aos cursos de Kojève na École des Hautes Études: "O ensino de Kojève exerce sobre Lacan uma influência no sentido literal desta palavra".[1] Dele reterá as lições da dialética hegeliana, em especial a representada pelas relações senhor/escravo, mas sobretudo uma leitura kojeviana de Hegel que se traduz por um acentuado descentramento do homem, da consciência, uma crítica da metafísica e a preponderância concedida ao conceito de desejo. Essa noção de desejo encontra-se no centro da teoria lacaniana e retoma a leitura que Kojève propõe de Hegel, em que "a história humana é a história dos desejos desejados".[2] Portanto, é Kojève quem permitirá a Lacan postular que desejar não é desejar o outro, mas desejar o desejo do outro. Se Lacan utiliza o ensino hegeliano para reler Freud, o seu modo extremamente singular de escritura, o seu estilo, deve-se sobretudo ao seu interesse pelos meios surrealistas, por ele frequentados com assiduidade. Amigo de René Crevel, ele se relaciona com André Breton, saúda em Salvador Dalí uma renovação surrealista e, em 1939, passa a viver com a primeira mulher de Bataille, Sylvia, com quem se casará em 1953.

Desde muito cedo, a partir de 1930, ele tem uma preocupação muito particular com o exame da escrita na sua prática psiquiátrica. É o caso da comunicação que ele escreve a respeito de uma professora de 34 anos, erotômana e paranoica, uma certa Marcelle. Ela se julga Joana d'Arc e imagina ter por missão regenerar os costumes. Para descrever a estrutura dessa paranoia, Lacan parte do exame de suas cartas a fim de demarcar nelas as perturbações semânticas e estilísticas.[3] Aluno de Clérambault, Lacan realiza com a análise do caso de Aimée uma reviravolta completa e decisiva. Ao recusar-se a integrar a teoria freudiana no molde do organicismo psiquiátrico, inverte os termos tradicionais das relações entre psiquiatria e psicanálise e introduz "o primado do

1 Roudinesco, *Histoire de la psychanalyse en France*, p.155.
2 Ibidem, p.154.
3 Ibidem, p.124.

inconsciente no estudo clínico".[4] O caso psicótico das irmãs Papin acentua ainda mais a ideia do inconsciente como estrutura constituinte do Outro, como alteridade radical de si mesmo.

Em 1932, Lacan defende sua tese de doutorado, *De la psychose paranoïaque dans ses rapports avec la personnalité*, que terá repercussões muito além dos meios psiquiátricos. Ela será imediatamente notada e discutida por Boris Souvarine e Georges Bataille em *La Critique Sociale*.[5] Lacan rompe com todas as formas de organicismo e integra a paranoia nas categorias freudianas, cuja estrutura define. Ora, esta não pode resultar de uma abordagem fenomenológica da personalidade: "O sentido especificamente humano dos comportamentos humanos jamais se revela com tanta clareza quanto em sua aproximação dos comportamentos animais".[6] A partir da sua tese, pode-se falar de retorno a Freud em Lacan, não para repetir o seu ensino, mas para prolongá-lo e, em especial, num terreno diante do qual Freud tinha deposto as armas: o da psicose. Para Lacan, a psicanálise deve poder explicar a psicose, caso contrário, não prestará para muita coisa.

Nessa tese, Lacan ainda não é o dos *Écrits*, e a diferença está no seu geneticismo. Marcado pelo ensino hegeliano, Lacan vê a personalidade constituir-se por etapas, até a realização do que ele chama de personalidade completa que atinge a transparência hegeliana da ordem da razão numa história completa. Esse momento lacaniano ainda é, portanto, "tributário ao geneticismo; [...] a primeira grande doutrina lacaniana é uma doutrina absolutamente genética".[7] Em 1936, Lacan teve ocasião de exprimir esse ponto de vista genético durante o XIV Congresso Psicanalítico Internacional de Marienbad, com sua comunicação "Le stade du miroir. Théorie d'un moment structurant et génétique de la constitution de la réalité, conçu en relation avec l'expérience et la doctrine psychanalytique". Nesse momento, Lacan recebe uma influência de que se desligará mais tarde, a do psicólogo Henri Wallon.

No início dos anos 1930, Wallon percebe uma etapa qualitativa realizada pela criança quando passa da fase do imaginário para a simbólica.

---

4 Ibidem, p.129.

5 Ver Roche, *Boris Souvarine et "La Critique Sociale"*.

6 Ogilvie, *Lacan, le sujet*, p.20-1.

7 Jean Allouch, entrevista com o autor.

O mesmo processo, agora deslocado para o plano do inconsciente, é descrito por Lacan: trata-se do importante momento constitutivo em que a criança descobre a imagem do seu próprio corpo. Essa identificação permite a estruturação do "Eu" e a superação da fase anterior da experiência do corpo dividido. É essa passagem para a consciência de um corpo próprio em sua unidade que falta aos psicóticos; eles permanecem num estado de dispersão de um sujeito desintegrado para sempre. Essa experiência do estádio do espelho na criança entre seis e oito meses conhece três momentos, como na dialética hegeliana. A criança percebe primeiro a sua imagem refletida pelo espelho como a de um outro, que ela tenta apreender; permanece na fase imaginária. Segundo tempo: "A criança é sub-repticiamente levada a descobrir que o outro do espelho não é um ser real, mas uma imagem".[8] Finalmente, a criança realiza a sua identificação primordial durante o terceiro tempo, conscientizando-se de que essa imagem reconhecida é a dela, mas essa passagem é prematura para que a criança faça a experiência do conhecimento do seu próprio corpo: "Trata-se apenas, portanto, de um reconhecimento imaginário e nada mais do que isso".[9] Daí resulta para o sujeito que ele constituirá a sua identidade a partir de uma alienação imaginária, vítima dos engodos de sua identificação espacial.

Se esse momento se dá como etapa, estágio, no sentido walloniano, genético, do termo, em 1936, Lacan retomará essa comunicação para o Congresso Internacional de Psicanálise de Zurique, em 1949, mas dessa vez faz uma leitura mais estruturalista do que genética. Com efeito, se a sua comunicação conserva o qualificativo de estágio, *Le stade du miroir comme formateur de la fonction du Je*, ele já deixou de ser pensado como momento de um processo genético para ser a matriz fundadora da identificação, da relação estabelecida pelo sujeito entre exterioridade e interioridade, daí resultando uma "configuração inultrapassável".[10] O qualificativo de estágio não corresponde mais, portanto, ao que Lacan descreve. Por essa identificação imaginária, a criança já se encontra, por

8 Dor, *Introduction à la lecture de Lacan*, p.100.
9 Ibidem, p.101.
10 Ogilvie, *Lacan, le sujet*, p.107.
* Para a tradução dos dois pronomes pessoais da primeira pessoa em francês, *Je* e *moi*, ambos usados por Lacan com distintas conotações, recorremos à solução proposta por Maria Christina Laznik Penot em sua tradução do Livro 2 do *Seminário* (Zahar). (N.T)

conseguinte, estruturada em seu devir, tolhida na armadilha do que acredita ser a sua identidade, o que torna doravante impossível e ilusória toda tentativa, por parte do sujeito, de ter acesso a si mesmo, pois a imagem do seu eu [*moi*]* devolve-o a um outro que não é ele.

Portanto, Lacan acentua desde o pós-guerra o corte entre consciente e inconsciente, a partir de dois registros em situação de exterioridade recíproca: o ser de si mesmo escapa irredutivelmente ao "ente", ao mundo, à consciência. Esse estágio transforma-se na chave que permite delimitar a repartição entre imaginário e simbólico no indivíduo, primeiro passo de uma alienação do eu: "Pode-se dizer que J. Lacan no estádio do espelho configura uma verdadeira encruzilhada estrutural".[11] É necessário ler nessa nova abordagem do estádio do espelho uma dupla influência: a da linguística estrutural, de Saussure, que Lacan descobre no pós-guerra graças a Lévi-Strauss, e a dos temas heideggerianos, que tomam o lugar da dialética hegeliana. A essa essência do Ser, perdida um pouco mais a cada dia no esquecimento do Ser, à perda inexorável no sendo, corresponde essa construção vindoura do eu, após o estádio do espelho, a qual escapará cada vez mais ao Eu, ao sujeito desconcentrado para sempre de si mesmo: "A discordância progressiva que se estabelece entre o eu e o ser se acentuará em toda a história psíquica".[12]

Nesse sentido, a partir de 1949, Lacan pertence ao paradigma estruturalista, antes mesmo de referir-se explicitamente a Saussure (em 1953), pois o estádio do espelho escapa à historicidade, dá-se como estrutura primeira, irreversível, que não pode funcionar de outro modo senão por suas leis próprias. Não existe, portanto, possibilidade de passar de uma estrutura a outra, mas tão somente de uma gestão da estrutura para outra. A partir desse momento, Lacan abandona totalmente a ideia hegeliana, enunciada em sua tese, de uma possível personalidade pronta e acabada, transparente para si mesma. Não há mais superação dialética possível da estrutura inicial. Em consequência, o inconsciente escapa à historicidade, do mesmo modo que deixa nas ilusões da imago o *cogito*, a consciência de si. Lacan coloca-se uma vez mais a certa distância da dialética hegeliana do desejo como desejo de reconhecimento que, para ele, é da jurisdição do imaginário, logo, do pedido e não do

---

11 Lemaire, *Lacan*, p.273.

12 Ibidem, p.277.

desejo, que só encontra seu lugar próprio no inconsciente. A ideia lacaniana de divisão do sujeito, proveniente de Freud e enfatizada, implica em si mesma uma crítica do hegelianismo e de sua ideia de saber absoluto, devolvido à sua condição de milagre: "Direi mesmo que, de ponta a ponta, Lacan enuncia uma crítica sumamente válida do hegelianismo".[13]

Em 1956, Lacan se opõe a seu mestre Jean Hyppolite, representante do hegelianismo, ao apresentar a psicanálise como a substituta possível não só do hegelianismo, mas de toda a filosofia. Hyppolite fizera uma exposição no âmbito do seminário de Lacan no início da década de 1950, e que foi publicada em conjunto com a resposta de Lacan.[14] Trata-se da questão da tradução do conceito de denegação (*Verneinung*, em alemão). Hyppolite recusa o psicologismo subjacente à noção de denegação, a qual pressupõe um julgamento formulado numa tensão interna entre o fato de afirmar e o de negar. A sua leitura visa integrar o freudismo como etapa constituinte do *logos*, do Espírito tal como Hegel o vê operando na história; ele "queria, em suma, mostrar como se poderia incluir a obra de Freud numa fenomenologia do espírito contemporâneo. Construiu engenhosamente uma nova figura do espírito, a da consciência denegadora".[15] Ao contrário dessa leitura, Lacan considera Freud como o futuro de Hegel.

A escansão

Se Lacan inova no plano teórico, o mesmo pode ser dito dele no plano da prática terapêutica da cura, e, nesse domínio, o passo dado converteu-o num rebelde, um psicanalista em ruptura em relação à organização oficial que é a Sociedade Psicanalítica de Paris (SPP). Intervém por diversas vezes, no início dos anos 1950, perante a SPP, a fim de justificar sua prática das sessões com duração variável. Trata-se de dialetizar a relação transferencial pela interrupção da sessão, por sua escansão devido a uma palavra significante do paciente, convidado então a voltar para casa.

13 Moustafa Safouan, entrevista com o autor.

14 Hyppolite, *La psychanalyse I*, p.29-39, com a resposta de Lacan, reimpressa em Lacan, *Écrits*, p.879-87.

15 Descombes, *Les enjeux philosophiques des années cinquante*, p.155.

Essas sessões de duração variável não tardam a gerar escândalo, tanto mais que, como foi constatado pela SPP, elas se transformam na grande maioria das vezes em sessões curtas e até muito curtas. Essa prática redundará em pomo de discórdia entre a instituição psicanalítica oficial e Lacan, que, nesse plano, participa também de modo pleno da aventura estruturalista de rompimento com os academismos, com os poderes estabelecidos. É evidente que essas sessões muito curtas permitem a Lacan recuperar o máximo de dinheiro num mínimo de tempo, fazendo assim a profissão de analista mais lucrativa do que a de gerente de empresa, meio, como qualquer outro, de fazer da psicanálise uma carreira social, acumulando a legitimidade científica e a possibilidade de fazer fortuna. O seu gosto pelo dinheiro tornou-se lendário: "Se você sair com Lacan para ir ao cinema, será obrigado a ir ao Fouquet e comer caviar. Por que caviar? Porque era o que ali havia de mais caro",[16] testemunha Wladimir Granoff sorrindo, porque ele, como russo, prefere o caviar em pasta ao caviar em grãos. Na época do taylorismo, Lacan tinha uma noção precisa do custo da hora de trabalho. No entanto, também contava com uma contribuição importantíssima de seu mestre: "a escansão, a pontuação é o que permite estruturar uma frase. O que é a pontuação? É o tempo do outro. Eis no que ela é uma intervenção fundamental, e também uma articulação com o tempo do outro. Sem pontuação, o paciente fala sozinho".[17]

Há uma outra vantagem nessas sessões curtas: é a possibilidade para Lacan de multiplicar o número de seus pacientes e, como Lacan quer fazer escola fora da escola, é um meio para ele formar uma geração de analistas em sua esteira, fazer deles discípulos fiéis, não só para o seu ensino didático, mas também engajados numa relação transferencial de dependência afetiva total ao mestre. A sessão curta tem, portanto, valor de mercado, mas ela é também um meio de dar uma sólida base ao corte lacaniano. Essa prática retorna à cura como era entendida por Freud. É certo que não se encontra a escansão em Freud, mas "ele fazia durar certas curas três meses, outras seis meses [...], o que deriva da mesma ideia, a do chefe de escola que lança a sua teoria no mercado".[18]

16 Wladimir Granoff, entrevista com o autor.

17 Gennie Lemoine, entrevista com o autor.

18 Jean Laplanche, entrevista com o autor.

É com base nessa prática que Lacan será mais tarde excluído da SPP, e assim acaba se vendo ele próprio chefe de escola. Existe, portanto, essa dimensão de proselitismo comum a Freud e a Lacan. Sessões longas com tempo curto ou sessões curtas com tempo longo, o objetivo é mais ou menos o mesmo. Alguns consideram hoje, mesmo fora da Escola da Causa Freudiana (ECF), que o princípio de escansão é legítimo quando se pensa no inconsciente estruturado como linguagem: "Pode-se perfeitamente admitir que uma escansão oportuna intervenha no discurso do analisando para sublinhar alguma coisa e, ao mesmo tempo, ponha um limite provisório à sua fala na transferência para o analista",[19] diz Joël Dor, lamentando que essa ideia fundamentada e fecunda das sessões em tempo variável se transformasse em sistematização das sessões extremamente curtas por inconfessáveis razões econômicas.

Outros, como Wladimir Granoff, consideram que não há mais nada a pensar a tal respeito, além da experiência que teve Lacan depois da guerra, quando não resistiu à vontade de pôr um paciente no olho da rua. Lacan censurou-se depois por ter cedido à sua impaciência e inquietou-se por não saber se esse paciente voltaria a procurá-lo. Ora, na hora combinada, o analista reencontrou o seu analisando no divã: "Nesse dia, o mundo balançou. Ele balançou como toda vez que um analista faz alguma coisa de ordem transgressiva".[20] A partir dessa descoberta, Lacan começou a encurtar o tempo das sessões, e pôde constatar, a cada vez, que isso não incitava de maneira alguma os seus pacientes a deixá-lo. Além dessa experiência pessoal, essas sessões curtas, como doutrina terapêutica, "não apresentam qualquer interesse, não lesam ninguém, nunca ajudaram ninguém e não constituem crime".[21]

Reler Freud

O resultado é, em todo caso, impressionante, pois uma geração inteira de analistas será profundamente marcada por Lacan, não apenas

---

19 Joël Dor, entrevista com o autor.

20 Wladimir Granoff, entrevista com o autor.

21 Ibidem.

por seus seminários, mas, de um modo ainda mais profundo, pela passagem por seu divã. Para adquirir tal influência, para intensificar a relação transferencial, a passagem pela sessão curta era indispensável. Jean Clavreul, em 1947, inicia uma análise com Lacan quando se encontra sob grande angústia moral: "Ele foi o único a me entender como devia ser. Era alguém que metaforizava os problemas".[22] Serge Leclaire trava conhecimento com Françoise Dolto, que o encaminha a Lacan, e entra também em análise com ele de 1949 a 1953, tornando-se então "o primeiro lacaniano da história".[23] Se alguns entram em relação com Lacan a partir da relação transferencial, outros chegam ao divã depois de o terem descoberto nos seus seminários. É o caso de Claude Conté que, com formação de psiquiatra mas insatisfeito tanto com a psiquiatria quanto com os comentários feitos sobre Freud, descobre Lacan em 1957 e acompanha os seus seminários. A partir daí, relê Freud e realiza, como toda uma geração, esse retorno a Freud que Lacan preconizava... depois se estende no seu divã durante dez anos, de 1959 a 1969. Foi essa uma importante contribuição de Lacan, a de ter feito ler/reler Freud, a de ter dado ao freudismo suas cartas de nobreza, um segundo alento, isso num momento, nos anos 1950, em que "se tornara mais comum considerar Freud um respeitável ancião, mas que já deixara de ser lido".[24]

Esse retorno a Freud é realizado por intermédio de Lacan, que se beneficiou disso ocupando a posição do Pai que enuncia a Lei. Lacan encarnará o Nome-do-pai, impondo-se por seu carisma, distribuindo as prebendas, maltratando os seus vassalos, correndo o risco de transformar alguns dos seus fiéis em simples reproduções miméticas do Pai fundador, mas garantindo um incontestável sucesso à disciplina psicanalítica, que conhece então na França uma espécie de Idade de Ouro.

22 Jean Clavreul, entrevista com o autor.

23 Roudinesco, *Histoire de la psychanalyse en France*, p.294.

24 Jean Clavreul, entrevista com o autor.

14

O chamado de Roma (1953)

O retorno a Freud

Se o chamado de 18 de junho de 1940 fez do militar de Gaulle um político, o discurso de Roma de Lacan, em setembro de 1953, consagra o psicanalista. Mas esquece-se com muita frequência de que ele foi, em primeiro lugar, psiquiatra e, a esse respeito, suas tomadas de posição devem ser ressituadas no contexto epistemológico dessa disciplina. Ora, nos anos 1930, a psiquiatria está em jogo num grande debate em torno da questão da afasia, entre localizacionistas e globalistas no tocante à topologia cerebral.[1] Alguns consideram ser possível localizar os distúrbios nos diversos componentes do cérebro: Kurt Goldstein, retomando as teses da teoria da *Gestalt*, rechaça essa perspectiva reducionista que consiste em atribuir ao distúrbio uma instrumentalidade localizada. Ele preconiza um enfoque estrutural, segundo o qual a modificação neuronal afeta a totalidade do funcionamento do cérebro. Esse debate, aliás, tem um prolongamento fora do meio psiquiátrico com a publicação em 1942 de *La structure du comportement*, de Merleau-Ponty, que defende a posição globalista de Goldstein. A noção de estrutura, não assimilável, porém, à que será utilizada no período estruturalista, já constitui, portanto, um objeto central de reflexão no meio em que evolui o jovem psiquiatra Lacan.

---

1 André Green, entrevista com o autor.

Ora, a psiquiatria continua sendo para Lacan um horizonte de suma importância, não só por sua formação inicial, mas prolongada por uma amizade muito profunda com aquele que se tornou o papa da psiquiatria: Henry Ey, que faz uma carreira hospitalar, torna-se médico chefe dos hospitais psiquiátricos e assume um posto, perto de Chartres, na antiga abadia de Bonneval. Henry Ey transforma esse local numa encruzilhada de importantes encontros teóricos; organiza aí colóquios regulares em que se reúnem psiquiatras e psicanalistas. Além disso, é ele quem forma praticamente toda a nova geração de psiquiatras:

> Ele tem, pois, um considerável peso moral, e é quem se torna o promotor da ideia de estrutura em psiquiatria. Nós, os jovens psiquiatras da época, estamos por isso mesmo inteiramente familiarizados com o pensamento estrutural no momento da eclosão do estruturalismo; simplesmente, o estruturalismo que faz um tremendo barulho não tem nada a ver com isso.[2]

Caso sintomático de uma conversão da psiquiatria à psicanálise em meados dos anos 1950, Claude Dumézil, filho de Georges, seguia o duplo ensino de Henri Ey e de Daniel Lagache, mas não estava satisfeito com o discurso psiquiátrico vacilante entre considerações fenomenológicas, um discurso psicologizante e uma saída farmacológica. Sente-se num beco sem saída quando descobre em Sainte-Anne os seminários de Lacan em 1954: "Era verdadeiramente um discurso categórico".[3] É a partir desse choque que ele empreende a leitura da obra de Freud. A fala de Lacan produz nele "um poderoso afrodisíaco para o pensamento, punha a cabeça para funcionar".[4] O discurso de Lacan, em sincronia com sua experiência clínica cotidiana, tinha não só valor teórico, mas desempenhava também, para seus ouvintes, o papel de associações livres e, ao mesmo tempo, de interpretação delas. Além disso, a partir dessa circularidade, ele manipulava uma relação transferencial com o seu público. A fala de Lacan levava para além do que ela significava, conforme ele a pôde teorizar. Que se a julgue com este depoimento de Claude Dumézil, neófito na época: "Quando me inscrevi nos anos de 1954-1955 no

2 Ibidem.

3 Claude Dumézil, entrevista com o autor.

4 Ibidem.

seminário de Lacan, ele já falava do Nome-do-pai e eu entendi: não do pai. Portanto, não compreendo nada do que está em jogo, mas, apesar de tudo, com esse erro, estou ainda assim completamente por dentro do tema".[5] A tal ponto por dentro do tema que o filho de Georges Dumézil entra em análise com Lacan pouco depois, em 1958. Mas, no divã, descobre um outro registro: "É um horror, de súbito a brilhante personagem torna-se muda como uma carpa, o homem sedutor está roubando minha grana. Aí, já não se trata mais de uma questão de conceito, mas como isso sangra!".[6] A recusa do psicologismo esteve, portanto, na origem da sedução exercida pelo discurso lacaniano, da *via crucis* que daí resultou e da conversão definitiva em favor da psicanálise. Foi esse o caso para numerosos psiquiatras na época.

O sobressalto necessário

Mas qual era a situação da psicanálise em meados dos anos 1950? O freudismo parece seguir um caminho que ameaça arrastá-lo para a perda de sua identidade: "O que se tinha em 1950 como freudismo era uma espécie de mistura médica e biológica".[7] É certo que essa tendência para a biologização da ruptura psicanalítica tem raízes na própria obra de Freud. Ela pode apoiar-se no seu filogeneticismo, essa é justamente a vertente de Freud pela qual ele permanece prisioneiro do positivismo de sua época. Ora, a leitura dominante de Freud na França, nos anos 1950, identifica pulsão e instinto, desejo e necessidade. Considera-se então Freud um bom médico que trata as neuroses com uma eficácia reconhecida. Havia, portanto, esse duplo e perigoso obstáculo: por um lado, uma psicanálise em vias de perder o seu objeto, o inconsciente, em proveito de uma psicologia dinâmica, e por outro, a medicalização de todas as formas de patologia e, por conseguinte, a dissolução da psicanálise na psiquiatria. Nesse sentido, a intervenção de Lacan provoca um sobressalto quase gaulliano: "Sua entrada em cena prestou incontestavelmente

5 Ibidem.
6 Claude Dumézil, entrevista com o autor.
7 Élisabeth Roudinesco, entrevista com o autor.

um grande serviço. Ela deteve uma espécie de maré de lama, de imbecilidades analfabetas, em que a análise francesa estava prestes a atolar-se".[8]

Wladimir Granoff ilustra esse estado de dispersão do pensamento analítico sofrendo de metástases mortais, quando adota uma regra da prática analítica segundo a qual o paciente deve pagar as sessões a que faltou. Ora, os princípios que regem essa prática não são periféricos, em absoluto, mas, pelo contrário, têm valor axiomático:

> Finda a guerra, inscrevi-me num grupo de análise de controle com alguém que era portador das maiores esperanças da Sociedade de Paris, Maurice Bouvet. Fiz parte da primeira geração de analistas entregues à supervisão de Bouvet. Numa sessão coletiva, um colega relata o caso de seu paciente que nesse momento estava doente e não comparece, portanto, às sessões. O que fazer? Esse grande teórico Bouvet, após ter maduramente refletido, respondeu: "Pode-se fazê-lo pagar até os 38° de febre, para além disso, não!". Evidentemente, é uma sonda, um termômetro enfiado no traseiro de uma disciplina. E, no entanto, Bouvet era um digno representante dela, eminente e convincente.[9]

Nesse domínio, como nos outros, a intervenção de Lacan foi salutar, uma vez que proporcionou à prática analítica, além das inspirações teóricas, garantias científicas sólidas, regras de funcionamento rigorosas que lhe permitem apresentar-se como ciência autônoma, dotada de procedimentos claros que validam o seu grau de cientificidade. Esse saneamento do pensamento e da prática contribui então, de forma considerável, para a mudança da imagem social do psicanalista que, até então, era visto um pouco como um perigoso bruxo e que será doravante considerado um homem de ciência: "Na época, quando um psicanalista saía à noite e convidava uma mulher para dançar, ouvia dizer: 'Meu Deus, você está querendo me analisar!'. Os analistas conduziam-se assim. Agora, eles começaram a se conduzir como participantes de um trabalho, como cientistas. É uma nova identidade que nesse momento se abre para eles".[10] Esse sobressalto científico interveio no momento

8 Wladimir Granoff, entrevista com o autor.

9 Ibidem.

10 Ibidem.

certo. A conjuntura global é, com efeito, favorável: ela já não oferece mais a perspectiva mobilizadora por meio da qual se acredita realizar a mudança coletiva da sociedade, e isso favorece uma atitude social feita de recuo, de retorno de cada pessoa a si mesma. A psicanálise torna-se o novo "Eldorado"[11] no final dos anos 1950.

A ruptura

O momento-chave dessa ruptura lacaniana situa-se em 1953, quando uma rebelião interna na SPP se opõe a Sacha Nacht, que tem a intenção de reservar o reconhecimento do diploma de analista exclusivamente para os médicos no novo Instituto de Psicanálise. Sacha Nacht é derrubado das suas funções de diretor e Lacan é eleito novo dirigente: mas ele não busca a cisão, pelo contrário, faz o impossível para preservar a unidade da escola francesa. Não tardou a ser levado a se demitir de suas responsabilidades e a ceder lugar a Daniel Lagache que, este sim, provoca a cisão da SPP. Lacan, minoritário, deve em seguida demitir-se também da Sociedade. É nesse contexto de crise aberta que Lacan pronuncia em 1953 o seu "Relatório de Roma".

É necessário, portanto, que se abra um caminho atraente, um caminho francês para o inconsciente. Para obter êxito nesse empreendimento Lacan procura bases, garantias institucionais e teóricas. Parte em busca de pontos de apoio do lado das duas organizações de massa que são, na época, o Partido Comunista Francês (PCF) e a Igreja Católica. Transmite uma cópia do seu discurso de Roma a Lucien Bonnafé, membro do PCF, para que a direção do partido esteja atenta às teses que ele desenvolve,[12] e envia uma longa carta ao seu irmão Marc-François, que é monge, a quem pede que interceda a seu favor junto ao papa Pio XII, a fim de obter uma audiência que lhe será recusada, apesar da ordem trinitária na qual Lacan acabou de redefinir o freudismo. Há nessas duas tentativas frustradas a preocupação de dar um segundo alento à psicanálise, de refrear a crise mediante uma estratégia ofensiva e dinâmica de

11 Mendel, *Enquête par un psychanalyste sur lui-même*, p.165.

12 Roudinesco, *Histoire de la psychanalyse en France*, v.2, p.272.

aliança. Se Lacan acende uma vela a Deus e outra ao Diabo, também se nutre de todos os alimentos intelectuais, no que foi mais bem-sucedido.

Todos os caminhos levam a Roma

Esse relatório de Roma é simultaneamente um retorno a Freud, revisto por Hegel, Heidegger, Lévi-Strauss e um pouco de Saussure. Lacan já aumentara a sua esfera de influência, pois era uma das personalidades psicanalíticas mais notórias na França e, para fazer seus seminários, abandonou a casa de sua mulher, Sylvia, trocando-a pelo anfiteatro do hospital de Sainte-Anne, onde pôde acolher um público muito mais numeroso. Para definir essa nova doutrina em gestação de um freudismo renovado, sustentado pela nova Société Française de Psychanalyse (Sociedade Francesa de Psicanálise – SFP), Lacan apoia-se dessa vez explicitamente no paradigma estruturalista que se assume como a própria expressão da modernidade em ciências sociais. Lacan conclama para que se reencontre o sentido da experiência psicanalítica. Tem por ambição assegurar-lhe o acesso ao nível de uma ciência: "Para alcançar esse objetivo não poderíamos fazer nada melhor do que retornar à obra de Freud".[13] Isso significa, em primeiro lugar, manter à distância o destino da psicanálise nos Estados Unidos, onde ela se perdeu no pragmatismo. Lacan denuncia aí o behaviorismo em ação, que tem por finalidade a simples adaptação do indivíduo às normas sociais, uma função de ordem, de normalização, representada pelos trabalhos de Erich Fromm, Sullivan... Esse retorno deve fazer-se a partir de uma atenção especial à linguagem: "A psicanálise só tem um veículo: a fala do paciente. A evidência do fato não é desculpa para negligenciá-lo".[14] Nesse domínio, Lacan justifica a sua prática da escansão da sessão e relaciona a parada cronométrica à lógica interna da trama do discurso do paciente. A prevalência da linguagem, com o que todos concordam, afirma-se aí com força e clareza: "É o mundo das palavras que cria o mundo das coisas".[15] Lacan retoma o corte estabelecido em

13 Lacan, Rapport de Rome, 1953. In: *Écrits*, v.I, p.145.

14 Ibidem, p.123.

15 Ibidem, p.155.

sua comunicação de 1949 em Zurique sobre o estádio do espelho, entre o imaginário e o simbólico. Longe de uma continuidade entre as duas ordens, o simbólico serve para o sujeito distanciar-se de sua relação de dominado pelo outro. Na cura, a simbolização opera-se graças à relação transferencial com o analista, duplamente investido na posição do outro imaginário e do outro simbólico, daquele que se supõe ser detentor do saber. A análise preenche, portanto, essa função simbólica, e Lacan apoia-se em *Les structures élémentaires de la parenté* de Lévi-Strauss: "A lei primordial é, pois, aquela que, ao regular a aliança, sobrepõe o reino da cultura ao reino da natureza, entregue à lei do acasalamento. O tabu do incesto é apenas o seu pivô subjetivo [...]. Portanto, essa lei faz-se conhecer suficientemente como idêntica a uma ordem de linguagem".[16]

Lacan, numa abordagem que recorre à filosofia de Heidegger, considera que a noção de ciência se perdeu desde o *Teáitetos*, lenta degradação acentuada pela fase positivista que subordinou o edifício das ciências do homem às ciências experimentais. O sobressalto, o retorno às fontes, deve provir da linguística, que encontra a partir de 1953, para Lacan, o seu papel de ciência-piloto: "A linguística pode servir-nos aqui de guia, pois é esse o papel que ela recebe diretamente da antropologia contemporânea e ao qual não poderíamos ficar indiferentes".[17] É explícita a referência a Lévi-Strauss que, aos olhos de Lacan – voltaremos a tratar desse ponto –, avançou mais no próprio terreno do inconsciente freudiano do que os psicanalistas profissionais, e a chave do êxito se encontra na implicação das estruturas da linguagem, mormente fonológicas, nas regras da aliança terapêutica.

A releitura que Lacan faz de Freud se inscreve na filiação saussuriana, ao fazer prevalecer a dimensão sincrônica: "Enfim, a referência à linguística nos introduzirá no método que, ao distinguir as estruturações sincrônicas das estruturações diacrônicas na linguagem, pode permitir-nos compreender melhor o valor diferente que a nossa linguagem adquire na interpretação das resistências e da transferência".[18] Nesse sentido, ele também participa plenamente do paradigma estruturalista e incita a uma nova leitura de Freud que não aceite mais

16 Ibidem, p.156.
17 Ibidem, p.165.
18 Ibidem, p.168.

como essencial a teoria das fases sucessivas, mas vincule estas a uma estrutura edípica de base caracterizada por sua universalidade, autonomizada em relação às contingências temporais e espaciais, já presentes antes de toda a história: "Muito importante da parte de Lacan foi introduzir essa perspectiva sincrônica, em substituição da perspectiva diacrônica".[19] Ao contrário de Saussure, cujo objeto privilegiado é a língua, Lacan privilegia a fala, deslocamento que se tornou necessário à prática da cura. Mas essa fala nem por isso representa a expressão de um sujeito consciente e senhor do seu dizer, muito pelo contrário: "Identifico-me na linguagem, mas somente para me perder nela como objeto".[20] Essa fala está cortada para sempre de todo acesso ao real, ela só veicula significantes que se remetem entre si. O homem só existe por sua função simbólica, e é por ela que deve ser apreendido. Lacan apresenta, pois, uma inversão radical da ideia do sujeito, pensado agora como o produto da linguagem, seu efeito, o que implica a famosa fórmula segundo a qual "o inconsciente está estruturado como uma linguagem". Por conseguinte, não há por que procurar a essência humana em outros lugares além da linguagem. É o que Lacan quer dizer quando afirma que "a língua é um órgão": "O ser humano caracteriza-se pelo fato de seus órgãos estarem fora dele". No seu discurso de Roma, Lacan opõe essa função simbólica, que fundamenta a identidade do homem, à linguagem das abelhas, que só vale pela fixidez da relação estabelecida com a realidade que ela significa. Lacan encontra portanto, no signo saussuriano, cortado do referente, o núcleo quase-ontológico da condição humana: "Se se quiser caracterizar essa doutrina da linguagem, cumpre dizer, em suma, que ela é abertamente criacionista. A linguagem é criadora".[21] A existência humana não tem outro lugar para Lacan a não ser nesse nível simbólico, e encontra naturalmente Saussure e Lévi-Strauss nessa preponderância conferida à linguagem, à cultura, à troca, à relação com o outro.

Em Roma, Lacan se apropriou, pois, da cientificidade da linguística: "Ele estava muito feliz por poder se apoiar em algo que tinha um suporte científico. Isso fazia parte integrante de um projeto, o de expor

19 René Major, entrevista com o autor.
20 Lacan, Rapport de Rome, 1953. In: *Écrits*, v.I, p.181.
21 Sichère, *Le moment lacanien*, p.59.

e explicar a psicanálise de um modo científico".[22] Lacan oferece então à psicanálise a possibilidade de desafiar a filosofia, aproximando-se dela, desmedicalizando a abordagem do inconsciente e preconizando, pelo contrário, a abordagem do inconsciente como discurso. É um novo desafio lançado à filosofia, proveniente de uma psicanálise renovada, revitalizada, e que pretende ser a sucessora do discurso filosófico.

O retorno a Freud por meio de Saussure

Em 1953, sobretudo indiretamente pela obra de Lévi-Strauss, Lacan toma conhecimento de Saussure. Depois de 1953, porém, ele aprofunda a questão trabalhando, dessa vez diretamente, com o *Cours de linquistique générale*. Essa segunda leitura fornece a Lacan todo um vocabulário novo, oriundo de Saussure, de que ele se apropria e usa com brilho em 1957 em *L'instance de la lettre dans l'inconscient*. Nesse importante texto, Lacan se apoia totalmente na linguística estrutural e cita com fervor tanto Saussure quanto o seu amigo Jakobson, que vem regularmente vê-lo em Paris, e escolhe como domicílio parisiense a residência de Sylvia. Lacan situa-se então dentro da influência de Saussure, cuja conceitualização retoma, ainda que adaptada aos seus propósitos: "É toda a estrutura da linguagem que a experiência psicanalítica descobre no inconsciente".[23] Apossa-se do algoritmo de Saussure que, para ele, fundamenta a cientificidade da linguística: "O signo escrito assim merece ser atribuído a Saussure",[24] embora submeta o algoritmo saussuriano a certo número de modificações muito significativas da perspectiva lacaniana. Modifica-lhe a simbolização ao atribuir uma maiúscula ao significante e ao relegar o significado para a minúscula. No mesmo espírito, a prevalência do significante o faz passar para o lado de cima da barra, contrariamente à sua posição em Saussure: S/s.

22 Charles Melman, entrevista com o autor.

23 Lacan, L'instance de la lettre dans l'inconscient. In: *Écrits*, v.I, p.251.

24 Ibidem, p.253.

Faz desaparecer as setas que indicavam, no *CLG*, a relação recíproca das duas faces do signo, seu caráter indissociável, como a frente e o verso de uma folha de papel. Finalmente, se se encontra a barra saussuriana, Lacan interpreta-a não como o estabelecimento de relação entre o plano do significante e o do significado, mas, pelo contrário, como "uma barreira resistente à significação".[25]

Os linguistas sentem-se desconcertados com o uso que se faz de Saussure, mas deve-se entender muito bem o ponto de vista de Lacan, que também aqui participa inteiramente do paradigma estruturalista, esvaziando ainda mais radicalmente o referente, relegando para um lugar secundário o significado que experimenta a cadeia significante num movimento em que Lacan introduz "a noção de deslizamento incessante do significado sob o significante".[26] O sujeito encontra-se descentrado, efeito de significante que remete ele próprio para um outro significante, é o produto da linguagem que fala nele. O inconsciente torna-se, portanto, efeito de linguagem, de suas regras, de seu código: "O *cogito* filosófico está no foco dessa miragem que torna o homem moderno tão consciente de suas incertezas sobre si mesmo"; "Eu penso onde não estou, logo eu estou onde não penso".[27]

Essa nova visão de um sujeito descentrado, cindido, é inteiramente coerente com a noção de sujeito vigente, na época, nos outros campos estruturalistas das ciências do homem. Esse sujeito é, de certo modo, uma ficção que só tem existência em virtude de sua dimensão simbólica, do significante. Se há preponderância do significante sobre o significado não se trata, porém, de esvaziar o significado: "O fenômeno analítico é incompreensível sem a duplicidade essencial do significante e do significado".[28] Subsiste, pois, uma interação desses dois planos diferentes que Lacan refere à descoberta freudiana do inconsciente, o que faria de Freud, aos olhos de Lacan, o primeiro estruturalista. O significante faz até o significado sofrer uma espécie de paixão. Conforme se pode medir aqui, Lacan faz com que conceitos de Saussure sofram certo número de torções, e se a noção de deslizamento do significado

---

25 Ibidem, p.254.
26 Ibidem, p.260.
27 Ibidem, p.276-7.
28 Michel Arrivé, entrevista com o autor.

sob o significante não tinha sentido algum para Saussure, também, da mesma maneira, a noção de inconsciente escapava-lhe. Lacan retoma as duas grandes figuras de retórica já utilizadas por Jakobson, a metáfora e a metonímia, para explicar o desenvolvimento do discurso, e assimila esses dois processos ao mecanismo de funcionamento do inconsciente que, estruturado como uma linguagem, se situa em total isologia em relação às regras desta última.

O inconsciente estruturado como linguagem

A condensação freudiana é assimilável, portanto, ao processo metafórico, ao passo que o deslocamento freudiano se aparenta à metonímia. A metáfora funciona como uma substituição significante e revela, pois, a autonomia e a supremacia do significante em relação ao significado. Para ilustrar esse fenômeno, aproveitamos o exemplo elucidativo de Joël Dor,[29] a saber, a utilização metafórica do termo "peste" para designar a psicanálise, qualificativo empregado por Freud ao chegar aos Estados Unidos:

$$\frac{S1}{s1} \qquad \frac{\text{imagem acústica: “psicanálise”}}{\text{conceito de psicanálise}}$$

$$\frac{S2}{s2} \qquad \frac{\text{imagem acústica: “a peste”}}{\text{conceito de peste}}$$

A figura metafórica efetuará a substituição significante de S1 por S2:

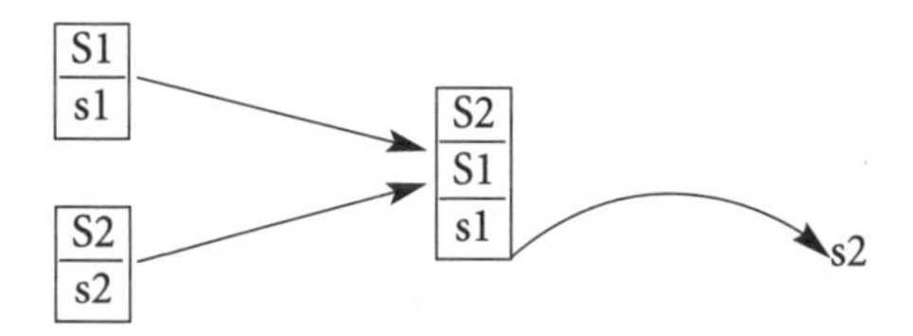

Essa substituição faz passar S1 para debaixo da barra de significação, tornando-se o novo significado e expulsando assim o antigo

29 Dor, *Introduction à la lecture de Lacan*, p.55-6.

significado s2 (ideia de doença, conceito de peste). Lacan, com a figura metafórica, mostra que a cadeia significante rege a ordem dos significados e adota em 1956, no seu seminário, o exemplo da novela de Edgard Poe, *A carta roubada*, para demonstrar a prevalência do significante, "a imbecilidade realista" e o fato de que "o deslocamento do significante determina os sujeitos em seus atos, em seu destino, em sua recusa, em suas cegueiras".[30] No decorrer da novela de Poe, todos os personagens, o Rei, a Rainha, Dupin, deixam-se ludibriar sucessivamente em seus lugares respectivos, enquanto a carta circula sem que eles o saibam. Cada um é induzido a conduzir-se por influência dessa circulação do significante (a carta), sem que lhe conheça o significado (o conteúdo). Porém, nessa busca da carta, a verdade esquiva-se sempre e Lacan retoma o tema heideggeriano da verdade como *alétheia*. O significante (a carta) brilha por sua ausência.

Outro procedimento retórico utilizado pelo inconsciente é a metonímia. Trata-se de uma transferência de denominação que pode apresentar-se sob diversas formas: a substituição do conteúdo pelo continente, "eu bebo um copo", a designação da parte pelo todo, o fato de tomar a causa pelo efeito ou o abstrato pelo concreto. Vejamos de novo o exemplo dado por Joël Dor,[31] com a expressão metonímica "ter um divã" para significar "estar em análise". A figura metonímica implica, nesse caso, uma relação de contiguidade com o significante anterior que substitui:

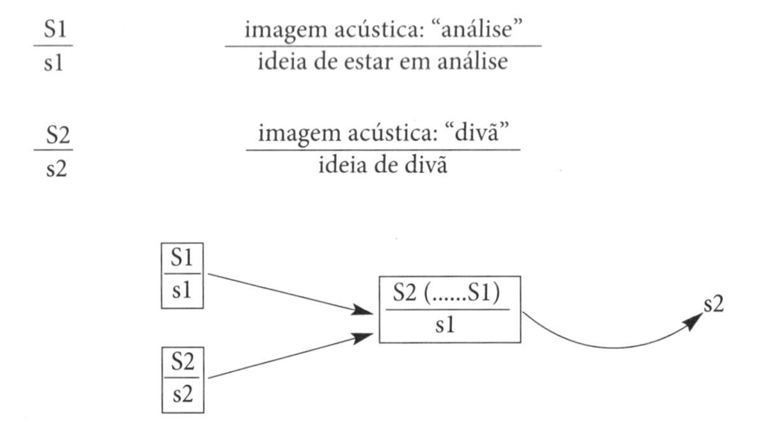

30 Lacan, Séminaire sur *La lettre volée*. In: *Écrits*, v.I, p.35, 40.

31 Dor, *Introduction à la lecture de Lacan*, p.59-60.

A diferença aqui em relação à metáfora reside no fato de que o significante excluído não passa para o lado de baixo da barra de significação; em contrapartida, o significado s2 (ideia de divã) é expulso: "As noções de metáfora e metonímia constituem, na perspectiva lacaniana, duas das peças-mestras da concepção estrutural do processo inconsciente".[32]

Esses dois tropos sustentam, por sua homologia com os fenômenos de condensação e de deslocamento, a hipótese de Lacan segundo a qual o inconsciente é estruturado como uma linguagem. Lacan sugere, pois, ao analista que tome o paciente à letra e não insira o seu dizer em hermenêutica alguma. Nisso, ele segue as instruções do próprio Freud quanto à escuta flutuante do analista. A literalidade da fala proferida apresenta em si mesma a cadeia significante que é a trama do inconsciente. Apreende-se que o aspecto formalista do estruturalismo encontra sua eficácia na prática da cura. E Lacan aconselha aos analistas que se iniciem na linguística: "Se quiserem saber mais, leiam Saussure, e assim como um campanário pode esconder até o sol, esclareço que não se trata da assinatura que se encontra em psicanálise, mas de Ferdinand, de quem se pode dizer que é o fundador da linguística moderna".[33] Portanto, é a própria estrutura da linguagem que confere seu *status* ao inconsciente em Lacan, e permite assim objetivá-lo, tornar acessível o seu modo de funcionamento. Freud já tinha dito que o sonho era um enigma, e Lacan toma aqui Freud literalmente. Mas a busca da significação final do enigma é constantemente adiada pela cadeia significante que encobre para sempre a verdade a partir de pontos de estofo que é possível, por certo, assinalar nas relações significantes/significados, mas aos quais falta radicalmente a dimensão incomensurável do Real, atribuída ao impossível.

Lacan também toma seu vocabulário de empréstimo de outro linguista, o gramático Édouard Pichon, que já sublinhara a divisão existente entre o "Eu" (*Je*) e o "eu" (*moi*). Lacan retoma essa distinção separando dessa vez radicalmente o eu [*moi*], condenado ao imaginário do "Eu" [*Je*]:* sujeito do inconsciente, ele próprio dividido a partir de uma dupla estruturação que corta para sempre o "Eu" de todo acesso ao

32 Ibidem, p.63.

33 Lacan, La chose freudienne, 1956. In: *Écrits*, v.I, p.144.

* Ver nota na página 155. [N.T.]

sujeito do desejo, tal como o Ser heideggeriano é inacessível ao ente. Em 1928, Pichon introduz um conceito que se tornará uma noção capital do lacanismo, o de forclusão. Trata-se de designar o fracasso do recalque originário. Diferente do processo de recalque, que permite ao neurótico trabalhar o retorno do que foi recalcado, "a forclusão, pelo contrário, jamais conserva o que rejeita: ela o risca ou apaga pura e simplesmente".[34] A forclusão que acarretará a psicose está ligada à confusão dos dois planos do significado e do significante. A alteração do uso do signo linguístico fundamenta, portanto, a patologia do psicótico: "O esquizofrênico vive, pois, num mundo de símbolos múltiplos, e é a dimensão do imaginário, dos conceitos, o que, nesse caso, está alterada. Para o delirante, pelo contrário, um único significante pode designar não importa que significado. O significante não está ligado a um conceito definido".[35]

Ao constatar a que ponto a ordem do significante é central para Lacan, não se pode concordar com o linguista Georges Mounin quando vê na utilização do conceito de significante por Lacan o simples sinônimo de "significativo na acepção banal do termo".[36] Para Georges Mounin, Lacan, tardiamente atingido pelo contágio linguístico, foi vítima da "clássica voracidade dos retardatários".[37] Lacan que, fazendo em 1956 um balanço da situação da psicanálise e avaliando a dimensão do fenômeno estruturalista, ainda convida os psicanalistas a estarem particularmente atentos a fonemas, locuções, sentenças, pausas, escansões, cortes, períodos e paralelismos próprios do discurso de seus pacientes. É esse suporte da análise, um suporte linguístico, estruturado, o que faz de Lacan, portanto, um estruturalista: "J. Lacan é estruturalista. Ele próprio observou isso em suas entrevistas. Subscreveu até, com seu nome, o ingresso da psicanálise nessa corrente de pensamento".[38]

O papel atribuído por Lacan à linguagem permitiu deslocar os compromissos primordiais da psicanálise, tal como eram postulados em meados dos anos 1950. Passou-se da medicalização para uma posição mais importante da disciplina analítica, no âmago das ciências humanas, desfiando a filosofia e desviando numerosos filósofos que, atraídos

34 Lemaire, *Lacan*, p.340.

35 Ibidem, p.347.

36 Mounin, *Introduction à la sémiologie*, p.184-5.

37 Ibidem, p.188.

38 Lemaire, *Lacan*, p.30.

por sua conversão ao estruturalismo, chegaram ao ponto de abandonar sua disciplina de origem para se converterem à psicanálise. Mas Lacan não se apoiou somente em Saussure e Jakobson, assegurou-se também de uma outra garantia que lhe permitiu rematar com êxito a sua iniciativa de sedução e de ambição científica: aquela proporcionada pela antropologia estrutural e, portanto, por Lévi-Strauss.

15

O INCONSCIENTE

UM UNIVERSO SIMBÓLICO

Quando Lévi-Strauss escreve a "Introduction à l'œuvre de Marcel Mauss" em 1950, cita Lacan para corroborar suas teses: "É precisamente aquele a quem chamamos são de espírito que se aliena, já que aceita viver num mundo definível somente pela relação do eu e do outro (nota 1): é essa, ao que nos parece, a conclusão que se depreende do profundo estudo do dr. Jacques Lacan, 'L'agressivité en psychanalyse', *Revue Française de Psychanalyse*, n.3, jul.-set. 1948".[1] Se Lévi-Strauss leva em conta os trabalhos de Lacan de maneira tão precoce, mesmo antes do discurso de Roma, a influência é sobretudo manifesta no outro sentido.

Lacan inspirou-se amplamente na antropologia estrutural em sua releitura de Freud, e recorre explicitamente à obra de Lévi-Strauss: "Nós mesmos damos ao termo estrutura um emprego para o qual acreditamos estar autorizados pela definição que dele nos dá Claude Lévi-Strauss".[2] A obra de Lévi-Strauss, o estruturalismo antropológico, constitui a pedra angular da ruptura lacaniana do pós-guerra. A convergência é tal que Lacan não cessa de referir-se a Lévi-Strauss (ver *Écrits*, 1966), de tomá-lo como garantia científica para a sua renovada abordagem do inconsciente.

1 Lévi-Strauss, Introduction à l'œuvre de Marcel Mauss, p.XX.

2 Lacan, Remarques sur le rapport de Daniel Lagache (1958) In: *Écrits*, p.648.

O deslocamento que Lévi-Strauss logrou realizar da antropologia física para a antropologia cultural, privilegiando o modelo linguístico, é semelhante ao objetivo perseguido por Lacan de desmedicalização, de desbiologização do discurso freudiano. A busca de invariantes estruturais nas relações de parentesco serve de exemplo a Lacan para extrair o inconsciente, como estrutura, das teorias psicologizantes, behavioristas. Essa simbiose cultural realiza-se contra um fundo de amistosa cumplicidade: "Fomos muito amigos durante alguns anos. Íamos almoçar com os Merleau-Ponty em Guitrancourt, onde ele tinha uma casa".[3] Se Lévi-Strauss declara, por diversas vezes, não compreender a obra de Lacan, é possível levantar algumas dúvidas a tal respeito, mesmo sendo incontestável que o estilo de escrita de Lacan, seu barroquismo, colide evidentemente com o classicismo de Lévi-Strauss. De um modo mais profundo, é incontestável que se Lévi-Strauss não precisa do aval de Lacan, este último apoia-se amplamente em Lévi-Strauss para fazer valer suas teses, para introduzir sua reflexão psicanalítica num campo intelectual mais vasto.

Lévi-Strauss e o freudismo

Qual é a relação de Lévi-Strauss com a psicanálise? Cumpre distinguir três níveis e é possível identificar uma certa evolução. Em primeiro lugar, no plano de sua formação, Lévi-Strauss descobre muito cedo a obra de Freud. No Liceu Janson tem um colega cujo pai, psiquiatra, foi um dos primeiros introdutores de Freud na França e trabalhava em estreita colaboração com Marie Bonaparte. Foi por esse colega de classe que ele foi logo alertado para a existência da psicanálise: "Li na época, entre 1925 e 1930, tudo o que estava traduzido de Freud, que desempenhou, portanto, um importante papel na formação do meu pensamento".[4]

O segundo nível situa-se nos ensinamentos do freudismo para a antropologia, e, nesse plano, Lévi-Strauss viu uma ampliação dos

3 Lévi-Strauss, *De près et de loin*, p.107.
4 Idem, entrevista com o autor.

quadros do velho racionalismo, a possível inteligência de fenômenos que pareciam até então rebeldes a toda e qualquer interpretação lógica, o fato de que as realidades mais manifestas não são as mais profundas e esclarecedoras. Nesse plano, Lévi-Strauss se manterá fiel ao ensinamento freudiano.

Mas há um terceiro nível que é o da confrontação, desta vez concorrencial em suas respectivas abordagens do humano, entre duas disciplinas: a antropologia e a psicanálise. Ora, o seu relacionamento, de excessiva proximidade, só pode desembocar em laços conflitantes, ainda mais porque Lévi-Strauss tem sérias dúvidas quanto à eficácia terapêutica da análise. Portanto, em face dos crescentes êxitos da psicanálise, ele estará propenso a ver na obra freudiana a construção de uma mitologia ocidental singular da qual ele, mitólogo, pode decifrar a coerência e relativizar o alcance: "O que Freud fez, na realidade, foi construir grandes mitos".[5] A lógica da confrontação disciplinar levou Lévi-Strauss, portanto, a "endurecer" (termo que ele emprega em *Le totémisme aujourd'hui*, Plon, 1962) o seu julgamento da psicanálise, ao passo que no começo estava fascinado com a abordagem do inconsciente e realizou um diálogo constante com a obra de Freud. Desde *Les structures élémentaires de la parenté*, em 1949, Lévi-Strauss critica *Totem e tabu*, considerando já então que Freud tinha elaborado um mito. Mas sobretudo, nesse mesmo ano de 1949, escreve dois artigos sobre o inconsciente, e esses textos terão a maior influência sobre os psicanalistas em geral e sobre Lacan em particular: "Le sorcier et sa magie" e "L'efficacité symbolique". Esses dois artigos serão reimpressos mais tarde em *Anthropologie structurale*.[6]

Lévi-Strauss descreve a ação de curar do feiticeiro, a relação que ele institui com sua assembleia, e utiliza, para qualificar o ato xamânico, o termo psicanalítico ab-reação, um processo semelhante ao que se desenrola na cura, quando o analista leva seu paciente a reviver a situação traumática que está na origem de seu distúrbio psíquico. Se Lévi-Strauss recorre ao esquema psicanalítico como meio heurístico, a fim de compreender melhor as sociedades primitivas, conserva-se, porém,

---

5 Ibidem.

6 Idem, Le sorcier et sa magie, Les Temps Modernes, n.41, p.3-24, 1949; idem, L'efficacité symbolique, *Revue d'Histoire des Religions*, n.1, p.5-27, 1949.

a certa distância da psicanálise como disciplina: "A inquietante evolução que tende, há alguns anos, a transformar o sistema psicanalítico de corpo de hipóteses científicas verificáveis experimentalmente em certos casos precisos e limitados, numa espécie de mitologia difusa...".[7] Lévi-Strauss compara a cura xamânica à psicanalítica para mostrar que o paralelismo não significa semelhança e que os termos das duas práticas se encontram, mas em posição invertida.

O inconsciente simbólico

Lévi-Strauss influenciará profundamente Lacan quando, por ocasião desse estudo comparado, ele dá sua própria definição do inconsciente, não o considerando o refúgio de particularidades de uma história puramente individual, singular, mas o desistoricizando, afirmando seu parentesco com a função simbólica: "Ele se reduz [o inconsciente] a um termo pelo qual designamos uma função: a função simbólica".[8] E Lévi-Strauss recorre a uma distinção mais acentuada entre o subconsciente, reservatório de recordações e imagens colecionadas ao longo de cada vida, e o inconsciente, que "está sempre vazio, ou, mais exatamente, ele é tão estranho às imagens quanto o estômago aos alimentos que por ele passam. Órgão de uma função específica, ele se limita a impor leis estruturais".[9] O inconsciente lévi-straussiano é estranho, portanto, aos afetos, ao conteúdo, à historicidade do indivíduo. Reencontra-se o predomínio concedido à invariante sobre as variações, à forma sobre o conteúdo, ao significante sobre o significado próprio do paradigma estrutural. Lacan, como se verá, retomará essa abordagem do inconsciente que lhe permite lançar "as bases de uma álgebra significante"[10] em psicanálise, da mesma maneira que Lévi-Strauss o realizou em antropologia. Em sua "Introduction à L'œuvre de Marcel Mauss", Lévi-Strauss precisa a sua definição de inconsciente, apoiando-se essencialmente em Mauss.

---

7 Idem, Le sorcier et sa magie.

8 Idem, L'efficacité symbolique. *Revue d'Histoire des Religions*, n.1, 1949.

9 Ibidem, p.224.

10 Georgin, *De Lévi-Strauss à Lacan*, p.125.

O inconsciente é definido por sua função de troca, é o termo mediador entre o eu e o outro e não o jardim secreto do sujeito. Nesse importante texto, Lévi-Strauss define um caminho pelo qual Lacan enveredará, o da autonomia do simbólico: "Os símbolos são mais reais do que o que eles simbolizam, o significante precede e determina o significado".[11]

Os recintos mentais

Está aí a raiz do mal-entendido, pois o inconsciente do antropólogo está muito distante do freudiano, além das analogias que se possam assinalar entre a decodificação semântica dos mitos e as técnicas de interpretação psicanalítica. Em Lévi-Strauss, "o inconsciente é o lugar das estruturas".[12] O inconsciente lévi-straussiano é definido, portanto, como um sistema de condicionamentos lógicos, um conjunto estruturante, "a causa ausente desses efeitos de estrutura que são os sistemas de parentesco, os ritos, as formas da vida econômica, os sistemas simbólicos".[13] Esse inconsciente puramente formal, lugar vazio, puro receptáculo, está bem longe do inconsciente freudiano, definido por um certo número de conteúdos privilegiados. Lévi-Strauss volta a ocupar-se desse afastamento do conteúdo, do afeto, em *Le totémisme aujourd'hui*, em que critica o recurso da psicanálise à afetividade, às emoções, às pulsões que correspondem ao nível mais obscuro do homem e impróprio para explicações de natureza científica. Lévi-Strauss justifica a distinção entre esses dois planos ao explicar que o intelecto só pode analisar o que depende de uma natureza semelhante, uma abordagem que exclui, portanto, o afeto. E não deixa de reiterar o inconsciente como objeto específico da antropologia: "A etnologia é, em primeiro lugar, uma psicologia"[14] – e a ambição que ele atribui a esta última é reconstituir as leis universais de funcionamento do espírito humano.

---

11 Lévi-Strauss, Introduction à l'œuvre de Marcel Mauss, p.XXXII.
12 Ipola, *Le structuralisme ou l'histoire en exil*, p.122.
13 Ibidem, p.126.
14 Lévi-Strauss, *La pensée sauvage*, p.174.

Da teoria freudiana que se desenvolve em duas dimensões – uma, tópica, de distinção de diferentes camadas do aparelho psíquico, e outra, dinâmica, a dos conflitos, perturbações, evolução das forças que atuam nos fenômenos de recalque, condensação, deslocamento, censuras etc. –, Lévi-Strauss somente retém, como estruturalista, a dimensão tópica, "aquela que se relaciona com o sistema dos lugares que definem a topologia do aparelho psíquico".[15] O inconsciente permite situar ao mesmo tempo o lugar da função simbólica e sua universalidade, o que a vincula aos recintos mentais; permite extraí-la das contingências espaço-temporais e fazer dela uma entidade puramente autônoma, abstrata, formal. À questão de saber por que ele se esquiva à dimensão do desejo em seu manuseio da noção de inconsciente, Lévi-Strauss responde: "É essa uma dimensão fundamental do inconsciente? Não estou convencido disso".[16] E opina que o tratamento dos sonhos por Freud como realização de um desejo traduz uma concepção singularmente estreita, simples máscara, fumaça irrisória para ocultar a ignorância em que nos encontramos para explicar as realidades biológicas.

A rivalidade: psicanálise/antropologia

Recentemente, Lévi-Strauss reatou esse diálogo ininterrupto com a psicanálise em *La potière jalouse*, em que situa, desta vez claramente, o que está em jogo: a rivalidade entre duas disciplinas que trabalham ambas sobre o inconsciente; e a *jalousie* do título remete ao ciúme do antropólogo em relação ao psicanalista, que pode se valer de um objeto circunscrito, de uma terapia particular, de uma implantação irreversível no corpo social. Portanto, o próprio Lévi-Strauss anunciou a colocação desse diálogo, ao situar-se no registro do ciúme: "Os mitos analisados em *La potière jalouse*, sobretudo os dos jivaros, oferecem de curioso o fato de prefigurarem as teorias psicanalíticas. Era preciso evitar que os psicanalistas se apoderassem deles para encontrar aí uma legitimação".[17]

15 Ipola, *Le structuralisme ou l'histoire en exil*, p.244.
16 Lévi-Strauss, entrevista com R. Bellour, p.205.
17 Idem, *De près et de loin*, p.150.

Repete a censura que tinha endereçado a Freud de só decifrar a partir de um código único, e traça um paralelo entre a vida psíquica dos selvagens e a dos psicanalistas. Segundo ele, estes últimos aproveitaram os caracteres de analidade e de oralidade já encontrados pelas sociedades primitivas: "Encontramos sob forma perfeitamente explícita noções e categorias – tais como as do caráter oral e do caráter anal – que os psicanalistas não poderão pretender ter descoberto: não fizeram mais do que redescobri-las".[18]

Segundo Lévi-Strauss, Freud deve ser incluído, portanto, no nível dos mitos, ele não tem sequer o mérito da invenção, visto que apenas reciclou um antigo universo simbólico. Lévi-Strauss formula ainda mais claramente a determinante institucional subentendida nesse debate/combate de anterioridade: "Poder-se-á ver na psicanálise outra coisa que não um ramo da etnologia comparada, aplicada ao estudo do psiquismo individual?".[19] Lévi-Strauss ainda termina sua obra de maneira sarcástica com uma comparação entre o *Édipo Rei*, de Sófocles, e *Um chapéu de palha da Itália*, de Labiche, para assinalar o mesmo mito em ação em dois registros diferentes: "Trata-se de fazer os psicanalistas comerem seus chapéus",[20] como observou justamente André Green perante um areópago de antropólogos.

Lacan apropria-se do inconsciente segundo Lévi-Strauss

Lacan, segundo a sua expressão, se "empanturrará" de Lévi-Strauss. Cita-o a partir de *Le stade du miroir* (1949) e depois cada vez mais assiduamente, como testemunham suas numerosas referências a Lévi-Strauss nos *Écrits*. Mas Lacan não se contenta apenas, o que seria secundário, com uma simples caução científica ao citar Lévi-Strauss. É lícito perguntar-se até que ponto ele lhe empresta a sua abordagem

18 Idem, *La potière jalouse*, p.243.

19 Ibidem, p.252.

20 André Green, *Séminaires de M. Izard*, Laboratoire d'Anthropologie Sociale, 8 dez. 1988.

antropológica do inconsciente, e se essa influência não representa um ponto de mutação decisivo em relação às teses de Freud.

Gérard Mendel discerniu nessa apropriação um deslizamento que afasta da concepção freudiana do inconsciente, em proveito de uma redução intelectualista que esvazia este último de todo o conteúdo, que o naturaliza. O campo específico do inconsciente freudiano é feito de processos primários em que se desenrolam representações e fantasmas, que passam por momentos de ativação, de recalque, ao contrário do inconsciente vazio de todo conteúdo segundo Lévi-Strauss e retomado por Lacan: "Acreditando falar do inconsciente, Lévi-Strauss fala exclusivamente do pré-consciente. [...] O que é aqui negado – como em Lacan mais tarde – é a própria existência de um inconsciente específico, contribuição decisiva de Freud".[21] No Nome-do-pai Freud, Lacan, em contrapartida, teria feito deslizar sub-repticiamente o inconsciente sob a barra significante do paradigma estruturalista. Lacan teria assim pago caro o seu diálogo, a sua caução antropológica, ao preço da perda do objeto singular da psicanálise, daquilo que fundamenta sua identidade científica: o inconsciente. "O que acredito e sempre acreditei é que Lacan pensava trabalhar sobre o inconsciente mas trabalhava sobre o pré-consciente. [...] Dizer que o pré-consciente está estruturado como uma linguagem é inteiramente defensável".[22]

Cerca de dez anos após Gérard Mendel, um antigo lacaniano, François Roustang, retoma a mesma análise segundo a qual o inconsciente simbólico de Lacan nada mais seria do que a transcrição da concepção lévi-straussiana para o domínio psicanalítico.[23] Essa adoção do simbólico representa um momento decisivo no percurso de Lacan, que tinha num primeiro tempo polarizado sua atenção sobre o imaginário, no momento em que estuda as imagens espetaculares do "estádio do espelho". Ele se apoia em seguida em Lévi-Strauss para afirmar essa irredutibilidade, essa exterioridade de um inconsciente que vai além do homem, e cuja combinatória interna lhe caberia apreender. "Essa exterioridade do simbólico em relação ao homem é a própria noção do inconsciente".[24]

21 Mendel, *La chasse structurale*, p.262.

22 Gérard Mendel, entrevista com o autor.

23 Roustang, *Lacan*; ver também Descombes, L'équivoque du symbolique, *Confrontations*, n.3, p.77-95, 1980.

24 Lacan, Situation de la psychanalyse em 1956. In: *Écrits*, v.II, p.19.

A heteronímia torna ilusório todo o enfoque histórico. Ela estabelece uma cadeia na qual se encontra preso o homem desde antes de nascer e após sua morte "à maneira de um peão, no jogo do significante".[25] A ordem simbólica não é mais referível a um indivíduo do que ao social, ela é, tal como na concepção lévi-straussiana, vazia, função de troca.

François Roustang percebe nessa ação a necessidade de um novo deslocamento em que, ao abandonar o suporte do social, "Lacan é obrigado a substantificar a fala e a dar-lhe uma potência... em suma, a restaurar a teologia da criação pelo Verbo".[26] Lacan vê-se, pois, dividido entre as sereias metafísicas, o Evangelho segundo São João, que ele coloca em destaque no seu discurso, e o modelo das ciências "duras", a matemática e a física: "Em que medida devemos nos aproximar dos ideais da ciência das naturezas, entendendo-as tal como se desenrolaram para nós, ou seja, a física com a qual lidamos? Em que medida não podemos nos distinguir dela? Pois bem, é em relação a essas definições do significante e da estrutura que pode ser traçada a fronteira que convém".[27] Lévi-Strauss serve, pois, de modelo para a conquista da cientificidade do discurso psicanalítico, e Lacan inveja-lhe a simbiose que conseguiu realizar entre etnologia, linguística, matemáticas e psicanálise.

Se é incontestável que a categoria fundamental do simbólico foi tomada por Lacan a Lévi-Strauss, deslocada do campo antropológico para o campo psicanalítico e, além disso, hipostasiada, radicalizada em relação ao seu uso por Lévi-Strauss, isso não significa, porém, que haja unanimidade entre os analistas para considerar que Lacan teria obliterado a concepção freudiana do inconsciente: "Chegar ao ponto de dizer que isso não permite a Lacan ter acesso ao nível do inconsciente num sistema que não ultrapassaria a primeira tópica é uma total aberração".[28] Para Joël Dor, o inconsciente como cadeia significante não invalida as duas tópicas freudianas, mas, pelo contrário, as elucida e ultrapassa. Se Lacan segue a escola do rigor lévi-straussiano, nem por isso deixa de deslocar para seu próprio campo os instrumentos que tomou dela. Assim, retoma a ideia de uma estrutura, de um círculo de troca como

25 Ibidem.
26 Roustang, *Lacan*, p.36-7.
27 Lacan, *Le Séminaire*. Livre III: *Les psychoses (1955-1956)*, p.208.
28 Joël Dor, entrevista com o autor.

fundamento social, mas "introduz que Lévi-Strauss incorre em erro ao pensar que são as mulheres que se permutam entre as tribos, quando é o falo que se troca".[29]

Apesar desses deslocamentos, observa-se a partir dos anos 1950 toda uma temática comum a Lévi-Strauss e Lacan, feita de ambição universalista, científica, de antievolucionismo e de busca de legitimação. Lacan dirá, por exemplo, a respeito da história, que ela é "essa coisa que ele detesta pelas melhores razões".[30] Essa rejeição radical da historicidade apresenta, por outro lado, um importante problema na prática de anamnese da cura, mas permite, não obstante, aderir ao paradigma estruturalista, a prevalência acordada à sincronia. Mesmo admitindo que Lacan tem acesso ao inconsciente freudiano, não se pode, portanto, considerar a referência a Lévi-Strauss como um simples "Apolo, mas, antes, como uma chave que teria servido para abrir tal ou tal porta secreta".[31] Lacan, aliás, não sofreu somente a influência de Claude Lévi-Strauss, mas também de Monique Lévi-Strauss, dívida que reconheceu publicamente. Ele se apropria, com efeito, da forma que ela lhe aventou um dia segundo a qual "o emissor recebe sua mensagem sob uma forma invertida", o que se converteu num clássico do lacanismo.

Pela simbiose que ele realiza com a obra lévi-straussiana, Lacan também tem por ambição fazer participar os avanços da psicanálise no projeto antropológico global de reflexão sobre a sutura natureza/cultura. Daí a importante temática do Outro em Lacan, reflexão sobre a alteridade, sobre o que escapa à razão, sobre o lugar da falta, sobre a descentralização do desejo, sobre sua errância. Quando Lévi-Strauss procura as figuras da alteridade nos nhambiquara, Lacan ensina a potência do Outro, inacessível para sempre, eterna falta de ser. Existe, portanto, entre Lévi-Strauss e Lacan, mais do que um encontro amistoso – um núcleo de inteligibilidade comum aos dois projetos intelectuais nesses anos 1950, uma mesma política teórica, uma mesma estratégia para além de duas disciplinas que têm objetos distintos.

---

29 Claude Conté, entrevista com o autor.
30 Lacan, *Séminaire*. Livre XX: *Encore (1973-1974)*.
31 Charles Melman, entrevista com o autor.

16

RSI

A HERESIA

De uma forma bastante paradoxal, uma das grandes descobertas de Lacan ficou ausente do seu discurso de Roma, apesar de ela o ter precedido de dois meses. Trata-se da famosa trilogia Real/Simbólico/Imaginário (RSI), que em julho de 1953 adquire ainda uma outra ordem, SIR: Simbólico/Imaginário/Real: "Em meu entender, é o grande achado de Lacan".[1] Chama-lhe a sua teriaga, nome do medicamento mais conhecido da Antiguidade, no horizonte do qual se acreditou por longo tempo na panaceia. É também o seu ternário e, mais tarde, simplesmente, RSI ou a sua heresia em relação a Freud: "Penso que seu recurso à linguística adquire importância em relação a essa invenção. Ele estava então engajado num combate e necessitava, portanto, de uma política da teoria".[2] Essa inovação data, assim, de 1953, num momento em que Lévi-Strauss exerce enorme influência sobre Lacan, e não é indiferente constatar que, nessa ordem ternária, o simbólico situa-se no primeiro plano.

O estruturalismo enuncia-se, neste ponto, na valorização dessa terceira ordem que vem alojar-se entre o real e o imaginário, de forma dominante. Mas o binarismo linguístico transforma-se aqui em ordem

1 Jean Allouch, entrevista com o autor.

2 Ibidem.

trilógica, segundo o esquema da dialética hegeliana, mas também segundo a tópica freudiana que separa o id, o ego e o superego, embora Lacan dê a essa subdivisão um outro nome. A inversão em relação a Freud situa-se no fato de que o simbólico gera a estrutura, ao passo que o id, assinalável ao Real de Lacan, estava na base das pulsões na perspectiva freudiana. É a principal mudança, na linguagem e na estrutura. O inconsciente já não é mais atribuível a uma espécie de inferno, enterrado, a exumar, mas torna-se apreensível na superfície das palavras, em tropeços e vacilações do dizer.

Daí resulta a preponderância dos métodos linguísticos em que Lacan se apoia em Roma, em 1953, protelando assim a comunicação de sua descoberta. A sua topologia inicial coloca o Simbólico depois do nível do Real, que não deve ser confundido com a realidade; é, pelo contrário, a sua face oculta, inacessível. O Real lacaniano é o impossível. Do mesmo modo que o Ser heideggeriano está ausente do ente, o Real de Lacan é a falta de ser da realidade. Quanto ao Imaginário, é concernente à relação dual do estádio do espelho e destina o eu ao ilusório, inclusive ao engodo que se oculta nos diversos afetos. Essa tríade articula-se no sujeito numa cadeia significante indefinida em torno da falta inicial de um Real, inacessível. A ordem ternária de Lacan se opõe radicalmente a toda apreensão empirista do desejo rebaixado à expressão de necessidades, ao passo que o sustentáculo do desejo provém para ele do encontro com o desejo do Outro, com o significante-mestre que remete ainda para a falta e esclarece o fato do pedido.

No início dos anos 1950, o jovem filósofo Moustafa Safouan, convertido à psicanálise, deve tratar o caso de um paciente histérico abandonado pelo pai aos 4 anos de idade. Ora, ele se desesperava por não compreender por que a cura gravitava em torno da imagem paterna, quando o paciente jamais conhecera verdadeiramente seu pai. Prestes a renunciar, Moustafa Safouan pensa então em retornar à filosofia quando Lacan o convida a participar do seminário que realizava em sua casa, na rue de Lille, onde trava conhecimento com Didier Anzieu, Jenny Audry, Serge Leclaire, Octave Mannoni... A distinção de que tomou conhecimento entre pai imaginário, pai real e pai simbólico permite-lhe tornar inteligível o discurso de seu paciente, o efeito devastador do seu superego, suas condutas autopunitivas, suas evitações: "Com essas distinções, isso renova a escuta e o modo como se responde ao que nos é comunicado".[3]

Essa nova elucidação convence definitivamente Moustafa Safouan da eficácia da psicanálise e da leitura fundamentada de Lacan. Ele ficará sob a supervisão de Lacan durante um período muito longo: quinze anos. A trilogia lacaniana parte do postulado de que o sujeito significa sempre mais do que aquilo de que tem consciência, de que existem, portanto, significantes que acabam sendo enunciados, sem que por isso sejam utilizados como ilustrações de uma significação da qual o sujeito teria previamente o domínio.

É Lacan estruturalista?

A grande inovação de Lacan situa-se duplamente, portanto, em 1953, com a sua ordem ternária e o apoio que foi buscar ao modelo linguístico, por ocasião do discurso de Roma. Ele confessa, aliás, a existência de um antes e um depois quando escreve: "*T.t.y.e.m.u.p.t.*", que se deve ler "*Tu t'y es mis un peu tard*" [Tu começaste nisso um pouco tarde]. A partir desse momento, "É Lacan estruturalista?", indaga-se Jacques-Alain Miller.[4] A resposta que ele dá é contrastante. Por um lado, Lacan participa efetivamente do fenômeno estruturalista, visto que extrai sua noção de estrutura de Jakobson por intermédio de Lévi-Strauss, mas se dissocia dele porque a estrutura dos estruturalistas "é coerente e completa, ao passo que a estrutura lacaniana é antinômica e não completada".[5] Ao contrário da hermenêutica, que atribuía à estrutura um lugar escondido que cumpria descobrir e decifrar, a estrutura de Lacan se oferece no mundo visível pela captura que ela empreende do corpo vivo em que fala inconscientemente. Diferentemente da estrutura saussuriana, que se apresenta em oposição e se define pela completude entre significante e significado, o sujeito do inconsciente da estrutura lacaniana se mantém fundamentalmente inacessível. Permanece cindido para sempre, além

3 Moustafa Safouan, entrevista com o autor.
4 Miller, *Ornicar*, n.24, 1981.
5 Ibidem.

de toda possibilidade de apreensão, ausência de ser, sempre em outro lugar: "Por essa razão, parece-me tratar-se de um estruturalismo *sui generis*, visto que, em suma, é uma teoria que leva em conta o fato de existir o inapreensível, algo de não apreendido na teoria".[6]

Se se pode, portanto, assinalar essa distinção entre um estruturalismo baseado na completação e um lacaniano que assenta na não completação, é possível também, não obstante, observar que se registra nos dois casos uma mesma retirada do sujeito do campo de investigação. De um lado, ele está reduzido à insignificância no enfoque saussuriano ou lévi-straussiano e, do outro, é supervalorizado na abordagem de Lacan, mas ao ponto de ser inacessível para sempre, não erradicado, mas frustrado. Existe, pois, em ambos os casos, um distanciamento do mundo das coisas, seja ele orgânico ou social.

O desejo do sujeito já nada tem de orgânico em Lacan, está desligado de toda realidade fisiológica da mesma maneira que o signo linguístico encontra-se cortado de todo o referente. Tal concepção é repetida pelo sociólogo marxista Pierre Fougeyrollas: "Freud sabia que desejamos, no sentido sexual, porque existimos como animais humanos, e teria considerado uma extravagância paranoica uma concepção segundo a qual existiríamos porque desejamos".[7] Lacan, desse ponto de vista, acentua o corte significante/significado saussuriano e propõe uma versão pessoal do estruturalismo linguístico, que François George qualifica com humor de "*père-version*".[8]

Lacan quer que se admita a psicanálise como ciência em pé de igualdade com as ciências exatas e, mais precisamente, com o modelo da ciência física. Recusa em 1953 a oposição fictícia traçada entre ciências exatas e as chamadas ciências humanas conjeturais. Lacan recorda a relação problemática mantida pelas ciências experimentais, formalizadas, com a natureza, o antropomorfismo no qual elas se inserem, inclusive a física, e portanto a ausência de fundamento da distinção utilizada para diferenciar ciências "duras" e ciências "moles". Após ter derrubado essa compartimentação, Lacan pode então dotar a psicanálise de uma ambição científica, segundo o modelo das ciências mais formalizadas:

---

6 Claude Conté, entrevista com o autor.

7 Fougeyrollas, *Contre Claude Lévi-Strauss, Lacan, Althusser*, p.99.

8 George, *L'Effet yau de poêle*, p.65.

"Vê-se como a formalização matemática que inspirou a lógica de Boole, inclusive a teoria dos conjuntos, pode proporcionar à ciência da ação humana essa estrutura do tempo intersubjetivo, de que a conjetura psicanalítica tem necessidade para garantir-se em seu rigor".[9]

Bonneval: o in-consciente

Assegurar-se de uma sólida base para a vocação científica faz parte de uma política teórica que se tornou necessária em consequência da ruptura no seio da escola psicanalítica freudiana. Após o discurso de Roma, o psiquiatra e amigo de Lacan, Henri Ey, decide consagrar o colóquio de Bonneval de 1960 ao inconsciente. Esse colóquio permite reunir e colocar em confronto não só as duas tendências da psicanálise francesa – a Sociedade de Psicanálise de Paris, que é representada, entre outros, por Serge Lébovici, René Diatkine, André Green e Conrad Stein, e a Sociedade Francesa de Psicanálise, por Serge Leclaire, Jean Laplanche, François Perrier e Jean-Bertrand Pontalis –, mas também filósofos como Paul Ricœur, Maurice Merleau-Ponty, Henri Lefebvre, Jean Hyppolite e, enfim, os psiquiatras mais assíduos às reuniões de trabalho organizadas por Henri Ey.[10]

Para Lacan, trata-se de demonstrar a cientificidade da psicanálise, simultaneamente diante do IPA (International Psychoanalytical Association) e dos filósofos fenomenólogos, ao desestabilizar suas convicções sobre o lugar central da consciência. Merleau-Ponty, embora aberto às questões psicanalíticas, como testemunhou por outro lado, nesse mesmo ano de 1960, com a publicação de *Signes*, não acompanha Lacan em suas conclusões, e declara: "Algumas vezes experimento um mal-estar em ver a categoria da linguagem ocupar todo seu espaço".[11] Nesse colóquio, todo ele dedicado ao objeto próprio da psicanálise, o inconsciente, numerosos psiquiatras consumaram sua conversão, passando da psiquiatria para a psicanálise. Ora, a maioria deles será

9 Lacan, Rapport de Rome, 1953. In: *Écrits*, v.I, p.168.

10 Informações extraídas de Roudinesco, *Histoire de la psychanalyse en France*, v.2, p.318.

11 Merleau-Ponty, *L'inconscient*. VIe Colloque de Bonneval.

seduzida pelo discurso que se apresenta como o mais moderno, o mais rigoroso, sustentado pela dupla garantia da linguística e da antropologia: o discurso lacaniano.

A grande comunicação desse colóquio é desenvolvida por dois discípulos de Lacan: Jean Laplanche e Serge Leclaire. Eles assinam em conjunto um texto que comporta uma parte teórica, escrita por Jean Laplanche, e uma parte mais clínica, confiada a Serge Leclaire. Este último analisa o sonho de um paciente judeu de trinta e poucos anos, a cujo respeito se sabe hoje que se trata do próprio Leclaire. O que essa análise de extrema sutileza significa é uma renovação total do tratamento clássico, que se limitava a um puro trabalho de anamnese. O sonho do licorne (unicórnio), que é um dos temas da análise, é a ocasião para fazer prevalecer o significante: "A psicanálise mostra-se, portanto, uma prática da letra".[12] Ao contrário da abordagem tradicional de busca de um sentido oculto no não dito, Serge Leclaire considera ser "a fórmula literária a que incute à representação o seu valor singular".[13] Ele ilustra com seu sonho do unicórnio a teoria de Lacan segundo a qual o inconsciente está estruturado como uma linguagem. O único ponto em que se dissociava do mestre, e a partir do qual esperava uma discussão que não aconteceu, refere-se à sua concepção do recalque originário: "Em Bonneval, a discussão sobre esse ponto acontece com Stein, mas não com Lacan. Postulei, entretanto, um ponto de vista divergente em relação ao de Lacan, mas isso não foi percebido de momento".[14]

Jean Laplanche, por sua vez, embora participando da linha lacaniana, assume nessa ocasião certa distância da fórmula essencial de Lacan, segundo a qual o inconsciente é estruturado como uma linguagem. Talvez não se deva ao acaso encontrar posições críticas em relação a essa orientação estruturalista num antigo militante do grupo Socialismo ou Barbárie como Jean Laplanche. A sua crítica une-se, num outro terreno, à que Claude Lefort, no início dos anos 1950, fez a Lévi-Strauss. Ora, Laplanche participou com Cornelius Castoriadis e Claude Lefort na fundação do grupo Socialismo ou Barbárie no pós-guerra. Ele começa a interessar-se pela psicanálise nos Estados Unidos em 1946

12 Leclaire, L'inconscient, une étude psychanalytique. In: *L'inconscient*, p.95-130, 170-7.

13 Ibidem, p.116.

14 Serge Leclaire, entrevista com o autor.

e encontra-se com Loewenstein em Nova Iorque, o qual o aconselha a seguir os cursos de psicanálise dados em Harvard. De regresso à França, Jean Laplanche visita seu antigo professor da École Normale Supérieur, Ferdinand Alquié, para que lhe indique o nome de um analista a fim de iniciar uma terapia, e Alquié informa-o a respeito da realização regular de conferências apaixonantes por um certo Lacan:

> Ele falava na época do estádio do espelho, da identificação das rolas, dos pombos e dos gafanhotos. Apresentei-me a Lacan e comecei com ele uma terapia. Portanto, conheci Lacan como psicanalista durante anos e recusei-me a frequentar o seu seminário durante todo esse tempo a fim de evitar essa mistura que ele praticava entre seu ensino e suas análises.[15]

Jean Laplanche encontra-se numa situação ambígua e frustrante em Bonneval, pois é o discípulo de Lacan diante da SPP, mas, por outro lado, gostaria de fazer ouvir algumas reservas que, não discutidas, seriam sacrificadas à lógica dos grupos. Ele retoma a definição freudiana do inconsciente, seu sentido tópico, oposto tanto ao consciente quanto ao pré-consciente. Defende a ideia de uma segunda estrutura para explicar a distinção freudiana entre o representante da coisa e o da palavra, o processo primário e o secundário. Daí resulta um primeiro nível de linguagem não verbal, o das representações de coisas, e um segundo, verbalizado, o das representações de palavras. Jean Laplanche deduz daí que "o inconsciente é a condição da linguagem".[16] Inverte a proposição lacaniana e reduz o papel atribuído à linguagem e ao seu modo de funcionamento metafórico e metonímico que não esgota a realidade do inconsciente: "O que desliza, o que é deslocado, é a energia pulsional, em estado puro, não especificada".[17]

Jean Laplanche recusa de imediato, portanto, o papel de modelo que Lacan quer atribuir à linguística, e acentuará posteriormente a sua discordância afirmando que o inconsciente não é tão estruturado quanto Lacan diz: "Se existem elementos de linguagem no inconsciente, o que é inegável, o recalque opera, de fato, uma desestruturação e não

15 Jean Laplanche, entrevista com o autor.
16 Idem, VIe Colloque de Bonneval, p.115.
17 Ibidem, p.121.

uma estruturação desses elementos".[18] Hoje, Jean Laplanche está ainda mais distanciado da afirmação segundo a qual o inconsciente é estruturado como uma linguagem".[19] Afirma ele, mais radicalmente do que em 1960, em primeiro lugar que a linguagem não está tão estruturada quanto se diz ao reduzi-la a uma estrutura binária e, por outro lado, que o inconsciente não se constitui com palavras mas com os traços, as impressões de coisas, que o seu funcionamento é até oposto ao da estrutura: "Ausência de negação, coexistência dos contrários, ausência de julgamento, nenhuma retenção ou fixidez dos investimentos".[20] Preconiza a substituição da fórmula lacaniana por "o inconsciente é como-uma-linguagem, mas não estruturada".[21]

A junção estabelecida por Laplanche entre pensamento e linguagem é, de fato, rechaçada por Lacan em proveito do corte que ele considera radical no algoritmo saussuriano. Para Lacan, é sem dúvida tão estrategicamente importante ancorar de uma forma total a psicanálise nas descobertas da linguística moderna quanto considerar que o "humano é linguagem".[22] Em sua ambição epistemológica, Lacan vê, com essa concepção, a única possibilidade de fazer participar a disciplina psicanalítica na aventura semiológica global que vem adquirindo impulso desde o início dos anos 1950. Entretanto, ele não discutirá o texto de Laplanche durante o colóquio de Bonneval, em que a unidade deveria prevalecer sob sua égide, para fins táticos. Lacan desenvolve, pelo contrário, a ideia de que o inconsciente é um efeito de linguagem, de um *cogito* cindido entre verdade e saber. Só exprimirá seu desacordo com o discípulo em 1969, por ocasião de um prefácio escrito para a tese de Anika Lemaire que lhe foi dedicada.[23]

Em 1960, em Bonneval, Lacan pronuncia um discurso que depois remodela profundamente para inseri-lo nos seus *Écrits* em 1966, sob o título de "Position de l'inconscient". Nele discute as ilusões do *cogito* cartesiano e, também, a filosofia clássica que se refere a um saber absoluto à maneira de Hegel. A consciência está inteiramente ocupada na

18 Idem, entrevista com o autor.
19 Laplanche, *Psychanalyse à l'Université*, v.4, n.15, p.523-8, jun. 1979.
20 Ibidem, p.527.
21 Ibidem.
22 Roudinesco, *Histoire de la psychanalyse en France*, v.2, p.323.
23 Lemaire, *Lacan*.

captura do eu por seu reflexo espetacular e, portanto, atribuída à "função de desconhecimento que lhe permanece vinculada".[24] O *cogito* cartesiano é, por conseguinte, para Lacan, um primeiro momento, um pressuposto do inconsciente. Ele afirma a prioridade do significante sobre o sujeito, instituindo-se o registro segundo o qual um significante representa um sujeito para um outro significante. O segundo momento distinguido por Lacan é o da separação ou "refenda" do sujeito, e Lacan ilustra esse momento do nascimento do recém-nascido, separado não da mãe, como se diz com excessiva frequência, mas de uma parte de si mesmo; quando se corta o cordão umbilical, ele perde então seu complemento anatômico: "Ao quebrar-se o ovo, faz-se o Homem, mas também a Homelete".[25] Esse corte inicial é incessantemente reativado na vida ulterior e torna necessário o estabelecimento de limites para que "a Homelete" não se espalhe por toda parte e destrua tudo à sua passagem. Esse corte tornará o Real inacessível e dará uma dimensão mortífera à pulsão que é para aí remetida e constitui virtualmente uma pulsão de morte.

Quanto ao inconsciente, ele remete para o simbólico, é feito de fonemas, de grupos de fonemas, e encontra, portanto, seus fundamentos na linguagem, fazendo Lacan dizer em 1966: "A ciência de que depende o inconsciente é certamente a linguística".[26] Ao Ser sucede a Letra: é a hora triunfal do paradigma estruturalista em psicanálise.

---

24 Lacan, Position de l'inconscient. In: *Écrits*, v.II, p.196.

25 Ibidem, p.211.

26 Lacan, *Interview*, RTB, 14 dez. 1966.

17

A sedução dos trópicos

Entre a Conferência de Nova Déli (1949) e a de Bandung (1955), uma nova exigência manifesta-se com fulgor crescente, destruindo as divisões habituais entre leste e oeste e impondo um terceiro caminho. Ela tem origem no sul e aspira ao reconhecimento da mesma dignidade da civilização ocidental para os povos de cor. É nesse contexto de descolonização que a Unesco encomenda a Claude Lévi-Strauss a realização de um estudo que, no âmbito de uma coleção sobre "a questão racial perante a ciência moderna", transformar-se-á em "Race et histoire", publicado em 1952, texto decisivo e contribuição fundamental para a teorização do fenômeno de emancipação em curso.

Claude Lévi-Strauss se interessa pelos preconceitos raciais. Sua intervenção permite levar a antropologia para o centro das alternativas sociais, tal como Paul Rivet já fizera antes da guerra, e tornar manifesto o deslocamento já esboçado da antropologia física para a social. Ele critica a teleologia histórica baseada na reprodução do mesmo e opõe-lhe a ideia da diversidade das culturas, a irredutibilidade da diferença. Realiza assim uma revolução essencial dos espíritos, à medida que ataca os fundamentos de um eurocentrismo abalado pelo despertar tricontinental dos povos do Terceiro Mundo que sacodem o jugo colonial. Semelhante visão não mais permite pensar em termos de anterioridade ou de inferioridade. Quebra o molde hierárquico de uma sociedade ocidental que se apresentava como o modelo a ser seguido pelo resto do mundo. O enxerto ocidental é rejeitado, e debruça-se então sobre o que ele encobria com seu véu. Contestando o evolucionismo, Lévi-Strauss permanece na filiação maussiana, mas nem por isso correrá o risco de um localismo que encerra cada sociedade no pequeno universo de seu particularismo. Ele considera, pelo contrário, que cada sociedade é a expressão de um universo concreto. Nesse sentido, apresenta-se não só como o guia que abre o Ocidente para a compreensão do Outro, mas também significa que esse Outro pode instruir-nos a respeito de nós mesmos, retroceder para nos transformar como fragmento significante do universal humano.

A postura estruturalista oferece-se aqui como preliminar para a inteligibilidade do Outro, pela ideia da intercomunicabilidade dos códigos. Com efeito, todos os sistemas podem comunicar-se entre si à medida que sejam colocados no plano da passagem de um código para outro: "O que não se pode fazer é um diálogo direto. A incompreensão provém de sua incapacidade para ultrapassar o seu próprio sistema. Se alguém contribuiu para esse humanismo universalista, foi Claude Lévi-Strauss, sem dúvida alguma".[1] Em relação ao encerramento ocidental-centrado, é a abertura para a compreensão de um universo muito mais vasto, baseado na pluriformidade das culturas e, portanto, num enriquecimento do conhecimento do humano.

Lévi-Strauss diferencia duas formas de relação com a historicidade, opondo a história acumuladora das grandes civilizações à vontade de dissolver toda inovação percebida como perigo de comprometimento do equilíbrio primitivo. Essa história cumulativa não é privilégio do Ocidente, uma vez que se processou também em outras latitudes. Por outro lado, Lévi-Strauss rechaça todo e qualquer valor hierárquico que permita apresentar esta ou aquela civilização como mais avançada do que as demais. Ele relativiza todas as considerações dessa ordem, decompondo os critérios conservados. A esse respeito, a civilização ocidental dispõe de um avanço incontestável no plano da técnica, mas, se retivermos outros critérios, vê-se que civilizações que pareciam aos ocidentais representar o estágio primitivo, o berço do mundo, mostraram de fato muito mais engenhosidade que o Ocidente: "Se o critério usado tivesse sido o grau de aptidão em triunfar sobre os meios geográficos mais hostis, não há

1 Serge Martin, entrevista com o autor.

a menor dúvida de que os esquimós, por um lado, e os beduínos, por outro, levariam a palma".[2]

Nesse jogo variável do campo dos possíveis, o Ocidente é superado em todos os planos, exceto nos técnicos. Assim ocorre no tocante aos exercícios espirituais, às relações entre o corpo e a concentração do espírito. Nesse domínio, o Oriente, com seus exercícios práticos e sua espiritualidade, tem um "avanço de alguns milênios".[3] Nesse leque de múltiplos critérios, os australianos ganham a medalha da complexidade na organização das relações de parentesco e os melanésios, a da audácia estética. Lévi-Strauss extrai daí um duplo ensinamento que é o da relatividade do diagnóstico estabelecido a partir dos critérios constituídos de toda e qualquer sociedade e o fato de que o enriquecimento humano só pode resultar de um processo de coalescência entre essas diversas experiências, fonte de novas descobertas: "A fatalidade exclusiva, a única tara que pode afligir um grupo humano e impedi-lo de realizar plenamente sua natureza, é a de ser só".[4]

De maneira espetacular, Lévi-Strauss fundamenta em teoria a prática da rejeição do enxerto colonial, e reintegra no mesmo movimento essas sociedades da alteridade no campo do saber e da problematização da sociedade ocidental. Mas a questão da diferença não é somente a expressão da irredutibilidade do Outro, é também um conceito ideológico que não escapa à análise. A esse respeito, o paradigma estruturalista avançado mina as bases das filosofias da totalidade ocidental, de Vico, Comte, Condorcet, Hegel ou Marx. Pode-se ver aí o ressurgimento de um pensamento nascido da descoberta do Novo Mundo, no século XVI: "A razão ocidental sofre então uma fissura. Montaigne percebe que algo de totalmente heterogêneo arruína seus alicerces. É uma constante do Ocidente, desde os gregos, jamais exercer o poder sem fundamentá-lo no universal".[5] Com efeito, Montaigne já dizia que nós apresentamos a ruína das noções do Novo Mundo e deplorava que os chamados civilizadores não tivessem podido estabelecer entre eles e os índios uma sociedade fraterna e inteligente. Reativando esse pesar, esse importante

2 Lévi-Strauss, Race et histoire (1952). In: *Anthropologie structurale*, p.399.
3 Ibidem, p.399.
4 Ibidem, p.415.
5 Bertrand Ogilvie, entrevista com o autor.

ensaio de Lévi-Strauss, "Race et histoire", logo se converteu no breviário do pensamento antirracista.

A polêmica: Caillois/Lévi-Strauss

Ainda assim, ele foi alvo de uma dura crítica de Roger Caillois.[6] O paradoxo quis que no dia em que Lévi-Strauss foi acolhido na Academia Francesa, sucedendo na cadeira Montherlant, em 1974, Roger Caillois fosse o escolhido para recepcioná-lo. Este último não deixará, porém, que esse momento de virulenta polêmica passe em brancas nuvens: "O senhor respondeu-me num tom, com uma eloquência, uma veemência e usando procedimentos polêmicos tão pouco habituais nas controvérsias de ideias, que fiquei, na época, estupefato".[7] Como recorda Roger Caillois, a resposta que Lévi-Strauss lhe dera tinha sido de uma violência jamais igualada, e de tal ordem que nunca mais incluirá "Diogêne Couché"[8] em suas futuras coletâneas de artigos. Quais são os termos da polêmica?

Roger Caillois estabelece um paralelo muito interessante entre o aparecimento de certas filosofias e a época que as viu nascer, observando não um simples reflexo do período, mas, pelo contrário, o preenchimento de uma carência. Até Hegel, a filosofia ocidental pensa essencialmente a história em sua linearidade, em sua universalidade, ao passo que as relações entre o Ocidente e seus impérios ainda são precárias, lacunares. As doutrinas em curso forçam o traço de um encadeamento único de causas e efeitos da evolução humana, quando esta engloba ainda uma realidade muito díspar. Ora, com o primeiro conflito mundial, é no momento em que a história se torna efetivamente planetária que a pesquisa erudita e a sensibilidade coletiva valorizam a pluralidade, a irredutibilidade das diferenças, no próprio instante em que essa pluralidade se dissipa. Roger Caillois vê em "Race et histoire" o concentrado

6 Caillois, Illusions à rebours, *Nouvelle Revue Française*, p.1010-21, 1º dez. 1954, e p.58-70, 1º jan. 1955.

7 Caillois, La réponse de R. Caillois, *Le Monde*, 28 jun. 1974.

8 Lévi-Strauss, Diogêne couché, *Les Temps Modernes*, n.195, p.1187-221, 1955.

científico dessa segunda atitude e a percebe como a expressão da decadência preconizada do Ocidente. Censura a Lévi-Strauss a atribuição de virtudes desproporcionadas aos povos outrora desamparados, e critica globalmente seu ponto de vista relativista. A esse respeito, coloca Lévi-Strauss em autocontradição quando este considera, de um lado, que todas as culturas são equivalentes e incomparáveis ("O progresso de uma cultura não é mensurável no sistema de referências que uma outra cultura utiliza. [...] A atitude é sustentável")[9] e, de outro lado, que o Oriente teria um avanço de vários milênios sobre o Ocidente no plano das relações entre físico e moral. O relativismo lévi-straussiano leva-o longe demais, e Caillois opõe-lhe essa superioridade da civilização ocidental que se situa, segundo ele, nessa curiosidade constante a respeito das outras culturas da qual nasceu a etnografia, necessidade que não foi sentida pelas outras civilizações: "Ao contrário do que diz o provérbio, o argueiro que está no olho de Lévi-Strauss impediu-o de enxergar a trave no olho dos outros. [...] A atitude é nobre, mas um cientista deve aplicar-se, antes, a reconhecer os argueiros e as traves onde quer que se encontrem".[10]

A réplica não se fará esperar e será contundente. Verifica-se de novo que a revista de Sartre, *Les Temps Modernes*, serve paradoxalmente de tribuna a Lévi-Strauss para desenvolver as suas teses. O tom é dado desde o começo: "Diógenes provava o movimento caminhando. O sr. Roger Caillois deita-se para não o enxergar".[11] Retoma as linhas de força de sua demonstração, sem ceder em nada à argumentação de Caillois. À alusão deste último ao canibalismo, Lévi-Strauss retruca que não situa a moral na cozinha e que, no tocante à relação do número de homens mortos, nós, ocidentais, somos muito mais eficientes do que os papuas. É sobretudo a violência da polêmica que surpreende: "O sr. Caillois entrega-se a um exercício que começa por gracejos de mesa de botequim, prossegue com declarações de pregador para terminar com lamentações de penitente. É bem esse, aliás, o estilo dos cínicos de que ele se vale".[12] "A América teve o seu McCarthy; nós teremos o nosso

9 Caillois, Illusions à rebourse, p.1021.
10 Ibidem, p.1024.
11 Lévi-Strauss, Diogêne couché, p.1187.
12 Ibidem, p.1202.

McCaillois."[13] Além do tom polêmico, permanece um importante opúsculo no combate aos preconceitos racistas no limiar dos anos 1950, e uma intuição exata, a de Caillois, segundo a qual um pensamento crepuscular está prestes a predominar na Europa, exposta a um declínio que parece inexorável.

Um livro-evento: *Tristes tropiques*

Em 1955, a conferência de Bandung intervém como "um trovão" em escala planetária, segundo um dos líderes do afro-asiatismo da época, Léopold Sédar Senghor. No mesmo momento, os progressos da aviação civil colocam ao alcance dos turistas ocidentais as civilizações mais longínquas. Um verdadeiro frenesi de exotismo apodera-se do Velho Mundo. As agências de viagens oferecem, cada uma à sua maneira, um deslocamento; uma nova experiência cultural, entretanto condicionada à moda ocidental. Bases operacionais do turismo implantam-se por toda parte como outras tantas penínsulas extraterritoriais fechadas em si mesmas. O Club Mediterranée em breve esquadrinhará os continentes, oferecendo a descoberta do Outro por menor custo, por trás das grades de seus acampamentos entrincheirados, ao abrigo de incursões indígenas. Foi nesse momento oportuno em que os interesses intelectuais estão prestes a oscilar que surgiu o livro-evento, *Tristes tropiques*, em 1955. Lévi-Strauss responde plenamente às aspirações da sensibilidade coletiva da época, e seu triunfo é testemunho disso. Ele realiza a abertura espetacular que tanto desejava para a antropologia e para o programa estruturalista, instalando-os no mais íntimo daqueles que projetavam o mundo intelectual francês. Ao mesmo tempo, modificava a sua imagem. Era apresentado quase sempre como um cientista inumano: "Eu estava irritado por me ver rotulado nos fichários universitários como um mecanicista sem alma, somente prestável para meter os homens em fórmulas".[14]

13 Ibidem, p.1214.

14 Idem, entrevista com Jean-José Marchand, *Arts*, 28 dez. 1955.

Curiosamente, a obra vincula-se a duas experiências malsucedidas. Lévi-Strauss aspirava, sobretudo, a utilizar sua experiência de etnógrafo para escrever um romance; abandona-o ao fim de trinta páginas e dele só restam alguns vestígios, como o título e um magnífico pôr do sol. Outro revés de que resultou *Tristes tropiques* foi o das suas duas primeiras candidaturas ao Collège de France, quando foi sucessivamente derrotado em 1949 e 1950. Convencido a essa altura de que jamais poderia fazer uma carreira universitária, Lévi-Strauss consagra seu tempo a escrever *Tristes tropiques*, "que eu jamais teria ousado publicar se estivesse envolvido numa competição qualquer para uma posição universitária".[15] Esse episódio é sintomático de um momento em que a força e a inovação do programa estruturalista confiam em sua capacidade para ir além dos limites da instituição universitária e encontrar outros canais de legitimação. Foi graças a esse desvio que Lévi-Strauss se preparou para intervir no momento mais oportuno, apresentando-se como um filósofo de viagem. Em seu olhar há um misto de cientificidade, literatura, nostalgia das origens perdidas, culpabilidade e redenção que torna sua obra difícil de classificar.

Ele manifesta, pela subjetividade do seu relato, o vínculo que une a busca de si e a descoberta do Outro pela ideia de que o etnógrafo tem acesso à origem da humanidade e, assim como pensava Rousseau, a uma verdade do homem que "somente cria algo de grande no princípio".[16] Há uma nostalgia original nessa perspectiva que só considera a história humana como pálida repetição de um momento perdido para sempre, que é o momento – autêntico – da criação: "Teremos acesso a essa nobreza de pensamento que consiste [...] em dar como ponto de partida para as nossas reflexões a indefinível grandeza dos começos".[17] Nessa valorização dos começos, há como que uma parcela de expiação das culpas de uma sociedade ocidental com passado genocida, à qual pertence plenamente o etnógrafo. Participando outrora nas obras missionárias, quando do tempo glorioso da colonização, o etnógrafo mostra seu arrependimento na hora da rejeição do enxerto ocidental, acompanhando assim o movimento de refluxo e tratando de curar

15 Idem, *De près et de loin*, p.76.
16 Idem, *Tristes tropiques*, p.442.
17 Ibidem, p.424.

algumas chagas morais. Se esses trópicos são tão tristes, não é somente em consequência do processo de aculturação, mas também pela própria natureza de uma etnografia cujo objeto está em vias de extinção. Esses desaparecimentos são inegáveis, principalmente no terreno explorado por Lévi-Strauss, entretanto essas civilizações estão, sobretudo, prestes a se transformar num tempo de descolonização, reivindicando sua identidade, saindo de suas tradições para se tornarem sociedades quentes.

Paradoxalmente, a descolonização que assegura o êxito de *Tristes tropiques* acarreta, ao mesmo tempo, a eclosão da crise resultante de sua orientação baseada em sociedades imóveis, tomadas numa tensão entre conservação e desaparecimento – "O mundo começou sem o homem e acabará sem ele"[18] –, ao passo que as sociedades do Terceiro Mundo mostram capacidade para superar essa alternativa redutora e abrir os caminhos da transformação que exigem, evidentemente, modificações em suas respectivas identidades. A eficácia social da antropologia não consiste em oferecer uma abertura suplementar a inscrever no programa das viagens organizadas, mas em acompanhar seu tempo a fim de esclarecê-lo mediante um saber científico. É também esse o sentido da mensagem de Lévi-Strauss no dia seguinte à derrota de Diên Biên Phu: "Cinquenta anos de pesquisa modesta e sem prestígio, conduzida por etnólogos em número suficiente, teriam podido preparar no Vietnã e na África do Norte soluções do tipo daquela que a Inglaterra tinha encontrado na Índia".[19]

Se o antropólogo deve acompanhar o político com seu saber, Lévi-Strauss definiu, em 1956, uma posição da qual nunca mais se apartará, a do cientista que renunciou, por seu compromisso com a ciência, a todo combate partidário. Ele se retira da ação e considera essa retirada uma regra deontológica intangível, à maneira do religioso que ingressa numa Ordem e se mantém à distância do século. O papel do etnógrafo "será somente compreender esses outros",[20] e para cumprir essa tarefa ele deverá aceitar certo número de renúncias, de mutilações. Compreender ou agir, é necessário escolher, tal parece ser a divisa daquele que encontra um reconforto fundamental na "meditação do sábio ao pé

18 Ibidem, p.447.
19 Idem, Le droit au voyage, *L'Express*, 21 set. 1956.
20 Idem, *tristes tropiques*, p.416.

da árvore".[21] É a um verdadeiro crepúsculo dos homens que Lévi-Strauss nos convida ao propor até a conversão da antropologia em "entropologia", ciência que tem por objeto os processos de desintegração. Esse desengajamento não exclui de forma alguma, é claro, a expressão da sensibilidade do etnógrafo em sua descrição do Outro. Essa subjetividade e essa extrema receptividade são unanimemente saudadas pela crítica e contribuem para o sucesso popular de *Tristes tropiques*.

Não só Lévi-Strauss nos faz participar a cada passo do entusiasmo que nele suscitam as suas descobertas, mas, sobretudo, ultrapassa o exotismo em voga ao reconstituir as lógicas subjacentes nos comportamentos que observa. Portanto, a despeito de seu envolvimento no campo, o observador continua sendo um homem de ciência em busca de leis de funcionamento da sociedade e, por essa razão, deve desprender-se de si mesmo. É esse exercício de descentramento que fascinará o público intelectual e envolverá as ciências humanas na nova aventura do estruturalismo. O modelo ainda é Rousseau, de quem faz um vibrante elogio: "Rousseau, nosso mestre, Rousseau, nosso irmão, por quem mostramos tanta ingratidão".[22] Segundo Lévi-Strauss, ele está em posição de precursor por ter respondido ao *cogito* cartesiano do "penso, logo existo" com a pergunta de desfecho incerto: "O que sou eu?". E o etnólogo acompanha-o na recusa das evidências do Eu, para tornar-se receptivo ao discurso do Outro: "Na verdade, eu não sou eu, mas o mais fraco, o mais humilde dos outros. Essa é a descoberta das *Confissões*".[23] No seu *Discurso sobre a origem e os fundamentos da desigualdade entre os homens*, Rousseau já incitava à descoberta de sociedades desconhecidas do Ocidente, não para extrair delas qualquer riqueza material, mas para descobrir aí outros costumes que pudessem elucidar a nossa maneira de viver: "Rousseau não se limitou a prever a etnografia: ele a fundou".[24] A reposição do observador em situação de se expor, suas dúvidas e suas ambições, prossegue com Lévi-Strauss quando escreve suas confissões com *Tristes tropiques*.

21 Ibidem, p.445.
22 Ibidem, p.421.
23 Idem, *Anthropologie structurale deux*, p.51.
24 Ibidem, p.46-7.

Um sucesso retumbante

A repercussão da obra é espetacular. Seu caráter híbrido, avesso a qualquer classificação neste ou naquele gênero, permite-lhe conquistar um público excepcionalmente vasto para um livro de ciências humanas. Até então, somente a literatura de ficção e, a rigor, alguns grandes temas do debate filosófico podiam pretender tal acolhimento. Tinha sido o caso do existencialismo sartriano, sobretudo em sua versão teatral e literária. A influência de Sartre, aliás, ainda é importante, e Lévi-Strauss publica um bom número de páginas do seu livro em *Les Temps Modernes*,[25] mas o eco que encontra consagra a sua emancipação, assim como a do programa estruturalista. De todos os horizontes políticos, de todas as disciplinas, jornalistas, cientistas, intelectuais saúdam *Tristes tropiques* como um grande acontecimento.

Em *Le Figaro*, Raymond Aron aplaude esse livro "supremamente filosófico"[26] que reata a tradição da viagem de filósofos e resiste ao confronto com as *Cartas persas*. O jornal *Combat* vê em Lévi-Strauss "a atitude de um Cervantes". François Régis-Bastide saúda o nascimento de um poeta e de um novo Chateaubriand.[27] Em *L'Express*, Madeleine Chapsal fala de escritos de um vidente: "Há dez anos, talvez, não aparecia um livro mais diretamente endereçado a todos nós".[28] A rubrica filosófica do *Le Monde*, a cargo de Jean Lacroix, é dedicada na íntegra a *Tristes tropiques*. Ele enuncia o paradoxo em ação no pensamento de Lévi-Strauss: "O autor denuncia o progresso, e ninguém presta maior homenagem aos progressos da nossa cultura".[29] Numerosos comentaristas são seduzidos pela reflexão sobre o envolvimento do investigador no objeto de sua investigação, sobre uma pesquisa que nada tem de exótico: "É, em primeiro lugar, de uma inquirição sobre si mesmo que ele nos convida a participar".[30] "O leitor, nesse livro, encontrará sobretudo um homem. Não é isso, afinal de contas, o que ele busca?"[31] Em *Libération*,

25 Idem, Des indiens et leur ethnographe, *Les Temps Modernes*, n.116, ago. 1955.
26 Aron, *Le Figaro*, 24 out. 1955.
27 Régis-Bastide, *Demain*, 29 jan. 1956.
28 Chapsal, *L'Express*, 24 fev. 1956.
29 Lacroix, *Le Monde*, 13-14 ago. 1957.
30 Renaud, *France-Observateur*, 29 dez. 1955.
31 Meyriat, *Revue Française de Science Politique*, v. 6, n.2.

Claude Roy, especialista na crítica de romances, abre uma exceção à regra que o confina a esse gênero literário e escreve um extenso comentário sobre *Tristes tropiques:* "O livro mais interessante da semana não é um romance. É obra de um etnógrafo, o sr. Claude Lévi-Strauss".[32] *Le Canard Enchainé* fala até de "refrescantes trópicos" (31 out. 1956).

Resenhas mais substanciais encontram-se nos *Annales* e na *Revue Philosophique,* de autoria de Jean Cazeneuve. Nos *Annales,* Lucien Febvre reservara-se para falar ele próprio da obra que o deslumbrara, e somente sua morte o impediria de concretizar essa intenção. Na revista *Critique,* é o próprio Georges Bataille, diretor da revista, quem escreve um extenso artigo intitulado "Un livre humaine, un gran livre".[33] Viu nele um deslocamento do campo literário para atividades mais especializadas. Ora, efetivamente, a obra de Lévi-Strauss, como a de Alfred Métraux,[34] participa dessa nova sensibilidade, dessa nova relação entre literatura e cientificidade que supera a tradicional antinomia entre a obra de arte e a descoberta científica: "*Tristes tropiques* apresenta-se, desde o começo, não como uma obra científica, mas como uma obra de arte".[35] A composição literária da obra está ligada não só ao fato de ser, em primeiro lugar, a expressão de um homem, de seus sentimentos, de seu estilo, mas também ao fato de o espírito geral do livro ser orientado mais pelo que atrai e seduz seu autor do que pela simples vontade de transcrever uma ordem lógica.

Esse deslocamento da literatura para o gênero etnográfico foi tão sublinhado a ponto de os Goncourt publicarem um comunicado segundo o qual lamentavam não poder atribuir seu prêmio a *Tristes tropiques.* René Etiemble consagra também um longo estudo à obra de Lévi-Strauss, em quem reconhece um semelhante, um herético nato. *Tristes tropiques* "é o tipo de livro para pegar ou largar. Eu o guardo no tesouro da minha biblioteca, como o mais precioso dos meus alimentos".[36] Apoia o ponto de vista crítico de Lévi-Strauss sobre a modernidade ocidental ao citar a obra de Gilberto Freyre, que descreve como os franceses, depois os portugueses, abordaram o futuro Brasil e a

---

32 Roy, *Libération,* 16 nov. 1955.

33 Bataille, *Critique,* n.115, fev. 1956.

34 Métraux, *L'Ile de Pâques.*

35 Bataille, *Critique,* n.115, p.101, fev. 1956.

36 Etiemble, *Évidences,* p.32, abr. 1956.

degradação física e moral que disso resultou para as populações indígenas: "Eles não civilizaram nada, mas há indícios de que sifilizaram muito bem o Brasil", reconhece Freyre, ele próprio brasileiro.[37]

O entusiasmo é tão grande e unânime que não podia ficar imune a alguns mal-entendidos. Houve quem se contentasse em ver no livro um banho de exotismo, quando era isso o que Lévi-Strauss mais repudiava; outros, que viram nele a expressão da sensibilidade de um indivíduo, não tardam a ser apanhados no contrapé pela futura celebração da morte do homem, simples figura efêmera, "eflorescência passageira". O quiproquó mais famoso continua sendo, sem dúvida, o prêmio atribuído a Lévi-Strauss em 30 de novembro de 1956 pelo júri da Plume d'Or, que recompensa os livros de viagens e de exploração. *Tristes tropiques* foi o vencedor pela margem mínima (cinco votos contra quatro dados a Jean-Claude Berryer por *Au pays de l'éléphant blanc!*), quando o livro principia com o famoso "Odeio as viagens e os exploradores" e prossegue em "O que vós, viagens, nos mostrais atualmente em primeiro lugar são os nossos lixos lançados ao rosto da humanidade".[38] Lévi-Strauss recusa o seu prêmio, o que lhe vale uma nova comparação elogiosa e literária: "Novo Julien Gracq. Um especialista em índios recusa uma Plume d'Or".[39]

Nesse concerto de louvores, algumas notas discordantes têm certa dificuldade em fazer-se ouvir. É o caso de Maxime Rodinson, que publica uma crítica de *Tristes tropiques*[40] em que rechaça a posição relativista de Lévi-Strauss e defende contra essa tentação a dialética histórica: "Aos olhos desse relativismo integral, nada permite afirmar, portanto, que o conhecimento do princípio de Arquimedes seja mais importante do que o conhecimento de nossa genealogia".[41] No artigo de Etiemble, elogioso no fundo, leem-se também algumas apreciações críticas. Lévi-Strauss vai longe demais quando vê na gênese da comunicação escrita o meio de facilitar a servidão, conclusão que extrai de suas observações com os nhambiquara. Etiemble responde-lhe que Hitler e Poujade começaram pela fala e pelo comício. Quanto a transformar a

37 Ibidem, p.36.
38 Lévi-Strauss, *Tristes tropiques*, p.3, 27.
39 *Le Figaro*, 1º dez. 1956.
40 Rodinson, *Nouvelle Critique*, n.66, 1955; n.69, nov. 1955; *La Pensée*, maio-jun. 1957.
41 Idem, Racisme et civillisation, *Nouvelle Critique*, n.66, p.130, 1955.

antropologia em entropologia: "Ah, não! Em absoluto [...]. Lévi-Strauss faz concessões um tanto excessivas à cibernética".[42]

Lévi-Strauss responderá no seu seminário no Museu do Homem, em 15 de outubro de 1956, às críticas de Maxime Rodinson, de André-Georges Haudricourt e de G. Granal, acusando estes últimos de lhe atribuírem uma intencionalidade porque ele não quis construir um modelo dos modelos, mas apenas salientar certas conclusões parciais, limitadas. "Existe aí, como pretende Rodinson, alguma coisa para desesperar Billancourt? [...] Nem em 'Race et histoire', nem tampouco em *Tristes tropiques*, procurei destruir a ideia de progresso, mas, antes, fazê-la passar da posição de categoria universal do desenvolvimento humano à de modo particular de existência, próprio de nossa sociedade."[43] Lévi-Strauss exprime aqui uma posição de defesa, mantida sempre contra toda crítica ao seu a-historicismo. Ele pretende não ser portador de uma filosofia geral, mas tão somente de um método científico particular. Essa resposta, porém, não satisfaz, uma vez que encobre manifestamente os postulados filosóficos inegáveis da postura estruturalista. Mas em 1955, não chegara ainda a hora do grande debate filosófico que acontecerá nos anos 1960. Lévi-Strauss está então entregue ao triunfo de uma nova positividade.

A conversão dos filósofos

A repercussão obtida por Lévi-Strauss não se limitou à esfera da mídia; ele perturbou o campo intelectual em seu conjunto e, mais profundamente ainda, atraiu para os trópicos o destino de numerosos filósofos, historiadores e economistas que romperam com suas disciplinas de origem a fim de responder a esse chamado de lugares distantes. A preocupação em reconciliar sua própria sensibilidade com um trabalho racional numa sociedade viva, numa relação de interatividade, entusiasmará ainda mais a jovem geração, visto que o Ocidente parece não exigir mais os compromissos de outrora. A esse respeito, *Tristes tropiques*

42 Etiemble, *Évidences*, p.33-4, abr. 1956.
43 Lévi-Strauss, *Anthropologie structurale*, p.368.

apresenta-se como o sintoma de um novo estado de espírito, de uma vontade de captar as linhas de fuga, sem abandonar as exigências da Razão, mas aplicadas a outros objetos.

As conversões são numerosas, e Lévi-Strauss é o seu polo de convergência. Luc de Heusch, etnólogo, já realizava um trabalho de campo no Congo Belga, o atual Zaire. Aluno de Marcel Griaule na Sorbonne, ficou decepcionado por não encontrar as grandes construções simbólicas do seu mestre. Regressa à França em 1955 e descobre, fascinado, *Tristes tropiques*. Ele, que apenas percorrera superficialmente *Les structures élémentaires de la parenté*, antes de partir para a África, torna-se agora um lévi-straussiano, e transpõe os métodos aplicados às sociedades índias à sociedade banto da África Central, a fim de compreender o pensamento simbólico africano a partir do confronto de todas as variantes das narrativas mitológicas.

O brilho do sucesso de Claude Lévi-Strauss compensa a fraca implantação da etnologia no sistema universitário. É certo que existe, desde 1925, o Instituto de Etnologia no Museu do Homem, mas consta de um único departamento, um agrupamento de docentes para um auditório composto essencialmente de estudantes, cujo intuito é obter um diploma que pode ser em letras ou ciências, sem que por isso devam dedicar-se à profissão de etnólogo. É, sobretudo, a oportunidade para filósofos que tenham necessidade de um certificado de ciências para a obtenção de seu diploma de licenciatura de seguir um curso de formação diretamente ligado às suas preocupações. Michel Izard conserva disso uma lembrança de insatisfação. É certo que havia algumas áreas bem constituídas, como a de tecnologia cultural, a antropologia física ou a pré-história, "mas o resto parecia-nos de uma indigência total".[44] O ensino da etnologia era feito segundo as grandes regiões do mundo ou os grandes temas, sem um instrumento de ordenamento metódico. Nessas condições, a repercussão midiática era essencial para convencer a geração jovem de uma possível alternativa às carreiras tradicionais, de uma abertura antropológica à margem da cidadela da Sorbonne. A semelhança é grande, nesse caso, com o que está acontecendo à linguística, e isso fortalecerá o destino comum e a integração das duas disciplinas.

---

44 Michel Izard, entrevista com o autor.

Em meados dos anos 1950, a publicação de *Tristes tropiques* e do livro de Alejo Carpentier, *Le partage des eaux*, ressoa para Michel Izard como "um chamado para outro lugar".[45] A aventura proposta por Lévi-Strauss não conduz, porém, à terra prometida, mas, como se viu, a um desencanto. É a exploração de uma descoberta que contém em seu bojo o fracasso: "Eu era sensível a esse lado pessimista, a esse lado fim de caminho".[46] Michel Izard converteu-se, pois, em meados dos anos 1950. Estudante de filosofia na Sorbonne, já tinha um conhecimento de Lévi-Strauss graças ao prestígio de *Les Temps Modernes*, em que alguns dos textos mais importantes do etnólogo tinham sido publicados. Mas a etnologia é uma preocupação marginal do ensino que Izard recebe. Os seus professores, Jean Hyppolite, que prossegue com o ensino hegeliano, Jean Wahl, Maurice de Gandillac ou Vladimir Jankélévitch, não se interessam por esse novo campo de investigação. Domínios inteiros são assim ignorados, como a filosofia analítica, a epistemologia, os problemas da linguagem em geral. Quanto à etnologia, era quase inexistente, embora com raras exceções: "Tínhamos como assistente Mikel Dufrenne, cuja tese complementar abordava a personalidade de base, que estava ministrando um curso sobre a antropologia cultural americana. Também chegou, tardiamente para mim, Claude Lefort como novo assistente. Ora, ele tinha escrito artigos sobre a obra de Claude Lévi-Strauss desde 1951-1952".[47]

Mais inclinado à epistemologia, leitor de Georges Canguilhem e de Gaston Bachelard, a conselho de seu amigo Pierre Guattari, denominado Félix, Michel Izard obtém o certificado de etnologia, no ano de preparação do seu diploma, sob a direção de Jean Wahl. No Instituto, ele reencontra Olivier Herrenschmidt, que escolhera a área da história e operava a sua reconversão graças a um misto de antropologia, linguística e história das religiões. Michel Izard encontra também filósofos que passarão para a antropologia, como Michel Cartry. O ano de 1956, que não devia ser para Michel Izard mais do que uma diversão passageira, um simples desvio, adquire de súbito uma outra

45 Izard, *Séminaire*, Laboratoire d'Anthropologie Sociale, 1º jun. 1989.
46 Idem, entrevista com o autor.
47 Ibidem.

importância: "No final do ano, eu tinha decidido abandonar a filosofia para dedicar-me à antropologia".[48]

Se *Tristes tropiques* contribuiu fortemente para seduzir Michel Izard, levando-o a procurar do lado da etnologia o campo de investigação que se oferecia ao pesquisador, é sobretudo a leitura de *Les structures élémentaires de la parenté*, seu aspecto de modelo e as promessas do programa estruturalista, o que o leva a romper com a filosofia. A essa ambição científica soma-se a vontade de "voltar as costas ao Ocidente, de ir a algum lugar que esteja fora da nossa história, que nos produziu".[49] Michel Izard frequenta então os seminários de Lévi-Strauss na quinta seção da École Pratique des Hautes Études (Ephe), assim como os cursos de Jacques Soustelle e de Roger Bastide, na perspectiva de uma verdadeira profissionalização. No final do ano de 1957, Lévi-Strauss faz-lhe duas propostas de pesquisa: por um lado, trabalhar no Museu de Antiguidades do Sudão, em Cartum, a fim de abrir cursos sobre o Sudão animista negro do sul, mas seu currículo é ainda insuficiente para concretizar esse projeto; por outro, trabalhar no quadro de um Instituto de Ciências Humanas Aplicadas que procurava um etnólogo e um geógrafo para realizar um estudo em Alto Volta (hoje república do Burkina Faso). Eis o nosso etnólogo-aprendiz empenhado por um ano num trabalho no terreno africano que acarretará sua conversão definitiva.

Ele arrasta para essa aventura uma outra neófita, Françoise Héritier. Ela vem de uma disciplina ainda mais afastada da antropologia: a história. Estudante de história na Sorbonne de 1953 a 1957, estava mais propensa a dedicar-se à história antiga, mas o encontro com estudantes de filosofia e em particular com Michel Izard, com quem vive, leva-a a interessar-se pela antropologia. Passa então, em 1957, a assistir aos cursos de Lévi-Strauss na quinta seção da Ephe: "Era evidente que para alguém que tinha feito estudos de história e geografia, e se preparava para ser professora universitária, essas coisas eram inteiramente novas".[50] O choque é triplo para Françoise Héritier, que descobre sociedades das quais ignorava até a existência, práticas racionais

48 Ibidem.

49 Idem, *Séminaire*, Laboratoire d'Anthropologie Sociale, 1º jun. 1989.

50 Françoise Héritier-Augé, entrevista com o autor.

insuspeitadas e uma forma totalmente nova de raciocinar. Entusiasmada, ela prossegue, portanto, nesse caminho e obtém o diploma de etnologia. Como não se encontra o geógrafo que deveria acompanhar Michel Izard, é Françoise Héritier que se candidata para a tarefa e é escolhida para formar a equipe. Ela se tornará, aliás, a sra. Héritier-Izard no decorrer da expedição africana. Eles são incumbidos da missão de estudar um problema de deslocamento da população a partir de um projeto de barragem num afluente do Volta. Era necessário descobrir por que a região para onde se queria enviar a população tinha permanecido tão pouco povoada: "Era astucioso pedir a etnólogos e geógrafos que estudassem a questão, pois era uma das primeiras vezes em que se tinha em vista deslocamentos não autoritários e se procurava entender as motivações das pessoas".[51]

O polo indianista

O ano de 1955 é decididamente um momento culminante para a arrancada da antropologia. É o momento em que Louis Dumont retorna de Oxford para a França e inicia seu curso na Ephe. É também nessa data que Fernand Braudel e Clemens Heller lançam na sexta seção da Ephe o programa dos *Area Studies* (áreas culturais) que deve favorecer o reagrupamento, segundo o modelo americano, de múltiplas disciplinas, entre elas a antropologia, em torno de objetos comuns de estudo. O regresso de Louis Dumont transforma radicalmente o curso de Olivier Herrenschmidt que era dado na Sorbonne, onde ele se especializava em história das religiões. Ele se lança não só numa formação de etnólogo, de linguista, mas especializa-se nos estudos indianistas. Assiste simultaneamente aos cursos de Martinet na Sorbonne, recém-chegado dos Estados Unidos, aos de Lévi-Strauss, na quinta seção da Ephe, e aos de Louis Dumont na sexta seção. Essa conjunção do estudo do sânscrito, da linguística e da antropologia estrutural permite dar um segundo alento, e um sentido diferente, aos estudos indianistas que ultrapassam então o estágio das monografias de campo realizadas

51 Ibidem.

até aquele momento. Forma-se um grupo em torno de Louis Dumont, com Madeleine Biardeau, filósofa, especialista do bramanismo e que será nomeada para a Ephe em 1960, Daniel Thorner, economista norte-americano, e Robert Lingat, o especialista em sânscrito, nomeado para a Ephe, na qual ocupa a cátedra de direito e instituições do sudeste asiático em 1962: "É uma equipe limitada, de grande qualidade, pluridisciplinar e à margem do meio indianista francês".[52]

É certo que esse polo indianista, pelas exigências que requer, não atrai multidões, e quando Louis Dumont se encontra um dia na presença de um auditório de 25 pessoas, reage em seguida invocando alguma confusão devida a um infeliz caso de homonímia: "Vocês estão enganados, eu não sou René Dumont, mas Louis Dumont".[53] O indianismo conserva-se um pouco à parte, marginal no campo da antropologia, portanto mais sujeito do que os outros ramos da pesquisa à dominação dos filólogos sanscritistas. A abertura realizada por Louis Dumont, contemporânea à de Lévi-Strauss e em torno de um mesmo eixo programático, permite que os indianistas saiam de seu gueto e favorece os contatos com os especialistas das outras áreas culturais.

O polo técnico: Leroi-Gourhan

Um terceiro polo contribui para o sucesso da antropologia em meados dos anos 1950, graças à nomeação para a cadeira de etnologia da Sorbonne (a única) de André Leroi-Gourhan em 1956, sucessor de Marcel Griaule, que falece nesse ano. Uma segunda cadeira será criada em 1959, ocupada por Roger Bastide, e um curso de arqueologia pré-histórica será definido em 1960-1961, colocado sob a responsabilidade de André Leroi-Gourhan, que representa a vertente arqueológica e tecnicista da etnologia. Nesse sentido, a sua contribuição pode ser percebida como complementar das orientações culturais de Lévi-Strauss, que

52 Herrenschmidt, *Séminaire de Michel Izard*, Laboratoire d'Anthropologie Sociale, 19 jan. 1989.

53 Dumont apud Herrenschmidt, *Séminaire de Michel Izard*, Laboratoire d'Anthropologie Sociale, 19 jan. 1989.

reconhecerá, num colóquio de 1987, a semelhança de suas respectivas posturas no plano metodológico.[54]

Uma das grandes novidades de André Leroi-Gourhan é também privilegiar a sincronia, não tanto a partir do modelo saussuriano, como em Lévi-Strauss, mas em seu método de escavação, que deve ser horizontal. Em fins da década de 1940, isso foi objeto de grande controvérsia entre os horizontalistas e os verticalistas. Por sua noção de desprendimento sistemático por zonas horizontais [*décapage*], André Leroi-Gourhan defendia uma posição segundo a qual era necessário "retirar a terra deixando as coisas falarem na horizontal".[55] Encontra-se também a mesma ambição totalizadora própria do programa estruturalista. A sua noção de cultura etnográfica tem menos por objeto suas manifestações singulares do que as relações de seus diversos ramos; é, pois, na conjugação destes que a coerência pode ser reconstituída. Hélene Balfet, aluna de André Leroi-Gourhan e que deu continuidade aos cursos de tecnologia no Museu do Homem quando Leroi-Gourhan foi nomeado para a Sorbonne em 1956, representa bem essa ponte entre os dois polos do universo antropológico, visto que ela também segue o ensino de Lévi-Strauss.

Entretanto, essas duas orientações da pesquisa antropológica permanecerão, em seus aspectos essenciais, estranhas uma à outra. Opõem-se no modo de relação estabelecido entre trabalho e fala. André Leroi-Gourhan explica-o pela posição vertical que permitiu libertar as mãos e especializá-las nas tarefas de trabalho e na preensão, ao passo que a boca era, por seu lado, libertada para a fala. Ora, não existe trabalho sem linguagem, como mostra o texto célebre de Marx, no início de *O capital*, sobre a abelha e o arquiteto. O que caracteriza e distingue a atividade do arquiteto é que ele construiu sua casa em sua cabeça, antes de realizá-la. Mas onde situar o corte? É o trabalho ou a linguagem? A resposta é, a esse respeito, algo diferente conforme se adote o ponto de vista de Lévi-Strauss, que enfatizará a linguagem, ou o de Leroi-Gourhan, que valorizará a práxis.

---

54 Lévi-Strauss, Claude....nous avons lui et moi essayé à peu près de faire la même chose. In: *Leroi-Gourhan ou les voies de l'homme*, p.205-6.

55 Balfet, *Séminaire de Michel Izard*, Laboratoire d'Anthropologie Sociale, 1989.

Além dessas diferenças de orientações, esses diversos polos dinamizarão a pesquisa antropológica, que utiliza dispositivos que prosperarão durante cerca de trinta anos. A ambição estruturalista parece reunir essa comunidade de investigadores para além da singularidade de seus diferentes campos e de suas diferentes personalidades. O contexto é o de um *páthos* terceiro-mundista, tendo por pano de fundo o início da guerra da Argélia, o fim da guerra da Indochina e a conferência de Bandung, numa França que por largo tempo negou a questão colonial para descobrir, de súbito, uma realidade dramática que atinge as consciências até fazer surgir uma consciência fundamentalmente perversa. Tudo isso constituirá, mais do que um convite à viagem, um chamado dos trópicos para uma jovem geração que se sente mal em sua sociedade de origem. Um programa ambicioso e rigoroso se lhe oferece, o programa estruturalista, que parece promover a reconciliação de uma sensibilidade desencantada com a razão.

18

O desvario da razão

A obra de Michel Foucault

No momento em que o Outro do Ocidente é questionado pela antropologia, eximindo as sociedades primitivas da ignorância em que um pensamento eurocêntrico as mantivera por muito tempo, um filósofo equaciona o problema do avesso da razão ocidental ao escrever uma história da loucura. Esse filósofo é Michel Foucault, que, por trás da razão triunfante, desvenda e acompanha de perto as manifestações reprimidas do desvario. Manejando o bisturi paterno no plano das ideias, Foucault situa-se de imediato nos limites do pensamento ocidental, nos limites de sua própria história.

A coincidência dos tempos ainda é impressionante. Michel Foucault inicia a redação da *Histoire de la folie* em 1956, pouco depois da publicação de *Tristes tropiques* e da Conferência de Bandung, e a obra é editada em 1961, pouco antes dos acordos de Évian e da independência argelina. *A priori*, a coincidência desses eventos políticos e culturais é puramente fortuita, ainda mais porque na época Michel Foucault nada tinha de um militante terceiro-mundista. E, no entanto, a *Histoire de la folie* se transformará imediatamente no sintoma de uma ruptura com a história do indivíduo ocidental, ao qual o autor opõe a imagem do seu duplo, esquecido e recalcado, produto da exclusão: a loucura. Ora, o povo argelino, ao sair do quadro político francês, também apresenta uma história de exclusão.

Essa relação entre a incriminação do etnocentrismo francês na África do Norte e o etnocentrismo da razão que Michel Foucault apresenta foi percebida de imediato por Pierre Nora, que acabara de publicar *Les français d'Algérie*.

Entusiasmado, Nora escreve a Michel Foucault, de quem virá a ser mais tarde o editor na Gallimard. Michel Foucault faz ressurgir o esquecido, o recalcado da razão, e abre assim para uma nova sensibilidade histórica que já não é mais a da valorização dos heróis (que estão cansados), nem a da glorificação dos réprobos (a dialética ficou tolhida em seus nós em 1956), mas a dos esquecidos da história, investigados em todos os seus traços atrás dos muros em que a razão os encerrou. Assim Foucault "abria novas terras ao permitir que também a prisão, o manicômio [...] se integrassem num campo de reflexão como outras tantas situações penosas, outras tantas vicissitudes de natureza teórica e política".[1]

Da mesma maneira que Lévi-Strauss permitia pensar as sociedades primitivas como diferentes e, ao pensá-las, recuperava-as para o campo da razão, Michel Foucault segue os indícios de uma aventura semelhante em que a loucura se volta para a razão a fim de interpretar e pôr em evidência as suas linhas de força e de fraqueza. Foucault acompanha de perto as iniciativas de recalque, as racionalizações fictícias do que se mostrava ininteligível, os disfarces do sentido, quebra as máscaras do poder sob o saber e ilustra maravilhosamente o espírito do tempo: "É nos horizontes geográficos (exotismo) ou históricos (o passado aventuroso ou mesmo o futuro de ficção científica), ou então nos zênites ou nos nadires da vida que se desenrola a vida que falta às nossas vidas".[2]

Procurar alcançar os limites, um pensamento de "fronteira", tal é a nova aventura prometida ao filósofo por Michel Foucault, que rapidamente ocupará um lugar importante na galáxia estruturalista nascente, onde desfruta da dupla vantagem do prestígio da sua disciplina (a filosofia) e de sua capacidade para historicizar o seu objeto, abrindo assim para o estruturalismo uma perspectiva histórica insuspeitada quando se estabelecia o paradigma frio de Claude Lévi-Strauss.

---

1 Jacques Rancière, entrevista com o autor.

2 Morin, *L'esprit du temps*, p.149.

Michel Foucault encontra-se, pois, bem posicionado para tornar-se esse aglutinador, esse filósofo do conceito que Georges Canguilhem via nele, embora, em 1961, não se situasse ainda na filiação estruturalista. De onde vem essa nova exigência que, inclassificável na época, parece subverter as fronteiras disciplinares e encerrar a fase fenomenológica da história da filosofia na França? Esse eliminador de preconceitos, de pensamentos prontos para consumo que foi Michel Foucault, em sua busca incessante para desentocar e trazer para a luz a verdade, correndo o risco de passar por um contrabandista do saber, oferece um pensamento que pretende ser resolutamente modesto: longe de se fazer o porta-voz daquilo que se deve pensar, tenta desenhar os contornos do que é pensável. Também ele será um filósofo da viagem, o inverso da razão, um "escavador das camadas mais profundas" da nossa civilização, à maneira de Nietzsche.

Filósofo singular que reivindica altaneiramente a sua singularidade, rejeitando toda etiqueta com escárnio, tinha por constante preocupação manter-se afastado de toda aderência ou contaminação, de todo tipo de envenenamento, inclusive o dele próprio, como o herói de André Gide. À maneira de Nathanael, Michel Foucault, esse revoltado em constante deslocamento de si mesmo, deve ser ressituado no que fundamentou seu pensamento em cada uma das etapas de uma vida que ele terá querido construir como uma obra de arte. A reconstituição do que singulariza Michel Foucault nos permitirá mostrar de que forma ele participa do paradigma estruturalista em que se distingue deste, evitando toda a redução do seu pensamento a um molde comum, mas sem deixar de articulá-lo com este último.

Nascimento de uma estrela

Michel Foucault tratou com frequência da difícil problematização existente entre a escritura e a vida individual. Falava muito pouco sobre si mesmo, sendo isso, aliás, o que lhe censurará Jean-Paul Aron. Nascido em 15 de outubro de 1926, numa família burguesa conservadora e praticante da província em Poitiers, Paul-Michel Foucault é fruto de um meio médico bem estabelecido, tanto do lado paterno quanto do materno. Seu pai é um cirurgião de renome na clínica Hospitaliers. Sua mãe, Anne, de sobrenome de solteira Malapert, é originária de Vendeuvre-du-Poitou, a cerca de vinte quilômetros de Poitiers, onde ela possui uma casa magnífica a que chamam "o castelo". Como Jacques-Marie Lacan, ele abandonará a metade do seu prenome "porque as suas iniciais faziam PMF, como Pierre Mendes France, dizia a sra. Foucault";[3] mais seriamente, parece que foi a oposição do Nome-do-pai que o fez abandonar o Paul, que era o prenome de seu pai.

Esse ponto biográfico não é insignificante no que diz respeito às orientações futuras do filho-filósofo e de sua "denegação constante da dimensão da paternidade, da dimensão do nome, sendo essa uma das chaves de sua posição subjetiva".[4] Daí toda uma história complexa e conflitiva com a psicanálise em geral e com Jacques Lacan em particular, pois Michel Foucault não quer admitir que exista no discurso um lugar de verdade do sujeito. O fascínio pela exclusão e pela figura retórica do oximoro (constituída por uma aliança necessária entre dois termos antinômicos) em sua obra parece repetir compulsivamente esse horizonte paterno que ele quer destruir, sem verdadeiramente o conseguir. Reconhecerá, frequentemente, a ilusão de que alguém fala por trás de sua voz, de que não existe assinatura para seus escritos, o que o faz participar, no mesmo nível, da negação do autor apropriada à crítica estruturalista, e também de toda e qualquer tentativa de renovação literária que passa por Georges Bataille, Maurice Blanchot, Pierre Klossowski. O Nome-do-pai foi, portanto, um peso, e Michel Foucault rompeu desde muito cedo com ele, "ruptura difícil de assumir nesse meio. Ele me dizia com frequência que, se não se tornasse médico, deveria ser pelo menos professor na Sorbonne".[5]

Se Michel Foucault não abraça a carreira médica, nem por isso foi menos marcado pelo modelo da medicina, um prisma por meio do qual é possível apreender as ciências humanas, a partir de seus traços visíveis, de suas diversas positividades, mas entendidas pelo avesso, pelo seu lado negativo, à maneira do médico que procura restabelecer a saúde tratando da doença, isto é, tendo como foco a patologia. Assim, Michel

---

3 Éribon, *Michel Foucault*, p.21.

4 Bernard Sichère, entrevista com o autor.

5 Defert, *France-Culture*, 7 jul. 1988.

Foucault terá criado um verdadeiro "paradigma médico da abordagem das ciências humanas".[6] Após uma escolaridade sem problemas no Liceu Henri IV de Poitiers até o final do terceiro ano ginasial, Michel Foucault é colocado por seus pais num estabelecimento religioso, o Colégio Saint-Stanislas, para disciplinar seu espírito cada vez mais crítico, até cáustico. Termina aí o ciclo de seus estudos secundários: "Ele impressionava-nos demais, muito corrosivo, duvidava de todos os dogmas".[7]

Esse momento constitui uma outra chave biográfica essencial para compreender a obra de Michel Foucault, profundamente marcada pela experiência dramática da guerra. Pouco dado a confidências, Michel Foucault não se exporá jamais em público; comentará mais tarde essa época no âmbito bem restrito de uma revista de índios canadenses que pregam o silêncio e cuja difusão não terá ultrapassado uma dezena de exemplares. Ele confidencia a esses índios que se lembra desse momento da adolescência marcado por um horizonte permanente, o da guerra e, portanto, da morte: "O que me impressiona, quando procuro reunir as minhas reminiscências, é que quase todas as minhas lembranças emocionais estão vinculadas à situação política. [...] Penso que rapazes e moças da minha geração tiveram sua infância modelada por esses grandes eventos históricos. A ameaça da guerra era o nosso horizonte, o nosso referencial de existência. Depois a guerra chegou. [...] Talvez seja essa a razão pela qual me fascina a história e a relação entre a experiência pessoal e esses acontecimentos nos quais somos colhidos. Penso ser esse o ponto de partida do meu desejo teórico".[8]

A reflexão sobre a guerra é nele essencial, pois ela alicerça um paradigma central em sua obra em torno das noções de estratégia, de tática dos poderes, de rupturas, de relações de força... Em sua discussão sobre governabilidade, da capacidade de cada um para avaliar a conduta do outro, em todos os níveis da atividade social e privada, Michel Foucault toma a problemática da guerra como um momento essencial, pois é nesse nível que se joga o enfrentamento com a morte. Trata-se do trabalho que ele tinha empreendido no Collège de France em fins da década de 1970 e ao qual decidira consagrar-se após sua *Histoire de la sexualité*. Ele faz referência a

6 Ibidem.

7 *Libération*, enquête, 30 jun. 1984.

8 Foucault, *Ethos*, p.5, outono 1983.

essa investigação futura na entrevista que concedeu como convidado da Faculdade de Filosofia da Universidade Católica de Louvain: "Se Deus me der vida, após a loucura, o crime e a sexualidade, a última coisa que eu gostaria de estudar seria o problema da guerra e da instituição da guerra no que se poderia chamar de dimensão militar da sociedade".[9]

Mas voltemos ao jovem Michel Foucault. Ele ingressa, portanto, em Poitiers, no ciclo preparatório para o exame de admissão à École Normale Supérieure (ENS) da rua de Ulm. É reprovado uma primeira vez, por uma diferença mínima de pontos, e decide então preparar-se para o exame morando em Paris, onde se instala em 1945 e encontra um outro Liceu Henri IV, no coração da capital. Seus condiscípulos, nessa altura, são André Wormser, François Bédarida, Robert Mausi e François Furet.

É aí que se desenha sua opção definitiva pela filosofia, graças ao ensino de Jean Hyppolite, que inicia os seus alunos em Hegel. Ora, Michel Foucault reencontrará seu professor na ENS e o sucederá até o Collège de France. "Os que eram estagiários da École Normale Supérieure no final da guerra lembram-se das lições de Jean Hyppolite sobre a *Fenomenologia do espírito*: nessa voz que se corrigia constantemente como se meditasse no interior do seu próprio movimento, não perceberíamos somente a voz de um professor: escutávamos algo da própria voz de Hegel."[10] O ensino de Jean Hyppolite, tradutor de *Die Phänomenologie des Geistes*, devolve ao pensamento de Hegel uma modernidade até então escondida atrás de uma reputação de filósofo romântico. Sua tese defendida em 1947, *Genèse et structure de la phénoménologie de l'esprit*, é saudada em *Les Temps Modernes* como um importante acontecimento que restitui ao hegelianismo um lugar fundamental no pensamento filosófico do pós-guerra, na linha do ensino de Kojève e de Jean Wahl. Ainda em 1975, Michel Foucault envia à mulher de Jean Hyppolite um exemplar de *Surveiller et punir*, com a dedicatória: "A madame Hyppolite, em recordação daquele a quem devo tudo".[11] Por outro lado, um dos principais textos de Michel Foucault, "Nietzsche, la généalogie, l'histoire", foi escrito para compor uma obra coletiva de homenagem a Jean Hyppolite,

9 Foucault, *Entretien avec André Berten*, Université Catholique de Louvain, 1981; difusão, FR3, 13 jan. de 1988.

10 Foucault, Jean Hyppolite, 1907-1968, *Revue de Métaphysique et de Morale*, v.14, n.2, p.131, abr.-jun. 1969.

11 Foucault apud Éribon, *Michel Foucault*, p.35.

em que se encontram as colaborações de Georges Canguilhem, Martial Guéroult, Jean Laplanche, Michel Serres e Jean-Claude Pariente.[12]

A doença mental

Em 1946, Michel Foucault é finalmente admitido na ENS em Ulm, sendo o quarto de sua classe. Entretanto, esse êxito não permite a ele encontrar equilíbrio psicológico e, em 1948, tenta suicidar-se. Não é fácil, nessa época, viver sua homossexualidade de maneira feliz, e Foucault entra em contato com a instituição psiquiátrica. Fora desde cedo iniciado em Freud por um médico de Poitiers, o dr. Beauchamp, que se correspondia com Freud. Não se contenta em seguir os cursos em Ulm, passa a frequentar diversos institutos parisienses de psicologia e realiza estágios em Sainte-Anne. Apaixona-se então pela psicologia e especializa-se em psicopatologia: "A loucura parecia exercer sobre ele um certo fascínio, e voltava de suas visitas ao hospital com inúmeras anedotas a respeito do mundo dos alienados",[13] recorda Jacques Proust.

Essa formação, que ultrapassa o currículo e o conteúdo da filosofia especulativa clássica e permite entrar em contato com um continente específico do saber, simultaneamente teórico e prático, prepara os deslocamentos ulteriores. Eles são até bastante rápidos, visto que o primeiro livro de Michel Foucault, *Maladie mentale et personnalité*, data de 1954 e é dedicado à psicopatologia, aos conceitos psicanalíticos e à leitura das representações sociais da loucura. O texto foi uma encomenda de Louis Althusser para a coleção dirigida por seu amigo Jean Lacroix, *Initiation philosophique*, das Presses Universitaires de France (PUF). Michel Foucault também assiste na época a cursos na Sorbonne, os de Daniel Lagache; Jean Hyppolite, cuja nomeação ocorreu em 1949; Jean Beaufret, que trata de Heidegger; Jean Wahl e Jean-Toussaint Desanti; "mas, é claro, o curso de Merleau-Ponty é o que impressiona mais fortemente os jovens estudantes".[14]

---

12 *Hommage à Hyppolite*.

13 Proust, *Libération*, pesquisa de 30 jun. 1984.

14 Éribon, *Michel Foucault*, p.49.

Em busca dos limites do pensamento

Na École Normale Supérieure, a personalidade que marcará Michel Foucault é o metodólogo da instituição desde 1948, Louis Althusser. Nesse início dos anos 1950, a grande máquina de pensar é o marxismo, e Althusser inicia seus ouvintes, entre os quais Michel Foucault, no pensamento de Marx. Inscreve-o, inclusive, nos quadros do Partido Comunista Francês (PCF): "Veleidade ou adesão, depois retirada, já não me lembro muito bem", diz o seu camarada de partido Maurice Agulhon. Mas o seu colega de Lille, Oliver Revault d'Allones, lembra-se de ter visto Foucault chorar ao tomar conhecimento da morte do "paizinho dos povos", Stalin, em 1953.[15] É a época em que a ENS estava, de fato, dividida entre dois grupos, o dos "talas" (os que vão à missa), e o outro composto pelos comunistas e muitos cristãos de esquerda que se aproveitarão da mão estendida para ingressar nas fileiras do PCF.

Quando toda a ENS aguardava o êxito triunfal de Michel Foucault no concurso para professor em 1950, ele fracassa na prova oral, após ter sido aprovado em todas as demais provas do exame final. Deve preparar-se para o exame no ano seguinte e, durante as suas provas, pela segunda vez, um indicador essencial no seu percurso aí se encontra, como que um chamamento a si mesmo e ao seu destino. Para a prova oral, cabe-lhe no sorteio um tema pouco banal e que Jean Hyppolite teve de impor batalhando contra os demais membros da banca examinadora: "a sexualidade"! Convenha-se que o acaso fez bem as coisas, propondo o tema que será a maior área de trabalho de Michel Foucault.

Aprovado no concurso, não conhece o purgatório do liceu porque é nomeado, após um ano na Fondation Thiers, assistente de psicologia na Faculdade de Lille. Isso não o impede de continuar parisiense, e leciona ao mesmo tempo em Ulm, onde é professor de psicologia, ainda a pedido de Louis Althusser. É nesse momento que ele estabelece laços de amizade com todo um grupo de normalistas comunistas: Gérard Genette, Jean-Claude Passeron, Paul Veyne, Maurice Pinguet, Jean Molino, que lhe dá o apelido de "Fuchs" (raposa em alemão), porque Michel Foucault é mais esperto que os outros e porque as raposas

15 Olivier Revault d'Allones, entrevista com o autor.

cavam as tocas mais profundas. Já em 1953, "ele ia todas as semanas ao hospital Sainte-Anne ouvir o seminário que aí começara um desconhecido, o dr. Lacan, a quem admirava infinitamente. Ele aludia por vezes à imagem espetacular e ao estádio do espelho: era, na época, o máximo de sutileza e refinamento".[16] Seu amigo Maurice Pinguet menciona a importância que teve para Michel Foucault a descoberta de Nietzsche em 1953: "Hegel, Marx, Heidegger e Freud: eram eles, em 1953, as suas bases de referência, quando aconteceu o encontro com Nietzsche. [...] Revejo Foucault lendo ao sol, na praia de Civitavecchia, as *Considerações intempestivas*. [...] A partir de 1953, desenhava-se um projeto de conjunto: uma decisão ética de espírito nietzschiano coroava uma crítica genealógica da moral e da ciência".[17]

Nesse início dos anos 1950, Michel Foucault é também um grande leitor de literatura e está particularmente fascinado por um modo de escrita, o de Maurice Blanchot, que nunca deixará de influenciar a estilística foucaultiana, sobretudo pelo uso sistemático do oximoro. "Nessa época, eu sonhava ser Blanchot", confidenciará Michel Foucault a Paul Veyne.[18] Essa sensibilidade literária conduz Michel Foucault ao mesmo caminho de Samuel Beckett, George Bataille, Raymond Roussel e René Char. Um verdadeiro fascínio por pensar o fora, distante, por pensar o limite enraíza-se, portanto, em Michel Foucault, e esses nutrientes literários traduzem a sua angústia primordial, a da morte, que não consegue ser acalmada por um saber psicanalítico pelo qual ele passa como um forasteiro.

Conhecedor precoce de Freud, depois de Lacan, Michel Foucault, cuja internação foi desaconselhada por Louis Althusser em Ulm, depois aconselhado por Daniel Lagache a iniciar um tratamento psicanalítico, tentará mais tarde essa aventura da "cura", mas não se estenderá no divã mais de três semanas. Sua relação com a psicanálise ficará sempre ambivalente, misto de fascínio e de rejeição. Foi graças a Foucault que se criou o departamento de psicanálise em 1968 em Paris-VIII-Vincennes, mas escarnece daqueles que para ganhar a vida "alugam suas orelhas".[19]

16 Pinguet, *Le Débat*, n.41, p.125-6, set.-nov. 1986.
17 Ibidem, p.129-30.
18 Apud Éribon, *Michel Foucault*, p.79.
19 Foucault apud Pinguet, *Le Débat*, n.41, p.126, set.-nov. 1986.

O exílio

Pensar o fora, o distante, a busca dos limites do espaço exterior, leva Michel Foucault, em 1955, para além das fronteiras. Opta pelo exílio e parte para Uppsala em agosto de 1955, graças a Georges Dumézil, que ele não conhece ainda, mas que teria indicado alguém a seus amigos suecos para o cargo de *lecteur* de francês que ele ocupara nos anos 1930. Tendo perdido o contato com a ENS, Georges Dumézil se aconselha com Raoul Curien, que lhe fala de Michel Foucault como "a pessoa mais inteligente que conheço".[20] Georges Dumézil propõe então o posto a Foucault, que aceita e residirá três anos na Suécia; do encontro ulterior dos dois homens nascerá uma cumplicidade intelectual e uma amizade "que jamais se alterou até a sua morte".[21]

Se Michel Foucault pertence à aventura estruturalista, o principal causador disso é certamente Georges Dumézil. Até então, Foucault não tinha verdadeiramente encontrado o percurso original que poderia traçar nessa busca incessante de um trabalho de reparação plena da angústia existencial. Ele hesita ainda na encruzilhada de caminhos entre a filosofia, a psicologia e a literatura. Ele já tivera, é certo, o choque de 1953, a morte de Stalin e a descoberta de um substituto: Nietzsche. Mas faltava-lhe a base da genealogia a construir, e essa lhe será dada por esse encontro, cuja importância nunca deixará de ressaltar. É assim que, no prefácio de *Folie et déraison*, ele reconhece sua dívida: "Nessa tarefa um pouco solitária, todos aqueles que me ajudaram têm direito ao meu reconhecimento. E o sr. G. Dumézil é o primeiro, pois sem ele este trabalho não poderia ter sido empreendido".[22] No *Le Monde*, declara que Georges Dumézil desempenhou o principal papel entre as influências que sofreu: "Por sua ideia de estrutura. Como fez Dumézil em relação aos mitos, eu tentei descobrir normas estruturadas da experiência cujo esquema pudesse ser reencontrado com modificações em diversos níveis".[23] Foi lá, na Suécia, que Michel Foucault redigiu a sua tese.

20 Apud Éribon, *Michel Foucault*, p.96.

21 Dumézil, *Entretiens avec Didier Éribon*, p.215.

22 Foucault, Prefácio. In: *Folie et déraison*, p.X.

23 Idem, *Le Monde*, 22 jul. 1961.

Vasculha a *Carolina rediviva*, grande biblioteca na qual encontra uma coleção muito rica de livros médicos dos séculos XVII-XVIII, legada por um amador, em busca de manifestações da loucura. Fará deles sua matéria-prima para emprestar sua voz ao mundo do silêncio.

A tese

No sábado, 20 de maio de 1961, um importante evento acontece na sala de Louis-Liard da Sorbonne. Nesse solene lugar de consagração das teses maiores, canonizadas de acordo com um ritual imutável, nesse templo dos academismos, um filósofo, Michel Foucault, deve defender sua tese sobre um objeto que pode parecer incongruente num tal ambiente: a loucura. Georges Canguilhem é o "patrono" dessa tese e preveniu seus estudantes: "É preciso comparecer".[24] Pierre Macherey assiste ao acontecimento, como muitos outros, numa sala lotada. Tudo o que conhecia de Foucault, quando entrou na sala Louis-Liard, era o nome, mas saiu dela fascinado com esse ritual acadêmico. Daí por diante comprará todos os livros de Michel Foucault no mesmo dia de seu lançamento: "Ocorreu algo inaudito: os membros da banca examinadora estavam profundamente impressionados",[25] apesar de todos eles serem catedráticos experimentados. O presidente é Henri Gouhier, o conhecido historiador da filosofia, professor da Sorbonne desde 1948. É assistido pelo patrono da tese, Georges Canguilhem, e por Daniel Lagache, Jean Hyppolite e Maurice de Gandillac. "Para falar da loucura, seria necessário ter o talento de um poeta", conclui Michel Foucault. "Mas o senhor o tem", respondeu-lhe Canguilhem.[26]

Michel Foucault problematiza em sua tese a pretensão de verdade de um discurso científico particular, o saber psiquiátrico, e estuda as condições de validade, da possibilidade deste último. Ele planta deliberadamente o seu periscópio no coração da história ocidental para interrogar a razão triunfante: "Será que, no caso de uma ciência tão

---

24 Pierre Macherey, entrevista com o autor.

25 Ibidem.

26 Apud Éribon, *Michel Foucault*, p.133.

duvidosa quanto a psiquiatria, não se poderia deslindar de um modo mais certo quais os efeitos de poder e quais os de saber?".[27] Para conseguir deslocar as linhas fronteiriças tradicionais, Foucault parte de um objeto tabu, o próprio recalcado da razão ocidental, da imagem do seu Outro, e descreve assim lugares e modos de validação das sentenças de um saber psiquiátrico ainda pouco seguro. Tal abordagem leva-o a privilegiar a historicização de seu objeto. Essa análise histórica é concebida como uma "posição instrumental",[28] instrumento no interior do campo político, meio de evitar a sacralização da ciência. O discurso historicizado deve perguntar-se qual é a força de uma ciência, destrinçar o que nela existe de não científico e "como, em nossa sociedade, os efeitos de verdade de uma ciência são, ao mesmo tempo, efeitos de poder".[29]

O objeto da investigação, a loucura, deve ser libertado da pluralidade dos discursos que o mantêm cativo: todos os saberes com pretensão científica – jurídico, médico, policial – são chamados, um por um, a depor, para que melhor se apreenda a maneira como fazem nascer essa figura do Outro da razão. Essa busca de um objeto desembaraçado das camadas sedimentadas de discurso que sobre ele se depositaram corresponde à temática estruturalista do momento que assume a forma da investigação da diversidade do grau zero da escritura, da língua, do parentesco, do inconsciente... O projeto foucaultiano inscreve-se nessa perspectiva ao propor-se "alcançar na história esse grau zero da história da loucura em que ela é experiência indiferenciada, experiência ainda não repartida da própria partilha".[30] Esse trabalho sobre os limites obscuros da razão quer devolver vida e voz, por trás dos discursos com pretensões de racionalização, à própria loucura: "Não quis fazer a história dessa linguagem mas, antes, a arqueologia desse silêncio".[31]

27 Foucault, Vérité et pouvoir, entrevista com Fontana, *L'Arc*, n.70, p.16.

28 Idem, *Politique-Hebdo*, entrevista, 4 mar. 1976.

29 Ibidem.

30 Idem, Prefácio. In: *Folie et déraison*, p.I-V.

31 Ibidem.

Dar uma voz ao silêncio: a loucura

Michel Foucault quer, pois, devolver a fala à excluída da história, à esquecida da razão: a loucura. Ele construiu sua história como uma ficção a partir de alguns mitos básicos: "Suas histórias são romances"[32] em que competem as afirmações positivas e a ambição crítica, até niilista, dos saberes constituídos e das fronteiras em vias de elaboração. Ele nos reconstitui um percurso e nos conduz até a nau dos loucos da época medieval, tema mítico inspirado no ciclo dos argonautas, mas também realidade efetiva de uma cidade medieval que se desembaraçava assim dos loucos, que eram confiados aos barqueiros, até o mundo asilar do século XVIII. A loucura não teve sempre o mesmo *status*: primeiramente, objeto de exclusão, ela será em seguida incluída nas práticas de reclusão.

Michel Foucault identifica uma inversão. Na Renascença, a figura do louco era indissociável da razão, Erasmo descobria então uma loucura imanente na razão, e Pascal escrevia: "Os homens são tão necessariamente loucos que também seria loucura, mas de outro tipo, não ser louco".[33] No século XVIII, pelo contrário, o racionalismo afirma a sua pretensão de delimitar seus objetos e descarta a loucura, devolvida para o lado do erro, do negativo, do sonho enganador, na definição de novas regras do método, como Descartes as definiu. A loucura, excluída do território racional, nasce então como figura à parte, negativa. Ela se transforma até no lugar decisivo da divisão entre o mundo da razão e o do desvario, sucedendo à antiga dicotomia entre o Bem e o Mal. Mundo do contrassenso, a loucura deve recolher-se para dar lugar ao pensamento racional. Reduzido ao silêncio, murado no universo carcerário, o louco ainda não tem um lugar à parte, ele é internado juntamente com os mendigos. O século XVII, século da razão, teria reagido ao seu medo da loucura que continua a obcecá-lo adotando o internamento. A loucura converte-se em ameaça e o desaparecimento do louco passa a ser condição do reinado da razão. Ela se vê então envolvida no grande movimento de internamento que Michel Foucault situa a partir do édito régio de 27 de abril de 1656, data em que é criado o Hospital Geral

32 Descombes, *Le même et l'autre*, p.138.

33 Pascal, *Pensées*, n.414 apud Foucault, *Histoire de la folie*, p.47.

que recolhe os mendigos para fazê-los trabalhar: "Os muros da internação encerram de certo modo o lado negativo dessa cidade moral".[34] Assinala aí uma descontinuidade nas práticas discursivas, que induz a uma nova relação tanto com a loucura quanto com o parentesco. Se, até então, o pobre era admitido numa positividade espiritual como possível objeto de redenção, ao mesmo tempo que condição da riqueza, ele é agora remetido para a negatividade como fonte de desordem, estigma da punição divina. Condenado da sociedade, o pobre deve tornar-se invisível, à semelhança do louco.

Michel Foucault atém-se aos limites do social sem se comprometer numa história social que procurasse restabelecer uma coerência global da sociedade ocidental. Nesse plano, ele já se situa no terreno privilegiado de um estruturalismo que atribui à esfera do discursivo uma autonomia máxima em relação às contingências sociais. Ele se recusa a integrar a reversão discursiva que assinala num esquema explicativo global no qual teria podido estabelecer uma relação entre o fenômeno de recalque descrito e a mutação histórica de uma sociedade que passa de uma dominante religiosa para uma dominante ético-econômica, que se enraíza nas estruturas mentais e nas práticas institucionais da era moderna.

Na Idade Clássica, é a justiça que se encarrega dos loucos e não ainda a medicina. A decisão de internamento não é um ato médico, mas jurídico. O louco está situado "no ponto de encontro entre o decreto social do internamento e o conhecimento jurídico que discerne a capacidade dos sujeitos de direito".[35] O louco não é, por certo, um prisioneiro como os outros; ele difere do mendigo, mas suas manifestações originais são entendidas como os sintomas da profunda animalidade que é recalcada no homem de razão, limite inferior da humanidade. Assim, os carcereiros acorrentam os loucos julgados perigosos nas celas de Bicêtre.

No século XVIII, surge uma nova ruptura na relação com a loucura, em virtude do estabelecimento de casas que lhe são estritamente reservadas. É o nascimento do manicômio, lugar específico da loucura, figura finalmente destacada em sua singularidade do magma informe em que ela se encontrava colocada no âmbito do Hospital Geral. Essa ruptura institucional precede a visão do louco como doente a tratar: "Foi

34 Foucault, *Histoire de la folie*, p.87.
35 Ibidem, p.147.

necessário instaurar uma nova dimensão, delimitar um novo espaço e como que uma outra solidão para que, em meio desse segundo silêncio, a loucura pudesse enfim falar".[36] Atenta-se então para o discurso do louco a fim de descobrir aí a expressão desta ou daquela patologia repertoriada. Todo um novo saber é então assumido pela medicina: "É a apoteose da personagem do médico. Como vimos, o médico não tinha lugar na vida do internamento. Agora ele se transforma na figura essencial do asilo. [...] Desde o fim do século XVIII, o atestado médico tinha-se tornado mais ou menos obrigatório para o internamento dos loucos. Mas no interior do próprio asilo, o médico assume um lugar predominante, à medida que o transforma num espaço médico".[37] A passagem da indiferenciação à especificação da loucura, sua reposição na temporalidade, as considerações tanto do novo modo de olhar quanto das novas práticas que o nascimento da loucura como figura singular implica, as relações dialetizadas entre saber e poder, com a substituição do poder judiciário pelo poder médico: tais são as grandes linhas da abordagem foucaultiana, que ultrapassa a simples genealogia da loucura para estabelecer mais globalmente a passagem de uma sociedade fundamentada no poder da Lei para um sistema que se apoia na norma, convertida em critério de separação dos indivíduos e que implica uma economia de discurso totalmente diferente.

A medicalização do corpo social responde a esse processo de normalização, a essa separação entre o normal e o patológico. E o novo rei é então o médico, que se encontra no centro dessa separação e traça os seus limites. Essa problematização das diferentes percepções dos limites entre normal e patológico inscreve-se numa estrita ligação com a obra de Georges Canguilhem, que já lançara as bases de uma história estrutural das ciências. Ele descobre na tese sustentada por Michel Foucault uma notável e brilhante ilustração da fecundidade do método.

---

36 Ibidem, p.415.

37 Ibidem, p.523.

Folie et déraison

Nessa época, uma tese só poderia ser defendida se já estivesse impressa, mas, para tanto, era necessário encontrar um editor disposto a publicar um volumoso manuscrito de cerca de mil páginas. Michel Foucault propõe o seu trabalho a Erice Parain, que podia publicá-lo na Gallimard. Ele está muito confiante, tanto mais que Erice Parain publicou as obras de Georges Dumézil, mas lembra-se de que Claude Lévi-Strauss precisou encontrar refúgio na editora Plon, depois da recusa de Parain de editar *Les structures élémentaires de la parenté*. Michel Foucault esbarra na mesma recusa categórica. Jean Delay propõe-lhe então publicar a obra em sua coleção nas Presses Universitaires de France, mas Foucault "gostaria justamente que o seu livro escapasse ao gueto das teses".[38] Deseja seguir nesse plano o caminho adotado por Lévi-Strauss, que, com *Tristes tropiques*, conseguiu ultrapassar o cenáculo dos especialistas para atingir mais amplamente o grande público intelectual.

Michel Foucault tenta a sua chance na Plon, na qual conhece Jacques Bellefroid, que passa sua tese ao historiador Phillippe Ariès, diretor da coleção *Civilisations d'hier et d'aujourd'hui*. É o primeiro contato de uma longa série que liga o filósofo à disciplina histórica. Daí resultarão colaborações frutuosas, mas também mal-entendidos e diálogos de surdos. Em 1961, o encontro decisivo com Philippe Ariès decorre de uma incongruência absoluta. O que há em comum entre esse demolidor de preconceitos, esse niilista nietzschiano que é Michel Foucault, e o historiador ultraconservador, monarquista, antigo militante da *Action Française*, que é Philippe Ariès? Uma mesma sensibilidade para os fenômenos das mentalidades permitirá esse encontro com o autor de *L'enfant et la famille sous l'Ancien Régime*, uma mesma valorização subjacente dos tempos pré-modernos, uma certa sensibilidade nostálgica a propósito do mundo fetal de antes da partilha disciplinar, em que teriam coabitado num mesmo impulso loucos e homens de razão, crianças e velhos, em níveis de base da sociabilidade e do convívio.

É graças a Philippe Ariès, a quem mais tarde Michel Foucault prestará homenagem, que *Folie et déraison* pôde sair pela Plon: "Um

38 Éribon, *Michel Foucault*, p.131.

volumoso manuscrito chegou às minhas mãos: uma tese de filosofia sobre as relações entre a loucura e a perda da razão na época clássica, de um autor para mim desconhecido. Quando o li, fiquei empolgado. Mas tive de batalhar muito para impô-lo".[39]

Quando Michel Foucault preparava a sua tese na noite sueca, convidou por duas vezes Roland Barthes, com quem manteria relações amistosas em cada uma das suas viagens a Paris. Roland Barthes saúda, desde a publicação da obra, a primeira aplicação do estruturalismo à história: "A história descrita por Michel Foucault é uma história estrutural. Essa história é estrutural em dois níveis, o da análise e o do projeto".[40] Roland Barthes compreendeu rapidamente o parentesco que une o trabalho de Lévi-Strauss, o de Lacan, o de Foucault e o dele, sem que isso signifique a existência da menor produção comum. O trabalho de Foucault é percebido por Barthes como uma ilustração da conquista da etnologia moderna. Foucault realiza o mesmo deslocamento da natureza para a cultura, ao estudar o que era considerado até então um fato puramente médico. Da mesma maneira que as relações de parentesco foram analisadas por Lévi-Strauss como fenômeno de aliança, o inconsciente estruturado como linguagem por Lacan, a escritura literária depende de uma aprendizagem, de uma produção que nada tem a ver com um gênio qualquer criador na nova crítica literária. Michel Foucault "recusou-se a considerar a loucura como realidade nosográfica".[41] Roland Barthes faz uma leitura da obra de Michel Foucault que retém, essencialmente, sua conexão com uma semiologia geral, com a construção de vastos "semantemas" cujo objeto é o estudo das formas, e, por essa razão, a loucura nunca será mais que uma forma acrônica a localizar com exatidão retirando-se dela toda substância, todo conteúdo transcendente.

Maurice Blanchot também saúda a obra de Michel Foucault, na qual reconhece a sua experiência de escritura sobre os limites, de definição de um novo espaço literário: "Preparar, para além da cultura, uma relação com o que a cultura rejeita: fala dos confins, o lado de fora da escritura. Cumpre ler e reler esse livro em tal perspectiva".[42]

---

39 Ariès, *Un historien du dimanche*, p.145.

40 Barthes, De part et d'autre, *Critique*, n.17, p.915-22, 1961.

41 Ibidem, p.168.

42 Blanchot, L'oubli, la déraison, *Nouvelle Revue Française*, p.676-86, out. 1961.

Michel Foucault recebe, enfim, um bom acolhimento por parte da vanguarda literária, na qual vêm se integrar alguns historiadores[43] e epistemologistas.[44] Mas quanto ao essencial, o sucesso público previsto não se concretizou e o livro não teve verdadeiramente repercussão entre os filósofos (*Les Temps Modernes* e *Esprit* não trataram do livro) nem entre os psiquiatras, que consideram a obra de Foucault um simples exercício de estilo literário e metafísico. A modéstia da tiragem de *Folie et déraison* revela que é necessário esperar *Les mots et les choses* para que Michel Foucault conheça o eco público que não mais será desmentido. A tiragem é de 3 mil exemplares em maio de 1961, com uma reedição modesta de 1.200 exemplares em fevereiro de 1964.[45] A obra de Michel Foucault não atinge, portanto, o seu alvo num primeiro tempo; o saber psiquiátrico não se sente, com efeito, interpelado, em absoluto, pelo filósofo: "Por conseguinte, é somente num registro não prático que as obras de Foucault puderam ter algum impacto".[46] Esse impacto foi duplo, segundo Robert Castel: por um lado, foi um instrumento para o corte epistemológico e, por outro, a doença mental, convertida em conceito positivo, reencontra-se carregada de sua alteridade, como outra da razão. A obra de Michel Foucault, consagrada como tese original mas acadêmica em 1961, conhecerá um segundo destino graças a um duplo evento: Maio de 1968 e o interesse que suscita com bastante rapidez nos antipsiquiatras anglo-saxões, Ronald Laing e David Cooper. Somente no final dos anos 1960 o livro responde a uma sensibilidade coletiva, a uma exigência de transformação das práticas e passa a ser a fonte de inspiração dos movimentos de contestação das práticas asilares.

---

43 Mandrou, Trois clés pour comprendre l'histoire de la folie à l'époque classique, *Annales*, n.4, p.761-71, jul.-ago. 1962.

44 Serres, Géométrie de la folie, *Mercure de France*, n.1188, p.683-96, ago. 1962, e n.1189, p.63-81, set. 1962.

45 Éribon, *Michel Foucault*, p.147.

46 Castel, Les aventures de la pratique, *Le Débat*, n.41, p.43, set.-nov. 1986.

Exclusão ou integração

O método estrutural de Michel Foucault terá sido baseado numa perda de substância da própria loucura, figura exposta a discursos cativos e flutuantes. Numa tal perspectiva, a loucura perde toda consistência, toda substância, e desaparece nas dobras e sinuosidades de uma razão opressiva. Só mais tarde, em 1980, Marcel Gauchet e Gladys Swain oporão uma tese inversa à de Michel Foucault, graças a uma argumentação baseada num estudo minucioso dos fatos históricos.[47] Os autores reavaliam a cronologia apresentada por Michel Foucault. Não seria verdadeiramente da Idade Clássica (1656) que dataria o internamento, mas, de fato, do século XIX. Eles percebem, sobretudo, a dinâmica da modernidade não como uma lógica de exclusão do louco, da alteridade, mas, pelo contrário, como uma lógica de integração.

Na base do erro de diagnóstico de Michel Foucault, haveria uma ilusão acerca da época pré-moderna como sociedade de tolerância em que todas as diferenças seriam aceitas, como sociedade da indiferenciação. Pelo contrário, Marcel Gauchet e Gladys Swain mostram que se o louco é então aceito, é porque o consideram a expressão de uma espécie infra-humana: "Nesse quadro cultural (definido por princípios de desigualdade e de hierarquia naturais), a diferença absoluta não exclui a familiaridade".[48] Se a loucura causa problema no âmbito da modernidade, e se ela sofre o internamento asilar, não é por rejeição, mas, pelo contrário, por considerar-se o louco um *alter ego*, como semelhante e não como o outro da Razão: "Na época moderna, pelo contrário, a identidade é de direito, e a distância é apenas de fato".[49]

A história da loucura na sociedade democrática moderna parece mais, portanto, uma história de integração do que de exclusão. Marcel Gauchet percebe também um perigo na concentração asilar, mas, ao contrário de Michel Foucault, situa-o no plano da perspectiva de normalização, da utopia integradora, mais do que numa prática de exclusão. Foucault, em 1961, não se situava, de maneira alguma, nessa perspectiva que atribui à razão uma visão progressiva. Pelo contrário,

47 Gauchet; Swain, *La pratique de l'esprit humain.*

48 Ferry; Renaut, *La pensée 68.*

49 Ibidem, p.132.

a desconstrução da razão deve deixar surgir a figura enigmática do seu Outro, ampliada, ela deve agitar o reinado das Luzes para melhor desvendar os embasamentos opressivos e disciplinares. Trata-se, nesse caso, de uma crítica radical da modernidade e de suas categorias. *L'histoire de la folie* apresenta-se, sobretudo, como sintoma de uma época, primeiros passos de uma nova postura estrutural adaptada à história ocidental, valorização do recalcado, pois a busca da verdade situa-se então no não dito, nos brancos, nos silêncios de uma sociedade que se desvenda pelo que esconde. Nessa qualidade, a loucura é um objeto ideal, duplamente assumido por uma antropologia histórica e pela psicanálise.

19

Crise do marxismo

DEGELO OU REGELO?

O ano de 1956 é o ano das rupturas para uma boa parte da *intelligentsia* francesa. Constitui o germe da futura geração de 1966. É a verdadeira hora do nascimento do estruturalismo como fenômeno intelectual que sucedeu ao marxismo. Ao otimismo da Libertação, que se exprimiu na filosofia existencialista, segue-se uma relação desencantada com a história. Abre-se um novo período desde o começo do ano com as revelações dos crimes de Stalin pelo novo secretário-geral Nikita Khrushchev durante o XX Congresso do PCUS, e o ano termina com o esmagamento da revolução húngara pelos blindados soviéticos.

O choque é de tal ordem que o olhar crítico sobre o modelo soviético adquire sua independência no seio da esquerda. A ideologia comunista vem esbarrar na realidade histórica, e o que se oferecia como esperança de amanhãs harmoniosos deixa transparecer o horror da lógica iníqua de um poder totalitário. A onda sísmica ainda não atinge Bilancourt, e o Partido Comunista Francês (PCF) ainda continua sendo o aparelho político mais poderoso, mas os intelectuais, cujo trabalho se baseia na busca da verdade, na crítica das aparências enganadoras, não podem deixar de voltar a questionar o que constituía até então sua grade de análise. Essa época de luto pelas esperanças perdidas dominará todo o período dos anos de 1956 a 1968. Debruçam-se então sobre o que resiste à mudança, sobre o que não permite ao voluntarismo político triunfar. A sensibilidade coletiva faz prevalecerem as invariantes, as imobilidades.

Entretanto, paradoxalmente, a Europa conhece os anos da mais rápida transformação econômica desde o final do século XVIII. "Vive-se nesse momento uma defasagem enorme da percepção e só se medirá a importância dos 'trinta gloriosos' quando tiverem acabado, pois enquanto estão se desenrolando se dirá que nada acontece".[1] Na medida em que a Revolução Russa era percebida até então como prolongamento da Revolução Francesa, 1917 na esteira de 1789, como realização do ideal democrático moderno, uma reavaliação dos ideais e valores do Iluminismo e de 1789 está em gestação entre os intelectuais franceses que, de maneira considerável, farão o peso do bolchevismo e seu destino funesto influenciarem os ideais do Iluminismo.

É nessa releitura crítica dos valores da democracia ocidental que se enraíza o fenômeno estruturalista. A *intelligentsia* francesa já não fundamenta a sua reflexão numa adesão aos valores de autonomia, de liberdade, de responsabilidade: "Os substitutos explicativos conduziram ao primeiro plano o primado das totalidades nos sujeitos".[2] Uma crítica da modernidade, do caráter formal da democracia, desenvolve-se a partir daí, não mais em nome de um marxismo em refluxo, mas a partir de Heidegger, de Nietzsche, ou traduz-se pelo refúgio na clausura do texto e em sua arquitetura interna.

É também o momento em que, pouco depois, em 1958, o general De Gaulle, que põe fim à instabilidade estrutural da vida política desde o pós-guerra e se rodeia pela primeira vez de ministros técnicos, assumirá a responsabilidade pela história francesa. É o que significa a deposição da École Normale Supérieure pela École Nationale de l'Administration. A instituição que encarnava até aí a reprodução das humanidades cede seu lugar à que forma os tecnocratas. Ulm, que virá a ser o epicentro do signo estrutural em 1966, reagirá ao erigir-se portadora do discurso mais científico, tentando assim retardar o momento de sua relegação a um papel secundário na formação das elites da República. A partir de 1958, o pensamento técnico está no poder: "Para mim, o estruturalismo teve muito êxito porque foi o suporte do pensamento tecnocrático, deu-lhe uma maquiagem lógica, uma racionalidade, uma espécie de vigor.

1 Marcel Gauchet, entrevista com o autor.
2 Alain Renaut, entrevista com o autor.

Entre esse tempo e o estruturalismo existe, mais do que um encontro feliz, um casamento de conveniência".[3]

A era das rupturas: 1956

Por seu lado, a revisão crítica do "paizinho dos povos" pelos sacerdotes encarregados do culto teve por efeito o desmoronamento do edifício da crença. O estruturalismo ofereceu-se a muitos, a esse respeito, como uma tábua de salvação no momento da agonia do marxismo institucional: "Uma espécie de massacre cerimonioso. [...] Isso permitiu uma boa limpeza, uma vassourada, uma grande corrente de ar, um ato higiênico. Nem sempre se escolhe o aroma do desodorante ou dos produtos de lixívia, que muitas vezes é enjoativo, mas o que importa é que limpe".[4] Abre-se a era das rupturas para intelectuais que já não podem continuar fazendo o jogo dos simulacros e que renegaram seus fetiches.

Roger Vailland afasta-se e tira do seu escritório o retrato de Stalin. Claude Roy é expulso do PCF por "ter feito o jogo da reação, dos inimigos da classe operária e do povo".[5] O próprio Jean-Paul Sartre, que percorreu desde o começo dos anos 1950 a sua via-crúcis, na esteira do PCF, como irreprochável companheiro de estrada, publica em *L'Express* de 9 de novembro de 1956 um artigo incendiário sobre a Hungria que provoca um divórcio sem recurso. Decididamente, a multiplicação das críticas mostra que se pode ter razão contra o partido, mesmo que isso valha ao perpetrante sofrer uma enxurrada contínua de injúrias e calúnias. Mas a intimidação por esse meio encontra nesse momento os seus limites, ainda mais porque muitos descobrirão no combate anticolonial contra a guerra da Argélia a prova flagrante da mentira da acusação de se haver passado para o outro lado. Portanto, 1956 varre uma boa parte das sequelas da guerra para numerosos intelectuais do Ocidente, muito antes que 1989 venha completar a limpeza no Leste. Apresenta-se então a questão de saber como é que se pode ser marxista com tudo aquilo que se sabe.

---

3 Georges Balandier, entrevista com o autor.

4 René Lourau, entrevista com o autor.

5 Apud Ory; Sirinelli, *Les intellectuels en France, de l'affaire Dreyfus à nos jours*, p.188.

A história já não se apresenta como esperança de um futuro melhor, mas é interrogada em suas falhas para tentar compreender no quê ela pôde conter em si mesma os germes da barbárie. Essa fenda de 1956 "levou-nos a não ser mais obrigados a esperar alguma coisa".[6] Em vez de sentir-se levado pelo fluxo contínuo da história, o intelectual, segundo Michel Foucault, deve sinalizar o campo dos possíveis e o das impossibilidades numa dada sociedade, sem esperar a chegada do Messias, encarnado pelo partido como guia na conquista da salvação terrena. Mas antes mesmo de se reconstituir uma área de pesquisas e uma identidade, cumpre romper com um partido que se atribuía as virtudes de um foco de sociabilidade, família de adoção com seus ritos, seus costumes... todo um *habitus*.

Pierre Fougeyrollas abandona assim o PCF em 1956: "Eu lecionava na época no liceu Montaigne em Bordéus, era membro do *bureau* federal do PCF da Gironde e rompi em consequência da questão húngara. Quando cheguei a Paris em 1958, aderi ao grupo Arguments".[7] Gérard Genette desliga-se também do PCF nesse ano de 1956:

> Depois, submeti-me a uma cura de desintoxicação durante três anos no grupo Socialismo ou Barbárie, no qual convivi com Claude Lefort, Cornelius Castoriadis, Jean-François Lyotard. Para tornar-me não marxista, após ter sido stalinista durante oito anos, era imprescindível uma boa e forte centrifugadora, e Socialismo ou Barbárie era uma que raspava a fundo.[8]

Como disse Olivier Revault d'Allonnes, que também aí estava: "Poder-se-ia fazer uma associação dos veteranos da turma de 1956".[9] Ele tinha aderido em 1953 em Lille, onde se encontrara na companhia de Michel Foucault para opor-se à guerra da Indochina.

Ao participar do apoio ao outubro polonês, Jean-Pierre Faye descobre em 1956, fascinado, o rigor do programa de Lévi-Strauss. Com efeito, assiste, na sala Louis-Liard da Sorbonne, a uma grande recepção

6 Foucault, *Océaniques*, FR3, 13 jan. 1988 (1977, em Vézelay, na casa de Maurice Clavel).
7 Pierre Fougeyrollas, entrevista com o autor.
8 Gérard Genette, entrevista com o autor.
9 Olivier Revault d'Allones, entrevista com o autor.

solene dos representantes poloneses, organizada pela Unesco, sob a égide de Fernand Braudel. A reunião conclui com um rasgo teatral: a entrada do vencedor da revolta polonesa, antiga vítima dos expurgos stalinistas, Gomulka. Foi aí que Lévi-Strauss "nos falou do alto de uma espécie de cátedra, explicando-nos que a estrutura era rainha e que as três ciências que iam dominar eram a econometria, a linguística estrutural e a antropologia, que se tornaria estrutural alguns meses mais tarde com um outro livro".[10] Jean-Pierre Faye se questiona sobre o funcionalismo das mitologias no mundo moderno, especialmente a partir da quebra de 1930 nos Estados Unidos, mas também a partir da depressão que afetou Viena em 1873. A via estrutural de Lévi-Strauss lhe parece então promissora na explicação das múltiplas e complexas correlações entre uma mitologia e uma conjuntura, na relação entre estrutura e flutuações.

O estruturalismo como saída para a crise do marxismo

Para outros, o recurso a Lévi-Strauss fundamenta uma conversão à antropologia. É esse o caso dos filósofos comunistas atingidos pelo exílio, o chamado clube dos quatro: Alfred Adler, Michel Cartry, Pierre Clastres e Lucien Sebag. Os quatro abandonarão o PCF, a partir da ruptura de 1956, e passarão da filosofia à antropologia, uma escolha que não é dissociável da evolução da situação política: "1956 é para nós uma data-chave".[11]

Alfred Adler descreve o encaminhamento intelectual que o conduziu do existencialismo ao estruturalismo.[12] Adepto do PCF em 1952, aos 18 anos, o engajamento político leva-o às margens do marxismo; mantém-se, porém, assim e não se define verdadeiramente como marxista, mas como comunista no sentido de um compromisso moral. Como estudante do curso de filosofia descobre Hegel pelas aulas de

10 Jean-Pierre Faye, entrevista com o autor.
11 Alfred Adler, entrevista com o autor.
12 Idem, *Séminaire de Michel Izard*, Laboratoire d'Anthropologie Sociale, 17 nov. 1988.

Hyppolite: "O hegeliano-marxismo fornece-nos uma substância intelectual, já que as opções políticas são primordiais, e também nos fornece um conteúdo militante".[13] É então que os acontecimentos de 1956 intervêm e que o PCF se torna objeto de opróbrio, ainda que a exclusão só venha a ser declarada em 1958: "1956 é a própria condição da escolha da etnologia".[14] A adequação entre um compromisso ético-político e a especulação hegeliano-marxista torna-se doravante impossível, e Alfred Adler vê-se assistindo ao seminário de Claude Lefort sobre *Les structures élémentaires de la parenté*. O grupo dos quatro encontra com encantamento a obra de Lévi-Strauss, que tem o mérito de significar uma desideologização, de articular um discurso apolítico: "Descobrimos *Tristes tropiques*. Lembro-me de Pierre Clastres, fascinado com *Tristes tropiques*, que leu quatro ou cinco vezes".[15]

Essa conversão leva o grupo a interessar-se por tudo o que faz parte do nascimento do paradigma estrutural, a nutrir-se dele com um entusiasmo crescente, uma vez que se trata de realizar com êxito um trabalho catártico sobre o passado. Embrenham-se, portanto, nos trabalhos de linguística estrutural e seguem, a partir de 1958, o seminário de Jacques Lacan em Sainte-Anne. Esse apetite de descoberta alimenta toda uma aprendizagem teórica da etnologia, em ligação com as outras disciplinas de 1958 a 1963, provocando igualmente a procura por trabalhos de campo. É nesse momento que o grupo se divide em dois: Lucien Sebag e Pierre Clastres escolhem o território ameríndio, Alfred Adler parte para a África, assim como Michel Cartry: "Somente na América Latina se encontram os verdadeiros primitivos", dizia-se na brincadeira.[16] A descoberta a que eles aspiram, com efeito, é mais profunda do que uma busca de exotismo; trata-se, no caso, de encontrar sociedades imunes ao esquema unitário do hegeliano-marxismo, sociedades não cotadas na avaliação dos manuais stalinistas.

O espírito de descoberta é também animado pela decepção relacionada com a filosofia especulativa e a história, cujo ciclo criativo parecia findar com o esgotamento do hegeliano-marxismo. Ao contrário dos

---

13 Ibidem.

14 Ibidem.

15 Ibidem.

16 Ibidem.

discursos puramente especulativos que funcionam por si mesmos, a obra de Lévi-Strauss oferecia uma verdadeira aventura intelectual: "Em *Tristes tropiques*, Claude Lévi-Strauss diz que é preciso perder muito tempo para encontrar o nome de um clã. Ao ler isso, damo-nos conta de que alguém estava proporcionando algo de novo".[17] A partida para o trabalho de campo, o descentramento quanto à sua própria história são decisivos neste ponto, resultando no retardamento do sismo de 1956.

O degelo

Um degelo ideológico faz, portanto, rebentar a vulgata marxista a partir de 1956. É certo que houve iniciadores, em especial esse grupo ao qual um certo número se alia em 1956, Socialismo ou Barbárie, constituído em 1949 sob o impulso de, entre outros, Cornelius Castoriadis e Claude Lefort. Elabora-se toda uma crítica de esquerda, radical, para analisar o modelo stalinista, o sistema burocrático e totalitário.

Para Castoriadis e seu grupo, o estruturalismo não é uma alternativa à vulgata mas uma simples adaptação desta última ao modo de dominação do capitalismo moderno, que triunfa em 1958. É o discurso que confere um primado absoluto à ciência, "ao passo que as pessoas são cada vez mais oprimidas em nome da ciência e pretende-se persuadi-las de que elas não são nada e a ciência é tudo".[18] Eles denunciam nessa nova escola estruturalista um esvaziamento da história viva e, portanto, a infusão do pensamento tecnocrático no campo intelectual.

O ano de 1956 vê nascer uma nova corrente que se agrupa em torno de uma revista, *Arguments*. Propõe não só uma revisão do marxismo, o abandono da vulgata, mas também que se coloquem em evidência as contradições da modernização. A revista foi fundada por Edgar Morin, que é o seu diretor, rodeado por Kostas Axelos, Jean Duvignaud, Colette Audry, François Fejtö, Dionys Mascolo, Roland Barthes e Pierre Fougeyrollas. A revista é a própria expressão desse degelo que substitui a língua rígida e inflexível por um pensamento interrogativo,

17 Ibidem.
18 Castoriadis, Les divertisseurs, *Le Nouvel Observateur*, 20 jun. 1977.

multidimensional: "Floresce a primavera de 1956. Rajadas de esperança nos chegavam da Polônia, da Hungria, da Tchecoslováquia. A história hesitava entre o fluxo e o refluxo. [...] Apercebíamo-nos de que a rocha da nossa doutrina não passava de um pedaço de gelo à deriva".[19]

A revista nasce de um encontro entre Edgar Morin e Franco Fortini, que já publicava uma na Itália, *Ragionamenti*: "Nesses últimos anos, eu era um semicadáver político, estava fora de qualquer partido, e sentia-me feliz por encontrar na Itália amigos [...] com quem podia dialogar".[20] É um grupo aberto que é, de imediato, fértil em debates de ideias e que se posiciona, ao contrário dos órgãos de partido, como simples laboratório ou boletim de ideias. *Arguments* aborda problemas políticos e da civilização técnica, expõe reflexões sobre a linguagem, no sentido da investigação de uma radicalidade crítica para além das compartimentações disciplinares e dos antolhos partidários. Os dois primeiros anos da revista são sobretudo consagrados ao luto, a rematar o rompimento com o PCP, depois os objetos de reflexão se tornam menos políticos, com números sobre o amor, o universo, a linguagem... "Durante os seis anos de *Arguments*, houve uma união feliz, o que é raro, do afeto e do pensamento."[21]

Essa busca de um novo caminho chega prematuramente ao fim em 1962: "Com e sem alegria e tristeza, a revista *Arguments* é abalroada por seus capitães".[22] Esse abalroamento deve-se em parte à efetiva dispersão das personalidades que compuseram a revista – Pierre Fougeyrollas está em Dakar, Jean Duvignaud na Tunísia –, mas sobretudo se deve a um fato que se tornou evidente: a sucessão agora cabia a outra corrente de pensamento que triunfa nesse começo dos anos 1960, o estruturalismo: "Na Universidade, reinava um pensamento que fornecia a solução científica para todos os problemas: o estruturalismo. Portanto, estava acabado. Tínhamo-nos tornado desviantes. Tivemos sabedoria suficiente para perceber isso".[23]

19 Morin, *Le Vif du sujet*.
20 Idem, Arguments, trente ans après, entrevistas, *La Revue des revues*, n.4, p.12, outono 1987.
21 Axelos, Arguments, trente ans après, entrevistas, *La Revue des Revues*, n.4, p.18.
22 Idem, Le jeu de l'autocritique, *Arguments*, n.27-28, 1962.
23 Morin, Arguments, trente ans apres, p.19.

O regelo

Edgar Morin considera esse êxito do estruturalismo como o do regelo após o degelo. O estrutural-epistemista substitui o marxismo totalizador com igual certeza de cientificidade, obedecendo às leis da ciência clássica. Maneja o determinismo e a objetivação excluindo o sujeito, demasiado aleatório, e a história, demasiado contingente, em proveito de um modelo tão rigoroso quanto as ciências da natureza: a linguística estrutural. Outra forma de regelo, a tendência a trocar Moscou por Pequim, Hanói e Havana, não tarda a manifestar-se. Ora, essa necessidade de cientificizar a abordagem das ciências humanas era muito compreensível ao cabo das amarguras e dissabores acumulados durante a fase stalinista, da mesma maneira que havia a necessidade de apegar-se a certezas. Por um lado, a valorização das estruturas permitia explicar-se a persistente defasagem na relação entre determinação e liberdade, entre a tarefa histórica de transformação e a incapacidade de convencer as pessoas sobre a necessidade dela: "A noção de estrutura inconsciente permitia-nos aprofundar, graças a Saussure e a Jakobson, algo que não evoluía em razão das transformações de classe ou do social, mas fora da vontade consciente".[24] Por outro lado, a antropologia, tal como a linguística estrutural, permitia entrar em outras visões do mundo, outros sistemas de representação: "Isso nos permitiu uma renovação da visão dialética que tinha a tendência a considerá-la como uma forma de superação dos contrários, quando a noção de multiplicação de mediações cada vez mais sutis nos parecia renovar a dialética".[25]

O verdadeiro beneficiário da crise de 1956 é, pois, o estruturalismo, cujos referenciais do programa, como vimos, foram fixados muito antes, dado que mergulha suas raízes no início do século XX. Esse paradigma permitia, pelo menos, valer-se de um certo nível de cientificidade e de operacionalidade numa província particular do saber, ao preservar o horizonte da universalidade própria dos compromissos de outrora sem referi-lo a voluntarismo algum na transformação do mundo, ao limitar-se a procurar compreendê-lo melhor, e ao integrar as figuras da alteridade e do inconsciente.

---

24 Daniel Becquemont, entrevista com o autor.
25 Ibidem.

20

A VIA ESTRUTURAL DA ESCOLA FRANCESA DE ECONOMIA

Entre as ciências humanas, há uma que não esperou os anos 1950 para levar em consideração o estudo das estruturas: é a economia. É certo que, diferentemente das outras ciências humanas, o modelo não foi procurado na linguística. Mas, em contrapartida, os economistas têm um avanço nas formalizações de seus trabalhos e, por essa razão, puderam servir de exemplo para outras disciplinas em busca de rigor e cientificidade. Lévi-Strauss foi, assim, buscar nos economistas a ideia de modelo para fazer prevalecer o aspecto científico da antropologia estrutural.

A economia não terá o papel de ciência-piloto no apogeu do estruturalismo. Contudo, é a que terá ido mais longe na matematização que constitui a exigência da maioria das ciências sociais naquele momento. Se ocorreram, de fato, permutas, e a inspiração que Lévi-Strauss colheu na teoria dos modelos é testemunho disso, os economistas manter-se-ão um pouco à margem dos grandes debates em torno do paradigma estruturalista nos anos 1960. Essa relativa marginalidade decorre do fato de que o olhar da época situa-se, sobretudo, no plano da extensão do modelo fonológico, mas isso também depende da compartimentação institucional que divide o campo das ciências humanas de tal maneira que os economistas se encontram, juntamente com os juristas, separados dos homens de letras: "A rue Saint-Jacques constituía, apesar de tudo, um rio muito profundo, separando economistas e homens de letras. Em compensação, os contatos com os historiadores faziam-se no âmbito da sexta seção da École Pratique des Hautes Études (Ephe)".[1] A rejeição da proposta de Fernand Braudel em 1958, de fundação de uma universidade das ciências sociais, e a opção que foi separar as faculdades de letras e ciências humanas das faculdades de direito e de ciências econômicas suscitarão um abismo duradouro e um deslocamento que não permitirá aos economistas desempenhar o papel de placa giratória do paradigma estrutural.

Entretanto, a ciência econômica produziu resultados fortemente axiomatizados, ainda que não tenha refletido muito sobre as condições epistemológicas de sua formação. A microeconomia, nos anos 1950, chegou a uma axiomatização quase completa em torno da noção de equilíbrio geral, que se apresenta como estrutura totalmente formalizada. Pode-se ver aí, no campo da disciplina econômica, "uma forma de estruturalismo que verifica as condições lógicas de uma cientificidade no plano dos critérios de constituição lógica das proposições e que culmina em resultados de alcance universal".[2] O próprio êxito dessa axiomatização e sua operacionalidade prática contribuíram para o atraso na problematização dos resultados da microeconomia, que permaneceu essencialmente à margem de toda a reflexão crítica sobre os seus postulados.

O casamento do Estado e da estrutura

As transformações, no pós-guerra, das relações entre o Estado e o mercado na França também assegurarão ao conceito de estrutura um êxito certo no campo da economia, num plano essencialmente pragmático. Dessa vez, num plano macroeconômico, refletiu-se sobre o campo dos possíveis da intervenção do Estado: "É a idade de ouro do keynesianismo".[3] Mas em relação à tradição anglo-saxônica, marginalista, que limitava a intervenção do Estado à periferia de um equilíbrio geral dado como estabelecido, o caso da França é original: na Libertação, o Estado resultante do programa do Conselho Nacional de Resistência recorre aos modelos macroeconômicos para transformar em profundidade os

1 André Nicolai, entrevista com o autor.
2 Michel Aglietta, entrevista com o autor.
3 Ibidem.

mecanismos da economia francesa, pelo planejamento, a organização territorial, as nacionalizações...

Trata-se de agir sobre as próprias estruturas da economia nacional, a fim de modificar-lhes de maneira decisiva os fluxos globais, a demanda, portanto, o nível de atividade. O Estado é considerado, nesse momento, o piloto da reconstrução e da modernização econômica. Assim, encarrega-se das grandes transformações de estrutura. Esses imperativos favorecerão uma efervescência propícia aos reagrupamentos e permitirão a constituição "de uma verdadeira escola francesa de economia".[4] É um dos raros momentos em que tal concentração das energias será possibilitada num campo mais propício à dispersão das pesquisas, a favor do incontornável entrelaçamento dos problemas econômicos e sociais nessa data.

Um dos principais polos desse reagrupamento era *La Revue Économique*, com François Perroux, Jean Weiller, Jean Lhomme e os irmãos Marchal. O comitê de direção conta, aliás, com Fernand Braudel em seu seio, simbolizando os vínculos orgânicos de um diálogo entre os historiadores dos *Annales* e os economistas. É instalada uma série de novos organismos administrativos pelo Estado desde o pós-guerra, a fim de realizarem as reformas estruturais e de elucidarem os poderes públicos por um trabalho de curto e médio prazo. Cria-se o serviço da conjuntura no Institut National de la Statistique et des Études Économiques (Insee), depois, em 1952, o Serviço dos Programas do Tesouro (Serviço de Estudos Econômicos e Financeiros – Seef), que se transformará mais tarde em Direção da Previsão e do Plano, com seus organismos, o Centre de Recherche pour L'Étude et L'Observation des Conditions de Vie (Crédoc) e o Centre Pour La Recherche Économique et Ses Applications (Cepremap). Essa atenção do Estado ao saber econômico "adotou dois caminhos principais: o estabelecimento da contabilidade nacional e a construção de modelos macroeconômicos de previsão".[5]

Dessa aliança orgânica do Estado com os teóricos e práticos da macroeconomia resulta uma acentuação da defasagem com o mundo universitário das humanidades, o dos homens de letras. Nas equipes integradas por homens como Claude Gruson, Pierre Uri, Alfred

4 André Nicolai, entrevista com o autor.
5 Dehove, em *L' état des sciences sociales en France*, p.252.

Sauvy, François Perroux, o componente acadêmico constitui uma franca minoria em relação aos engenheiros oriundos das grandes escolas e aos administradores civis. Assim, é no mais alto nível dos responsáveis da administração que são criadas as modelizações prospectivas da economia nacional no âmbito de uma investigação de coerência setorial do aparelho de produção.[6]

A valorização da postura estrutural é, portanto, muito efetiva entre os economistas, mas a partir de horizontes em geral estranhos aos universitários de letras, e a formalização de seus trabalhos distancia-os ainda mais. Entretanto, essa situação não impediu que se estabelecessem algumas pontes que permitiram organizar um diálogo entre economistas e os outros campos das ciências humanas. A esse respeito, o papel desempenhado por François Perroux é inteiramente decisivo.

O homem da confluência: François Perroux

Professor no Collège de France a partir de 1955, François Perroux criou em 1955 o ISEA (Institut de Science Économique Appliquée), e sua revista, *Les Cahiers de l'ISEA*, oferece-se à reflexão filosófica, em especial epistemológica, com artigos de Claude Lévi-Strauss, Gilles Gaston-Granger e outros. Ora, a influência é dupla em François Perroux, que adota a noção de economia generalizada de Merleau-Ponty e, em contrapartida, contribuirá para a difusão do modelo estrutural entre os economistas. Aos liberais que cultuam um mercado perfeito em que os preços operam sem resistência, François Perroux opõe a operacionalidade do conceito de estrutura: "A estrutura de um conjunto econômico define-se pela rede de ligações que unem, entre elas, as unidades simples e complexas e pela série de proporções entre os fluxos e entre os estoques de unidades elementares e combinações objetivamente significativas dessas unidades".[7]

6 Boyer, La croissance française de l'après-guerre et les modeles macroéconomiques, *Revue Économique*, v.XXVII, n.5, 1976.

7 Perroux. In: Bastide, *Sens et usage du terme de structure*, p.61.

Foi por volta dos anos 1930 que os europeus utilizaram maciçamente, em economia política, o paradigma estrutural, em reação à crise de 1929. Mas antes mesmo dessa difusão do conceito de estrutura em economia política, pode-se afirmar com Henri Bartoli que "o estruturalismo sociológico e o estruturalismo econômico são contemporâneos do nascimento da sociologia e da economia política".[8] Essa ideia de estrutura nasceu, no século XVIII, do correlacionamento dos diversos dados econômicos considerados como outros tantos elementos de uma coerência global que guia a vida econômica.

Auguste Comte já situara os fisiocratas entre os iniciadores da "física social". Depois, Marx se dedicou a identificar as leis de funcionamento do capital mediante noções estruturais como as de modos de produção, formações sociais, relações sociais de produção. Ele tentou ultrapassar o simples descritivo do observável, para descobrir "a organização interna do modo de produção capitalista, de certo modo em sua média ideal".[9] Se há em Marx um uso da noção de estrutura que faz dela um modelo teórico, puramente conceitual, ele nem por isso esquece o outro extremo da cadeia e a conexão do modelo com a realidade econômica do estado de desenvolvimento das forças produtivas num dado sistema social. Em contrapartida, a estrutura de que se trata após 1945 na escola francesa de economia depende mais do empírico, do observável, do que do plano teórico, numa acepção mais próxima dos historiadores do que dos antropólogos. Isso é indubitavelmente, em François Perroux, o que define a estrutura pelas proporções de fluxo, de estoques de unidades elementares, ou, em R. Clémens, que a vê nas "proporções e relações de valor dos custos, preços, rendimentos e moeda num determinado meio".[10]

Já nos anos 1930, o alemão Ernst Wagemann tinha utilizado de maneira sistematizada a noção de estrutura. Propusera uma definição que os economistas adotarão, especialmente na França, a partir de 1936, quando das reformas estruturais da Frente Popular. A estrutura

8 Bartoli, *Économie et création collective*, p.315.

9 Marx, *Le Capital*, Livro II, v.3, p.208.

10 Clémens, Prolégomenes d'une théorie de la structure, *Revue d'Économie Politique*, n.6, p.997, 1952.

é aí considerada como "o mais permanente":[11] ela é o que resiste aos movimentos rápidos, o que permite a conjuntura, influi nela sem se identificar com ela. É marcada pela lentidão dos seus ritmos, em geral cíclicos, movidos por mecanismos profundos. Essa visão da estrutura como invariante ou variante de fraca amplitude é retomada por François Perroux, para quem as estruturas são "conjuntos de quantidades em movimentos moderados, conjuntos de tipos de condutas ou de comportamentos relativamente estáveis".[12] André Marchal opõe, por ocasião do colóquio dirigido por Roger Bastide em 1959,[13] uma concepção estática da noção de estrutura, a de François Perroux, a uma perspectiva dinâmica que deseja promover. Essa abordagem está fundamentada numa relativização das leis econômicas válidas segundo o tipo de estrutura ou entre dois limites no interior de um sistema econômico no qual evolui uma combinatória de múltiplas dimensões.[14]

André Marchal interrogou-se sobre o ressurgimento da noção de estrutura no pensamento econômico contemporâneo.[15] Vê aí em ação uma busca de explicitação, por parte dos economistas, das grandes mutações históricas do capitalismo monopolista, a crise de 1929, a descolonização. A conjunção de todas essas mutações tornava necessário ultrapassar as modelizações depuradas de todo e qualquer elemento exógeno colhido no ambiente sociopolítico.

A tentativa de uma antropologia econômica

É nessa perspectiva de confronto global que se inscreve o trabalho de André Nicolai, que defende a sua tese em 1957.[16] A reflexão sobre a estrutura remonta nele ao ano em que terminou seu curso secundário, ou seja, a 1948. Apaixona-se então pelo debate entre Tarde e Durkheim,

11 Wagemann, *Introduction à la théorie du mouvement des affaires*, p.372 et seq.; idem, *La stratégie économique*, p.69-70.
12 Perroux, *Comptes de la nation*, p.126.
13 Marchal. In: Bastide, *Sens et usages du terme de structure*, p.65-6.
14 Idem, *Méthode scientifique et science économique*.
15 Idem, *Systèmes et structures économiques*.
16 Nicolai, *Comportement économique et structures sociales*.

nos quais assinala a existência de um problema que se tornará central em toda a sua obra ulterior: é o dilema polêmico entre a prevalência acordada aos comportamentos (Tarde) e concedida às estruturas (Durkheim). Considera André Nicolai, desde essa época, que "os dois têm razão em parte, visto que a sociedade obstina-se em ser composta de agentes e, ao mesmo tempo, esses agentes parecem ser acionados pela sociedade".[17] Refletir a partir dessa contradição induz a uma superação do estrito ponto de vista da economia pura, e André Nicolai descobre extasiado *Tristes tropiques* em 1955. Ele se inscreve não só em economia mas também em ciências políticas, e na Sorbonne frequenta cursos de filosofia, sociologia e psicologia ministrados por Piaget, Lagache, Merleau-Ponty, Gurvitch... e encontra-se assim colocado, desde o final dos anos 1950, no centro da confluência estrutural. No campo da economia, é um estruturalista precoce, um pouco atípico por sua abertura para todas as ciências humanas e por sua vontade de fundar uma antropologia econômica estrutural.

A econometria

Mas entre a realidade concreta e a estrutura existe um nível intermediário, o mais desenvolvido pelos economistas: é o do modelo, mediação necessária que dá lugar à formalização mais apurada. É nesse plano que a economia, tornando-se econometria, passa para uma linguagem totalmente formalizada: "A construção de modelos matemáticos tornou-se um dos ramos mais prestigiosos da ciência econômica para seu maior bem e, por que não dizê-lo, para seu maior infortúnio".[18]

A fundação da Sociedade Internacional de Econometria data de 1930, mas os modelos econométricos se desenvolveram sobretudo a partir de 1945. Graças a certos eventos históricos, aperfeiçoaram-se, como por ocasião da "grande ponte aérea para Berlim Ocidental".[19] Quando Stalin bloqueou, em 1948, todas as saídas menos a aérea para a população

17 Idem, entrevista com o autor.

18 Bartoli, *Économie et création collective*, p.344.

19 Idem, entrevista com o autor.

de Berlim Ocidental, foi necessário construir um modelo econométrico a fim de organizar o circuito contínuo de aviões para reabastecer Berlim Ocidental. Mediante a generalização desse tipo de pesquisa operacional, ocorreu uma grande ampliação do uso das matemáticas como estatísticas aplicadas nos modelos econômicos. O progresso realizado na coleta de dados estatísticos contribuiu para o êxito da aplicação dos métodos econométricos. Essa eficácia operatória e essa capacidade para descrever o real numa linguagem puramente formal é que fascinaram Lévi-Strauss. É, portanto, sobretudo nesse nível intermediário, o da modelização, que os economistas dos anos 1950 participam no paradigma estruturalista, mais do que quando invocam uma realidade de estrutura, que não é outra coisa, essencialmente, senão uma maneira de descrever permanências. É também nesse nível, econométrico, que se pode discernir um certo número de aporias nas quais tropeça o método, reencontrando os limites do formalismo em geral no campo das ciências humanas: "Não só a matematização impele a postura intelectual a libertar-se do real e a ceder a uma espécie de exaltação da dedução cheia de desprezo pela observação paciente dos fatos e de entusiasmo pela análise, mas, além disso, impõe-lhe limites sintáticos muito severos".[20]

A adoção do método econométrico levou muitos economistas a hipostasiar seus instrumentos de conhecimento até atribuir-lhes a reconstituição da própria realidade. Eles abandonam à insignificância tudo o que não é mensurável. Aí se vislumbra também um esvaziamento da historicidade, própria do paradigma estrutural, visto que a previsão só é possível nesse esquema a partir do momento em que o modelo se reproduz de maneira idêntica, se não houver algumas variações de quantidade. Também aí está, pois, a dificuldade em construir um aparelho de análise de simples reprodução dele, uma verdadeira mecânica de autorregulação que remete à insignificância toda prática humana, fora do esquema inicial, assim como toda a historicidade dessa ação. O perigo não tardou a ser denunciado por Gilles Gaston-Granger: resulta da ilusão de que o formalismo ocasiona e "provém do fato de se querer conferir aos temas, uma vez destacados por via de abstração axiomática, um privilégio ontológico sobre as operações que, entretanto, os engendram".[21]

---

20 Idem, *Économie et création collective*, p.345.

21 Gaston-Granger, *Pensée formelle et science de l'homme*, p.53.

21

Como a estrutura é bela!

No final dos anos 1950, antes mesmo que se fale de estruturalismo, a referência às estruturas tornou-se onipresente nas ciências humanas. É o momento escolhido por certos representantes dessas pesquisas convergentes para avaliar a situação e fazer um primeiro balanço quanto ao uso do conceito. É a ocasião de um primeiro grande cotejo pluridisciplinar, tradução da progressiva eliminação das fronteiras disciplinares que já estava ocorrendo com um bom número de pesquisadores. Sendo o homem o horizonte comum de uma série de disciplinas, a abordagem conceitual que substitui os estudos sobre a intencionalidade ou a consciência deve permitir, aparentemente, a realização de um programa comum a todo o campo do saber das ciências humanas, e definir assim o objetivo ambicioso da unidade paradigmática.

O ano de 1959 é a ocasião de dois encontros importantes. Por um lado, Roger Bastide organiza um grande colóquio em janeiro em torno da noção de estrutura.[1] Por outro lado, Maurice de Gandillac, Lucien Goldman e Jean Piaget presidem o colóquio de Cerisy acerca do confronto entre gênese e estrutura.[2] É o momento em que, nos locais de

---

1 *Sens et usages du terme de structure*. Colóquio de 10-12 jan. 1959.

2 *Entretiens sur les notions de genèse et de structure*. Colóquio de Cerisy, jul.-ago. 1959. A assinalar também, em 1957, um colóquio organizado pelo Centro Internacional de Síntese, o qual resultou no livro *Notion de structure et structure de la connaissance*.

inovação, como o Museu do Homem, a sexta seção da École Pratique des Hautes Études (Ephe) e certos cursos do Collège de France, a referência ao binarismo estrutural, recorrente, passou a ser o percurso obrigatório de todo investigador. Todo mundo investigava então para além dos sememas e mitemas, das palavras em -emas.

O colóquio organizado por Roger Bastide é a ocasião para um vasto confronto sobre o uso do conceito de estrutura nas diversas disciplinas. Étienne Wolf considera que a noção corresponde, para a biologia, a um dado: "O ser vivo compreende toda uma hierarquia de estruturas".[3] Ele define várias escalas da estrutura biológica, da disposição das células em tecidos, dos tecidos em órgãos e da organização das "ultraestruturas", que passaram a ser observáveis graças ao microscópio eletrônico. Portanto, se é necessário definir precisamente em que nível de observação o investigador se situa, em contrapartida a passagem de uma estrutura para outra continua sendo um mistério e depende da especulação teórica. Émile Benveniste fez uma comunicação sobre a linguística em que se vê claramente que essa disciplina desempenhou um papel motor na difusão do paradigma, que já deixou de ser o de estrutura para essa disciplina pioneira, mas passou ao adjetivo de estrutural, para tornar-se o estruturalismo. Benveniste lembra os iniciadores do programa: Saussure, Meillet, o Círculo de Praga, Jakobson, Karcevski, Trubetzkoy. Este último definia já em 1933 a fonologia nos seguintes termos: "A fonologia atual é caracterizada, sobretudo, por seu estruturalismo e seu universalismo sistemático".[4]

Por seu lado, Lévi-Strauss considera ser graças à antropologia que se pôde realizar a mutação decisiva que permitiu descobrir os arranjos estruturais no próprio âmago do social e, polemizando com George Peter Murdock, rechaça a possibilidade de levar adiante, simultaneamente, um estudo estrutural e um de processo, concepção que ele considera ser fruto, "pelo menos em antropologia, de uma filosofia rudimentar".[5] Daniel Lagache recorda que o estruturalismo se constitui, em psicologia, na reação contra o atomismo e em torno da psicologia da forma, da psicologia da *Gestalt*: "É nessa perspectiva que o

3 Wolff. In: Bastide, *Sens et usage du terme de structure*, p.23.
4 Troubetzkoy, La phonologie actuelle. In: *Psychologie du langage*, p.245.
5 Lévi-Strauss. In: Bastide, *Sens et usage du terme de structure*, p.44.

estruturalismo passou a ser um dos traços dominantes da psicologia contemporânea".[6]

Robert Pages lembra, por seu lado, o uso polissêmico do conceito de estrutura em psicologia social e o emprego frequente que dele faz Jacob Levy Moreno na sociometria. Henri Lefebvre apresentou uma comunicação sobre o uso da estrutura em Marx e apresenta-o como o grande precursor da revolução em curso, citando o seu prefácio para a *Contribuição para a crítica da economia política* (1859). O próprio Raymond Aron se inscreve nesse horizonte estrutural ao desejar que a ciência política atinja um nível superlativo de abstração conceitual. Lamentando que as estruturas de que se fala ainda sejam excessivamente tributárias da realidade política concreta, faz votos para que, "numa etapa ulterior de abstração, possamos talvez descobrir as funções essenciais de toda a ordem política".[7] Outros participantes do Colóquio mostrarão, cada um deles, a fecundidade da abordagem estrutural em suas respectivas disciplinas: Pierre Vilar em história, Lucien Goldmann em história do pensamento, François Perroux e André Marchal em ciências econômicas.

A sagração de Cerisy: o estruturalismo genético

Foi no palácio do século XVI de Cerisy-la-Salle que se deu o segundo grande confronto de 1959. Dessa vez, trata-se menos de procurar saber que disciplina foi mais longe no uso da noção de estrutura, e mais de confrontar esta última com a noção de gênese. Os organizadores do colóquio inscrevem seus trabalhos na esteira da ruptura estruturalista, mas recusam a perspectiva de uma estática social e procuram, pelo contrário, conciliar as virtualidades dinâmicas e as permanências, a história e a coerência estrutural. São portadores de um estruturalismo genético: "O estruturalismo genético apresentou-se pela primeira vez como ideia fundamental na filosofia com Hegel e Marx".[8] Lucien Goldmann situa o

6 Lagache. In: Bastide, *Sens et usage du terme de structure*, p.81.

7 Aron. In: Bastide, *Sens et usage du terme de structure*, p.113.

8 Goldmann, em *Entretiens sur la notion de genèse et de structure*, p.10. Colloque de Cerisy.

segundo momento da gênese desse novo método no desenvolvimento da fenomenologia e, sobretudo, da psicologia da *Gestalt*.

Lucien Goldmann aplicara esse estruturalismo genético um pouco antes, num estudo notável sobre os *Pensamentos* de Pascal e o teatro de Racine, em seus vínculos com o jansenismo.[9] Relacionou esses textos com as estruturas significativas mais vastas que eram as diversas correntes do jansenismo e os antagonismos sociais da sociedade da época. Lucien Goldmann, ao contrário de Lévi-Strauss, não considera, pois, como incompatíveis a investigação das estruturas e a da gênese, e abre assim uma outra via, menos fechada à história, ao destino estrutural. Outro defensor do estruturalismo genético e organizador do colóquio, Jean Piaget, critica tanto a *Gestalt* por seu estatismo quanto o lamarkismo, que exclui toda e qualquer estrutura; ele defende, pelo contrário, o caráter indissociável das noções de gênese e de estrutura, a partir de seus trabalhos sobre a psicologia da criança: "Não existem estruturas inatas: toda estrutura supõe uma construção".[10]

O terceiro organizador, Maurice de Gandillac, formula algumas críticas a propósito da exposição feita por Jean-Pierre Vernant sobre o mito das raças. Filiando-se também a uma perspectiva resolutamente genética, censura a Jean-Pierre Vernant conceder excessivo peso à estrutura interna do mito das raças em Hesíodo, em detrimento da historicidade: "Pergunto-me se é lícito levar tão longe quanto você fez a eliminação da temporalidade na interpretação do mito das raças".[11] Vernant, que também procura conciliar história e estrutura, responde a essa crítica dizendo que existe, de fato, o uso da temporalidade em Hesíodo, só que é diferente da temporalidade linear e irreversível das nossas idades contemporâneas.

9 Goldmann, *Le Dieu caché*.

10 Piaget, em *Entretiens sur la notion de genèse et de structure*, p.42. Colloque de Cerisy.

11 Gandillac, em *Entretiens sur la notion de genèse et de structure*, p.120. Colloque de Cerisy.

A ambição hegemônica da antropologia estrutural

Esse colóquio de Cerisy, lugar de confronto das noções de estrutura e de gênese, tem o mérito de colocar desde muito cedo em evidência um dos temas principais dos futuros debates suscitados pelo paradigma estrutural em suas relações com a história. O debate estruturalismo/história é fundamental e envolve um lance duplo, o do lugar contestado da disciplina histórica e o da relação com a historicidade, tal como é concebida no Ocidente. Por isso o estruturalismo representa um duplo desafio para os historiadores.

Quando Lévi-Strauss recompila uma série de artigos numa coletânea que se apresenta como um manifesto, *Anthropologie structurale*, em 1958, começa por um artigo que data de 1949, no qual define os vínculos entre etnologia e história.[12] Lévi-Strauss inscreve sua intervenção na filiação do desafio da sociologia durkheimiana expresso por François Simiand em 1903; ele constata que a história não se renovou desde então, ao passo que a sociologia se metamorfoseou ao permitir principalmente um prodigioso avanço dos estudos etnológicos.

Lévi-Strauss esquece, *de início*, a ruptura dos *Annales* de 1929, sem dúvida com fins polêmicos, para melhor desacreditar uma disciplina condenada, a seus olhos, à monografia e à ideografia. Ele mostra que a antropologia estrutural se distingue do evolucionismo, graças a uma ruptura com o modelo biológico, quando postula uma descontinuidade radical entre natureza e cultura. É certo que Lévi-Strauss não recusa a validade da história e, a esse respeito, desfere um ataque irônico contra a escola funcionalista, sobretudo contra Malinowski, por ter abandonado com excessiva facilidade os dados históricos em proveito das funções: "Pois dizer que uma sociedade funciona é um truísmo; mas dizer que tudo numa sociedade funciona é um absurdo".[13] Diante do excesso de história do método difusionista e da negação dele pelos funcionalistas, Lévi-Strauss propõe um terceiro caminho para a antropologia estrutural.

Ele mostra que a etnografia e a história estão aparentadas por seu objeto – a alteridade no espaço e no tempo –, por seu objetivo – passar

12 Lévi-Strauss, *Anthropologie structurale*, p.3-33.

13 Ibidem, p.17.

do singular ao geral – e quanto às exigências do método – a crítica das fontes; portanto, são semelhantes. Se a etnografia e a história devem, pois, trabalhar em boa harmonia, é no nível das relações entre etnologia e história que são operacionais as distinções entre duas disciplinas cujas perspectivas são distintas, embora sendo complementares, "organizando a história seus dados em relação às expressões conscientes, a etnologia em relação às condições inconscientes, da vida social".[14] O que permite à etnologia ter acesso ao inconsciente é, como já vimos, o modelo linguístico e, em especial, o fonológico.

Nessa diferença de perspectiva, ressalta que só a etnologia pode prevalecer-se de um projeto científico, nomotético, que se define pela passagem do singular ao geral, o único que permite a transferência do consciente para o inconsciente. O etnólogo deve, portanto, apropriar-se dos materiais históricos, do mesmo modo que se aproveita das investigações etnográficas, mas é o único que pode pretender ter acesso a "um inventário de possibilidades inconscientes que não existem em número ilimitado".[15] A oposição que se apresenta tradicionalmente entre história e etnologia, baseada na distinção do tipo de fontes, entre o estudo das sociedades sem escritura e das sociedades com cultura escrita, é apenas secundária aos olhos de Lévi-Strauss. A diferença essencial reside na orientação do projeto científico e não no objeto de estudo. Entende-se o desafio que representa o projeto lévi-straussiano para os historiadores, tanto mais porque o etnólogo só é considerado por Lévi-Strauss um primeiro patamar no rumo de uma síntese final que somente pode ser realizada por uma antropologia social ou cultural que tenha por meta um conhecimento global do homem desde os hominídeos até os modernos. A obra apresenta, por outro lado, um conjunto coerente de artigos que tratam do lugar da antropologia nas ciências sociais, das relações entre linguagem e parentesco, das representações nas artes da Ásia e da América, da magia e da religião; ou seja, um campo de objetos muito diversos que parecem iniciar o que Lévi-Strauss qualifica de "revolução copernicana que consistirá em interpretar a sociedade, em seu conjunto, segundo uma teoria da comunicação".[16]

---

14 Ibidem, p.25.

15 Ibidem, p.3-33.

16 Idem, Langage et parenté. In: *Anthropologie structurale*, p.95.

A antropologia, em sua versão estruturalista, enuncia nesse momento uma ambição hegemônica no campo do saber acerca do homem, e Lévi-Strauss dá-lhe uma definição suficientemente ampla para englobar todos os níveis da realidade social: "Abre-se o caminho para uma antropologia concebida como teoria geral das relações".[17] Essa perspectiva permite à antropologia captar seus modelos de análise da linguagem formal por excelência, as matemáticas. Ao ordenar séries completas de variantes sob a forma de um grupo de permutações, o programa estruturalista aspira a descobrir a própria lei do grupo estudado. Nesse esquema de análise, a estrutura do grupo é apreendida mediante o processo da repetição, a partir da invariante que tem por função fazer aflorar a estrutura do mito para além da diversidade de sua enunciação. Uma vez mais, a história e a etnologia opõem-se pela capacidade para modelizar. A etnologia estrutural pode aspirar a uma modelização mecânica – "O etnólogo recorre a um tempo mecânico, isto é, reversível e não cumulativo"[18] –, ao passo que a história deverá cingir-se a um tempo não reversível, contingente e que requer a estatística: "O tempo da história é estatístico".[19]

As sociedades frias aparentam-se aos mecanismos que utilizam ao infinito a energia formada no início, o relógio, por exemplo; as sociedades quentes assemelham-se a máquinas termodinâmicas, como a máquina a vapor, que funciona a partir de variações de temperatura. Elas produzem mais trabalho, mas consomem mais energia, destruindo-a progressivamente. Esta última sociedade busca faixas diferenciais cada vez maiores, mais amplas e mais numerosas, para poder avançar e encontrar recursos energéticos revivificados. A sucessão temporal deve, para as sociedades frias, influir o menos possível em suas instituições. O desafio lançado aos historiadores por Lévi-Strauss é o mais radical e o mais desestabilizador que eles possam ter conhecido, pois a ambição da antropologia estrutural apoia-se no que se apresenta como os avanços mais modernos e mais eficientes das ciências humanas. Tendo colocado resolutamente a antropologia no terreno da cultura, Lévi-Strauss desfruta da vantagem, em relação aos historiadores, de valer-se de um

---

17 Ibidem, p.110.

18 Idem, La notion de structure em ethnologie. In: *Anthropologie structurale*, p.314.

19 Ibidem, p.314.

horizonte teórico que deve permitir um dia decifrar as estruturas do cérebro. Há nele uma espécie de materialismo estruturalista; segundo suas análises, ele ora enfatiza a estrutura como grade de análise, ora a considera algo diretamente dependente da matéria: "Claude Lévi-Strauss é um materialista. Ele repete isso constantemente".[20]

A antropologia estruturalista pode, portanto, desenvolver-se, segundo Lévi-Strauss, sem fronteiras; ela permite transcender a divisão tradicional natureza/cultura, da mesma maneira que pode estender suas considerações ao conjunto do gênero humano. A esse respeito, o manifesto estruturalista de 1958 apresenta-se como um duplo desafio à historicidade e à filosofia. Esta última, cujo campo primário de reflexão situa-se na compreensão do funcionamento do espírito humano, vê subtrair-se a ela o seu objeto de interrogação em proveito de uma antropologia que pretende ter acesso, ao término do seu longo caminho, aos recintos mentais e suas estruturas internas, e isso em nome de uma postura que tem a vantagem de apresentar-se como científica. A maior incursão permitida por Lévi-Strauss na história da antropologia terá sido "trabalhar, em primeiro lugar, sobre relações. É próprio do estruturalismo ter mostrado que se trata de um caminho excessivamente fecundo. Trabalhar sobre relações, mais do que sobre objetos, permite escapar ao que, durante muito tempo, foi obstáculo da antropologia: a tipologia, a classificação tipológica".[21]

A ontologização da estrutura

Claude Roy, em 1959, considera a pesquisa de Lévi-Strauss como a repetição moderna da "velha e incansável busca do Graal dos argonautas do intelecto, dos alquimistas do espírito: a busca da Grande correspondência, da Chave primordial".[22] No fundo, nessa busca às avessas da pedra filosofal, há em Lévi-Strauss um azedume em relação ao pesadelo em que a história se converteu, um desencanto que procura evadir-se do

20 Maurice Godelier, entrevista com o autor.
21 Philippe Descola, entrevista com o autor.
22 Roy, Claude Lévi-Strauss ou l'homme en question, *La Nef*, n.28, p.70, 1959.

tempo presente. Por seu lado, Jean Duvignaud apresenta Claude Lévi-Strauss como o "vigário dos trópicos",[23] que reassume por sua conta o sonho nostálgico da pureza original dos primeiros homens do vigário saboiano (Jean-Jacques Rousseau).

À crítica que Jean Duvignaud formula em 1958 sobre a postura estruturalista, à qual opõe uma abordagem pluralista da sociedade, Lévi-Strauss responde com uma carta em que defende e até radicaliza o seu ponto de vista: "Não sei o que é a sociedade humana. Ocupo-me de certos modos permanentes e universais das sociedades humanas, de certos níveis isoláveis de análise".[24] Às críticas de Jean Duvignaud que referem o problema do *status* da liberdade e do lugar do dinamismo coletivo no projeto antropológico, Lévi-Strauss responde na mesma carta: "A questão não é pertinente. O problema da liberdade não tem mais sentido, no nível da observação em que me situo, do que tem para aquele que estuda o homem no nível da química orgânica".[25]

O sujeito está, por conseguinte, definitivamente excluído da antropologia estrutural para Lévi-Strauss, que adota neste caso o modelo epistemológico das ciências da natureza. Assim, o homem não pode fazer outra coisa senão constatar a sua impotência, a sua inanidade em face dos mecanismos que ele, em última instância, tornará inteligíveis, mas sobre os quais não tem poder nenhum. A esse respeito, Lévi-Strauss está próximo da ilusão cientista dos positivistas, cujo exemplo de cientificidade era representado pela física teórica.

De maneira um pouco similar, ao ir buscar na fonologia o seu modelo, a antropologia estrutural rechaça toda e qualquer forma de substancialismo e de causalismo em proveito da noção de arbitrário. Seu desígnio orienta-se mais para os meandros da complexidade neurônica, que parece deter a chave ontológica, verdadeira estrutura das estruturas, suporte essencial da estruturalidade.

---

23 Duvignaud, *Les Lettres Nouvelles*, n.62, 1958.

24 Carta de Lévi-Strauss, citada por Duvignaud, *Le langage perdu*, p.234.

25 Ibidem, p.251.

O suporte linguístico de Lévi-Strauss: um valor estratégico

Georges Mounin tomou o livro de Lévi-Strauss, *Anthropologie structurale*, como objeto de estudo para definir o tipo de relação mantida pelo antropólogo com a linguística no período coberto pela coletânea de artigos, ou seja, entre 1944 e 1956. Ele interroga a validade das noções linguísticas utilizadas por Lévi-Strauss. Do seu ponto de vista de linguista, Georges Mounin considera que o que foi tomado da fonologia se relaciona essencialmente, nesse volume, com as noções de estrutura e de oposição, as quais "nada têm de especificamente linguístico".[26] O funcionalismo antropológico que Lévi-Strauss rechaça o impede, em contrapartida, de ligar essas noções à de função, considerada central na fonologia. A identificação dos fonemas com elementos de significação não tem pertinência linguística: "O fonema não participa na construção do significado do monema, mas somente de seu significante".[27] Por outro lado, se Lévi-Strauss multiplica as bases de um isomorfismo entre estruturas de parentesco e estruturas de linguagem, ao ponto de afirmar que "o sistema de parentesco é uma linguagem",[28] nem por isso fica menos reticente, como antropólogo, a todo reducionismo em proveito da linguística, e aconselha em 1945 a não se ter pressa "em transpor os métodos de análise do linguista",[29] e defende-se em 1956 de querer "reduzir a sociedade ou a cultura à língua".[30]

Essa relação de Lévi-Strauss com a linguística que Georges Mounin apresenta como confusa, inábil, cheia de arrependimentos é, pelo contrário, de uma suprema habilidade, pois a intenção de Lévi-Strauss não é tornar-se linguista, mas servir-se da força de propulsão do rigor linguístico para levar adiante o programa de vocação muito mais vasta da antropologia estrutural. A esse respeito, aquele que entendeu bem a intenção, as vicissitudes e os riscos vem de outro horizonte: trata-se de Fernand Braudel. Preocupado em preservar o primeiro lugar para

---

26 Mounin, *Introduction à la sémiologie*, p.202.

27 Ibidem, p.204.

28 Lévi-Strauss, *Anthropologie structurale*, p.58.

29 Ibidem, p.43.

30 Ibidem, p.95.

os historiadores no concerto das ciências sociais, consciente da força do desafio lançado por Lévi-Strauss, que ameaça fragilizar a posição dominante que a escola histórica francesa dos *Annales* ocupa no seio da sexta seção da Ephe a que preside desde a morte de Lucien Febvre em 1956, Fernand Braudel responde a Lévi-Strauss num artigo-manifesto, publicado no final do ano de 1958 nos *Annales*, "Économies, sociétés, civilisations". Braudel propõe aí a longa duração como linguagem comum de todas as ciências federadas pelo historiador.[31] Essa réplica ou exposição por parte dos historiadores desviou consideravelmente o discurso historiador no sentido de sua estruturalização.

A via historiadora rumo à estrutura

Os historiadores já tinham, antes do desafio estruturalista, deslocado seus centros de interesse. Quando Marc Bloch e Lucien Febvre criam em 1929 a revista *Annales d'Histoire Économique et Sociale*, já é com o propósito de dar continuidade, por conta própria, ao programa durkheimiano, e daí resulta uma reflexão no sentido de um prazo mais longo, da análise dos fenômenos em profundidade, das grandes bases subjacentes, enterradas com excessiva facilidade pela escola positiva em proveito de uma história de fôlego curto, estritamente político-militar.

A grande voga das estruturas acentua essa inflexão do discurso historiador, esse desvio da atenção que tinha tendência a valorizar as mudanças e que se orienta agora para as regiões imóveis do tempo. Fernand Braudel, com sua tese de 1947, *La Méditerranée et le monde méditerranéen à l'époque de Philippe II*, desloca o olhar do historiador ao relegar o herói do período, Felipe II, a um papel secundário e fazer, pelo contrário, incidir o periscópio do historiador sobre as regiões imóveis, a fixidez do quadro geo-histórico do mundo mediterrâneo.

Na filiação de François Simiand, portanto da escola durkheimiana, Ernest Labrousse também tinha, por seu lado, em sua tese de letras, em 1943, *La crise de l'économie française à la fin de l'Ancien Régime*, substituído a crise revolucionária de 1789 numa tríplice temporalidade

31 Dosse, *L'histoire em miettes*.

feita de variações sazonais imbricadas em oscilações clínicas, elas próprias integradas em movimentos de longa duração. Ele permitiu, por isso, adicionar ao conjunturalismo econômico de François Simiand um conjunturalismo estrutural: "O historiador-economista impressiona-se com a frequência das repetições".[32] O evento nem por isso é evitado numa tal postura. Passa por um processo de elucidação como ponto de chegada que as curvas estatísticas devem explicar: "A nossa história é simultaneamente sociológica e tradicional".[33] Ora, Ernest Labrousse reina na Sorbonne nesses anos 1950 e é animador de uma multidão de trabalhos históricos no sentido de uma história econômica e social atenta aos fenômenos de estrutura.

É nessa perspectiva de dialetização dos elementos de conjuntura e de estrutura que Pierre Vilar insere as suas próprias investigações sobre a Catalunha. Antigo aluno da École Normale Supérieure (ENS) em 1925, publica a sua tese em 1962[34] e, na filiação labroussiana, anima um seminário na Sorbonne sobre a noção de estrutura: "Todo o problema histórico resume-se a combinar o estrutural e o conjuntural. Portanto, refleti muito acerca das estruturas. Claude Lévi-Strauss interessou-me quando mostrou que observava coisas estruturalmente lógicas".[35] Se o historiador recorre à antropologia para obter uma dimensão lógica e abstrata, nem por isso ele deixa de permanecer no interior de um conteúdo concreto, observável, e privilegia em seu campo de estudo os fenômenos de crise como abcesso de fixação, polos de cristalização dos dados estruturais, no sentido de uma dinamização destes. Ora, essa investigação simultaneamente rigorosa, apoiada numa forte base estatística e com uma ambição global, tem por nome Ernest Labrousse nos anos 1950: "Acotovelavam-se para solicitar-lhe temas para a obtenção de diplomas. Maurice Agulhon, Alain Besançon, François Dreyfus, Pierre Deyon, Jean Jacquart, Annie Kriegel, Emmanuel Le Roy Ladurie, Claude Mesliand, Jacques Ozouf, André Tudesq...", conta Michelle

32 Labrousse, *La crise de l'économie française à la fin de l'Ancien Régime et au début de la crise révolutionnaire*, p.170.

33 Idem, *Actes du congres historique du centenaire de la révolution de 1848*, p.20.

34 Vilar, *La catalogne dans l'Espagne moderne. Recherches sur les fondements économiques des structures nationales*.

35 Idem, entrevista com o autor.

Perrot,[36] para quem Labrousse encarnava a modernidade e a quem visitou na primavera de 1949 para propor-lhe um tema sobre o feminismo, assunto que provocou um sorriso em seu mestre. Ele aconselhou-a a escrever uma tese sobre o movimento operário durante a primeira metade do século XIX.

Para Michelle Perrot, Ernest Labrousse encarna a preocupação com o rigor, o cuidado em superar o impressionismo excessivamente habitual da disciplina histórica: "Em Labrousse, havia o desejo de reencontrar uma causalidade, leis, o que estava ao mesmo tempo na linhagem positivista e marxista".[37] Em tal perspectiva, os historiadores labroussianos não podiam deixar de ser muito receptivos para o fenômeno estruturalista e ao desafio antropológico do final dos anos 1950. Estão em território conhecido na leitura de Lévi-Strauss, numa busca semelhante de invariantes, ainda que o objeto seja, por natureza, diferente: "Há em Claude Lévi-Strauss uma frase que reproduzi, aliás, na minha tese, *Les ouvriers en grève, France (1871-1890)*, no início da parte que se intitula 'Structures', e que equivale a dizer que, quando existem leis em alguma parte, elas devem existir por toda parte, frase essencial para as ciências humanas".[38]

A antropologia histórica: Jean-Pierre Vernant

A postura estruturalista terá um prolongamento ainda mais direto com a comunicação apresentada por Jean-Pierre Vernant no Colóquio de Cerisy em 1959. Oriundo da filosofia, Jean-Pierre Vernant, professor de filosofia desde 1937, chega tardiamente à Grécia, em 1948, mas não abandona esse campo de pesquisas para tornar-se helenista. Discípulo de Louis Gernet e Ygnace Meyerson, Jean-Pierre Vernant reconhece o tríptico Émile Benveniste/Georges Dumézil/Claude Lévi-Strauss como seus outros mestres. Insere suas pesquisas na perspectiva de uma psico-história. Interessado nas formas mentais, a que chama "o homem

36 Perrot, *Essais d'ego-histoire*, p.277.

37 Idem, entrevista com o autor.

38 Ibidem.

interior", ele se pergunta sobre o que é o trabalho, o pensamento técnico, a percepção das categorias de espaço e de tempo na imaginação, e os produtos da imaginação da Grécia arcaica e clássica: "O homem pertence ao simbólico. A vida social só funciona por meio dos sistemas simbólicos e, nesse sentido, sou radicalmente estruturalista".[39]

Nos dias seguintes à publicação da *Anthropologie structurale*, Jean-Pierre Vernant apresenta, pois, uma comunicação em Cerisy sobre a estrutura no mito hesiódico das raças. Esse estudo é publicado pouco depois.[40] Tem uma intenção estrutural explícita e encontra-se duplamente fecundado pelas discussões que Jean-Pierre Vernant manteve com Georges Dumézil em torno da noção de trifuncionalidade e pela revolução que Lévi-Strauss protagonizou em seu estudo dos mitos ameríndios.

Procura aplicar sua grade de análise aos mitos gregos e realiza um importante deslocamento metodológico, abrindo caminho para toda a escola fecunda que se agrupará em torno dele e fundará uma antropologia histórica da Grécia Antiga. Para elucidar a obra que analisa, Jean-Pierre Vernant não procede, como os helenistas clássicos, a uma investigação de datação das tradições localizadas, mas prefere ocupar-se em explicar as articulações fundamentais e o código em que se assenta o mito a estudar. Esse mito das raças abre o poema de Hesíodo, *Os trabalhos e os dias*: apresenta-se como uma teogonia que descreve como a ordem arcaica da Grécia se explica mediante as sucessivas batalhas das gerações divinas, até que Zeus se apodera da realeza para instaurar uma ordem imutável. A narrativa de Hesíodo apresenta-se, portanto, sob uma forma cronológica, a da sucessão das raças de ouro, prata, bronze, ferro e depois de heróis.

Jean-Pierre Vernant opera nesse mito uma redução e um deslocamento. Em primeiro lugar, considera que essas cinco idades correspondem, de fato, à tripartição funcional "cujo predomínio sobre o pensamento religioso dos indo-europeus foi demonstrado por Georges Dumézil".[41] O esquema tripartido é, portanto, o quadro de pensamento

39 Jean-Pierre Vernant, entrevista com o autor.

40 Idem, Le mythe hésiodique des races. Essai d'analyse structurale, *Revue de l'Histoire des Religions*, p.21-54, 1960.

41 Idem, *Genèse et structure*.

no qual Hesíodo reinterpretou o mito das raças. Mas sobretudo retoma o binarismo, o esquema opositivo lévi-straussiano, para demonstrar que o tempo não se desenrola, no mito hesiódico das raças, segundo uma sucessão cronológica, porém de acordo com um "sistema de antinomias".[42] Em cada idade, repete-se uma estrutura binária que opõe a *diké* (a justiça) e a *hubris* (a arrogância). A narrativa de Hesíodo responde, nesse plano, a uma preocupação didática em face de seu irmão, o agricultor Perses, a quem se dirige para recomendar-lhe o trabalho como destino e respeito da *diké*, lição que vale para todas as categorias sociais da sociedade grega.

Essa demonstração só é possível graças a uma reorganização por Jean-Pierre Vernant do material mítico, a fim de enfatizar os mais importantes princípios em ação no discurso mítico de Hesíodo: "A oposição *diké/hubris* é colocada em melodia, em música, mediante uma organização tripartida funcional do tipo duméziliano".[43] Jean-Pierre Vernant vê nesse mito primordial de Hesíodo uma defesa da justiça, que se tornou necessária, porque isso se situa num período de transição em que os gregos estão procurando identificar o que é justo e o que não é, quando as antigas formas da *diké* deixaram de ser axiomáticas.

Ele não cai, portanto, numa abordagem puramente formalista ou anacrônica, visto que atribui o mito a uma situação geopolítica concreta, na qual esse mito se situa como "o presságio de um universo em que a lei da *polis*, o *nomos* político será o elemento fundamental".[44] J.-P. Vernant logrou, portanto, estabelecer uma correlação entre a análise do discurso mítico e o contexto histórico-social que lhe proporcionou um valor de sintoma, e assim conciliou a história (a gênese) e a estrutura. Entretanto, a partir das críticas que lhe foram dirigidas, corrigirá mais tarde a ênfase sobre a trifuncionalidade da estrutura interna da narrativa: "Não direi mais trifuncionalidade, pois se isso funciona para as duas primeiras idades (ouro e prata), que representam bem a soberania e a raça de bronze e dos heróis, a guerra, o mesmo não ocorre no tocante à raça de ferro, que é mais complexa do que a terceira função

42 Idem, Le mythe hésiodique des races (1960). In: *Mythe et pensée chez les Grecs*, v.1, p.21.

43 Idem, entrevista com o autor.

44 Ibidem.

da produção. Esse é, de fato, o tempo de Hesíodo, não sendo, portanto, tópico".[45] Assim Jean-Pierre Vernant teve de reintroduzir a historicidade em sua análise da descrição hesiódica das raças, ao considerar a quinta idade na sucessão cronológica das quatro outras. Ele confessa, pois, ter ido longe demais na estruturalização do olhar histórico, mas nem por isso terá deixado de permitir que, graças à sua reorganização da narrativa hesiódica, fosse dialetizada a dicotomia *diké/hubris*, justiça/arrogância, essencial na análise das categorias de pensamento da Grécia arcaica.

A consagração de Lévi-Strauss

Quando, em 5 de janeiro de 1960, Lévi-Strauss pronuncia a sua aula inaugural no Collège de France, encerra-se um capítulo, o da fase heroica do estruturalismo, e abrem-se vastas perspectivas para o triunfo intelectual do paradigma. O ingresso daquele que encarna então o rigor do programa científico estruturalista no Collège de France simboliza o êxito deste, um reconhecimento oficial da fecundidade da efervescência em curso que recebe, portanto, uma consagração decisiva no limiar dos anos 1960.

É também o momento em que essa instituição venerável realiza uma pequena revolução interior, ao criar pela primeira vez uma cadeira de antropologia social. É certo que Marcel Mauss tinha lecionado no Collège, mas se ensinava antropologia era, de fato, numa cadeira de sociologia.

Em sua aula inaugural, Lévi-Strauss definiu o seu projeto na filiação de Ferdinand de Saussure, quando este falava de semiologia. O verdadeiro objeto dessa antropologia social abrange um campo vastíssimo, o da vida dos signos no seio da sociedade. Ele reconhece muito claramente a sua dívida para com uma linguística estrutural que ele mobiliza no seu projeto antropológico como sólido alicerce de cientificidade. A generalidade do seu programa exprime-se, sobretudo, na dupla preocupação de, em proveito da natureza simbólica do seu objeto, não se

45 Idem, entrevista com o autor.

deixar desligar do social, das realidades: "A antropologia social [...] não separa cultura material e cultura espiritual".[46] Por outro lado, reconhece que o horizonte neurônico é o lugar em que se esconde a chave a descobrir para se compreenderem as verdadeiras molas geradoras da atividade do universo simbólico: "Sabemos que, de fato e até mesmo de direito, a emergência da cultura permanecerá um mistério para o homem enquanto ele não conseguir determinar, no nível biológico, as modificações de estrutura e de funcionalismo do cérebro".[47]

Além desse propósito científico, essa aula se insere também em um momento particular da consciência histórica francesa ou da "má consciência ocidental. Claude Lévi-Strauss terá orquestrado de maneira surpreendente esse grande tema do sentimentalismo terceiro-mundista, e a barca estruturalista terá enfunado suas velas ao vento terceiro-mundista".[48] O fim do discurso de sua aula inaugural ilustra perfeitamente essa apreciação de Pierre Nora. Com efeito, ele declara naquele recinto um tanto abafado, onde suas palavras têm como que um odor de enxofre: "Permitireis, portanto, meus caros colegas, que, após ter prestado homenagem aos mestres da antropologia social no início de nossa aula, minhas últimas palavras sejam para estes selvagens cuja tenacidade obscura nos oferece ainda o meio de conferir aos fatos humanos suas verdadeiras dimensões: homens e mulheres que, neste exato momento, a milhares de quilômetros daqui, em alguma savana desgastada pelo fogo de mato ou numa floresta inundada de chuva, retornam ao acampamento para dividir uma parca ração juntos e evocar os seus deuses".[49] Lévi-Strauss termina essa belíssima recordação de sua experiência de campo afirmando que pretende ser, no seio do Collège de France, o aluno e, ao mesmo tempo, o testemunho desses índios dos trópicos, condenados pela nossa civilização à extinção, o último dos moicanos.

A consagração suprema que o Collège de France representa para Claude Lévi-Strauss pode parecer uma falsa realidade, pois as verdadeiras equipes de pesquisas estão antes na universidade, e o Collège não permite, por si só, que se saia do isolamento, que se faça escola. Não

46 Lévi-Strauss, *Leçon inaugurale au Collège de France*, 5 jan. 1960.
47 Ibidem, p.24.
48 Pierre Nora, entrevista com o autor.
49 Lévi-Strauss, *Leçon inaugurale au Collège de France*, 5 jan. 1960.

foi o caso de Lévi-Strauss, que criou imediatamente um laboratório de antropologia social, dependente ao mesmo tempo do Centre National de la Recherche Scientifique (CNRS), do Collège de France e da Ephe. Portanto, ele está de imediato cercado de todo um grupo de pesquisadores que se beneficia graças ao prestígio que o Collège de France representa. Está consciente de que, para a realização de um programa tão ambicioso, é necessário dotar-se de sólidas bases institucionais.

É nesse quadro que Lévi-Strauss funda em 1961 uma nova revista, *L'Homme*, para dar à França uma publicação profissional de antropologia equivalente à *Man* na Inglaterra ou *The American Anthropologist* nos Estados Unidos. Pela escolha que Lévi-Strauss fez de dois codiretores, ele deixa transparecer claramente a ambição do projeto científico que a antropologia estrutural possui, bem como do programa em que ele se apoia. Ao lado de Lévi-Strauss, encontram-se, para lançar *L'Homme*, dois outros professores do Collège de France: Émile Benveniste representa essa linguística estrutural em que se apoia resolutamente a obra de Lévi-Strauss como o próprio modelo de cientificidade, e Pierre Gourou, geógrafo tropicalista, representa bem a antiga vitalidade da escola geográfica francesa na tradição vidaliana. Por essa razão, Lévi-Strauss volta a lançar a OPA – já tentada pelos durkheimianos no começo do século – numa escola geográfica então em perda de velocidade há muito tempo, tendo ligado o seu destino ao dos historiadores da escola dos *Annales*. Lévi-Strauss, considerando que a equipe tinha um ar um tanto acintoso de "clube Collège de France", ampliou rapidamente a direção da revista, recorrendo para tanto a André Leroi-Gourhan, Georges-Henri Rivière e André-Georges Haudricourt. Essa equipe é também significativa por suas ausências, em especial a dos historiadores, cujo trabalho se aproximava de forma particular do programa antropológico, depois do nascimento dos *Annales*. É significativa a resposta que Lévi-Strauss dá a respeito das contingências institucionais que dividem essas duas disciplinas: "Em 1960, a história e a etnologia, que se aproximaram tanto, estavam, se me atrevo a dizer, em competição para captar as atenções do público".[50]

No mesmo ano, as entrevistas com Georges Charbonnier dão uma ideia da ambição do seu programa e da metamorfose que ele espera nas

50 Idem, *De près et de loin*, p.96.

ciências humanas em geral, as quais devem inspirar-se nas ciências da natureza até se identificarem com elas: "Pode-se dizer que a etnologia é uma ciência natural ou que aspira a sê-lo, constituindo-se a exemplo das demais ciências naturais".[51]

Transpor o Rubicão e encontrar-se no campo das ciências naturais pressupõe uma relação com o progresso, com a história e com o homem que visa reduzi-las para fazer prevalecer uma modelização quase mecânica no âmbito de um resfriamento da temporalidade e de uma significância que escapa ao indivíduo e se constrói a partir de um tempo lógico, sem que ele se aperceba disso. A esse desafio estruturalista lançado da parte das ciências humanas não falta certa grandeza. Ao longo dos anos 1950, terá mostrado brilhantemente a sua fecundidade, ao monopolizar as diversas figuras da alteridade. Seguro de suas promessas, esse programa conhecerá em breve o tempo da floração, os anos 1960.

51 Idem, em Charbonnier, *Entretiens avec Claude Lévi-Strauss*, 10/18, 1969 (1961), p.181.

PARTE 2

OS ANOS 1960

1963-1966 – A *BELLE ÉPOQUE*

22

A Sorbonne contestada

A questão dos antigos e dos modernos

A velha Sorbonne, no limiar dos anos 1960, continua desfrutando de um domínio absoluto sobre a cidade do espírito. Essa hegemonia presta-se pouco a uma reavaliação crítica de sua orientação. No plano literário, ela gera a herança de um método que se apresentou rigoroso e moderno no século XIX, por seu anseio de precisão histórica e filosófica. Mas a erudição universitária, solidamente estribada nessa ruptura já antiga, permaneceu surda ao desafio epistemológico que começou a manifestar-se nos anos 1950. Em face do positivismo triunfante e do atomismo do seu método, a investida estruturalista se fará ouvir, sob o registro de uma verdadeira guerra de trincheiras antimandarinato, tendo por arma de combate a construção de modelos mais recentes de cientificidade, de inspiração holística.

Esses combates conhecerão seu auge em maio de 1968 com o desmoronamento do velho edifício. O peso da Sorbonne impunha a marginalidade aos contestadores e obrigava-os a procurar apoios, pontos de sutura, alianças novas entre disciplinas, a definição de um programa ambicioso e de um leitorado/eleitorado o mais vasto possível, a fim de contornar, desviar e desprezar os mandarins existentes. Assim, no plano institucional, "a linguística estruturalista apresentava-se como a contestação e a modernidade em relação ao modelo dominante".[1] Este

1 Alain Boissinot, entrevista com o autor.

último dava à reflexão sobre a língua um papel totalmente secundário, quando não primário, visto que essa dimensão estava reduzida à aquisição de linguagem nas primeiras séries da escola elementar. Considerando-se adquirido o domínio da língua, podia-se então ter acesso ao coroamento com o estudo propriamente literário, cortado de seus mecanismos de funcionamento, dependente de considerações puramente estéticas. Uma separação radical opunha nesse caso um conhecimento linguístico que se podia a rigor adquirir quando da iniciação em línguas estrangeiras, e que servia de simples ferramental técnico, oposto com condescendência à nobreza resultante do banho literário, produto puro do gênio criador: "Na organização tradicional dos estudos literários, o trabalho sobre a língua estava em situação de dependência, subalterno em relação ao trabalho sobre o texto literário".[2]

O retorno de André Martinet

A única exceção notável na venerável instituição sorbonnense era o curso de linguística geral de André Martinet que, tendo voltado dos Estados Unidos em 1955, revestido de notoriedade internacional, era visto, porém, com desconfiança, apenas tolerado pelas humanidades clássicas, que o confinaram, no começo, a um pequeno enclave, no qual se pensava que ele acabaria sendo esquecido. Foi confiado a ele um curso no antigo Instituto de Linguística, numa pequena sala que não podia conter mais de uns trinta estudantes. A procura excede rapidamente esse quadro estreito demais, e André Martinet deve orientar de imediato cerca de trinta teses de africanistas que procuravam os meios de descrever suas línguas. Como não se podiam empurrar as paredes, as autoridades universitárias precisam dar a André Martinet, ano após ano, uma sala maior, e seu percurso no interior da Sorbonne reflete bem o interesse crescente pela linguística nesses anos 1960. No ano seguinte, passa para o anfiteatro Guizot, que só lhe convém durante dois anos. Em 1960, passa a dar suas aulas no anfiteatro Descartes, no qual é possível reunir até quatrocentos estudantes: "Em 1967, o anfiteatro Descartes

---

2 Ibidem.

era pequeno demais, e deram-me então o Richelieu, com seus anexos, no qual é possível reunir até seiscentas pessoas".[3]

Com o anfiteatro Richelieu, é a consagração! Mesmo que Martinet se queixe de ter uma carga desumana, o seu curso converteu-se no percurso obrigatório do semiólogo moderno, tanto mais que, além de suas qualidades unanimemente reconhecidas de pedagogo, ele era uma exceção na França. Um grande público estudantil aí encontra as armas da crítica antimandarinato que se desenvolverá no transcorrer dos anos 1960: "É-se jovem, é-se contra os antigos e acontece que o movimento de vanguarda é o estruturalismo, portanto, avante com o estruturalismo!".[4] O programa estruturalista desempenha a esse respeito, para a jovem geração, um papel purificador, e erige-se em moral provisória, temporária, à maneira de Descartes.

Nessa contestação antimandarinato, o alvo dos ataques concentra-se também contra todas as formas de psicologismo vago dos especialistas da história tradicional, "verdadeira sífilis da universidade francesa e não somente dos homens de letras, mas também dos filósofos".[5]

Um inovador isolado: Jean-Claude Chevalier

Jovem professor assistente de gramática francesa, Jean-Claude Chevalier defende sua tese em 1968, *La notion de complément chez les grammairiens*.[6] No Prefácio, introduz prudentemente o termo epistemologia, entre aspas, como se estivesse empregando uma palavra ainda duvidosa em seu meio. Encontra-se nessa tese a ideia central do momento, que é a de corte. Essa euforia contestadora de que Jean-Claude Chevalier se lembra como de um "prazer higiênico"[7] era reforçada no plano teórico por uma busca de ruptura conceitual, de abertura de um campo novo. Esse pensamento da ruptura vindoura leva à valorização das rupturas passadas. Jean-Claude Chevalier assinala assim uma

3 Ibidem.

4 Jean-Claude Chevalier, entrevista com o autor.

5 Ibidem.

6 Idem, *La notion de complement chez les grammairiens*.

7 Idem, entrevista com o autor.

descontinuidade no horizonte de 1750 nos gramáticos que até então só empregavam o termo de origem e daí em diante utilizarão a noção de complemento: "Passa-se de um sistema morfológico para um sistema semântico da sintaxe, o que representa uma considerável mudança".[8]

Jean-Claude Chevalier não tinha, porém, a impressão de ser um inovador na época; pensava ter realizado apenas um trabalho honesto de gramática histórica. Não participava da opinião daqueles que afirmavam poder ler-se em seu trabalho a mesma reflexão epistemológica de um Louis Althusser ou um Michel Foucault. Desde essa época, entretanto, Julia Kristeva já assinalava em *Critique* o trabalho de Jean-Claude Chevalier como peça essencial no dispositivo do corte que empolgava todo o campo intelectual vanguardista.

Todorov diante do nada

Se excetuarmos o enclave de Martinet, que se limita a ensinar o modo de funcionamento da língua, a reflexão sobre a literatura, a partir de novos métodos de linguística estrutural, está totalmente ausente da Sorbonne. A confusão experimentada pelo jovem búlgaro Tzvetan Todorov, na sua chegada à França, na primavera de 1963, constitui um belo exemplo.

Vindo da Universidade de Sofia, após ter concluído seu ciclo universitário, Todorov procura em Paris um quadro institucional para desenvolver uma pesquisa sobre o que ele já denominava teoria da literatura, ou seja, uma reflexão sobre o objeto literário que não parta de elementos exógenos, psicológicos ou sociológicos. É o mesmo que procurar agulha em palheiro. Munido de uma recomendação do administrador da Faculdade de Letras da Universidade de Sofia, e convencido de uma resposta positiva, Todorov contata o reitor da Sorbonne para ser informado sobre o que se fazia nesse domínio na Sorbonne: "Ele me olhou como se eu estivesse chegando de outro planeta, e disse-me friamente que não se estudava teoria literária em sua faculdade e que estava fora de questão

8 Ibidem.

estudá-la".[9] Perplexo, Todorov pensa então que deve estar ocorrendo um mal-entendido e pergunta se, na falta dessa cadeira, haveria um ciclo de formação em estilística, mas o reitor quer que ele lhe diga exatamente em que língua. O diálogo de surdos prossegue e Todorov sente um mal-estar crescente, pois "não podia dizer-lhe estilística do francês, uma vez que eu gaguejava diante dele um francês deveras discutível. Ele me teria certamente respondido para primeiro estudar a língua".[10] Era, evidentemente, da estilística geral que se tratava, e o reitor da Sorbonne reitera a Todorov a inexistência de um tal domínio de pesquisa.

Foi graças a um conjunto de circunstâncias totalmente fortuitas que Todorov finalmente deparou, em sua busca de uma reflexão parisiense sobre teoria literária, com o que se chamará poética. Tendo estabelecido um contato simpático com a diretora da biblioteca da Sorbonne, graças a uma recomendação de seu pai, ele próprio bibliotecário de Sofia, Todorov começa por consolar-se mergulhando nos livros. Essa bibliotecária dá-lhe notícia dos trabalhos que estão sendo realizados por seu sobrinho, que talvez pudesse iniciá-lo nos circuitos aleatórios da modernidade parisiense. Todorov vai então à casa desse sobrinho, assistente de psicologia na Sorbonne, François Jodelet. Este lhe diz conhecer um outro assistente da Sorbonne que trabalha no domínio literário, um certo Gérard Genette: "Foi assim que conheci Genette. Ele compreendeu imediatamente o que eu procurava e informou-me haver alguém que trabalhava nesse sentido, Roland Barthes, e que era indispensável, portanto, assistir ao seu seminário".[11]

A insatisfação dos homens de letras

A formação anglicista na Sorbonne permitia tomar conhecimento do estruturalismo. Foi assim que Marina Yaguello chegou ao instituto de inglês em 1963, no momento em que era nomeado Antoine Culioli, até então assistente em Nancy. O trabalho de Culioli sobre o inglês

9 Tzvetan Todorov, entrevista com o autor.
10 Ibidem.
11 Ibidem.

arcaico e a variação das vogais permitia acessar não só um enfoque sincrônico, mas "completamente estruturalista, no sentido de que, quando uma vogal se move, arrasta todo o sistema com ela".[12]

Mas essa formação linguística não se dirige à massa de estudantes que se inscrevem no curso de letras francesas na Sorbonne, e é pelo maior dos acasos que Françoise Gadet, inscrita em letras e profundamente insatisfeita com o ensino ministrado então em literatura, assiste a um curso de Antoine Culioli. Tinha ido com o propósito de tomar notas do curso para um amigo que não pudera assistir à aula, e aquilo foi para ela uma revelação: "Disse para mim mesma: aí sim, há verdadeiramente rigor, exigência".[13] Ela optou, no nível de licenciatura em letras, por um certificado de linguística, encontrou-se com Martinet e bifurcou da literatura para a linguística estrutural. Para Françoise Gadet, o estruturalismo significa a escolha do rigor: "Quando se viveu a atmosfera da Sorbonne nos anos 1960, percebe-se que não havia outros lugares aonde ir. Quando se viu a que ponto aquilo era um cemitério, compreende-se o entusiasmo pelo estruturalismo".[14]

Os professores de literatura da época eram, entre outros, Gérard Castex, Jacques Deloffre, Marie-Jeanne Durry, poeta e especialista em Apollinaire, Charles Dédéyan, príncipe armênio que lecionava literatura comparada, todos professores conscienciosos, mas que esvaziavam um anfiteatro de um dia para o outro: "Vivi essa experiência no curso de Dédéyan. Havia 150 pessoas na primeira aula e três na segunda",[15] conta Philippe Hamon que, como muitos de sua geração, também optou pela linguística em meados dos anos 1960: "Era a primeira vez que uma ciência chamada humana podia atingir uma espécie de rigor; era um discurso claro, demonstrável, reiterável, reproduzível".[16] Essa insatisfação diante dos estudos literários também é intensamente sentida por Élisabeth Roudinesco, que inicia em 1964 os seus estudos de letras na Sorbonne. Depara-se logo com o fato de que os seus centros de interesse não encontram nenhum prolongamento no ensino que ela recebe: "Quando se estava em letras, a linha divisória

12 Marina Yaguello, entrevista com o autor.
13 Françoise Gadet, entrevista com o autor.
14 Ibidem.
15 Philippe Hamon, entrevista com o autor.
16 Ibidem.

era: já leu o último Barthes? Havia dois campos. Por outro lado, só nos ensinavam bobagens".[17] Havia, pois, nos departamentos de letras da Sorbonne, um corte muito acentuado entre duas linguagens, dois tipos de centro de interesse, um fosso crescente entre os docentes e seu público discente, fonte de muitas frustrações mas também de acumulação de pólvora que não tardará a explodir. Esse estado de insatisfação, aliás, não afeta somente os estudantes de literatura; é também compartilhado pelos de filosofia: "A Sorbonne é o vazio absoluto", conta François Ewald,[18] insatisfeito com os seus professores da época, com Raymond Aron, que opunha um sorriso sardônico e altivo à *Crítica da razão dialética*, de Jean-Paul Sartre.

O sentimento de um vazio sideral é de tal monta que François Ewald chega até a conceber, com um amigo, François George, o projeto, que não se concretizará, de lançar *Les Cahiers pour l'Épochè*, tomando por modelo os *Cahiers pour l'Analyse*. Eles deveriam traduzir um sentimento de fim da história, a expressão de um mundo crepuscular que corresponde inteiramente à nova sensibilidade estruturalista com a qual ele se relaciona rapidamente, visto que conhece o pessoal de Ulm dos *Cahiers pour l'Analyse* e assiste na Sorbonne às aulas de um deles, Jacques-Alain Miller, assim como aos seminários de Lacan: "A esse respeito, posso me considerar um filho do estruturalismo. Fui criado lendo Bachelard, Canguilhem, a epistemologia francesa".[19]

O dinamismo das ciências sociais, sua verdadeira explosão nesses anos 1960 respondem, portanto, a uma expectativa profunda. Deve-se por isso discernir no fenômeno de captação de que as ciências sociais serão objeto, por parte de homens de letras, de historiadores e filósofos, a expressão de uma crise infantil de crescimento de ciências sôfregas de institucionalização, procurando assim, graças a uma indumentária mais a rigor, dar provas de uma pretensa maturidade? "Eu diria antes tratar-se de doença senil das ciências sociais, pois não vejo no que seriam elas arautos de um novo tempo", responde Roger-Pol Droit,[20] que viu na ambição estruturalista o ponto culminante de um

---

17 Élisabeth Roudinesco, entrevista com o autor.
18 François Ewald, entrevista com o autor.
19 Ibidem.
20 Roger-Pol Droit, entrevista com o autor.

durkheimismo explorado pela sociologia e pela antropologia, mas que só tardiamente viria a encontrar, na linguística dos anos 1930, com um quarto de século de atraso, um instrumento de objetivação: "Trata-se antes, pois, de uma história tardia na qual as ciências sociais talvez tenham encontrado algo que lhes serviu como expressão de sua modernidade".[21] Não há dúvida de que se pode relacionar esse desejo de renovação com uma exigência durkheimiana mais antiga; entretanto, posto que essa tradição conhecera apenas um êxito parcial, o seu programa renovado pela linguística apresenta-se como a bandeira da modernização em face de uma Sorbonne que permaneceu essencialmente insensível à mudança.

Os focos da modernidade

No decorrer dos anos 1960, assiste-se a certa efervescência como estratégia de transbordamento da instituição central universitária. A inovação parte da periferia, contorna Paris pela província, ou implanta-se em bolsões marginais da capital: "Essa universidade é incapaz de fazer alguma coisa de novo em seu seio".[22] O filósofo Cournot já constatava, durante o Segundo Império, que a França tinha sido dotada de uma universidade florescente até a Renascença, da qual esteve a ponto de surgir a reforma que finalmente acarretou o desenvolvimento das universidades do norte da Europa. Depois, para sacudir a rotina do *Homo academicus*, tornou-se necessário ir criticando uma sucessão de novas instituições: o Collège de France, as Escolas Normais Superiores, o Instituto de Altos Estudos, o Conselho Nacional de Investigação Científica... O que se produz nos anos 1960 retoma, pois, essa herança que obriga a fazer a revolução para chegar à reforma do sistema. Mesmo no apogeu do paradigma estruturalista, o ruído orquestrado pelas estruturas editoriais, revistas e pela imprensa em geral não deve fazer esquecer que a instituição tradicional continua ocupando a

21 Ibidem.
22 Sylvain Auroux, entrevista com o autor.

posição central de legitimidade: "O estruturalismo jamais predominou, seria errôneo afirmá-lo, e em particular na esfera literária".[23]

Toda uma pesquisa em ruptura, entretanto, encontrará quadros institucionais a fim de que um intenso trabalho em comum conheça uma nova orientação. Substitui-se cada vez mais radicalmente a investigação da gênese pela estruturalidade do texto, a noção da obra pela noção de função, e reata-se na análise literária a perspectiva dos formalistas russos em torno do conceito de imanência. Um mesmo programa reagrupa diversas pesquisas que têm em comum o fato de se apoiarem no modelo linguístico para destituir o papel considerado até então o mais importante do sujeito criador, mas também, ao mesmo tempo, para conceber a primazia à totalidade estrutural do texto, cuja racionalidade interna deve escapar à subjetividade do autor, uma vez que se enuncia sem que este o perceba. A função crítica, em nome da lógica ou da estética, tende a fundir-se num intento essencialmente descritivo da obra literária, no sentido do relacionamento dos diversos níveis de semelhança e de oposição, ou seja, um trabalho propriamente linguístico. O decênio que começa em 1960 é, pois, um momento de ebulição especialmente intenso na França, "onde se descobre com fascinação o modelo linguístico (principalmente estruturalista) e seu esforço metodológico".[24]

Um dos focos dessa renovação estruturalista é Estrasburgo, e tem por articulador um professor de filologia românica, Georges Straka. Amigo de Greimas, publica sobretudo trabalhos de semiótica numa revista com a tiragem de mil exemplares distribuídos por Klincksieck: *Les travaux de linguistique et de littérature (Tralili)*, fundada em 1963. Straka organiza colóquios, reúne linguistas franceses e estrangeiros em Estrasburgo e divulga suas pesquisas graças ao apoio editorial de Klincksieck e ao poder de irradiação de uma universidade, a de Estrasburgo, que já em 1929 assistia à grande revolução historiográfica dos *Annales*.

O outro foco de inovações, de convergências, é a faculdade de Besançon. As razões da vitalidade desse centro universitário são inteiramente contingentes; resultam simplesmente do fato de que os mais jovens são chamados a pegar no bordão de peregrinos para chegar a uma universidade excêntrica, e Besançon representa um lugar particularmente

---

23 Gérard Genette, entrevista com o autor.

24 Hamon, *Les sciences du langage en France au XX*[e] *siècle*, p.289.

longínquo, insulado. É lá que se encontrarão jovens pesquisadores condenados a trabalhar juntos: Bernard Quémada, Georges Matoré, Henri Mitterand, Louis Hay... A orientação é aqui deliberadamente interdisciplinar, são construídas pontes entre os professores das faculdades de letras e de ciências a fim de iniciar a aplicação dos métodos de laboratório nas ciências humanas: "O diálogo interdisciplinar fazia-se por toda parte, no trem, nos restaurantes. Henri Mitterand, que sempre teve um espírito prático, dizia que se deveria publicar *Les Cahiers du Rapide 59*, cujo nível seria muito superior ao da maioria das revistas institucionalizadas".[25] Havia uma avidez em aprender, uma sofreguidão em aderir à modernidade, próprias de uma jovem geração entusiasta nesse centro de intercâmbio de Besançon: "O que despertava o nosso interesse eram todas as novidades que estavam chegando".[26] As obras de Barthes, Greimas, Lévi-Strauss recebem nesse lugar um acolhimento especialmente entusiástico, nessa época de alta tensão intelectual. A par do germanista Louis Hay, há nessa jovem universidade o gramático e filólogo Henri Mitterand, que se lembra como de um momento capital do aparecimento da tese de Jean Dubois, *Le vocabulaire politique et social en France de 1849 a 1872* (Larousse, 1962). Essa tese incitava uma geração inteira a procurar um paralelo, uma correspondência entre as estruturas do discurso, para além das estruturas de classes e das estruturas de vocabulário. O dinamismo de Besançon permite que essa universidade saia da situação de enclave isolado e, antes de converter-se num centro de emigração intelectual, seja um polo de reunião em que parisienses e estrangeiros, toda uma parentela intelectual, escondem-se e, desse modo, superam a dispersão geográfica existente entre um Jean-Claude Chevalier que estava em Lille, Jean Dubois em Rouen e depois Paris, Greimas em Poitiers...

É evidente que são grandes as nuanças entre as pesquisas de cada um. Barthes, a grande referência da época, interessava-se mais pelo funcionamento dos códigos em jogo numa obra, ao passo que Greimas tinha por objetivo encontrar por trás do texto a sistemática que ordena o modo de funcionamento do espírito humano. Mas além das diferenças, havia esse "posicionamento do crítico como explorador da

25 Louis Hay, entrevista com o autor.
26 Ibidem.

imanência",[27] noção criada por Knid Togeby, discípulo de Hjelmslev e professor em Copenhague. Togeby tinha publicado, em 1965, *Les structures immanentes de la langue française*, e o termo tornou-se rapidamente o polo de convergência da jovem geração da nova crítica.

Decididamente, o leste da França está em festa e o vento sopra com força, pois Nancy se torna também, a partir de 1960, um centro dinâmico de pesquisa, com a criação por Bernard Pottier de uma sociedade de tradução simultânea que atrai, desde 1961, num colóquio consagrado a esse tema, cientistas e linguistas. Esse ramo da análise da linguagem converterá à linguística muitos cientistas profissionais. Foi o caso, no começo dos anos 1960, de Maurice Gross, engenheiro do Laboratório Central do Armamento, servindo no Centro de Cálculo: "Eu não tinha a menor ideia do que era um linguista. Nem mesmo sabia que isso existia".[28] A tradução simultânea permite ao engenheiro Maurice Gross tornar-se linguista e partir em outubro de 1961 para Harvard, onde trava conhecimento com Noam Chomsky. O período é propício aos grupos de trabalho, a uma certa dispersão dos polos de pesquisa, os quais tentam preencher na periferia a ausência de um centro.

Nesse começo dos anos 1960, o Partido Comunista Francês ainda é uma força política influente e são numerosos os intelectuais que militam em suas fileiras ou se contentam com o papel de companheiros de estrada. Ora, um linguista comunista importante, Marcel Cohen, anima todo um grupo de pesquisa marxista no qual se encontra boa parte dos linguistas estruturalistas. Esse grupo reúne-se regularmente nas casas de uns e de outros, e em redor de Marcel Cohen vamos encontrar Jean Dubois, Antoine Culioli, Henri Mitterand, André-Georges Haudricourt... Mas não tardou muito para que tanto a evolução política quanto a concepção considerada restritiva demais do trabalho linguístico de Marcel Cohen provocassem uma diáspora dos veteranos do grupo de pesquisa marxista: "Cohen tinha uma ideia do marxismo que era sociológica e durkheimiana. [...] Os americanos sempre foram mal vistos por Marcel Cohen".[29] Quanto a André-Georges Haudricourt, sem deixar de

27 Henri Mitterand, entrevista com o autor.

28 Gross, em Chevalier; Encrevé, La création de revues dans les années soixante, *Langue française*, n.63, p.91, set. 1984.

29 Jean Dubois, ibidem.

reconhecer a importância desse grupo, ele sublinha o caráter sectário de Cohen: "O bravo Cohen era muito totalitário; para ele havia o partido e os outros".[30] As curiosidades do grupo orientaram-se para os formalistas russos dos anos 1920, a linguística soviética, a de Vinagrado, na perspectiva de construção de uma sociologia da linguagem que não se coaduna com a ambição estruturalista. Daí seu desaparecimento bastante rápido, apesar do seu papel importante como lugar de frutuosos encontros.

Uma crescente efervescência

Essa ebulição multiforme, verdadeira explosão de curiosidades, nem sempre encontra a possibilidade de exprimir-se na oficial Sociedade de Linguística de Paris (SLP). Ela necessita de outros canais de expressão, e é para responder a essa expectativa que se constitui em 1960 a Sociedade de Estudos da Língua Francesa (Self), em Paris, criada por três ouvintes do curso de Robert-Léon Wagner: Jean-Claude Chevalier, Jean Dubois e Henri Mitterand. Professor nos Hautes Études, Robert-Léon Wagner desempenhou um papel decisivo na difusão da linguística estrutural na França. Medievalista, formado na escola filosófica, foi o primeiro a divulgar Benveniste, Jakobson e Hjelmslev em seus seminários: "Ele desempenhou um papel seminal".[31]

A Self nasceu do encontro de uma necessidade e em reação a um comentário sarcástico de Riffaterre, pesquisador nos Estados Unidos, muito decepcionado diante da biblioteca pessoal de Jean-Claude Chevalier. Este último decide então constituir um pequeno grupo para conhecimento comum de suas descobertas. O grupo reunia-se mensalmente para ouvir as exposições feitas por semânticos como Greimas, lexicólogos como Guilbert ou Dubois, sintaticistas como Chevalier ou estilistas como Meschonnic, e os artigos eram publicados pouco depois. Ora, esse "comitê de salvação pública entre compadres"[32] não tardará a

30 André-Georges Haudricourt, entrevista com o autor.
31 Henri Mitterand, entrevista com o autor.
32 Ibidem.

ganhar amplitude. Se desapareceu em 1968, não foi em virtude de um balanço de fracassos mas, pelo contrário, porque o papel de catalisador que tinha desempenhado era uma fase superada pela amplitude que o movimento adquirira.

Entre os outros agrupamentos de meados dos anos 1960, cumpre mencionar o papel do Ensino para a Pesquisa em Antropologia Social (Epras), do Institute de Hautes Études, no qual Greimas criou em 1966, para dois-três anos, o ensino experimental do terceiro ciclo, auxiliado por Oswald Ducrot e Christian Metz, e a criação em 1964 da Association Internacionale de Linguistique Appliquée (Aila), cujos seminários reuniram até duzentas pessoas: "O seminário de Nancy em 1967 veiculava multidões de investigadores. A futura equipe de Vincennes também aí está quase inteira".[33]

Outro viveiro de renovação era a sexta seção de École Pratique des Hautes Études (Ephe), com destaque para o seminário de Roland Barthes, que fazia em 1964 um curso sobre a cozinha. Fora nomeado em 1962 diretor de estudos de uma pesquisa que se intitulava "Sociologie et sémiologie des signes et des symboles": Além da atividade particularmente transbordante dos homens de letras, a obra de Lévi-Strauss desempenha também seu papel estimulante de propulsora de novas interrogações.

A publicação de *Anthropologie structurale* em 1958 teve uma tríplice incidência sobre esse meio literário em ebulição:[34] a fecundidade do modelo fonológico numa das disciplinas das ciências humanas, a leitura acrônica do mito de Édipo e a fórmula transformacional do mito. Dois anos mais tarde, em 1960, Lévi-Strauss intervém diretamente no campo literário com um artigo polêmico e de enorme repercussão sobre "La morphologie du conte de Vladimir Propp".[35] E em 1962 publica o seu famoso estudo do soneto "Os gatos", de Baudelaire, escrito em colaboração com Roman Jakobson, em que eles mostram que o soneto é inteiramente comandado pelas possibilidades fonéticas de que dispunha Baudelaire.[36] Essas incursões de Lévi-Strauss no campo literário revelam a capacidade do método para dar conta de um vasto domínio

---

33 Chevalier; Encrevé, La création de revues dans les années soixante, p.97.

34 Hamon, Littérature. In: *Les sciences du langage en France au XXe siècle*, p.289.

35 Lévi-Strauss, La structure et la forme, *Cahiers de l'ISEA*, n.99, mar. 1960, série M, n.7.

36 Lévi-Strauss; Jakobson, *L'Homme*, v.II, n.1, jan.-abr. 1962.

em nome de uma semiologia geral: elas são outras tantas confirmações, para os homens de letras recém-convertidos à linguística, da cientificidade e das promessas de seu programa.

Nesse mesmo ano de 1962, uma outra obra corrobora a orientação imanentista dos inovadores literários. Trata-se de *Forme et signification*, de Jean Rousset, que coloca em epígrafe da obra, como subtítulo, o conceito de estrutura.[37] Na esteira do pensamento e da escritura de Paul Valéry, que se tornará a principal referência literária de uma nova estética, Jean Rousset retoma o conceito segundo o qual a forma é fecunda em ideias: "É a estrutura da obra que é inventora".[38] Jean Rousset inscreve o seu trabalho crítico à margem de todo julgamento subjetivo da obra, para dedicar-se melhor a identificar as estruturas formais. Seus ensinamentos, que figurarão em lugar de destaque no programa do estruturalismo literário, não foram tomados da linguística, mas de uma crítica literária e de uma reflexão sobre a retórica renovadas: Léo Spitzer, Gaetan Picon... Recorreu aos estudos sobre a estilística alemã de Léo Spitzer para formular uma das grandes ideias do estruturalismo em literatura nos anos 1960: o fato de se estudar uma obra isolada considerada como um organismo completo, apreendido em sua coerência interna, autossuficiente: "*Madame Bovary* constitui um organismo independente, um absoluto, um conjunto que se compreende e se elucida por si mesmo".[39]

Jean Rousset rompe com uma crítica que se coloca além da obra, mediante uma dissolução desta em sua contextualidade e em sua gênese, a tal ponto que tudo ali está salvo, menos a própria obra. Essa restituição da literalidade da obra será firmemente reivindicada contra os defensores da história literária tradicional. As armas dessa nova crítica serão procuradas, em primeiro lugar, do lado da psicanálise junguiana, dos arquétipos e do imaginário do autor, inspirando-se amplamente nas instituições de Gaston Bachelard, em seguida do lado da crítica temática com Jean-Pierre Richard e, finalmente, do lado de uma sistematização da reflexão sobre a temporalidade em Georges Poulet. Essa nova crítica, num segundo tempo, procurará na linguística as armas que lhe permitirão orgulhar-se de um programa científico e rigoroso.

---

37 Rousset, *Forme et signification*.

38 Ibidem, ed. de 1986, p.VII.

39 Ibidem, p.XX.

23

1964

A ABERTURA PARA A AVENTURA SEMIOLÓGICA

O ano de 1964 tem início com uma ruptura do domínio monolítico da Sorbonne. A ebulição marginal, periférica, arrebata a sua primeira vitória, possibilitada graças à progressão espetacular em meados da década de 1960 do número de estudantes de letras e ciências humanas, efeito do *baby boom*.

Foi nesse ano de 1964 que se criou a Universidade de Nanterre, ocasião para que um bom número desses inovadores ocupasse uma posição universitária às portas de Paris. Os linguistas Bernard Pottier e Jean Dubois penetram então no coração da própria instituição. É o esboço de um deslocamento, cada vez mais acentuado, dos lugares periféricos, como a École Pratique des Hautes Études (Ephe), para as faculdades de letras. Já perceptível em Estrasburgo e Besançon, o fenômeno ganha, evidentemente, uma amplitude muito maior na região parisiense. É também o momento inicial de inserção institucional de uma linguística geral que já não está mais subordinada a este ou àquele departamento de língua ou filologia tradicional. Esse êxito permite ampliar consideravelmente o leitorado público de uma linguística que se apresenta então como a preocupação comum de todos aqueles que se ocupam da linguagem, suscetível de conquistar, portanto, uma enorme audiência, para além do campo estreito dos especialistas da linguística.

Jean Dubois desempenhará um papel importante, sobretudo por desfrutar do prestígio de funções triplas: editor na Larousse, professor titular numa universidade parisiense e eleito para as comissões de nomeação do Centre National de la Recherche Scientifique (CNRS), uma posição que lhe permitiu multiplicar os contatos com Louis Guilbert, Robert-Léon Wagner, Algirdas-Julien Greimas, Bernard Quémada... Pode assim dirigir trabalhos de pesquisa, nomear para o departamento de linguística de Nanterre e conceder títulos a toda uma geração de linguistas franceses. Por outro lado, está em estreita relação de amizade com Roland Barthes, que conhecera seu irmão, Claude Dubois, no sanatório. Para além das divergências políticas ou de formação – Bernard Pottier era de direita e hispanizante, ao passo que Dubois era do PCF e afrancesador –, um sentimento de pertencimento a uma comunidade de linguistas estruturais sobrepunha-se a tudo: "Um dia, Pottier vem procurar-nos dizendo: 'Venham ajudar-nos, Martinet está em perigo na Sorbonne'. Partimos, Dubois e eu, para salvá-lo".[1]

Jean Dubois dirigia equipes dinâmicas de pesquisa em que se encontram linguistas como Claudine Normand, Jean-Baptiste Marcellesi, Denise Maldidier... e conseguiu converter à linguística especialistas de outras disciplinas. É o caso de Joseph Sumpf, que ele recruta como assistente em Nanterre em 1967, no departamento de linguística, para lecionar sociolinguística. Ele trabalhava em sociologia da educação no CNRS, desde 1963, e no Centre d'Études Sociologiques, no qual estava sob a direção de Liliane Isambert. Assistia então ao seminário de Pierre Naville, no qual se discutia a necessidade de formalização para ter acesso à noção de estrutura. Junto com os sociólogos, esse seminário era também frequentado por antropólogos como Claude Meillassoux e Colette Piot: "A noção de formalização em Naville é tributária de Saussure e Piaget, mas não se pode dizer que fosse essa a sua preocupação dominante".[2]

O tema de pesquisa de Joseph Sumpf era estudar a função do curso de filosofia no sistema escolar francês. Nessa perspectiva, ele reuniu todo um *corpus* constituído por uma boa soma de entrevistas e de cópias, e visita Jean Dubois para saber como analisar esse material: "Jean Dubois introduziu-me na linguística, a de Harris, e foi nessa base

1 Joseph Sumpf, entrevista com o autor.
2 Ibidem.

que me recrutou para Nanterre".[3] O estruturalismo é aí definido como tentativa particular de analisar a massa de documentos, o conjunto de signos, o conjunto de traços a partir dos quais se deverá encontrar uma coerência interna.

É o que Michel Foucault qualifica em 1965, perante uma plateia de tunisianos, de "deixologia", uma análise das limitações internas de um documento como tal: "Trata-se de encontrar o sistema de determinação do documento como documento".[4] Essa "deixologia" como nível essencial das práticas humanas alicerça "a importância metodológica, a importância epistemológica e a importância filosófica do estruturalismo".[5] Uma das características dessa revolução é o questionamento do corte tradicional entre o que depende da obra literária, classificada e consagrada pela crítica, por um lado, e o restante dos fatos de escritura, por outro. Toda impressão é levada em conta numa relação que faz dela um documento completo. A obra dessacralizada é tão somente um fato linguístico, simples caso de escritura ao qual se acrescenta mais outro fato de escritura. Em tal economia discursiva, as fronteiras entre disciplinas se dissipam para dar lugar à análise propriamente linguística. Esta, ao reconhecer os princípios básicos do saussurismo, faz valer a análise literária em sua sincronia, em detrimento de uma abordagem temporal. A obra deixa de ser entendida como expressão de seu tempo, passando a ser agora fragmento de espaço na lógica interna do seu modo de funcionamento. Essa lógica já não se revela a partir de relações de causalidades exógenas, contextuais, mas a partir de um campo de relações de contiguidade, sintagmáticas ou paradigmáticas, que não mais envolvem relações de causalidade, mas a simples comunicação de diversos códigos em torno de um certo número de polos.

3 Ibidem.

4 Foucault, Le structuralisme et l'analyse, em *Mission culturelle française Information*, embaixada da França na Tunísia, 10 abr.-10 maio 1987 (1965), registros inéditos de duas conferências de Foucault no Clube Tahar Haddad, p.11, Centre Michel Foucault, Biblioteca de Saulchoir.

5 Ibidem, p.31.

Communications 4: um manifesto semiológico

A difusão do modelo de linguística estrutural no campo literário é apresentada como programa futuro nesse ano de 1964, no número 4 da revista *Communications*. Foi nessa oportunidade que Tzvetan Todorov escreveu o seu primeiro artigo em francês: "La description de la signification en littérature". O autor elabora aí uma estratigrafia dos níveis de análise e identifica a distribuição fonemática, sobre a qual o nível do conteúdo não intervém, o plano gramatical, que ele define como o da forma do conteúdo e que desempenha um papel decisivo para a significação em literatura; quanto ao nível da substância do conteúdo, depende da semântica. A abordagem pretende ser radicalmente formalista, e se Todorov reconhece na literatura indícios de outros sistemas significativos que derivam da vida social ou nacional, "o estudo desses sistemas permanece, como é evidente, fora da análise literária propriamente dita".[6]

Por seu lado, Claude Brémond interroga-se acerca das promessas e dos limites da análise formal, a partir do caso concreto da obra de Vladimir Propp, *La morphologie des contes populaires*. Apoiando-se em Propp, ele defende os fundamentos de uma semiologia autônoma da narrativa, que deve substituir os métodos tradicionais de análise de conteúdo. A partir de um *corpus* de uma centena de contos russos, Vladimir Propp tinha transcrito cada conto na base de uma lista de 31 funções que permitem, segundo ele, elaborar um relato exaustivo das ações da totalidade dos contos do *corpus* estudado. Claude Brémond defende o método de análise formal em seu desígnio descritivo contra os princípios defendidos pelos historiadores tradicionais da literatura: "Em sua obsessão de resolver as questões de filiação genética, eles esquecem que Darwin só é possível depois de Linné".[7]

O método de Propp é particularmente sugestivo para Claude Brémond, que se obstina em pensar quais seriam as condições adequadas para sua generalização. Entretanto, retoma por conta própria uma parte das críticas formuladas em 1962 por Lévi-Strauss, e repudia o postulado final de Propp; esse postulado leva-o, é certo, a uma modelização

6 Todorov, La description de la signification en littérature, *Communications*, n.4, p.36, 1964.

7 Brémond, Le message narratif, *Communications*, n.4, p.5, 1964.

mais acabada do material estudado, mas ao elevado custo do sacrifício das partes ao todo, em virtude da redução dos motivos do conto à sua função invariante. Claude Brémond preconiza uma diferenciação das escolas de análise para uma abordagem metódica da narração: por um lado, o trabalho classificatório, o do estudo comparativo das diversas formas de narratividade; por outro, o relacionamento, não das formas entre si, mas da "camada narrativa de uma mensagem com as outras camadas de significação".[8]

É nesse mesmo número de *Communications* que está publicado o estudo de Roland Barthes, "Les éléments de sémiologie", que é a tradução de um seminário por ele organizado na sexta seção da École Pratique des Hautes Études (Ephe). Esse estudo destina-se a um público mais vasto de pesquisadores. Portanto, muda de *status* e apresenta-se como manifesto para uma nova ciência: a semiologia. Essa apresentação teórica oferece-se, aliás, como enquadramento das investigações do próprio Barthes, já que ele está redigindo ao mesmo tempo *Le système de la mode*. É o momento em que Barthes conhece uma verdadeira "embriaguez metodológica"[9] e abandona sua própria atividade de escritura em proveito de uma pesquisa que pretende ser obra científica. Nessa tensão entre o semiólogo e o escritor, Roland Barthes está, nesse momento, no ápice da negação de sua natureza de escritor, de sua subjetividade, sacrificada em nome da ciência: "Há duas fases em Roland Barthes. Na primeira, ele acreditava na necessidade e possibilidade de fazer uma ciência do homem. Da mesma maneira que as ciências da natureza tinham sido constituídas no século XIX, o século XX não seria o das ciências do homem?".[10]

"Les éléments de sémiologie", publicados em *Communications* n.4, oferecem uma exposição didática que apresenta os ensinamentos saussurianos e hjelmslevianos em vista da construção dessa ciência nova. Barthes retoma os pares saussurianos de língua/fala, significante/significado, sintagma/sistema e inscreve-se numa estrita ortodoxia estruturalista a partir desse ponto de vista. Ele acrescenta a essas dicotomias a redistribuição hjelmsleviana dos termos saussurianos, ou seja,

---

8 Ibidem, p.31.

9 Barthes, *Océaniques*, FR3, 27 jan. 1988 (entrevista: 1970).

10 Algirdas-Julien Greimas, entrevista com o autor.

a repartição em três planos distintos: o esquema (a língua no sentido saussuriano), a norma (a língua como forma material) e o uso (a língua como conjunto de hábitos de uma dada sociedade). Essa trilogia permite a Hjelmslev formalizar radicalmente o conceito de língua e substituir o par saussuriano língua/fala pelo par esquema/uso.

Barthes retém dessa resolução linguística seu valor geral para a construção de uma ciência nova e, a esse respeito, inverte o sentido da proposição saussuriana de uma semiologia como horizonte do desenvolvimento da linguística. Pelo contrário, ele define o programa de uma semiologia como subconjunto da linguística[11] e, para mostrar bem a eficácia desta, convoca todos os esforços realizados nas diversas disciplinas. Essa ciência futura, a construir, a semiologia, apresenta-se como a ciência por excelência da sociedade, pelo que ela significa: "É evidente o alcance sociológico do conceito língua/fala".[12]

Barthes, entretanto, não vê os primeiros sinais positivos de realização da semiologia na sociologia, que permanece avessa à noção de imanência, mas os vê, antes, na história praticada pelos *Annales*, sob a égide de Fernand Braudel, com sua distinção acontecimento/estrutura, na antropologia de Lévi-Strauss, que retomou a postulação saussuriana do caráter inconsciente da língua, e na psicanálise de Lacan, "para quem o próprio desejo é articulado como um sistema de significação".[13] A semantização universal dos usos engendra um real que se define como o que é inteligível. A sociologia identifica-se então com uma sócio-lógica, e a significação resulta do processo que une significante e significado, seja em sua versão saussuriana ou em sua versão hjelmsleviana.

Nessa semiologia a construir, Barthes atribui a quatro disciplinas um papel dinamizador: "Economia, linguística, etnologia e história formam atualmente um quadrívio de ciências-piloto".[14] A semiologia deve traçar suas linhas de fronteira, seus limites; ela se organizará em torno do princípio de pertinência, a saber, o campo de significação dos objetos analisados em si mesmos, a partir de uma situação de imanência.

11 Barthes, *Le système de la mode*, p.9.
12 Idem, Éléments de sémiologie, *Communications*, n.4, 1964.
13 Idem, *L'aventure sémiologique*, p.29.
14 Ibidem, p.51.

Assim, o *corpus* deve ser homogêneo e rejeitar, por definição, os outros sistemas, de ordem psicológica, sociológica... A outra orientação dessa ciência será o seu a-historicismo: "O *corpus* deve eliminar ao máximo os elementos diacrônicos; deve coincidir com um estado do sistema, um corte da história".[15] Quanto ao instrumento utilizado nessa busca de sentido, Barthes o encontra essencialmente numa linguística conotativa que retoma a oposição de Hjelmslev entre denotação/conotação, já utilizada antes em *Le mythe aujourd'hui*.

Nesse mesmo ano de 1964, para dar mais peso ao ambicioso projeto de construção de um programa semiológico, R. Barthes reagrupa o essencial de sua atividade de cronista de 1953 a 1963, numa coletânea intitulada *Essais critiques*. Pode-se ler aí uma semiologia em construção, elaborada ao longo de sucessivas tentativas e vacilações, verdadeira bricolagem científica que se concentra, mais do que em seus primeiros trabalhos, sobre uma problemática do signo, alimentada por um certo número de modelos: o binarismo de Jakobson, a análise em termos de posições diferenciais de Trubetzkoy. "Portanto, é entre 1962 e 1963 [...] que ocorre a revolução interna de Barthes".[16]

Barthes define a atividade estruturalista

Nessa coletânea, Barthes define o que ele entende por estruturalismo. Não se pode encerrar o fenômeno numa escola, o que pressuporia uma comunidade de pesquisa e uma solidariedade inexistente em todos esses autores. Como se pode definir, pois, o estruturalismo? "O estruturalismo é essencialmente uma atividade [...]. O objetivo de toda a atividade estruturalista [...] é reconstruir um objeto, de modo a manifestar nessa reconstituição as regras de funcionamento desse objeto. A estrutura é, pois, de fato, um simulacro do objeto".[17] Por conseguinte, existe um horizonte comum a essa atividade, para além da diversidade das disciplinas envolvidas na busca do homem estrutural e da singularidade de

15 Ibidem, p.82.
16 Calvet, *Roland Barthes*, p.83.
17 Barthes, L'activité structuraliste, *Lettres Nouvelles*, 1963.

cada um dos pesquisadores. Esse homem estrutural define-se pelo fato de que produz sentido, e a postura consiste em interessar-se essencialmente pelo ato produtor de sentido, mais do que pelo próprio conteúdo desse ato. Essa atividade estruturalista é encarada como uma "atividade de imitação",[18] mimese estabelecida não sobre uma analogia de substância, mas de função. E Barthes cita como precursoras desse deslocamento, todas a um só tempo, as obras de Claude Lévi-Strauss, Nicolai Troubetzkoy, Georges Dumézil, Vladimir Propp, Gilles-Gaston Granger, Jean-Claude Gardin e Jean-Pierre Richard. Essa atividade permite, por outro lado, ultrapassar a distinção entre obra artística, literária e científica. A esse respeito, Barthes coloca num mesmo plano essa atividade que se serve da linguística para construir uma ciência da estrutura e o *nouveau roman* de Butor, a música de Boulez e a pintura de Mondrian, cujas composições participam do mesmo simulacro do objeto que o trabalho semiológico.

Numa abordagem muito saussuriana, Barthes define o estruturalismo não como uma simples reprodução do mundo tal como ele é, mas como gerador de uma nova categoria que não se reduz nem ao real nem ao racional. A atividade estruturalista remete ao funcional, para o estudo das condições do pensável, daquilo que torna possível o sentido e não o seu conteúdo singular. O sentido é um fato de cultura que tende para a naturalização, e é esse processo que cabe à semiologia decifrar. Esse programa determina uma função radicalmente crítica da ideologia social dominante em seu intento desestabilizador do chamado sentido natural, imutável.

A tarefa do semiólogo não consiste, portanto, em decifrar um sentido subjacente, já presente na obra estudada, mas em expor as exigências de elaboração do sentido, as condições de sua validade. Essa desconstrução da ideologia, do sentido estabelecido, sua pluralização são outras tantas formas de um historicismo radical que se encontra sistematizado em Michel Foucault, combinado com um a-historicismo próprio do postulado sincrônico. O estruturalismo não é uma verdadeira escola para Barthes, mas muito mais do que isso, representa uma verdadeira ruptura na evolução da consciência: "O estruturalismo pode ser definido historicamente como a passagem da consciência

18 Ibidem, p.215.

simbólica para a consciência paradigmática".[19] Essa nova consciência paradigmática manifesta-se pela abordagem comparatista, não a partir de sentidos plenos por sua substância, mas no plano de sua forma. Ora, a ciência por excelência da consciência paradigmática, o modelo dos modelos para Barthes, é a fonologia: "É ela que, por meio da obra de Claude Lévi-Strauss, define o limiar estruturalista".[20]

Vocação crítica

Essa mutação das consciências no decorrer dos anos 1960 não pode ser redutível a um deslocamento entre disciplinas no campo das ciências sociais; ela também é a expressão de um período no qual o intelectual, o escritor, não pode manifestar o seu olhar crítico, a sua revolta, da mesma maneira que o fez no pós-guerra imediato. O objetivo da revolta mudou, já não é mais a ideia de uma subversão global da ordem social. Doravante, a revolta "é verdadeiramente o conjunto, o tecido de todas as nossas evidências, isto é, aquilo a que se poderia chamar de civilização ocidental".[21]

É na desestabilização dos valores ocidentais dominantes, na crítica radical da ideologia pequeno-burguesa, da opinião, da doxa, que se exercerá tanto a crítica barthesiana quanto a do conjunto dos estruturalistas. Essa consciência paradigmática ou do paradoxo, que tem por objetivo abalar a doxa, passa pela consideração e desmontagem interna das lógicas e dos modelos, dos modos de ser e de parecer das construções ideológicas. É, pois, o superego dos raciocínios da racionalidade dominante, o que eles conotam, que será o objeto da crítica, e isso pressupõe um conhecimento rigoroso do modo de funcionamento da linguagem.

Esse ângulo de ataque parece mais eficaz do que a simples rejeição dos valores passados em nome de princípios literários vanguardistas

---

19 Idem, L'imagination du signe, *Arguments*, 1962.
20 Ibidem, p.209.
21 Idem, entrevista com Georges Charbonnier, *France-Culture*, dez. 1967, reapresentação em 21-22 nov. 1988.

que estão destinados a ser rapidamente integrados no sistema vigente: "Toda vanguarda é recuperada com extrema facilidade e rapidez. Em especial na literatura".[22] A sociedade de consumo que se difundiu no decorrer dos anos 1950 tem tamanha capacidade de circulação de mercadorias que nem os bens culturais escapam à sua lei, e jamais o circuito que vai da ruptura radical ao objeto cultural tinha sido tão rápido. A assimilação é o seu mecanismo de autorregulação e "há surrealismo até nas vitrinas de Hermès ou das Galerias Lafayette".[23]

A sociedade tecnicista, de consumo de massa dos bens culturais, torna mais difícil, portanto, e quase ilusória a possibilidade de escapar ao seu domínio para exprimir um grito, uma revolta, uma recusa. É certamente esta uma das razões pelas quais a semiologia, como discurso de vocação científica e crítica, apresentou-se como o refúgio, a zona de liberdade que, na falta de um Rimbaud, de um Bataille ou de um Artaud, permite desmontar os mecanismos da dominação e ocupar assim uma posição inexpugnável de extraterritorialidade, posição do que está situado do lado de fora e age em nome da positividade científica. A subversão da linguagem passa então pela própria linguagem e deve começar por derrubar as divisórias que delimitam as diversas fronteiras entre gêneros: o romance, a poesia, a crítica... Todas essas formas de expressão dependem da textualidade e, portanto, de uma mesma grade de análise, a da consciência paradigmática: "Creio que se trata agora de uma revolta mais profunda que outrora, porque ela tem por objeto, talvez pela primeira vez, o próprio instrumento da revolta, que é a linguagem".[24] Nesse sentido, Barthes sente-se o continuador, por outros meios, da obra do escritor. A tensão que se pode assinalar nele entre o escritor e o semiólogo nunca terá feito desaparecer, portanto, o horizonte literário, mesmo que os seus objetos tenham sido, num dado momento, a cozinha ou o vestuário, e a sua linguagem, a linguagem técnica da linguística. A semiologia apresenta-se como o meio moderno de fazer a literatura da segunda metade do século XX. Em 1964, esse programa suscita um entusiasmo crescente.

---

22 Ibidem.

23 Ibidem.

24 Ibidem.

24

A idade de ouro do pensamento formal

O estruturalismo semiótico apresenta-se simultaneamente como o ramo mais formalizado do estruturalismo, o mais próximo das chamadas ciências "duras", da linguagem matemática; é certamente aquele cuja ambição foi maior, uma vez que, não satisfeita em ser um simples ramo do tronco linguístico, a semiótica – na acepção de Algirdas-Julien Greimas, líder desse programa – deve englobar todo o campo das ciências do homem: "Desde o começo, tive sempre o projeto de uma semiótica que ultrapasse a linguística, a qual não é mais do que uma parte daquela".[1] Nesse aspecto, Greimas permanece fiel à concepção saussuriana, e pensa em reagrupar sob esse emblema tanto a antropologia quanto a semântica, tanto a psicanálise quanto a crítica literária.

A proximidade com os matemáticos e lógicos traduzia-se para certos linguistas no plano institucional pela participação no curso do Instituto Poincaré da Faculdade de Ciências de Paris. É o caso, a partir de 1963, de Antoine Culioli, que aí desenvolve um seminário de linguística formal. Algirdas-Julien Greimas ali leciona, assim como Bernard Pottier, Jean Dubois e Maurice Gross. O seminário de Greimas tem por tema a semântica, domínio considerado até então exterior ao campo tradicional da linguística:

1 Algirdas-Julien Greimas, entrevista com o autor.

> Foi aí que se encontraram, pouco a pouco, Nicolas Ruwet, Oswald Ducrot, Marcel Cohen e, em seguida, Tzvetan Todorov. Havia também um personagem importante, Lucien Sebag, infelizmente morto durante o verão em que planejava realizar um seminário conjunto. Devia estabelecer-se a junção entre a antropologia, a semântica e a psicanálise. Mas ele se suicidou, e isso foi algo que nunca perdoei a Lacan.[2]

A *Sémantique structurale* de Greimas, que foi publicada em 1966, o ano de todos os sucessos estruturalistas, é o resultado, com efeito, do seminário que ele desenvolveu em 1963-1964 no Instituto Poincaré. A insistência com que Greimas defende uma semiótica geral englobando os sistemas de significação culminou na abertura do trabalho linguístico para todos os demais campos. O diálogo de surdos entre os dois mestres da linguística na França, que são Martinet e Greimas, revela claramente uma divergência de orientação: "Quando leio Greimas, perco-me. A semiologia também deriva em todos os sentidos".[3] Martinet, por sua vez, quer circunscrever sua ambição à descrição do funcionamento da língua e impõe, portanto, limites bem precisos ao trabalho linguístico. A isso responde Greimas: "Martinet é um rude camponês que conhece bem o seu campo de trabalho. Quando alguém queria estudar música ou pintura, enviava-o à casa de Martinet, que lhe dizia: 'Estude fonética e volte dentro de um ano'. Perspectiva pouco atraente!".[4]

O Roland Barthes dos *Éléments de sémiologie* está nitidamente situado numa perspectiva greimassiana de semiótica geral, embora tenha institucionalmente precedido seu mestre de Alexandria na sexta seção da École Pratique des Hautes Études (Ephe), na qual promove em 1965 a eleição de Greimas, com a ajuda de Lévi-Strauss. Uma vez diretor de estudos, e após a publicação da *Sémantique structurale*, a semiótica na França começa a dotar-se de bases institucionais graças ao apoio, uma vez mais, de Lévi-Strauss, precursor na elaboração do programa estruturalista e já consolidado em posições de poder.

Em 1966, uma equipe de pesquisa agrupa-se em torno de Greimas, adotando a designação de seção semiolinguística do laboratório

2 Ibidem.

3 André Martinet, entrevista com o autor.

4 Algirdas-Julien Greimas, entrevista com o autor.

de antropologia social da Ephe e do Collège de France, ou seja, ligada a Lévi-Strauss e à sua equipe de antropólogos. Aí se encontram reunidos Oswald Ducrot, Gérard Genette, Tzvetan Todorov, Julia Kristeva, Christian Metz, Jean-Claude Coquet e Yves Gentilhomme.[5] Paralelamente ao trabalho de pesquisa, era ministrado um ensino semiótico de alto nível, apoiando-se em linguística geral, matemáticas, lógica, semântica e gramática.

A semântica estrutural: o greimassismo

Essa semântica estrutural "sempre foi o parente pobre da linguística"[6], se considerarmos as dificuldades particulares da constituição do seu objeto, dos métodos específicos, bem como o fato de seu surgimento tardio em fins do século XIX. Para minimizar essas desvantagens, Greimas implantará a semântica no mais formal de todos os terrenos, o dos lógicos e matemáticos, que formam um grupo "que a linguística não pode deixar de ter na devida conta".[7] O modelo linguístico de que ele se serve para edificar a sua semântica estrutural se encontra no herdeiro mais formalista de Saussure, Hjelmslev: "Disse Claude Lévi-Strauss que lia três páginas do *18 Brumário* de Marx antes de redigir fosse o que fosse. Para mim, são páginas de Hjelmslev".[8]

Recorrendo à noção de descontinuidade das matemáticas, Greimas opõe dois níveis diferentes de análise: o objeto do estudo, a língua, e os instrumentos linguísticos que representam uma metalinguística. Numa perspectiva hjelmsleviana, tudo se situará no nível de duas metalinguagens: a descritiva, na qual as significações são formuladas na língua, e uma linguagem metódica. Sempre de acordo com a perspectiva hjelmsleviana, essa abordagem implica novos instrumentos, novas denominações em relação às distinções saussurianas. Greimas diferencia os femas do significante dos semas do significado, considerando que dependem

5 Coquet, La sémiotique. In: *Les sciences du langage en France au XXe siècle*, p.175.
6 Greimas, *Sémantique structurale*, p.6.
7 Ibidem, p.8.
8 Idem, entrevista com o autor.

de dois planos diferentes: a unidade significante/significado é assim questionada, cindida em dois níveis heterogêneos: "A junção do significado e do significante, uma vez realizada na comunicação, está destinada, portanto, a dissolver-se a partir do instante em que se queira fazer progredir, por muito pouco que seja, a análise de um ou do outro plano da linguagem".[9] A partir dessa unidade mínima distintiva, a do sema, será possível construir lexemas, paralexemas, sintagmas... O conceito de isotopia, extraído também da lógica, deve fazer aparecer a conexão de textos inteiros em níveis semânticos homogêneos que podem ser interpretados como realidades estruturais da manifestação linguística: "O valor dessas técnicas é comparável, para as ciências humanas, à formalização algébrica nas ciências da natureza".[10] Esse modelo deve permitir, portanto, que as ciências do homem atinjam o mesmo grau de cientificidade das chamadas ciências "duras". Para chegar a esse nível, a semântica estrutural deve dissociar-se de toda perspectiva humanista e desfazer-se das instituições, substituídas por procedimentos de verificação. Isso induz a uma normalização da intencionalidade do locutor, ao operar a sua dissolução numa hierarquia de imbricações contextuais.

A outra implicação, já presente em Saussure, mas reforçada com Greimas, é o a-historicismo da *démarche* que procura extrair do real uma realidade estrutural intemporal e organizadora, quaisquer que sejam o conteúdo significado e o quadro contextual: "Temos o direito de supor que o modelo de organização acrônica dos conteúdos, que encontramos assim em domínios muito distanciados uns dos outros, deve possuir um alcance e uma penetração gerais. A sua indiferença pelos conteúdos investidos [...] obriga-nos a considerá-lo um modelo metalinguístico".[11] Desse modo, Greimas pensa ultrapassar a contingência dos eventos da história humana, em proveito de uma história estrutural, desembaraçada de todo e qualquer traço empírico. Nesse projeto semiótico, o mais cientista da fase estruturalista, a terminologia matemática é onipresente e funciona como modelo de rigor: "algoritmo de procedimentos", "regras de formação das equivalências", "regras de conversão" etc. Todo esse procedimento lógico e científico encontra-se,

9 Idem, *Sémantique structurale*, p.31.
10 Ibidem, p.60.
11 Ibidem, p.233.

aliás, nos dois projetos mais próximos desse estruturalismo cientista que são os programas de Lévi-Strauss e de Lacan. A noção de corte, recorrente no paradigma estruturalista, é central na semiótica, uma vez que estabelece a divisão entre duas estruturas dependentes de realidades diferentes, mas "como passar de uma teoria imanente da língua para uma teoria imanente do sentido geral? Dito de outro modo, como do binarismo dos signos inferir o da significação"?.[12]

A resposta a essas questões essenciais nos é fornecida por Claude Brémond,[13] que diferencia duas etapas de análise em Greimas, na sua leitura de Vladimir Propp. O primeiro momento é um momento indutivo a partir do modelo da *Morphologie des contes populaires*, de Propp: "Greimas refletiu sobre a sequência das funções propostas por Propp para extrair dela, e a ideia é meritória, um sistema de oposições de base que esteja melhor estruturado".[14] A contribuição de Greimas terá sido, nesse nível, oferecer um certo número de instrumentos de análise úteis, distinguindo, por exemplo, entre os personagens de Propp, os atores dos actantes a partir de seus respectivos níveis operacionais, o que lhe permite construir um modelo actancial com seis termos, mais performático do que o esquema de sete personagens de Propp.

Mas Greimas não se limita a esse primeiro estágio de elaboração teórica; ele passa rapidamente para uma segunda etapa de abstração, dedutiva, em que postula *a priori* a existência de um princípio transcendente a partir do qual é possível descer os diferentes degraus que conduzem às manifestações concretas, textuais, daquele. Essa abordagem dedutiva define-se em torno de duas noções centrais: o quadrado semiótico que é a unidade elementar de significação e a geração semiótica dos objetos significativos. Para Claude Brémond, esse quadrado é "completamente estéril", e procede, de fato, de uma "ideia mística, de um princípio transcendente".[15] Nada legitima a seus olhos a construção de uma extrapolação a partir do modelo proppiano que serviria de modelo dos modelos para todo texto em geral, depois para todo texto possível escrito e não escrito: "É, em última instância, sobre uma cabeça de

12 Pavel, *Le mirage linguistique*, p.151.

13 Brémond, *Logique du récit*.

14 Idem, entrevista com o autor.

15 Claude Brémond, entrevista com o autor.

alfinete, sobre essa postulação tão simples, que se faz repousar a riqueza do universo inteiro".[16]

Esse quadrado semiótico, reapresentação do quadrado aristotélico – quadrado dos contrários e dos contraditórios –, serve em seguida de matriz para explicar um número indefinido de estruturas narrativas: "É o caso mais flagrante de teoria irrefutável no sentido de Popper".[17] O uso do quadrado, na maioria das vezes, impôs à narrativa, fosse ela fílmica ou textual, uma estrutura de saída que permite retornar sempre à sua base na medida em que se pode colocar o que se quiser nos quatro cantos do quadrado, sem procedimento de verificação: "Quanto a mim, fiquei sempre um pouco escandalizado com o uso do quadrado semiótico. Penso que se tem o direito de utilizá-lo em fim de análise, mas, sobretudo, nunca recorrer a ele no início".[18] O quadrado semiótico permite uma radicalização do distanciamento do mundo empírico, do referente, em proveito de um núcleo de inteligibilidade que se dá como chave principal e invisível de toda realidade significada. O sentido é, nesse caso, diretamente derivado de uma estrutura que lhe é imanente.

Paradoxalmente, esse programa semiótico que se oferecia como o mais englobante, conjunção dos ensinamentos de Propp, da análise dos mitos de Lévi-Strauss e dos *Prolegômenos* de Hjelmslev, não deu os resultados esperados. Pelo contrário, o greimassismo parece ter-se rapidamente fechado em si mesmo, numa abstração cada vez mais confidencial: funcionou como ortodoxia num círculo cada vez mais vazio, mobilizando os meios mais sofisticados de um desdobramento lógico meticuloso para chegar a resultados bem decepcionantes, muitas vezes tautológicos: "Lembro-me de ter sido o relator de uma volumosa tese de um aluno muito conhecido de Greimas sobre o casamento. E concluía que o casamento é uma estrutura binária. De uma certa maneira, isso é verdade, mas é uma conclusão que se analisa forçosamente em mil páginas?".[19] Se o greimassismo não teve um grande destino, Greimas terá sido, pessoalmente, uma das grandes fontes da esperança refletida no entusiasmo estruturalista dos anos 1960: "*Sémantique structurale* foi

16 Ibidem.

17 Jacques Hoaurau, entrevista com o autor.

18 Marc Vernet, entrevista com o autor.

19 Louis Hay, entrevista com o autor.

um livro verdadeiramente genial, pletórico de ideias, um livro-mestre desse período",[20] para Jean-Claude Coquet, que conheceu Greimas na universidade de Poitiers, na qual lecionou com ele durante um ano, o mesmo ano de sua partida.

Quando Greimas sai de Poitiers, deixa aí um discípulo que está preparando um diploma de estudos superiores, cuja orientação confia a Jean-Claude Coquet: "François Rastier estava muito ligado a Greimas, que o considerava seu filho espiritual. Foi Rastier quem me ensinou o que era a semântica estrutural. Foi assim que aprendi a conhecer Greimas e fiquei fascinado por sua habilidade intelectual, por sua força de convicção".[21] A linguística mais ouvida nessa época era a ligada ao sujeito e à história. Greimas aparecia, pois, nesse plano, como o mais radical e mais científico, sucesso que deixou na sombra a diferente orientação da linguística estrutural preconizada por Émile Benveniste. O modelo hjelmsleviano, retomado por Greimas, baseia-se, com efeito, na produção de um texto "normalizado", "objetivado". Para chegar a essa purificação, à apresentação de um objeto científico, Greimas pratica a eliminação de todas as manifestações dialógicas, de todas as formas que se referem a um sujeito (o eu, o tu...). Nesse período, ele obtém, portanto, enunciados canônicos na terceira pessoa. Normaliza também os textos, eliminando neles tudo o que depende do tempo, em proveito de um presente uniforme. O critério para dissociar anterioridade e posterioridade vem a ser retorno vago a um longínquo passado: "Daí o interesse que Greimas tinha pelos contos, pelas narrativas míticas, sobre os quais era mais fácil trabalhar".[22] Mas essa quádrupla negação do eu, do sujeito, do diálogo intersubjetivo, do agora para o tempo e do aqui para o espaço paga-se caro e cai com bastante rapidez no perigo de um empobrecimento da realidade narrativa a explicar, em proveito de uma ontologização da estrutura.

A semiótica será capaz de realizar esse programa unificador das ciências do homem? O seu imperialismo científico é indubitável e a coabitação com um outro empreendimento globalizante, a antropologia estrutural, num mesmo laboratório, será de curta duração.

---

20 Jean-Claude Coquet, entrevista com o autor.

21 Ibidem.

22 Ibidem.

Barthes, semiótico

Nos anos de 1960 a 1964, Greimas tem em Roland Barthes um discípulo que já conquistou importante notoriedade. É a época em que Barthes se alimenta da teoria greimassiana para reprimir sua vocação de escritor, em proveito de um discurso rigoroso e científico. Essencialmente intuitivo, Barthes tem necessidade de racionalizar seus sentimentos e, desse ponto de vista, encontra em Greimas aquele que vai mais longe do que qualquer outro na racionalização. "Nada se compreenderá de Barthes se não se entender que mesmo quando ele parece raciocinar na maior abstração, isso encobre, de fato, escolhas afetivas".[23] O modelo binário saussuriano convém-lhe, pois, como uma luva, porque o seu pensamento é sempre dicotômico. Com efeito, ele opõe um polo valorizado e um desvalorizado; o bom e o mau; o que agrada e o que desagrada; o gosto e o desgosto; o escritor e o escrevente... Mas se virá a dar livre curso à expressão de seus afetos, estes ainda permanecem escondidos no início dos anos 1960, quando ele enuncia os princípios de um programa semiológico próximo das teses de Greimas.

A fase teoricista, cientista, do Barthes dessa época pode também esclarecer-se por uma preocupação de respeitabilidade acadêmica. Mesmo que tenha conseguido realizar com celeridade e brio uma carreira bem-sucedida, ele jamais foi canonizado pelos diplomas universitários tradicionais. Essa busca de reconhecimento fundará nele uma verdadeira ética do trabalho, e por trás da imagem de diletante que os especialistas nos enviam dele, esconde-se um profundo ascetismo consagrado ao trabalho: "Ele era fundamentalmente o contrário de um boêmio, com um regime de vida tipicamente pequeno-burguês e o desejo absoluto de não ser sacudido por eventos inopinados".[24] Nesse início dos anos 1960, Barthes trabalha no que ele teria desejado que fosse a sua tese de Estado, *Le système de la mode*. Na busca de um orientador para a tese, vai à casa de André Martinet, na companhia de Greimas: "Estive a ponto de orientar *Le système de la mode*. Dei-lhe a minha concordância, mas lhe dizendo que não se tratava de linguística".[25] Diante

23 Claude Brémond, entrevista com o autor.

24 Ibidem.

25 André Martinet, entrevista com o autor.

dessa falta de entusiasmo, Barthes foi ver Lévi-Strauss, para pedir-lhe que orientasse o seu trabalho. Greimas volta a acompanhá-lo e aguarda, como um pai ansioso, os resultados da entrevista num botequim vizinho: "Barthes sai do prédio cerca de meia hora depois, dizendo que Lévi-Strauss tinha-se recusado a atender seu pedido".[26] A discordância devia-se ao desenvolvimento demasiado restrito do projeto, visto que, para Lévi-Strauss, o trabalho de Barthes ocupa-se tão somente do sistema da moda escrita e não da moda em geral. Por seu lado, Barthes considerava nada existir de significante nesse domínio fora da escrita. Foi essa discordância que pôs fim às esperanças de consagração universitária de Barthes. Mas o livro saiu pela editora Le Seuil em 1967, fruto de um longo trabalho de 1957 a 1963. Tinha por essa obra um particular apego; atribuía-lhe valor de tese, mesmo que não tivesse recebido esse título: "Revimos três vezes juntos o seu texto, e a cada vez foi remodelado",[27] confia o seu pai espiritual.

Está, portanto, no plano teórico e, ao mesmo tempo, no afetivo a expressão de um tempo forte de suas relações com Greimas. Esse livro ostenta a sua marca e apresenta-se, desde o começo, como uma obra metodológica que se aplica – daí a discordância com Lévi-Strauss – não ao vestuário usado, mas ao falado. Barthes trabalha essencialmente esse sistema da moda como metalinguagem numa perspectiva hjelmsleviana. A passagem do vestuário real ao escrito opera-se por meio de *shifters* (engatadores), noção que Barthes foi buscar em Jakobson, mas num sentido particular, visto que não remete para uma mensagem singular. Esses *shifters* "servem para transpor uma estrutura para outra, para passar, se quiserem, de um código a outro código".[28] Barthes delimita assim três operadores capazes de passar de um código a outro: o *shifter* principal é o "molde de costura", o segundo é o "programa de costura" e a terceira translação é aquela que permite "passar da estrutura icônica à estrutura falada, da representação da vestimenta à sua descrição".[29]

Os pressupostos formalistas de normalização dos usos funcionais da linguagem levaram Barthes a fazer prevalecer o vestuário escrito uma

26 Algirdas-Julien Greimas, entrevista com o autor.
27 Ibidem.
28 Barthes, *Le système de la mode*, p.16.
29 Ibidem, p.17.

vez que é o único a poder dar lugar a um estudo imanente, à margem de toda e qualquer função prática parasitária: "Por essas razões, foi a estrutura verbal que optamos por explorar aqui".[30] Ele define então o seu *corpus*, constituído pelos jornais dos anos de 1958-1959, e inventaria de maneira exaustiva e minuciosa as revistas *Elle* e *Le Jardin des Modes*. Barthes inscreve o seu estudo numa estrita ortodoxia saussuriana, reproduzindo a distinção língua/fala na oposição entre o vestuário-imagem, colocado do lado da fala, portanto impróprio para análise científica, e o vestuário-escrito, que está do lado da língua e é, portanto, objeto possível da ciência.

A base da análise de Barthes situa-se na oposição estabelecida por Hjelmslev: "O problema apresentado pela coincidência de dois sistemas semânticos num só enunciado foi abordado principalmente por Hjelmslev".[31] Ele retoma, portanto, a divisão entre o plano da expressão (E) e o do conteúdo (C), unidos pela relação (R); o que dá lugar a uma análise em vários níveis, o da denotação e o da conotação, o da linguagem-objeto e o plano da metalinguagem. A moda encontra-se num processo de formalização, logo, de dessubstantificação, movimento pelo qual Barthes tem acesso à sua essência. Ela se apresenta como sistema de significantes, atividade classificatória cortada do significado: "A moda procede assim a uma espécie de sacralização imediata do signo: o significado é separado de seu significante".[32] Ela funciona a partir de uma dupla postulação; por uma parte, como sistema naturalista, ela pode se apresentar como sistema lógico. De um lado, a imprensa popular pratica uma moda naturalizada, rica em repetições de fragmentos do mundo transformados em sonhos de uso, e, do outro lado, uma imprensa mais "distinta" prefere praticar a moda pura, livre de todo substrato ideológico. Ao evidenciar, na conclusão desse longo estudo, que o significado pleno representa o significante da alienação, Barthes reencontra conclusões de ordem sociológica sem cair, porém, no perigo do sociologismo. Esse sistema da moda é a tradução de uma semiologia que se caracteriza pela elaboração de uma taxonomia. A novidade reside no desenvolvimento de todo esse esforço para dissolver o sujeito na linguagem.

---

30 Ibidem, p.18.

31 Ibidem, p.38.

32 Ibidem, p.282.

A obra é acolhida com ironia por Jean-François Revel, que ilustra a tese mediante o silogismo seguinte: o rato rói o queijo, ora, rato é um dissílabo, logo, o dissílabo rói o queijo. "A um rato estruturalista, nada é impossível, por certo. Mas o rato escrito pode ainda comer o queijo? Cabe aos sociólogos a tarefa de esclarecer-nos a respeito."[33] Mas, de um modo geral, o acolhimento é muito favorável. Raymond Bellour entrevista Barthes em *Les Lettres Françaises*[34] e Julia Kristeva vê no livro um novo passo dado no sentido da desmistificação, esta endógena, da ciência do signo por si mesma: "O trabalho de Barthes subverte a corrente que domina a ciência moderna, o pensamento do signo".[35]

Julia Kristeva saúda nesse livro de Barthes um questionamento radical de toda metafísica da profundidade e o corte estabelecido entre significante e significado em proveito da relação dos significantes entre eles, o que indica, por outro lado, a leitura que faz Lacan de Saussure, com sua cadeia significante. *Le système de la mode* permite a toda uma geração pensar que o mesmo enfoque poderia ser aplicado a um campo particularmente vasto; se Barthes pôde isolar os vestemas no modo escrita/descrita, por que não desentranhar os gostemas e outras unidades distintivas em todos os níveis das práticas sociais?

Embora Barthes tenha tido, de imediato, uma repercussão espetacular em 1967, quando um verdadeiro fervor coletivo se apossou do seu programa semiológico, o construtor desse programa não tardaria a distanciar-se de seus próprios enunciados e ambições. Deixando Greimas ocupar o terreno da semiótica, Barthes reencontrará bem depressa a sua vocação de escritor, que ele oferece de longe para um estruturalismo que não teria o menor sentido se o seu empreendimento não conseguisse subverter de dentro para fora a linguagem científica: "O prolongamento lógico do estruturalismo não pode ser senão unir-se à literatura, não mais como objeto de análise mas como atividade de escritura. [...] Resta, portanto, ao estruturalista um caminho: transformar-se em escritor".[36] Esse horizonte literário que Barthes faz ressurgir de sua exigência metódica em 1967 pressupõe um outro renascimento

33 Revel, Le rat et la mode, *L'Express*, 22 maio 1967.

34 Bellour, Entretien avec Barthes, *Les Lettres Françaises*, n.1172, 2 mar. 1967.

35 Kristeva, Le sens et la mode, *Critique*, n.247, p.1008, dez. 1967.

36 Barthes, De la science à la littérature, *Times Literary Supplement*.

que se converterá no próprio princípio da escritura barthesiana, o princípio do prazer.

Numa entrevista concedida em 1967 a Georges Charbonnier, Barthes responde à interrogação do seu interlocutor que pergunta se o livro do ano será uma obra matemática, tão grande é a admiração do público pelo pensamento formal, a ponto de não demorar muito para que as ciências humanas se entredevorem; o seu advento estabelecer-se-ia como uma ordem meramente transitória: "A última etapa a transpor é que elas questionem a sua própria linguagem e se convertam, por sua vez, em escritura".[37] Se Barthes não repele o aspecto libertador da formalização generalizada, o banimento triunfante de toda e qualquer referência à insignificância, a conjunção de trabalho e de destino na filiação mallarmeana entre escritura e formalização, ele reconhece, não obstante, que "a escritura literária conserva uma espécie de ilusão referencial que lhe permite ser saborosa".[38] Esse sabor, a escritura como figura do desejo do outro, a erótica da linguagem, não a partir do real, mas da ilusão do referente, toda essa estética da escritura barthesiana já prepara, a partir de 1967, uma mutação radical que desabrochará no Barthes do pós-1968.

A ideologia do rigor

Assim, Hjelmslev inspirou o programa semiótico na França, mas outras influências vieram conjugar-se nessa idade de ouro do pensamento formal. É o caso do espetacular sucesso na França de uma epistemologia particular das matemáticas, o bourbakismo. Ora, a estrutura matemática em Bourbaki apresenta-se sob uma forma antididática, como modo de dissimulação da origem no sentido histórico e empírico do saber matemático: "A lógica da exposição e o contexto da justificação levam a melhor, de uma forma esmagadora, sobre o contexto da descoberta ou o da sondagem exploratória ou da investigação. Toda a dimensão empírica, experimental, das matemáticas é sistematicamente

37 Barthes, entrevistas com Charbonnier, *France-Culture*, dez. 1967.
38 Ibidem.

eliminada em proveito de uma apresentação puramente formalista".[39] Essa nova abordagem terá mesmo por consequência, no plano didático, uma grande reforma no ensino das matemáticas no início da década de 1960, com o que se convencionou chamar as matemáticas modernas, reforma desastrosa que o seu próprio autor repudiou.

Essa ideologia bourbakista contribuiu fortemente, por certo, para forjar a mentalidade e a atividade estruturalistas, o que Pierre Raymond qualifica de ideologia do rigor. O bourbakismo fez com que o edifício matemático se apresentasse como um edifício esplêndido, cujo próprio esplendor afasta e seleciona os indivíduos que são capazes de visitar a catedral: "Onde o encadeamento, a concatenação, o engavetamento das proposições é dado como uma espécie de necessidade sem sujeito, objetiva, cuja tessitura interna cumpre analisar sem que isso signifique ter de se considerar os processos propriamente históricos da descoberta matemática".[40] A fascinação por esse modelo é tipicamente francesa e adere ao *status* atribuído à ciência matemática pelo linguista mais importante para a escola semiótica de Paris, Louis Hjelmslev. A semiótica vê-se desse modo em conivência com o bourbakismo, em sua pesquisa sobre os códigos e mensagens trocados em torno de polos de emissão, numa preocupação de formalizar sempre e cada vez mais os fenômenos de comunicação.

Nesse plano, o outro modelo em que o estruturalismo foi buscar seus conceitos e métodos é o modelo cibernético, que se torna cada vez mais simples, completo e expressivo na comunicação de massa, e que confere suas cartas de nobreza ao programa estruturalista. Esse modelo cibernético oferece um quadro para investigações particularmente vastas, verdadeira encruzilhada interdisciplinar que questiona simultaneamente noções provenientes da álgebra, da lógica, da teoria da informação e da teoria dos jogos.

Ele se oferece, portanto, como ponto possível entre as ciências matemáticas e as ciências humanas, lugar de realização desse ideal comum de inteligibilidade que se encarna no programa semiótico. Há, portanto, osmose entre esse desejo de formalização que encontra na linguagem matemática a própria expressão de um corte com o referente, e

39 Jacques Hoaurau, entrevista com o autor.
40 Ibidem.

o desenvolvimento oriundo do Leste, as pesquisas formalistas em matéria pictórica, musical, literária, arquitetural. Daí resultou a difusão espetacular das obras mais formalizadas: "Era uma época em que se vendia tão bem Lacan e Chomsky quanto San Antonio. Lembro-me de que, quando residia em Puteaux, ia comprar os meus livros na *drugstore* da ponte de Neuilly. Foi lá que comprei *Les idéalités mathématiques* de Desanti, os *Écrits* de Lacan...".[41]

A postulação dessas modelizações formais consiste em apagar toda e qualquer fronteira entre a formalização matemática, lógica, e as ciências do homem. Jean Piaget é particularmente representativo dessa vontade de inscrever a psicologia numa filiação, sem descontinuidade, que mergulha suas raízes na matemática. Para esse efeito, constrói um esquema circular do saber científico que culmina numa concepção unitária, interdependente das diversas ciências unidas por um verdadeiro círculo que permite a ligação entre as matemáticas, física, biologia e psicologia.[42] Houve um verdadeiro fascínio entre os semioticistas pelas formalizações lógicas que eles adaptaram à linguagem. Esse recurso do logicismo, essa transferência de paradigma para o campo da linguística, foi uma tentação tanto maior, visto que os lógicos já se haviam ocupado de problemas relativos à linguagem. Tendo-se desenvolvido toda uma reflexão sobre as operações da linguagem, os conectores e os lógicos tinham a vantagem de haver chegado a uma formalização quase perfeita: "Era grande, portanto, a tentação de procurar adaptar essas formalizações lógicas à linguagem, mas penso que isso é uma espécie de demissão".[43]

Sem afastar a necessidade de formalizar, de modelizar, Oswald Ducrot considera que esse objetivo deve ser realizado a partir de uma conceitualização própria da linguística, que não deve, por exemplo, limitar-se à extração da linguagem do raciocínio em termos de verdadeiro e de falso. Se existe na linguagem uma tendência a construir proposições verdadeiras, a encadeá-las num raciocínio, também existem outras dimensões a considerar, postas de lado pelos lógicos: "Nesse plano, fui

41 Sylvain Auroux, entrevista com o autor.
42 Piaget, *Psychologie et épistémologie*, p.145.
43 Oswald Ducrot, entrevista com o autor.

muito influenciado por um comentário de Antoine Culioli, quando disse um dia: a verdade, não conheço".[44]

A mutação lógica de Lacan

Foi em meados dos anos 1960, em 1965, que em um outro campo, o da psicanálise, o logicismo assumiu o lugar que era ocupado pelo modelo linguístico saussuriano. O texto de Jacques Lacan, "La science et la vérité", ilustra a mutação realizada sob a influência da École Normale Supérieure e de Jacques-Alain Miller. Este último procura reencontrar, a partir de Frege, o conceito de causalidade estrutural proposto por Althusser em sua leitura de Marx, a fim de fornecer uma base de aplicação ao conceito lacaniano de sutura. Gottlob Frege, com sua obra *Les fondements de l'arithmétique* (1884), fundou a lógica simbólica moderna ao criticar o método empirista. A língua simbólica deve dissociar-se de toda referência a um sujeito consciente: "É lógico o que é pensado ou construído fora de toda intuição; é lógico o que é geral ao ponto de pertencer a toda linguagem e de tal modo que não se poderia conceber uma linguagem que estivesse privada disso".[45] Entende-se perfeitamente que Lacan esteja interessado pela obra de um lógico que exclui o sujeito psicológico, ainda que Frege, iniciador de uma filosofia da linguagem, seja mais considerado pelos anglo-saxões.

Segundo Élisabeth Roudinesco, Jacques-Alain Miller, ao articular a concepção fregiana do zero e de seus sucessores com a teoria do significante em Lacan, levou a uma reformulação do lacanismo que tem duas consequências, uma política e uma teórica: "No plano teórico, ela consiste em fazer do lacanismo o modelo por excelência de um freudismo capaz de escapar em si aos ideais da psicologia. [...] No plano político, essa reformulação permite designar adversários qualificados de desviacionistas em relação a uma doutrina que representa a normalização científica em sua singularidade onipotente".[46] Após ter-se apoiado

44 Ibidem.

45 Frege, *Les fondements de l'arithmétique*, p.12.

46 Roudinesco, *Histoire de la psychanalyse en France*, v.2, p.410.

no progresso das ciências humanas para descentrar o sujeito, graças à linguística saussuriana, Lacan radicaliza ainda a sua leitura de Freud, a fim de evitar ver-se transformado em agente de construção das ciências humanas, com os riscos de restabelecer um humanismo do sujeito pleno.

A lógica de Kurt Gödel, com seu teorema da incompletude, permite-lhe apreender a noção de verdade como algo que escapa à formalização integral: "Ele infere que a experiência da dúvida cartesiana marca o ser do sujeito com uma divisão entre o saber e a verdade".[47] Essa mutação lógica anuncia a passagem do egotema [*moi-thème*] ao matema [*mathème*], e encontra-se no ponto de partida das múltiplas manifestações topológicas. Para alguns, essa formalização visa menos à psicanálise em sua prática do que a sua transmissão. Tratar-se-ia, sobretudo, de uma preocupação didática de elaborações metódicas e rigorosas: "É claro que Lacan não utiliza esses objetos como objetos matemáticos. Seu *status* é puramente metafórico".[48] Para outros, a transformação topológica é essencial; ela permite a Lacan reapossar-se da estrutura do sujeito: "Para ele, a estrutura do sujeito é topológica, segundo ele mesmo disse".[49]

Essa estrutura que, durante séculos, acreditou-se ser representada pela figura da esfera, pela completude, depende, com efeito, da a-esfericidade e da incompletude. Dessa concepção do sujeito resultam essas múltiplas manipulações topológicas para revolver a esfera, chanfrá-la, a fim de obter acesso à verdadeira estrutura do sujeito como algo fundamentalmente dividido no interior da topologia dos nós.

Para além de todas as diferenças, Claude Lévi-Strauss, Algirdas-Julien Greimas e Jacques Lacan constituem, em meados da década de 1960, o trio do estruturalismo mais cientista, mais radicalmente voltado para a pesquisa de uma estrutura profunda, escondida, oculta, quer se trate dos âmbitos mentais como estrutura das estruturas para Lévi-Strauss, do quadrado semiótico para Greimas ou da estrutura a-esférica do sujeito de Lacan. São os três pilares do pensamento formal em seu apogeu. Participam de uma só aventura, aquela que se propõe o objetivo de instalar as ciências humanas na cidade das ciências com a mesma base das ciências da natureza.

---

47 Ibidem, v.2, p.413.

48 Joël Dor, entrevista com o autor.

49 Gennie Lemoine, entrevista com o autor.

25

Os grandes duelos

Barthes/Picard

O combate homérico mais revelador das contingências do período, uma vez que opõe a nova crítica à antiga Sorbonne, é o duelo travado entre Roland Barthes e Raymond Picard a propósito do clássico dos clássicos, Racine, convertido em objeto de litígio, de escândalo.

A velha Sorbonne se deixaria despojar de seu patrimônio por aqueles que não estabeleciam nenhuma distinção de valor entre o que se imprime em papel de jornal e as joias da literatura nacional? A provocação era por demais evidente para ficar sem reações: a francesia fora ultrajada. A confrontação situa-se num momento privilegiado, em meados dos anos 1960, num terreno privilegiado, a tragédia, e apresenta dois protagonistas de posições opostas: Raymond Picard, da venerável Sorbonne, e Roland Barthes, falando de uma instituição moderna mas marginal. Todos os ingredientes estão reunidos, portanto, para que o duelo reate os fios das grandes peças racinianas. Esse combate fará história e os campos respectivos o colocarão em evidência para cavar suas trincheiras; será o lugar de implicação, a fonte de identidade dividida de uma história literária exposta, doravante, ao confronto de duas línguas estranhas uma à outra.

Por um lado, é em 1960 que Roland Barthes publica *L'homme racinien* no Clube Francês do Livro e, por outro, um artigo acerca de

Racine que sai nos *Annales*.[1] Mas esses dois estudos e um terceiro sobre o mesmo tema conhecem seu êxito público sobretudo a partir de 1963, quando de sua edição conjunta sob o título de *Sur racine* com o selo da Seuil. Que a nova crítica se ocupe do *nouveau roman*, isso podia ainda ser tolerável do ponto de vista da Sorbonne, mas que se aposse do poeta maior do classicismo, da tradição, para tentar realizar com ele as experiências sulfurosas de sua grade de análise, mistura de métodos linguísticos, de atenção psicanalítica e de ambição antropológica, isso toca as raias do escândalo. Aliás, Barthes acusa frontalmente e sem meias palavras a tradição: "Se se quiser fazer a história literária, é necessário renunciar ao indivíduo Racine".[2]

A publicação do artigo de Barthes nos *Annales* é reveladora da filiação em que ele inscreve a sua abordagem da história literária, recorrendo a Lucien Febvre contra os defensores do positivismo literário. Reinicia por conta própria os combates travados por Lucien Febvre contra a história historicizante, contra o predomínio da descrição de eventos, para defender a dissociação necessária entre o que é história da função literária e o que é história dos criadores de literatura. Para tanto, Barthes retoma as problematizações esboçadas por Lucien Febvre quando formulava o desejo de um estudo do meio no qual se encontra o escritor, em ligação com o seu público e, de um modo mais geral, dos fatos da mentalidade coletiva, aquilo que Febvre chamava de as ferramentas mentais de uma época: "Dito de outro modo, a história literária só é possível se ela se fizer sociológica, se ela se interessar pelas atividades e as instituições, não pelos indivíduos".[3]

Barthes retoma a ideia dos *Annales* sobre a parte ativa do crítico que não pode contentar-se em reunir, coligir documentos, sondar arquivos, sem lhes formular perguntas e submetê-los a novas hipóteses. Da mesma maneira que a história não era somente a do dado para Lucien Febvre, que preconizava uma história-problema, a crítica literária para Barthes deve-se fazer paradoxal, submeter a obra às suas interrogações contemporâneas, e assim participar também da eficácia indefinida da obra literária. Portanto, Barthes submete Racine a uma leitura

1 Barthes, Histoire et littérature: à propos de Racine, *Annales*, p.524-37, maio-jun. 1960.
2 Ibidem, p.157.
3 Ibidem, p.146.

simultaneamente analítica e estruturalista. O autor deixa então de ser objeto de culto para tornar-se terreno e investigação da validade de novas metodologias de enfoque.

O homem raciniano tem sua estrutura investigada por Barthes, a qual se revela em especial por uma dialética minuciosa do espaço, por uma lógica dos lugares. É assim que ele opõe o espaço interior, o do aposento, antro mítico separado da antecâmara – lugar cênico da comunicação – por um objeto trágico (a porta), objeto de transgressão, ao espaço exterior, o qual contém três espaços: o da morte, o da fuga e o do evento: "Em suma, a topografia raciniana é convergente: tudo concorre para o lugar trágico, mas tudo aí se aglutina até formar um todo inextrincável".[4]

A partir dessa topo-lógica, Barthes vê a unidade trágica realizar-se não tanto na singularidade individual dos personagens racinianos quanto na função que define o herói como o encerrado: "Aquele que não pode sair sem morrer: seu limite é seu privilégio; o cativeiro, sua distinção".[5] Essa oposição funcional, binária, que delimita o espaço interior e exterior, também permite a distinção entre dois Eros: o amor enraizado na infância, o amor fraterno, cujas manifestações são aprazíveis, e o Eros-evento, brutal, súbito, de efeitos funestos e devastadores, fonte de alienação que é, segundo Barthes, o verdadeiro tema raciniano: "A desordem raciniana é essencialmente um signo, ou seja, um sinal e uma cominação".[6]

Nesse combate mítico da sombra e da luz que anima os heróis racinianos, desenvolve-se toda uma dialetização da lógica dos lugares em termos de contiguidade e de hierarquia. O herói raciniano deve manifestar-se por sua capacidade para a ruptura; ele nasce de sua infidelidade, advém então como criatura de Deus, produto da luta inexpiável entre o Pai e seu filho. Com precisão, Barthes mostra que Racine substitui a práxis, o evento, que tem lugar fora de cena, pelo logos, a comunicação verbal como fonte da desorganização, o próprio lugar da tragédia que aí se desenrola e se consuma. Barthes reencontra, pois, em Racine, essa autonomização da linguagem que é própria do estruturalismo:

---

4 Barthes, *Sur Racine*, p.13.

5 Ibidem, p.14.

6 Ibidem, p.21.

"A realidade fundamental da tragédia é, portanto, essa fala-ação. Sua função é evidente: mediatizar a Relação de Força".[7]

Essa análise da tragédia raciniana, que mobiliza tanto o binarismo de Jakobson quanto as categorias freudianas, ou ainda o enfoque sincrônico estrutural, provoca uma reação sobremaneira violenta do mais erudito raciniano da Sorbonne, autor de *La carrière de Jean Racine*, editor do *Racine* da Bibliothèque de la Pléiade e grande especialista da obra, Raymond Picard, que publica em 1965 um livro de título significativo, *Nouvelle critique ou nouvelle imposture*. A réplica de Picard situa-se, sobretudo, na excessiva decodificação psicanalítica praticada por Barthes para explicar o teatro raciniano. Picard se apressa em cobrir de novo com um véu pudico os heróis cujas secretas paixões sexuais contrariadas foram desvendadas por Barthes: "Cumpre reler Racine para adquirir a convicção de que, afinal de contas, seus personagens são muito diferentes dos de D. H. Lawrence. [...] Barthes decidiu descobrir uma sexualidade desenfreada".[8] Picard estraçalha o sistematismo da abordagem de Barthes, denuncia sua confissão em que reconhece sua impotência para enunciar a Verdade sobre Racine e, por conseguinte, nega-lhe o direito de dizer seja o que for acerca de um autor no qual não é especialista. Para Picard, Barthes é o "instrumento de uma crítica atrevida"[9] que se enfeita com um jargão pseudocientífico para formular inépcias e absurdos, tudo em nome do saber biológico, psicanalítico, filosófico... Nesse jogo crítico que confunde e baralha as pistas, Picard denuncia a tendência para a generalização, para tomar o caso concreto, singular, por uma categoria de vocação universal. Nesse ritmo de indeterminação modernista, mistura para Picard de impressionismo e de dogmatismo, "pode-se dizer não importa o quê".[10]

Trata-se, pois, de um contra-ataque em regra por parte de um Picard que não era pessoalmente visado pelo estudo de Barthes sobre Racine, mas que se arvora em porta-voz de uma Sorbonne indignada com essa agitação estruturalista e que gostaria muito de ver o ídolo em que Barthes se convertera exposto à execração pública, antes de ser

7 Ibidem, p.60.
8 Picard, *Nouvelle critique ou nouvelle imposture*, p.30-4.
9 Ibidem, p.52.
10 Ibidem, p.66.

liquidado. Barthes, aliás, fica surpreendido com a violência da polêmica travada contra ele: "Não esperava o ataque de Picard. Eu jamais atacara a crítica acadêmica, simplesmente o destacara e mencionara".[11] Atribui esse ataque às condições negativas em que ocorrem os exames universitários nos departamentos de letras. A nova crítica é, a esse respeito, perigosa, uma vez que questiona o caráter absoluto, intangível, dos critérios de seleção de um saber canonizado, estabelecido na certeza inabalável de seus valores e de seus métodos. A defesa de um saber controlável, mensurável pela bitola de uma verdade estabelecida para sempre, é, para Barthes, o motivo das acusações de que foi alvo.

Toda a geração estruturalista coloca-se, evidentemente, ao lado de Barthes e assume a causa com ele contra a velha Sorbonne:

> No plano humano, estamos sempre do lado de Barthes. Eu não diria hoje que Picard estava inteiramente errado no plano intelectual, mas estava obviamente errado no plano da agressividade. Barthes e Greimas, não fazendo parte do corpo docente, não tinham o direito de voltar a entrar na universidade. A tese de Barthes foi recusada; quanto aos linguistas, não tinham a possibilidade de uma carreira universitária e muitos ficaram deprimidos por isso. Sentiam-se vítimas de uma verdadeira interdição. Os especialistas em língua francesa eram, sobretudo, pessoas da direita, dominadas por escrúpulos acadêmicos.[12]

A resposta de Picard ilustra, portanto, como o discurso acadêmico estava fechado em si mesmo, era uma nova demonstração da sua obstinada recusa em abrir-se para novas interrogações.

Por seu lado, o professor de estética, Olivier Revault d'Allonnes, conta os pontos e, num acesso de ecumenismo, declara que todos os polemistas têm razão. Não quer tomar partido entre os pontos de vista sociológico de Lucien Goldmann, psicanalítico de Charles Mauron, biográfico de Raymond Picard e estruturalista de Roland Barthes: "Todos eles têm razão. Tudo isso existe em *Pedra*, talvez seja por esse meio que se reconheçam as grandes obras. Elas suportam estratificações, para

---

11 Barthes, *Océaniques*, FR3, 8 fev. 1988 (nov. 1970-maio 1971).

12 Jean Dubois, entrevista com o autor.

usar a metáfora geológica de Adorno sobre elas".[13] De momento, conforme nos mostra Louis-Jean Calvet, Picard é favoravelmente acolhido na imprensa. Jacqueline Piatier toma o partido dele no *Le Monde* e cita "as surpreendentes interpretações dadas por Roland Barthes às tragédias de Racine".[14] Por seu lado, *Le Journal de Genève* saboreia o contra-ataque de Picard: "Roland Barthes *k. o.* em 150 páginas".[15] Barthes acusa imediatamente o golpe, pois não suporta a polêmica e confidencia ao seu amigo Philippe Rebeyrol: "Você entende, o que eu escrevi é lúdico, e se me atacam nisso não sobra nada".[16] Mas o debate polêmico levado à praça pública por Picard se voltará em bumerangue contra a velha Sorbonne.

Uma geração de estudantes entusiastas logo terá ocasião de contestar o saber acadêmico quando Barthes responde a Picard com a publicação de *Critique et vérité* em 1966, ano que corresponde ao apogeu do paradigma estruturalista. A publicação do livro de Barthes é, aliás, ruidosamente anunciada, seus exemplares ostentam uma faixa que pergunta em tom de desafio: "Deve Barthes ser mandado para a fogueira?". A dramatização é, portanto, levada ao extremo, e Barthes reaparece no papel da donzela de Orléans enfrentando o auto de fé. É a ocasião escolhida para inflamar toda a comunidade intelectual em torno do ambicioso programa dos *Éléments de sémiologie*, que pode assim conquistar um vasto público. Desta vez, Barthes responde, utilizando-se da polêmica.

Denuncia o fato de que, no "estado literário, a crítica deve ser tão 'controlada' quanto uma política".[17] A crítica de Picard é recebida por Barthes como a expressão da história literária mais tradicional, que se apega a uma vaga noção do que é "a crítica verossímil", axiomática, e que não tem, portanto, necessidade de ser apoiada numa demonstração. Essa noção engloba as referências à objetividade do crítico, ao seu gosto e, em terceiro lugar, à clareza da exposição. Barthes qualifica a história literária assim constituída de "velha crítica": "Essas regras não são de nosso tempo: as duas últimas vêm do século clássico, a primeira do

13 Olivier Revault d'Allonnes, entrevista com o autor.
14 Piatier, *Le Monde*, 23 out. 1965 apud Calvet, *Roland Barthes*, p.187.
15 Ibidem, p.188.
16 Apud Calvet, *Roland Barthes*, p.188.
17 Barthes, *Critique et vérité*.

século positivista".[18] Também refuta o postulado segundo o qual a crítica literária deveria manter-se no nível literário; nesse domínio, Barthes sai um pouco das proclamações imanentistas para fazer-se defensor do conteúdo, dos elementos exógenos que concorrem para esclarecer a economia geral do texto literário, e que tornam necessário o recurso à história, à psicanálise, a toda uma cultura antropológica. Barthes opõe à postura positivista o ato crítico como ato de escritura *lato sensu*, como trabalho sobre a linguagem. E, nessa qualidade, ao conjugar as figuras do escritor e do crítico, mina os contornos, as limitações e as proibições que fundaram a constituição de gêneros distintos de escritura.

A linha de defesa barthesiana contra Picard é dupla: ele reivindica os direitos de crítica como escritor, portador de sentido, verdadeiro criador em sua própria leitura ativa da obra e, além disso, faz-se o representante de um discurso mais científico que não considera mais a escritura como um ornamento da sociedade, um *decorum*, mas como fonte de verdade. Nessa perspectiva, Barthes apoia-se em toda a corrente estruturalista e recorre tanto ao trabalho de Lacan quanto ao de Jakobson, de Lévi-Strauss... Substitui a história tradicional da literatura, solidamente escorado no trabalho de desconstrução das ciências humanas, por uma "ciência da literatura"[19] da qual se faz o porta-voz e que não se define como uma ciência dos conteúdos, mas das condições do conteúdo, ou seja, de suas formas. Não surpreende ver Barthes descobrir o modelo dessa ciência na linguística: "Seu modelo será evidentemente linguístico".[20] A linguagem é, portanto, o verdadeiro sujeito que toma o lugar da noção de autor. A busca de um sentido oculto e último da obra é estéril, já que se apoia numa noção de sujeito que é, de fato, uma ausência: "A literatura nunca enuncia mais do que a ausência do sujeito".[21]

Ao anunciar o nascimento de uma nova era histórica fundamentada na unidade e verdade da escritura, Barthes enuncia a ambição de toda uma geração que vê na explosão do discurso crítico das ciências humanas um modo de escrever que culminará na criação propriamente literária. Ele coloca em evidência e desestabiliza um discurso universitário

18 Ibidem, p.35.
19 Ibidem, p.56.
20 Ibidem, p.57.
21 Ibidem, p.71.

que quer permanecer surdo a uma fala cada vez mais exigente. Para além desse ano de 1966, os ecos longínquos desses combates/embates ainda se farão ouvir, e a violência das declarações de René Pommier[22] revela bem o estrago que Barthes provocou no saber acadêmico, verdadeira andorinha anunciando a primavera de 1968.

Lévi-Strauss/Gurvitch

O outro confronto dos anos 1960 opõe Lévi-Strauss a todo um setor da sociologia, renitente em dissolver-se no cadinho estrutural – ainda que a noção de estrutura não lhe seja estranha – e marcada pela personalidade colorida de Georges Gurvitch. É uma outra frente dos combates do momento, essencial para Lévi-Strauss, que deve conseguir imperativamente o engajamento dos sociólogos se quiser reunir todas as ciências do homem em torno de uma antropologia que se tornou estrutural. Portanto, é intensa a polêmica entre Gurvitch e Lévi-Strauss, porque o que está em jogo, nos planos teórico e institucional, é decisivo.

Gurvitch expõe sua concepção da estrutura social em 1955.[23] Define-a da mesma maneira que Murdock, como um fenômeno que designa a ideia de uma coerência das instituições sociais. Como fenômeno, a noção de estrutura pode relacionar-se com outros termos, em oposição a estes. Assim, para Gurvitch, cumpre distinguir as classes sociais na medida em que estão estruturadas e organizadas. Essas estruturas sociais são o objeto de processos de desestruturação e de reestruturação; estão, portanto, comprometidas num processo, numa dialética. Para Gurvitch, o fenômeno social excede a estrutura e não deve, por conseguinte, ser reduzido a esta: "É muito mais rico do que ela [a estrutura], e sua plenitude implica um alto grau do inesperado".[24] Gurvitch

---

22 Pommier, *Assez décodé; Barthes, Ras le boi*, em que ataca Barthes e os *jobarthiens*. Pode-se ler aí, entre outras coisas: "As tolices de um Barthes são, para mim, um insulto à inteligência humana" (p.40); "Quando o leio, nunca digo intimamente. 'Puxa, como esse Barthes é inteligente'; digo-me continuamente, com um espanto sempre renovado: 'Como se pode ser tão cretino?'" (p.21). Por aqui se pode apreciar o nível!

23 Gurvitch, Le concept de structure sociale, *Cahiers Internationaux de Sociologie*, v.XIX, 1955.

24 Ibidem, p.31.

critica, pois, o estruturalismo como um reducionismo que empobrece a riqueza do real e, ao mesmo tempo, como uma estática que esmaga com seu peso o movimento imanente da sociedade.

A resposta de Lévi-Strauss é particularmente veemente: "Com que direito, com que título, Gurvitch se coloca como nosso censor? [...] Porque é puro teórico, Gurvitch só se interessa pela parte teórica de nossos trabalhos".[25] Deve-se fazer prevalecer o caráter singular do evento ou as permanências da estrutura? Esse debate constantemente renovado da sociologia, já travado entre Durkheim e Tarde, está no âmago do confronto Lévi-Strauss/Gurvitch, e foi exposto num artigo largamente citado do início dos anos 1960 de autoria de Gilles-Gaston Granger.[26]

O epistemologista Gilles-Gaston Granger define bem a alternativa que parece opor a apreensão sensível do mundo e a concepção inteligível do esquema científico. A esse respeito, compara a postura de Gurvitch com a de Lévi-Strauss: "Para Gurvitch uma estrutura é, de certa maneira, um ser; para Lévi-Strauss, é apenas um modelo".[27] Recusando a ferramenta matemática, a formalização, Gurvitch considera a estrutura como um fenômeno, ao passo que para Lévi-Strauss trata-se de uma ferramenta do conhecimento. Granger qualifica a postura de Gurvitch de aristotelismo, ao passo que Lévi-Strauss representa "o partido de uma matemática do homem".[28] É certo que Granger assinala o perigo de hipóstase da ferramenta do conhecimento, que pode se transformar no próprio objeto do conhecimento em ciências sociais, mas o lance é tentador, apesar da consciência desse possível obstáculo: "É preciso correr esse risco".[29] Portanto, Granger coloca-se do lado do empreendimento estrutural, embora conserve certa distância crítica que o leva a censurar em Lévi-Strauss a passagem de modelos de análise para esquemas de vocação universal, uma posição que ameaça reintroduzir uma forma de ontologização de seus instrumentos de conceitualização.

Trinta anos depois desse artigo, Granger considera, com mais liberdade do que na época, uma vez que não desejava ferir demais

---

25 Lévi-Strauss, *Anthropologie structurale.*

26 Granger, Evénement et structure dans les sciences de l'homme, *Cahiers de l'Isea*, dez. 1959.

27 Ibidem, p.168.

28 Ibidem, p.174.

29 Ibidem, p.175.

as suscetibilidades de Gurvitch, que este último era "infinitamente pequeno ao lado de Lévi-Strauss, e portador de uma escolástica vazia".[30] Quanto a Lévi-Strauss, Granger apenas o prevenira contra o perigo de apreender as estruturas como existentes, como seres mais reais do que a realidade à maneira de Platão; mas nem por isso deixava de esperar dele a constituição de uma grande sociologia ou antropologia estrutural que forneceria a chave de uma compreensão científica do homem em sociedade. Ora, desse ponto de vista, Granger está hoje menos otimista acerca do alcance do programa lévi-straussiano: "Penso que a obra de Lévi-Strauss não deu o que eu esperava dela".[31]

O julgamento de Granger acerca de Gurvitch é severo e não leva em conta a importância que ele teve para toda uma geração de sociólogos e antropólogos. É certo que Gurvitch tinha uma personalidade um pouco megalômana, de uma vaidade quase natural que o fazia considerar que somente a sua obra era digna de ser levada a sério. Aliás, foi a isso que se dedicou aquele que se tornará seu assistente, Roger Establet: "Eu devia dar um curso sobre a sua obra".[32] Era famoso por seu dogmatismo: "Quando ele dizia haver catorze patamares de profundidade, não eram treze nem quinze, e ele evocava com ironia um Durkheim que apenas encontrara três".[33] Mas a face oculta por trás dessas proclamações dogmáticas revelava um personagem tocante, machucado pela história e animado de uma paixão devoradora. Morando na rue Vaneau, no mesmo apartamento em que residira Marx durante sua passagem pela França, Gurvitch era em Paris um exilado, só acumulando livros na esperança sempre presente de regressar à União Soviética. As condições que estabelecia para o seu regresso, numa contínua negociação com as autoridades soviéticas, tornam-no particularmente simpático. Desejava poder falar em russo aos operários na saída das fábricas e além disso consultar com total liberdade os arquivos da Rússia para escrever uma história da Revolução Russa no próprio lugar onde ele tinha sido Comissário do Povo. É, portanto, um sociólogo que estará separado para sempre do terreno que teria querido lavrar, e quando obtém,

30 Idem, entrevista com o autor.
31 Ibidem.
32 Roger Establet, entrevista com o autor.
33 Ibidem.

finalmente, sua autorização em 1964 (renunciando, porém, a conselho da esposa, a dirigir-se aos operários em russo), a morte o impede de realizar sua promessa.

Gurvitch terá sido durante todo esse período o líder um tanto carismático de uma rede mais ou menos reticente à voga estruturalista. Nesse pequeno cenáculo, reuniam-se sociólogos como Jean Duvignaud ou Pierre Ansart, filósofos como Lucien Goldmann ou Henri Lefebvre, e antropólogos como Georges Balandier. A maior parte não queria, aliás, entrar em confronto direto com Lévi-Strauss. A alternativa punha-se, antes, entre as duas figuras emblemáticas da sociologia: Raymond Aron e Georges Gurvitch. Entretanto, mesmo nesse grupo gurvitchiano, a influência estruturalista suscitou trabalhos e teve efeitos sobre as opções metodológicas.

Há, sem dúvida, a receptividade de Lucien Goldmann a um estruturalismo que ele qualifica como genético, aberto para a história. Mas essa influência também é perceptível entre os sociólogos do grupo, como Pierre Ansart, que preparava a sua tese, entretanto, sob a direção de Gurvitch, e que foi sensível à contribuição estruturalista: "Lembro-me perfeitamente do primeiro dia em que ouvi falar de estruturalismo. Foi numa aula que Georges Davy nos deu ao sair da defesa de tese de Lévi-Strauss. Foi uma aula apaixonante sobre *Les structures élémentaires de la parenté*, que ele nos apresentou como uma possibilidade intelectual excepcional".[34] Ora, Pierre Ansart, que tinha feito uma tese complementar sobre o nascimento do anarquismo – que ele defende após a morte de Gurvitch, em 1969 –, adota uma problemática voluntariamente estruturalista. Inspirado pela posição de Lucien Goldmann, ele tentou construir sobre o anarquismo uma apresentação da estruturação de um pensamento em suas relações homológicas com as estruturas econômicas, práticas, e as visões do mundo de seu tempo: "Para nós, que procurávamos o nosso caminho, o estruturalismo mostrava-se de uma fecundidade extraordinária do ponto de vista do trabalho".[35]

Se o estruturalismo teve sobre esse grupo de sociólogos de esquerda uma influência real, nem por isso deixou de ser o objeto de uma vigorosa crítica, na medida em que era revelador de uma civilização técnica

---

34 Pierre Ansart, entrevista com o autor.

35 Ibidem.

em vias de desumanização. Foi o caso, em particular, de um colóquio em Royaumont, em 1960, no qual um consenso em torno da crítica assestada por Gurvitch contra o estruturalismo reuniu Jeannine Verdès-Leroux, Sonia Dayan, Pividal, Tristani e Claude Lefort... Esse correlacionamento do estruturalismo com seu lugar de enunciação é analisado, em especial, por alguém muito chegado a Gurvitch, Jean Duvignaud: "Muitas pessoas foram arrastadas para esse conflito, pois havia algo mais além da mera aparência. A questão estava em saber se uma sociedade pode transformar-se de dentro para fora".[36] Para Jean Duvignaud, o famoso corte epistemológico, que outorga suas credenciais de nobreza ao estruturalismo ideológico para converter-se na doutrina oficial da universidade e da *intelligentsia*, reproduz o corte entre as leis dominantes da tecnoestrutura e as de uma eventual mudança global: "Eu direi então que o pensamento de Lévi-Strauss se tornou verdadeiro, até evidente, pois que reencontrou, após o desvio pela selvageria, as próprias estruturas da segunda idade industrial".[37] Jean Duvignaud emite a hipótese segundo a qual a não consideração da história em Lévi-Strauss não resultaria tanto da constatação do predomínio de uma relação de reprodução, de um arrefecimento da temporalidade nas chamadas sociedades frias dos Trópicos, mas, pelo contrário, proviria da intuição das mudanças em curso na civilização pós-industrial, na hora em que a comunicação leva a melhor sobre a mudança.

Um livro-acontecimento: *La pensée sauvage*

Um outro grande duelo intelectual opõe os dois monstros sagrados da *intelligentsia* francesa: Jean-Paul Sartre e Claude Lévi-Strauss. Recorde-se que este último estivera atento à publicação da *Crítica da razão dialética*, mas nada objetara de momento à filosofia sartriana, não porque tivesse desertado do terreno filosófico, como se propalava, mas, ao contrário, porque preparava uma resposta severa e muito polêmica no seu próprio campo, a antropologia. É essa resposta que ele insere no

36 Jean Duvignaud, entrevista com o autor.
37 Idem, *Le langage perdu*, p.215.

que figura como obra-mestra na história da antropologia, *La pensée sauvage*, publicada no mesmo ano que *Le totémisme aujourd'hui*, em 1962, com o capítulo final "Histoire et dialectique". Lévi-Strauss não se limita a uma resposta às teses sartrianas, dando prosseguimento, sobretudo, à explicação do modo de pensamento das sociedades frias: aprofunda a demonstração que tinha esboçado em "Race et histoire", dedicando-se dessa vez a mostrar a universidade dos mecanismos do pensamento para além das diferenças de conteúdo. Realiza, a esse respeito, um deslocamento decisivo em relação às teses de Lucien Lévy-Bruhl, que opunha a mentalidade pré-lógica das sociedades primitivas, marcada pelo princípio de participação, à mentalidade lógica dos civilizados, regida pelo princípio de contradição.

Ao contrário da tradição antropológica, Lévi-Strauss afirma que "o pensamento selvagem é lógico, no mesmo sentido e da mesma maneira que o nosso".[38] O pensamento selvagem, apresentado por muito tempo como a expressão primária do afetivo, é agora descrito como dominado pela amplitude dos fins que a si próprio se atribui, simultaneamente sintético e analítico; procede tanto quanto o nosso pensamento ocidental pelas vias do entendimento e apoia-se em todo um sistema de distinções, de oposições de extrema variedade.

Existem, entretanto, dois modos de pensar, indubitavelmente, mas sem que se possa referi-los a um sistema hierárquico; eles se definem a partir de dois níveis estratégicos. O pensamento selvagem depende de uma lógica do sensível e realiza-se nos signos, não nos conceitos; é um sistema fechado, acabado, regido por um número dado de leis. Lévi-Strauss, na verdade, opõe o sistema fechado, circular, do pensamento selvagem ao sistema aberto do pensamento científico, o qual traduz uma relação diferente com a natureza. O pensamento selvagem está aparentado com um pensamento em que as palavras e as coisas estão ligadas numa relação de redobramento. Ciência do concreto, nada tem, contudo, de espontânea e confusa, como se acreditou por muito tempo. O seu terreno predileto é o das atividades cotidianas das sociedades primitivas: a caça, a coleta, a pesca... "A riqueza em palavras abstratas não é apanágio exclusivo das línguas civilizadas",[39] e Lévi-Strauss descreve a

38 Lévi-Strauss, *La pensée sauvage*, p.355.

39 Ibidem, p.3.

confusão dos etnógrafos em face da soma de conhecimentos das tribos indígenas, diante de sua capacidade para distinguir, identificar e representar o mundo animal e vegetal que é o delas. Os índios hopi recensearam assim 150 plantas; os navajos, mais de quinhentas! Esse pensamento do concreto efetua classificações com uma preocupação meticulosa de identificação, a fim de tornar operacional esse saber na vida cotidiana, em torno de todo um sistema de prescrições e de proibições.

Pela publicação no mesmo ano de sua outra obra, *Le totémisme aujourd'hui*, Lévi-Strauss ilustra a tese central de *La pensée sauvage*. Ele mostra que os antropólogos esbarraram até aí numa aporia, ao se limitarem a constatar no totemismo semelhanças entre o mundo animal ou vegetal e o humano. O valor da classificação totêmica está, pelo contrário, numa homologia de estrutura entre duas séries, uma natural e a outra social. "A ilusão totêmica provém em primeiro lugar de uma distorção do campo semântico do qual sobressaem fenômenos do mesmo tipo."[40] O totemismo desempenha um papel integrador das oposições binárias; tem por função tornar positivo o que pudesse figurar como obstáculo à integração. As espécies naturais são escolhidas não porque sejam boas para comer, mas porque são boas para pensar.[41] Dá-se, portanto, a osmose entre método e realidade, homologia entre o pensamento humano e o objeto ao qual ele se aplica. A investigação etnográfica transforma-se então em construção lógica e pode atingir o estágio da antropologia, ou seja, a investigação das leis fundamentais do espírito humano.

Nesse ponto, Lévi-Strauss distingue-se da interpretação funcionalista de Malinowski, que opta exclusivamente pelo nível naturalista, utilitário, afetivo, quando explica que o interesse concentrado no mundo vegetal e animal reflete o fato de que a preocupação primordial das sociedades primitivas reside no alimento. Para Lévi-Strauss, a explicação deve ser procurada num nível mais profundo do que um simples mecanismo de identidade, ou seja, a partir da interferência natureza/cultura: "O totemismo estabelece uma equivalência lógica entre uma sociedade de espécies naturais e um universo de grupos sociais".[42]

40 Idem, *Le totémisme aujourd'hui*, p.25.

41 Ibidem, p.128.

42 Idem, *La pensée sauvage*, p.138.

Portanto, é sempre nessa linha fronteiriça entre natureza e cultura que prospera o estruturalismo, que se edifica o seu projeto.

O acolhimento reservado a *La pensée sauvage* é imediatamente espetacular e contribui para a propagação do programa estruturalista para além do círculo antropológico. O sucesso é tamanho que uma jornalista do *France-Soir* adverte seus leitores que estejam tentados a comprar a obra de Lévi-Strauss, atraídos pela reprodução na capa de um buquê de amores-perfeitos (*Viola tricolor*), flores popularmente conhecidas como *pensées sauvages*: esse belo buquê exposto nas vitrines das livrarias poderia fazer pensar numa obra de botânica, e a jornalista trata de avisar que se trata de um ensaio sumamente difícil. Num tom mais sério, Claude Roy vê no livro de Lévi-Strauss uma obra tão importante quanto *A psicopatologia da vida cotidiana*, de Freud: "Freud demonstrou com gênio que as nossas desrazões têm suas razões que a consciência não resguarda. Eis que Claude Lévi-Strauss faz a demonstração, profunda e nova, de que o aparente caos dos mitos e dos rituais primitivos obedece, na realidade, a uma ordem e a princípios que permaneciam até agora invisíveis".[43]

Num extenso estudo publicado em *Critique*, Edmond Ortigues parte de uma analogia de método entre Lévi-Strauss e Paul Valéry. A mesma preocupação formal está presente no poeta e no etnólogo: "Uma mesma família de espíritos: reticência semelhante em relação à história, igual insistência em defender a sensibilidade do intelecto contra a inteligência das emoções".[44] Em *Le Monde*, Jean Lacroix dedica-lhe sua coluna, saudando a realização de uma obra estritamente científica: mantém-se, porém, a certa distância em relação ao que qualifica como "a mais rigorosamente ateia filosofia deste tempo"[45] e que se avizinha, por vezes, de um materialismo vulgar que vê nos próprios enunciados da matemática o reflexo do livre funcionamento do espírito, ou seja, a atividade das células do córtex cerebral, obedecendo às suas próprias leis. O jornal *Le Monde* concede um espaço muito considerável ao acontecimento, visto que, ao artigo de Jean Lacroix de novembro de 1962, cumpre adicionar o artigo de Yves Florenne de maio de 1962 e a entrevista com Lévi-Strauss em 14 de julho de 1962. Em *Le Figaro*,

43 Roy, Un grand livre civilisé: *La pensée sauvage*, *Libération*, 19 jun. 1962.

44 Ortigues, *Critique*, n.189, p.143, fev. 1963.

45 Lacroix, *Le Monde*, 27 nov. 1962.

é Claude Mauriac quem analisa a obra, ao passo que Robert Kanters, em *Le Figaro Littéraire*, entusiasma-se e observa judiciosamente que "as ciências do homem, hoje, são as fontes da arte de amanhã".[46]

A comunidade estruturalista manifesta-se pela crítica elogiosa que Barthes faz das duas obras de Lévi-Strauss de 1962. Ele celebra a substituição de uma sociologia dos símbolos por uma dos signos e a introdução de uma sócio-lógica que se coaduna com o projeto semiológico global. O mérito de Lévi-Strauss está, para Barthes, na extensão do campo da liberdade humana a um domínio que até então lhe escapava: "A sociologia para a qual Lévi-Strauss nos convida é uma sociologia do propriamente humano: ela reconhece nos homens o poder ilimitado de fazer significar as coisas".[47]

Lévi-Strauss/Sartre

La pensée sauvage constitui um desses raros momentos no transcorrer dos quais um livro se apresenta como acontecimento real em sua irreversibilidade, por seu alcance e sua capacidade de transformar a nossa visão do mundo e dos outros. É nessa peça central do dispositivo estruturalista que Lévi-Strauss insere a sua investida contra Sartre, verdadeira réplica feita à *Crítica da razão dialética*, particularmente polêmica. Não só é visado o carisma de Sartre, mas também a posição da filosofia como disciplina-rainha e o lugar privilegiado concedido à filosofia da história, ao historicismo, que se vê rechaçado do horizonte estrutural. A história nada mais é que uma relação de eventos, condenada à ideografia. Lévi-Strauss ataca a maneira como Sartre a arvora em perspectiva unificadora, totalizadora: "No sistema de Sartre, a história desempenha, de um modo muito preciso, o papel de um mito".[48] O vivenciado, os eventos, o material histórico, tudo depende do mito. A partir desse postulado, Lévi-Strauss não compreende por que os

46 Kanters, *Le Figaro Littéraire*, 3-23 jun. 1962.

47 Barthes, Sociologie et socio-logique, *Informations sur Les Sciences Sociales*, n.4, p.242, dez. 1962.

48 Lévi -Strauss, *La pensée sauvage*.

filósofos, e Sartre em primeiro lugar, obstinam-se em atribuir semelhante preponderância à história. Esse fascínio é visto como tentativa de restabelecer uma continuidade temporal coletiva, ao contrário da abordagem do etnólogo que se desenvolve na descontinuidade espacial. Para Lévi-Strauss, esse conteúdo é puramente mítico, ilusório, quando mais não seja porque pressupõe a escolha, por parte do historiador, de tal ou qual região, de tal ou qual época... Portanto, ele só pode construir histórias, jamais tendo acesso a qualquer globalidade significante: "Uma história total neutralizar-se-ia a si mesma: o seu produto seria igual a zero".[49] Por conseguinte, não existe totalidade histórica, mas uma pluralidade de histórias não ligadas a um sujeito central: o homem. Assim, a história não pode deixar de ser parcial e permanecerá "parcial".[50]

É uma diatribe em regra contra a filosofia da história: sua "pretensa continuidade histórica só é assegurada por meio de traçados fraudulentos".[51] A história seria apenas o derradeiro refúgio de um humanismo transcendental, e Lévi-Strauss convida os historiadores a se desvencilharem da posição central atribuída ao homem e até mesmo a saírem da própria disciplina histórica: "A história conduz a tudo, mas na condição de sair dela".[52]

À história identificada com a humanidade, Lévi-Strauss opõe o pensamento selvagem como intemporal, apreensão do mundo numa totalidade reencontrada, mas no plano sincrônico. Sartre não responderá diretamente a esse ataque, mas, em sua revista, Pierre Verstraeten analisa a obra de Lévi-Strauss sob o título "Claude Lévi-Strauss ou la tentation du néant". Ele considera que "Lévi-Strauss confunde deliberadamente os domínios da semiologia com os da semântica (ou da linguística) ao aplicar, de forma sistemática, os princípios da semântica a todo o campo semiológico".[53] Lévi-Strauss terá provado o poder da dialética, mas de maneira negativa, revelando aí a inanidade que para ele representa a temporalidade histórica. Verstraeten remete, portanto, o imaginário de Lévi-Strauss para o seu próprio objeto de estudo, da mesma maneira que

49 Ibidem, p.340.
50 Ibidem, p.342.
51 Ibidem, p.345.
52 Ibidem, p.347.
53 Verstraeten, Claude Lévi-Strauss ou la tentation du néant, *Les Temps Modernes*, n.206, p.83, jul. 1963.

Lévi-Strauss atribuía à filosofia sartriana o *status* de mito. Esse combate subjacente entre os dois monstros sagrados do período traduz-se, em 1962, pelo triunfo daquele que encarna o programa estrutural, Lévi-Strauss, e pela derrota, portanto, do historicismo encarnado por Sartre.

Ricœur/Lévi-Strauss

La pensée sauvage suscitará, com a revista *Esprit*, um outro grande debate do período. A revista sente-se imediatamente atingida e contestada como representante de uma filosofia do sujeito. O seu diretor, Jean-Marie Domenach, coordena um grupo filosófico que se dedica durante vários meses ao estudo da obra de Lévi-Strauss a fim de preparar um número da revista a ele dedicado. Artigos de Jean Cuisenier, Nicolas Ruwet etc. colocam em perspectiva *La pensée sauvage*, e o número encerra-se com um debate entre Lévi-Strauss e a equipe que trabalhou sobre sua obra. Certas declarações foram eliminadas por Lévi-Strauss da transcrição final do debate, como esta: "A minha fórmula particular é a de Royer-Collard: o cérebro segrega o pensamento como o fígado segrega a bílis",[54] e ele se opôs a sua republicação, inúmeras vezes solicitada por muitas revistas estrangeiras. Entretanto, Jean-Marie Domenach é particularmente grato a Lévi-Strauss por ele ter se prestado a esse confronto contraditório: "Estou agradecido a ele por ter participado desse debate, pois tenho grande admiração por suas capacidades intelectuais".[55]

O debate opôs, sobretudo, duas orientações divergentes que Paul Ricœur expõe no seu artigo "L'herméneutique et le structuralisme". Paul Ricœur não recusa a cientificidade do trabalho estrutural sobre os códigos em uso nas línguas, nos mitos, mas contesta, em contrapartida, a transgressão de limites que consiste em passar, sem justificação, para o estágio da generalização, da sistematização. Para Ricœur, cabe distinguir muito bem dois níveis de abordagem: o primeiro apoia-se nas leis

54 Lévi-Strauss, declarações feitas, citadas por Jean-Marie Domenach em entrevista com o autor.

55 Jean-Marie Domenach, entrevista com o autor.

linguísticas e forma o estrato inconsciente, não reflexivo, um imperativo categórico, sem que haja necessidade de referi-lo a um sujeito consciente. Esse nível é ilustrado tanto pelas oposições binárias da fonologia quanto pelas dos sistemas elementares do parentesco sobre as quais, além disso, Paul Ricœur reconhece a validade das análises de Lévi-Strauss: "O empreendimento estruturalista parece-me perfeitamente legítimo e ao abrigo de toda crítica, enquanto permanecer consciente de suas condições de validade e, portanto, dos seus limites".[56]

Com *La pensée sauvage*, Lévi-Strauss generaliza o enfoque uma vez que este funciona tanto nos trópicos quanto nas latitudes temperadas e encontra-se em relação de homologia com o pensamento lógico. Ora, Paul Ricœur opõe o pensamento totêmico ao pensamento bíblico, já que implica uma relação inversa entre diacronia e sincronia. Ele não opõe à objetividade de um sentido formalizado a de um subjetivismo de sentido, mas o que ele chama de objeto da hermenêutica: "Ou seja, as dimensões de sentido abertas por essas sucessivas repetições; cabe então perguntar: todas as culturas oferecem o mesmo para ser retomado, redito e repensado?".[57] A passagem da ciência estrutural para a filosofia estrutural é qualificada por Paul Ricœur como "kantismo sem sujeito transcendental, na verdade, um formalismo absoluto".[58] E oferece a alternativa de uma hermenêutica que, embora levando em conta essa fase de decifração formal, atribui-se como objetivo fazer coincidir a compreensão do outro com a compreensão do eu, passando pela fase interpretativa do sentido, por um pensamento que se pensa e se repensa incessantemente.

O qualificativo "kantismo sem sujeito transcendental" é retomado e assumido por Lévi-Strauss em sua resposta a Paul Ricœur; aceita-lhe os termos e recusa a busca de um sentido do sentido: "Não podemos, ao mesmo tempo, tentar compreender as coisas do lado de fora e do lado de dentro".[59] Lévi-Strauss situa a etapa científica do seu trabalho no estágio de taxonomia necessária das sociedades, o que exige abster-se de avançar em outros terrenos que ainda não estejam suficientemente demarcados.

---

56 Ricœur, *Esprit*, p.605, nov. 1963.
57 Ibidem, p.644.
58 Ibidem, p.618.
59 Lévi-Strauss, *Esprit*, p.637, nov. 1963.

A era dos grandes debates está, pois, em seu apogeu e, com ela, as fronteiras disciplinares são amplamente interrogadas, problematizadas. Colhidos no jogo das confrontações entre disciplinas, são numerosos aqueles que passarão de um campo para outro, diversificarão seus instrumentos de análise, seus domínios de competência, e a interdisciplinaridade converter-se-á numa nova religião. Para ser um bom estruturalista, é necessário fazer-se linguista, antropólogo, com uma pitada de psicanálise e de marxismo. É um período particularmente fecundo, intenso, em que homens e conceitos se transformam em objetos num contínuo vaivém, transgredindo fronteiras, escapando aos postos aduaneiros. São esses os sinais anunciadores de um estruturalismo mais ideológico do que científico. Essa plasticidade pôde servir para a conquista de posições de poder, para abalar a velha Sorbonne. Sua força propulsora se fez sentir no fracasso de Paul Ricœur no Collège de France, derrotado por Michel Foucault em novembro de 1969.

A multiplicação desses cruzamentos, encontros e debates obriga frequentemente as disciplinas a rever sua situação, a redefinir seu posicionamento. É o que faz André Green com a psicanálise, cuja prática interroga a partir da oposição em curso entre história e estrutura.[60] Não dá ganho de causa a Sartre, que nega toda a base teórica à psicanálise, nem a Lévi-Strauss, cujo panlogismo o leva a nada considerar do homem fora de sua estrutura físico-química. Defensor da obra de Freud, André Green mostra o caráter indissociável da estrutura e da história na prática psicanalítica: "A história não é pensável fora da repetição que ela própria remete à estrutura; a estrutura, no que diz respeito ao homem, é impensável fora de sua relação com os seus genitores, constituintes do simbólico, introduzindo uma relação temporal-intemporal que implica a dimensão da história".[61] Nesse concerto de discordâncias, atritos, fontes de anátemas, de modelos excludentes, o ponto de vista de André Green quanto a um estruturalismo bem temperado apresenta-se na posição do sábio que decide na hora onde será necessário pôr um freio nos excessos.

---

60 Green, La psychanalyse devant l'opposition de l'histoire et de la structure, *Critique*, n.194, jul. 1963.

61 Ibidem, p.661.

26

As cadeias significantes

A cisão

Entre a cisão de 1953 e a excomunhão de 1963, Lacan pôde consolidar suas posições suturando-as fortemente no paradigma estruturalista em pleno desenvolvimento. Esse ponto de estofo [*point de capiton*] torna-se essencial no momento em que fracassam as negociações com a Internacional Psychoanalytical Association (IPA) para a filiação da Sociedade Francesa de Psicanálise (SFP), constituída em 1953. A condição requerida é o abandono imediato das práticas lacanianas e a exclusão pura e simples do próprio Lacan, que se convertera no obstáculo principal à reconciliação geral.

Banido, Lacan reagrupa os seus fiéis e cria a Escola Francesa de Psicanálise em 1964, que logo se torna a Escola Freudiana de Paris, ao passo que uma outra parte da Sociedade Francesa de Psicanálise, a SFP, reunida em torno de Jean Laplanche, obtém a filiação na IPA em 1963, sob o nome de Associação Psicanalítica da França. Tal como no movimento trotskista, as cisões e dissoluções tornar-se-ão o fermento do movimento lacaniano. A cisão entre eles, que, no entanto, viveram dez anos na mesma organização, a SFP, além da benção procurada pela organização internacional de psicanálise, é também a resultante de certo número de desacordos.

Por um lado, a prática das sessões curtas multiplica os comentários inquietantes sobre o índice de preenchimento das salas de espera; por outro lado, a mistura entre a análise individual chamada didática e o ensino também suscita alguma inquietação no tocante aos riscos de mistura dos gêneros: "Mas, sobretudo, o fato de que Lacan não estava disposto a renunciar o que quer que fosse nessas práticas era revelador de sua importância. [...] Assim, o que a nossos olhos (a meus olhos) ingênuos tinha passado por acessório seria o que de mais importante estava em jogo".[1] Um bom número de discípulos das teses teóricas de Lacan, portanto, caminhará no interior de uma outra organização que não a dele.

O risco de isolamento, de marginalização, é a principal preocupação de Lacan, que considerava quem não estava com ele, forçosamente, contra ele. É a política de "quem me ama que me siga", mas para que ela tenha êxito, cumpre ganhar altura, a fim de impor o seu carisma. Exilado, proscrito, excluído definitivamente de sua igreja, Lacan identifica-se com Spinoza, vítima da mesma excomunhão em dois tempos: a do *kherem* a 27 de julho de 1656, que representa a excomunhão maior, seguida mais tarde do *Chammata*, ou seja, o retorno impossível ao seio da comunidade judaica de Amsterdã.[2] Para completar a imagem de mártir, Lacan deixa o quadro docente no hospital Sainte-Anne.

Nesse momento, Lacan está só, sem Colombey-les-Deux-Églises como lugar de refúgio, mas é como herói que o autor do discurso de Roma retorna à cena para fazer soar as três pancadas de uma nova aventura, anunciando em 21 de junho de 1964 a criação da Escola Francesa de Psicanálise: "Fundo, tão só quanto sempre estive na minha relação com a causa psicanalítica, a Escola Francesa de Psicanálise". Ele obtém a proteção de Fernand Braudel e de Louis Althusser para instituir uma unidade avançada da sexta seção da École Pratique des Hautes Études (Ephe) na École Normale Supérieure. Esse deslocamento geográfico permite-lhe ampliar consideravelmente o seu público e, graças ao aval dos filósofos, ocupar uma importante posição estratégica no campo intelectual. Consciente da necessidade imperiosa de voltar a atrair as atenções gerais, aceita publicar, a insistentes pedidos de François Wahl,

1 Laplanche, Une révolution sans cesse occultée, *Communication aux Journées Scientifiques de l'Association Internacionale d'Histoire de la Psychanalyse*, 23-24 abr. 1988.
2 Lacan, L'excommunication, *Ornicar?*, 1977.

o essencial de sua obra escrita, o que ele sempre se recusara a fazer, e que será publicado em 1966 pelas Éditions du Seuil.

A política teórica de Lacan necessita da busca de garantias. Depois de ter fracassado com Paul Ricœur,[3] Lacan convida para a sessão inaugural dos seus seminários, na Sala Dussane da École Normale Supérieur, Claude Lévi-Strauss, que aceita o convite, apesar de não ser muito do seu agrado o estilo lacaniano. Consegue, pois, transformar o seu malogro junto à IPA, o enfraquecimento de seu movimento após a cisão, num momento glorioso que simboliza o seu ensino na École Normale Supérieur, na qual, durante cinco anos, toda a Paris intelectual se comprime para ver e ouvir a palavra daquele que então se apresenta como um xamã dos tempos modernos: "Repelida do movimento psicanalítico internacional, a obra lacaniana, portanto, ocupará um lugar central na aventura francesa do estruturalismo".[4]

O significante

Essa influência do estruturalismo na teoria lacaniana do inconsciente é, na verdade, perceptível em virtude do papel central que nela desempenha o significante. Já vimos como nos anos 1950 Lacan adotou de Saussure a noção de signo e de que maneira modificou o lugar respectivo do significado e do significante para valorizar este último. No seu seminário sobre as psicoses (*Les psychoses*, 1955-1956), Lacan sublinha que nem por isso o significado está liberado de seus vínculos com o significante; insinua-se sob ele até que atinge um ponto de amarração, o chamado ponto de estofo: "é graças a ele que o significante detém o deslizamento da significação que, de outra maneira, seria indefinido".[5] Portanto, não existe semelhança do significante em Saussure e em Lacan, mesmo que o significante saussuriano "seja não só o homônimo mas também o epônimo do significante lacaniano".[6] A noção de significante,

---

3 Ver Roudinesco, *Histoire de la psychanalyse en France*, p.399-403.

4 Ibidem, p.383.

5 Lacan, *Écrits*, p.805.

6 Arrivé, *Linguistique et psychanalyse*, p.12.

após ter-se emancipado da noção de significado e ganhado autonomia, adquirirá uma importância ainda maior para Lacan no início dos anos 1960, quando esta última representa o sujeito para um outro significante: "É exatamente a 6 de dezembro de 1961, portanto, no decorrer do seminário sobre a identificação (*L'identification*), que Lacan formula, pela primeira vez, a sua definição do significante, distinguindo-o então e daí em diante com total nitidez do signo".[7] Será mesmo preciso aguardar o ano de 1964 (*Les quatre concepts fondamentaux de la psychanalyse*) para que o significante ocupe verdadeiramente o lugar do sujeito para um outro significante que se lhe conhece a partir daí.

O significante ocupa então o lugar do sujeito, cuja existência se dá como causa ausente para seus efeitos, a saber, a cadeia significante pela qual ele se torna inteligível. O sujeito não é reduzido a nada, mas à condição de não ser; é o fundamento não significante da significância dos significantes, ou seja, a sua própria condição de existência. O trabalho do analista baseia-se, pois, na restituição da lógica interna a essa cadeia significante, da qual nenhum elemento é capaz em si mesmo de representar um tempo de significação. O significante é então um sujeito para um outro significante, e só cumpre, portanto, a sua função ao retirar-se constantemente para dar lugar a um novo significante. Lacan representa essa cadeia desdobrando a sigla S em S2, que representa a cadeia significante, e S1, o significante adicional que a impele para diante. Quanto ao sujeito, não está em parte alguma, a não ser no lugar do significante, de quem recebe o encargo de não estar em parte alguma; transcreve-se sob o signo do S com barra: $, deslocado em relação a si mesmo, dividido para sempre. O Eu [*Je*] do sujeito por excelência está separado para sempre do eu [*moi*]. O quarto termo da estrutura do significante é ocupado pelo objeto, também ele excêntrico em relação ao que é enunciado; ele é representado como objeto *a* (minúsculo).

O interesse desse conceito de significante em Lacan é, portanto, central e só ganha impulso a partir dos anos 1960, como elemento essencial na voga estruturalista. Esse contexto revela o que Jean-David Nasio designa como a significação "umbilical" de um conceito, ou seja, as condições de nascimento de um conceito e sua evolução.[8] A partir dessa

7 Allouch, *Littoral*, n.23-24, p.5, out. 1987.

8 Nasio, *Les sept concepts cruciaux de la psychanalyse*.

estrutura significante, toda uma dialética se desenvolverá de acordo com uma dupla lógica dos lugares e das forças. Essa dialética que fundamenta o primado do significante sobre o significado estabelece o mundo como fantasia e designa a ordem das coisas como subordinada à linguagem. Nesse sentido, mesmo que a cadeia significante tome não poucas liberdades em relação à concepção saussuriana, nem por isso deixa de participar duma concepção mais geral, própria do estruturalismo, a qual confere autonomia à esfera do discurso e institui a ordem das coisas a partir da ordem das palavras. O mundo só se mantém coeso pelo significante da falta, "a Coisa" que Lacan toma de Heidegger para designar o quadripartido da terra, do céu, dos humanos e divinos: "A Coisa reúne e dá coesão ao mundo",[9] mas, tal como em Heidegger, a Coisa "sustenta esse quadripartido porque ela é essencialmente constituída por um vazio".[10] A trama do mundo inscreve-se, portanto, a partir de uma falta central, condição de sua unidade.

O objeto *a*

Um dos termos principais da estrutura significante em Lacan é representado pelo objeto *a*. Para Serge Leclaire, essa é uma importante descoberta científica: "Uma invenção que merece o Nobel, uma verdadeira invenção".[11] Essa inovação foi feita em dois tempos: Lacan evoca primeiramente o "pequeno outro" como elemento de mediação entre o sujeito barrado e o Outro, colocado numa função imaginária. Numa segunda acepção, ele se torna o objeto *a*, como objeto da falta, metonímico do desejo, simples significante do desejo cortado de sua referência a um sujeito desejoso, como à de uma qualquer referência simbólica a um significado inconsciente. O objeto *a* já não se encontra então vinculado ao imaginário, mas ao Real no sentido lacaniano do termo, não à realidade, mas ao que resiste à significância. "O Real é o impossível."

9 Heidegger, *Essais et conférences*, p.215.
10 Juranville, *Lacan et la philosophie*, p.167.
11 Serge Leclaire, entrevista com o autor.

Lacan, que atribui um lugar importante a esse objeto parcial (chamado *a* minúsculo), situa-o no nível da função de perda. Revitaliza a separação inicial do feto, separado para sempre da placenta, que vai para o lixo. Designa assim a libido como a cadeia desmultiplicada dos desejos, procurando em vão substituir a separação inicial. O objeto *a* será situado "no lugar da perda proveniente da operação significante".[12] Terá uma relação com todas as partes do corpo que podem estar ligadas à função de perda, de passagem ou de separação. O objeto *a*, como objeto de desejo sempre renascente e em falta, ocupa um lugar cada vez mais central no dispositivo lacaniano, até encarnar o próprio objeto da psicanálise: "O objeto da psicanálise [...] não é outro senão o que já destaquei no tocante à função que o objeto *a* nela desempenha".[13] É o objeto da pulsão que faz funcionar a lei do desejo, assim como o objeto de fantasia: "O objeto *a* é o negativo do corpo".[14] Não se pode, entretanto, evocar o objeto *a*, seja qual for a sua importância no dispositivo lacaniano, como isolado: ele só existe em virtude da articulação que o liga ao simbólico e ao imaginário a partir do Real. Ora, é a castração que dará o modo dessa articulação e permitirá ao desejo manifestar-se: "A castração é essa lei que ordena o desejo humano como verdade parcial".[15] Ela é responsável pelo ingresso na ordem da Lei, vinculada ao Nome-do-pai, ou seja, a uma figura que pode ser dissociada entre a do pai real e a do pai simbólico.

Nesse ponto, Lacan inverte a visão freudiana, negativa, que apreende a Lei como interdito, para fazer dela o elemento de uma positividade, a do desejo. Nesse início dos anos 1960 e quando o essencial do seu ensino é fala, Lacan privilegia a escultura, como mais tarde Jacques Derrida, e identifica o significante com a carta (*A carta roubada*), numa filiação muito saussuriana: "A Coisa feita palavra, diz Lacan, no sentido de *motus*: ela é fala, mas também silêncio, que paralisa a fala e corta a respiração".[16] Na prática analítica, o objeto *a* tornou-se a ferramenta essencial de certos psicanalistas: "O objeto *a*, isso serve. Há até analistas que dizem ser possível deduzir tal ou tal pulsão segundo o

12 Miller, *Ornicar?*, n.24, p.43, 1981.
13 Lacan, *Écrits*, p.863.
14 Juranville, *Lacan et la philosophie*, p.175.
15 Ibidem, p.195.
16 Ibidem, p.286.

objeto que for escolhido. Ele permite relançar o desejo e evita assim a recaída no desespero".[17]

Dizia Lacan a respeito desse objeto *a* que era necessário fazê-lo passar da condição de pedra de entulho para o de pedra angular da psicanálise. Aí onde Lacan estabelece as regras de uma ciência, sem deixar de preservar nela um núcleo fundamentalmente pessimista é que o seu ponto de apoio, o objeto no qual ela se estriba, é sinônimo de perda irreparável; é o ponto de queda da cadeia significante. Lacan estabelece, pois, simultaneamente, as regras de investigação da cadeia significante, sem alimentar ilusão alguma sobre as capacidades do analista para poder reencontrar o que se perdeu para sempre. A cura analítica não se reduz a um trabalho positivista de anamnese. No lugar do objeto perdido, elabora-se toda uma "construção feita de significantes, mas que é comandada pelo quê? Pelo objeto como perdido".[18] Para Serge Leclaire, o objeto parcial é o contrapeso necessário, porque evoca a labilidade para escapar ao Significante puro, a uma Simbólica depurada das dimensões do imaginário. Trata-se, pois, de um dos ensinamentos essenciais de Lacan, e tem em si a virtude de impedir o fechamento dogmático: "Todos os analistas que contribuíram verdadeiramente com alguma coisa interessante falaram do objeto. Quer se trate de Freud, por certo, mas também de Melanie Klein, Winnicott ou Lacan".[19]

A questão da significância é formulada, por Lacan, a partir da noção de sequência significante. Existe sempre uma relação diferida entre a enunciação e a interpretação ulterior. Ora, essa diferença temporal também torna necessário o recurso ao objeto *a* como substituto do desligamento da significação da relação significante/significado. Pode-se até perguntar se Derrida não teria simplesmente ido buscar em Lacan esse *a* que lhe permite construir o seu conceito de *différance* como central em sua obra de desconstrução. Para Lacan, o objeto *a* seria, de certa maneira, o meio de recuperar o esvaziamento do significado na cadeia significante: "É a queda desse objeto *a*, como objeto-causa do desejo e objeto do desejo como tal, o que, ao mesmo tempo, fará falar o sujeito e

17 Gennie Lemoine, entrevista com o autor.
18 Leclaire, L'objet *a* dans la cure. In: *Rompre les charmes*, p.174.
19 Jean Clavreul, entrevista com o autor.

aquilo de que ele falará, mesmo que lhe escape de forma permanente".[20] O psicanalista sente-se, pois, feliz por poder enganchar a escuta de seu paciente num desses objetos *a*.

Entretanto, nem todos os analistas, mesmo os fortemente marcados pelo ensino de Lacan, atribuem toda essa importância ao objeto *a*: "Eu não funciono, em absoluto, com o objeto *a*".[21] Mas o mais crítico de todos sobre esse ponto essencial é, sem dúvida, André Green. Tinha publicado em 1966, nos *Cahiers pour l'Analyse*, um artigo sobre o objeto *a* que, na época, expunha o ponto de vista de Lacan sobre a questão, assim como o de Jacques-Alain Miller sobre as relações entre *a* e a sutura, a partir de Frege. É a época em que André Green, embora permanecendo na SPP, membro da IPA, está fascinado pelo trabalho de Lacan: "O amor que tive por Lacan durou sete anos".[22] André Green, atualmente responsável pela Sociedade Psicanalítica de Paris (SPP), teve, portanto, um percurso verdadeiramente apaixonante e singularmente aberto, uma vez que recebeu uma forte influência do ensino de Lacan sem deixar de manter-se numa posição de distância institucional e teórica. Essa posição evoluirá para uma crítica cada vez mais nítida das posições lacanianas, por razões teóricas: "Quanto mais tempo passa, menos estou de acordo com ele, mas isso não significa que não tenha deixado em mim profundas marcas".[23]

André Green começa a frequentar o seminário de Lacan em janeiro de 1961, o que não o impede de estar fascinado ao mesmo tempo por Winnicott, que ele descobre no Congresso de Edimburgo em julho do mesmo ano. Se André Green se inclinou conceitualmente para o objeto *a*, ele faz hoje sérias críticas a esse aspecto do lacanismo: "Não penso que a teoria psicanalítica possa contentar-se com uma teoria do objeto parcial. Ao fazer-se a economia do chamado objeto total, reintroduz-se a necessidade do Grande Outro, o A Grande, que não é outro senão Deus".[24] André Green se interrogará sobre as fontes agostinistas de Lacan e, em particular, sobre Agostinho lido por Pascal (*Écrits sur la grâce*), duplamente habitado pela religião e pela formalização

20 Joël Dor, entrevista com o autor.

21 Jean Laplanche, entrevista com o autor.

22 Green, Le bon plaisir. *France-Culture*, 25 fev. 1989.

23 Ibidem.

24 Idem, entrevista com o autor.

matemática.[25] André Green também vê essa dupla polarização operando em Lacan, que teria oferecido não à igreja que ele criticava, mas a seus pais, a oportunidade de uma renovação: "A apreensão estrutural (da questão do *Filioque*) deve ser a primeira e a única que permite uma apreciação exata da função das imagens. O *De Trinitate* tem aqui todas as características de uma obra de teoria e pode ser adotado por nós como um modelo".[26] A releitura de Freud por Lacan remete a um significante puro que pode ser lido de maneira religiosa. A substituição da castração freudiana como angústia pela castração lacaniana tem *status* ontológico derivado do Nome-do-pai, a ordem trinitária do Sujeito: Real/Simbólico/Imaginário... toda uma temática cristã pode ser reencontrada em Lacan, que é, além disso, um grande conhecedor das Escrituras. Quanto ao Grande Outro, está em posição de indeterminação em relação à cadeia pulsional, puro Significante extraterritorial, verdadeiro equivalente da alma: "Lacan, ao inverter a adesão de Freud a Goethe em *Totem e tabu* – 'No princípio era a ação' –, confessava preferir uma fórmula derivada de São João: 'No princípio era a linguagem'".[27]

Outras leituras são possíveis, e é o caso da do filósofo Alain Juranville, que também reconhece a figura de Deus na do Significante puro, não o Deus da religião, mas o de uma Razão absoluta. Entretanto, a situação de exterioridade ao mundo da Coisa como Significante encarnado remete para a plenitude como fruição de Deus para além do encerramento do mundo em Santo Agostinho. Há, portanto, um idealismo radical, mesmo que dialetizado, da posição de Lacan. Reencontra-se a afirmação desse idealismo quando ele apresenta o mundo como fantasia, quando refere a unidade do mundo a uma falta inicial, a uma hiância causal. O Significante-mestre situa-se por toda a parte e em parte nenhuma, escapa ao mundo intramundo e, ao mesmo tempo, nele se localiza. Tal como Deus, é apenas um Nome. Nome essencial porque é a condição para estar neste mundo, posto que é necessário ter suportado a castração como operação simbólica. Todo o trabalho de descontextualização que Lacan efetua, de afastamento da parte orgânica do freudismo, de refúgio na linguística, depois na topologia, como modos

25 Idem, Le langage dans la psychanalyse, *Langages*.
26 Lacan, *Écrits*, p.873.
27 Green, Le langage dans la psychanalyse, p.231.

de abordagem intelectualistas e formalizáveis, pode então ser analisado como um somatório de esforços seculares para alcançar a regra, a Lei de um clero regular que ganhou sua salvação após ter barrado todas as saídas, todas as escapatórias que não levavam ao Grande Outro.

Essa leitura cristã de Lacan poderia muito bem explicar que um bom número de jesuítas, e não dos menos representativos, como Michel de Certeau ou François Roustang, e de católicos, como Françoise Dolto, tenham participado da aventura lacaniana: "Para mim, existe em Lacan o reencontro com toda uma inteligência católica, pós-tridentina, teológica, no sentido de um despertar para a questão da Trindade",[28] admite o filósofo Jean-Marie Benoist, que compartilha desse sentimento com Philippe Sollers. Ambos consideram Lacan aquele que permitiu a abertura pós-tridentina, a do pensamento barroco. Portanto, muitos cristãos seguiram Lacan, "pensando que ele recrutava para Deus, até o momento em que perceberam que só recrutava para ele mesmo".[29]

Essa dimensão religiosa foi cuidadosamente dissimulada no momento do estruturalismo em que só se tratava de ciência, teoria, formalização. Entretanto, os especialistas da história das religiões tinham presença certa nos seminários. Bernard Sichère não chega ao ponto de considerar que Lacan tentou fazer prevalecer uma leitura católica de Freud, mas que ele foi o único, num momento em que só se pretendia torcer o pescoço à metafísica ocidental, a considerar que é impossível contornar a questão religiosa, a menos que se mergulhe no delírio e no retorno do recalcado sob as suas mais fanáticas e assustadoras formas: "Isso não quer dizer que a psicanálise deve ser religiosa. É formular-se a seguinte indagação: por que motivo um dos últimos grandes textos de Freud é justamente *Moisés e o monoteísmo?*".[30] Nesse plano, Freud e Lacan veem a religião na função de mediador eficaz entre o proibido e a realidade sexual durante séculos, e põem a questão de saber que discurso ocupa esse lugar na sociedade contemporânea. Ora, Lacan defronta-se com o total desconcerto simbólico, em que nada veio substituir o papel mediador do discurso religioso. Tanto o discurso político quanto o científico não podem ocupar o lugar de ficções

---

28 Jean-Marie Benoist, entrevista com o autor.

29 Gérard Mendel, entrevista com o autor.

30 Bernard Sichère, entrevista com o autor.

dominantes e organizadoras, e Lacan atribuirá assim à psicanálise esse papel, sem alimentar ilusões, "idealmente, pois a psicanálise não pode ser uma religião".[31]

O afeto

A cadeia significante tem por efeito deixar sucumbir uma dimensão tida por insignificante, a do afeto: aí está outro ponto forte da crítica que André Green dirige a Lacan. Em Bonneval, em 1960, ele assiste à comunicação de Jean Laplanche e Serge Leclaire sobre o inconsciente, e compartilha das reticências de Jean Laplanche acerca da concepção linguística do inconsciente. No mesmo momento, Lacan declara no colóquio de Royaumont a propósito do afeto: "No campo freudiano, apesar das palavras, a consciência é um dado tão obsoleto para fundar o inconsciente em sua negação (esse inconsciente data de Santo Tomás) quanto o afeto é inepto para desempenhar o papel do sujeito protopático".[32] Jean-Bertrand Pontalis pede então a André Green que trate do afeto em *Les Temps Modernes*. O artigo é publicado em 1961, e André Green retomará a questão mais amplamente num livro publicado em 1970:[33] "Para mim, Lacan dá uma versão antifreudiana do inconsciente".[34]

Para André Green, a fecundidade da teoria freudiana está fundamentada na heterogeneidade do significante. Freud não concebe o significante como uma bateria de termos intermutáveis, homogêneos entre eles como na linguagem, mas como uma série de níveis em que os materiais em questão são de natureza diferente. Cumpre distinguir, segundo André Green, como fez Freud, o material dos representantes psíquicos da pulsão (a excitação endossomática), o material inconsciente (a representação das coisas) e o pré-consciente (a representação de coisas com a representação das palavras que lhes correspondem). Os níveis são muito distintos e, por vezes, a corrente não passa de uns

31 Ibidem.

32 Lacan, Subversion du sujet et dialectique du désir dans l'inconscient freudien. Colloque de Royaumont, 19-23 set. 1960, *Écrits*, v.II, p.158.

33 Green, *L'affect*.

34 Idem, entrevista com o autor.

para outros: "A prova disso é a existência de distúrbios psicossomáticos que sofrem justamente de carência representativa".[35] Ora, Lacan faz-nos voltar, segundo André Green, a uma concepção platônica que relaciona as coisas com uma espécie de essência da linguagem. Lá onde Freud heterogeneíza, Lacan homogeneíza, até apresentar aos intelectuais um inconsciente próprio, quando o trabalho analítico, segundo André Green, consiste em expor a complexidade. Essa eliminação do afeto, em proveito de um Significante purificado, explica por que Saussure foi, nesse ponto, considerado a aurora da consciência moderna, pois ele teve também de eliminar, a fim de estabelecer a natureza científica da linguística, o referente, a fala, o singular, a diacronia... Essa desvitalização do sentido da linguagem, que foi o preço pago para que nascesse a linguística moderna, encontra seu par na psicanálise lacaniana: esta última pode apoiar-se na ruptura saussuriana para negar o afeto, deixando na sombra outras fontes linguísticas possíveis que se inspiravam mais no afetivo, como é o caso de Charles Bally,[36] discípulo de Saussure.

A busca de uma formalização sempre mais apurada deu particular destaque nos dois casos, o da linguística estrutural e o da psicanálise lacaniana, à dimensão do afeto. O sentimento de domínio é tanto mais possível quanto mais se restringir e homogeneizar o campo. Ora, "o afeto é algo sobre o qual não se tem verdadeiramente domínio, é fugidio, evanescente, difuso, abissal, cheio de desordens e de ruído. Por isso me parece essencial".[37] A propósito de seus estudos sobre a histeria, Freud enfatiza, aliás, a necessidade de reencontrar as lembranças traumáticas, mas também o afeto que as acompanhava. Retomando a metáfora tão cara aos estruturalistas do cristal, Serge Viderman considera que, em psicanálise, se está mais perto da fumaça opaca do que da transparência cristalina. Essa negação do afeto, esse *a* minúsculo barrado, também poderia ser perfeitamente a resultante de uma dimensão essencial da cura analítica a que Lacan teve de recorrer, mas da qual quis, ao mesmo tempo, precaver-se até o recalque: a transferência.

Por um lado, Lacan, em sua preocupação de formalização, de purificação da situação analítica, reduziu ao mínimo a transferência, pois

35 Ibidem.

36 Bally, *Le langage et la vie*.

37 Serge Viderman, entrevista com o autor.

esta é a fonte dos sentimentos mais aberrantes, dos de mais difícil racionalização. Com efeito, ele baniu o termo contratransferência, neutralizado na rubrica do desejo do analista: "Ele proibiu que se fale ou que se utilize o termo".[38] Com o pretexto de que o próprio Freud tampouco dissera muita coisa a respeito, seu modo de saneamento foi facilitado. Terá sido também para precaver-se contra suas inclinações pessoais para uma afeição transbordante? Não é impossível que ele tenha elaborado justificações teóricas *a posteriori* para conter suas próprias pulsões afetivas. Se a transferência deve ser contida na cura, em contrapartida é recomendada por Lacan na difusão e no ensino da psicanálise. O primeiro anuário da Escola Freudiana assevera que o ensino da psicanálise só é possível por intermédio de uma transferência de trabalho. Mas a transferência muda então de natureza, vetor de ciência, é isenta de sentimentos e remete para "aquele que se supõe saber": o sujeito lacaniano é um sujeito desencarnado. Reencontra-se a temática da negação da individualidade, da singularidade, própria do estruturalismo: "A operação lacaniana tem de ser dupla, isto é, perfeitamente contraditória. Por um lado, cumpre-lhe manter a subjetividade [...] e, por outro, esvaziar essa subjetividade de toda encarnação, humanização, afetividade etc., para fazer dela um objeto matemático".[39]

Para Jean Clavreul, a crítica feita por André Green a respeito da questão do afeto não está verdadeiramente fundamentada. É certo que Lacan se recusou sempre a comprazer-se nas delícias da intersubjetividade, em que se odeia ou se ama... Mas nem por isso ele menosprezou o afeto, e não para de falar do amor, do ódio, da "odienamoração", tendo mesmo consagrado todo um seminário à angústia: "Mas o que mostra Lacan é essa espécie de dependência do afeto em relação ao jogo dos significantes".[40]

Serge Leclaire tampouco se convence com a crítica de André Green a Lacan sobre a evicção do afeto, que considera excessivamente vaga, preferindo a noção de economia ou de movimento pulsional: "Recordo-me de um debate com Green em que eu propusera outras fórmulas,

---

38 Wladimir Granoff, entrevista com o autor.

39 Roustang, *Lacan*, p.58.

40 Jean Clavreul, entrevista com o autor.

dizendo que se pode contrair afeto por uma posição ou um cargo, mas fazer disso uma pedra angular, não".[41]

Lacan poderá usar o afeto, entretanto, na relação de transferência de trabalho que promove com os seus discípulos. Nesse plano, não hesita em misturar os gêneros, pois o saber adquirido a partir de uma análise pessoal logo é reinjetado no circuito organizacional de poder e de saber, em nome do imperativo da transmissão didática. Em reação a essa tendência, "a APF é a única associação do mundo em que não há analistas didatas, em que se considera que a análise é um assunto estritamente pessoal".[42]

O interesse das instituições articuladoras criadas por Lacan foi, porém, tornar dinâmico o saber analítico, impedir que este se fixasse num dogma, alimentando-o com um trabalho contínuo entre analistas. A convenção do passe, os controles, a multiplicação dos cartéis são outras tantas ferramentas, observatórios: "Eu disse sobre o passe que era um observatório da conjuntura transferencial".[43] Quanto aos cartéis, são de dois tipos: grupos de trabalho de três pessoas, pelo menos, e de cinco, no máximo, ora com uma pessoa a mais ("o um a mais"), ora o "mais um", ou seja, os indivíduos do grupo encarnam sucessivamente, um de cada vez, o "mais um" sobre quem se faz a transferência sem que esta seja encarnada por uma pessoa suplementar. Esses dispositivos servem, sobretudo, para dar prosseguimento ao trabalho analítico considerado inacabado. Permitem varrer as ilusões mediante voltas de manivela, muitas vezes violentas, do seu inconsciente em ação. Para Claude Dumézil, Lacan terá indicado o caminho difícil, o único possível, que é quebrar, pouco a pouco, os brinquedos de que se serve e, segundo ele, essa é a única maneira de deixar abertas as possibilidades de investigação analítica.

41 Serge Leclaire, entrevista com o autor.
42 Jean Laplanche, entrevista com o autor.
43 Claude Dumézil, entrevista com o autor.

27

A Terra da mitologia é redonda

Em Lacan, a cadeia significante situa-se no nível do funcionamento do inconsciente; para Lévi-Strauss, ela está na incessante reapresentação de mitos entre si, o que permite ter acesso à significação da mitologia. A matriz das significações manifesta-se a partir de transformações que se aparentam aos processos de condensação e de deslocamento do inconsciente. A estrutura dos mitos, segundo Lévi-Strauss, resulta de uma verdadeira sintaxe das transformações. A tetralogia que Lévi-Strauss consagra aos mitos com seus *Mythologiques* mantém-se a certa distância da teoria dominante do começo do século XX, a teoria simbolista que considerava a narrativa mítica como objeto, cortado de seu contexto, procurando um sentido oculto em cada termo dessa narrativa. O enfoque lévi-straussiano também constitui uma superação do funcionalismo que, com Malinowski, pretende analisar a função social dos mitos em seu contexto particular. Lévi-Strauss integra o estudo dos mitos num sistema simbólico, mas sublinhando a noção de sistema, de encadeamento, de estrutura, ao decompor o mito em unidades mínimas, os mitemas, que ele classifica em paradigmas. A sua tentativa constitui, portanto, essencialmente, uma decodificação interna do discurso dos mitos, referidos uns em relação a outros e estudados, ao contrário dos funcionalistas, numa vasta autonomia quanto às condições da comunicação e à função de cada um deles. A finalidade da tentativa é restituir uma estrutura comum a todos os mitos, graças ao estudo de sua diversidade. A inteligibilidade dos mitos deve provir do confronto de suas diferenças, de suas variações. Essa orientação já tinha sido sugerida por Vladimir Propp em 1928. Comparando a análise mítica ao trabalho de Penélope, Lévi-Strauss indica o caráter infinito do trabalho de decodificação, a relatividade dos ensinamentos que é possível extrair daí: "Tal como ocorre com o microscópio óptico [...], dispõe-se tão somente da escolha entre várias ampliações".[1]

O mito como modo de desrealização

Os mitos não são concebidos por Lévi-Strauss como materiais para desenvolver um cotejo entre infraestrutura e psiquismo inconsciente, mas como meios de acesso à chave dos sonhos e devaneios, às invariantes do espírito humano. São o objeto por excelência que melhor escapa ao determinismo exterior, aos constrangimentos sociais. E desse ponto de vista, oferecem um terreno de investigação mais propício para chegar às próprias estruturas do espírito humano do que as redes de parentesco: "Eles [os mitos] permitem destacar certos modos de operação do espírito humano, tão constantes no decorrer dos séculos e, de um modo geral, tão difundidos em espaços imensos, que podemos considerá-los fundamentais".[2] A sua significação será, por conseguinte, a resultante de uma cadeia significante e, à maneira da concepção lacaniana do inconsciente, o significado, sem ser excluído, deslizará para debaixo dessa cadeia. Não existe verdadeiramente, nesse sistema significante que funciona no interior dele mesmo numa resistência ao real, negação do meio ambiente que preside localmente à comunicação da mensagem mitológica: "A sintaxe mítica também sofre as restrições impostas pela infraestrutura geográfica e tecnológica".[3] Os mitos pensam-se, contudo, entre eles, à margem da diversidade da sociedade que os engendrou. Concebem-se como modo de desrealização, escoamento ininterrupto de representações a captar em suas variações internas: "Os mitos, no

---

1 Lévi-Strauss, *Le cru et le cuit*, p.11.
2 Idem, *L'homme nu*, p.571.
3 Idem, *Le cru et le cuit*, p.251.

final das contas, dizem todos a mesma coisa".[4] Remetem a uma dupla unidade: sistema em que estão integrados e mensagem a que se referem. É na relação da mensagem consigo mesma e com uma outra mensagem que o mito significa a sua significação numa redobrada ênfase.

A cadeia significante do mito

Essa aventura na mitologia ameríndia começa bastante cedo para Lévi-Strauss, desde o seu primeiro ano de ensino na seção de ciências religiosas da École Pratique des Hautes Études (Ephe) dedicado em 1951-1952 à "Visita das almas": "Foi na École des Hautes Études que as minhas ideias sobre a mitologia ganharam forma".[5] Em seguida, em 1955, é no seu artigo sobre "A estrutura dos mitos"[6] que ele expõe os princípios metodológicos segundo os quais as unidades constitutivas do mito não são relações isoladas, mas pacotes de relações, e sua combinação é o que permite adquirir uma função significante: "Esse sistema é, com efeito, dotado de duas dimensões: uma diacrônica e, ao mesmo tempo, outra sincrônica".[7]

A antropologia deve deixar de procurar o sentido último, a essência do mito num invariante, mas tratar de definir cada mito pelo conjunto de suas versões como constitutivas da cadeia significante, a única em condições de substituir o caos inicial por um começo de ordem interpretativa. É na repetição que deve se manifestar a estrutura do mito, e esta depende, portanto, de um ou de vários códigos que dependem, por sua vez, da substância mítica da mensagem.

La pensée sauvage, publicado em 1962, apresenta-se como um prelúdio, uma introdução geral à tetralogia vindoura. É nessa obra que Lévi-Strauss apresenta o pensamento mítico como tão estruturado quanto o pensamento científico, igualmente capaz de formular analogias e generalizações. Rejeita a teoria junguiana dos arquétipos, a noção de inconsciente coletivo, e expõe sua ambição de esboçar a construção de uma

4 Idem, *Du miel aux cendres*, p.406.

5 Idem, *Paroles données*, p.14.

6 Idem, La structure des mythes. In: Anthropologie structurale, p.227-56.

7 Ibidem, p.234.

"teoria das superestruturas",[8] baseada no relacionamento entre vários sistemas de explicação, na reintrodução do mito na cadeia significante dos outros mitos de que ele é apenas um elemento de um processo de transformação geral. Nesse sentido, a oposição binária tomada da fonologia, a oposição entre termos marcados ou não e, sobretudo, o fato de que a significação resulta da posição constituem outros tantos instrumentos de análise dos mitos recebidos da linguística e que se impõem mais do que nunca como modelo heurístico. A substituição de um elemento por outro na cadeia mitológica significante obriga os deslocamentos internos no sistema mítico.

O trabalho do antropólogo tem por objeto, portanto, "ordenar numa série todas as variantes conhecidas de um mito".[9] A ênfase, a repetição, ocupa um estatuto particular; é essencial porque manifesta a própria estrutura do mito em sua dupla dimensão sincrônica e diacrônica. O pensamento mítico, "forma intelectual de bricolagem",[10] recupera num processo contínuo os resíduos de eventos, e Lévi-Strauss rechaça a investigação das origens últimas, quando o objeto da análise consiste em definir cada mito pelo conjunto de todas as suas versões. Ele convida assim a uma busca sem limites, indefinida, pois o pensamento mítico, numa fecundidade sempre estimulada, repercute sempre em novas disposições, inversões, substituições de conceitos integrados em combinatórias cada vez mais complexas.

Nesse jogo, pode-se, não obstante, medir a extensão de um ângulo cego do olhar antropológico que, à força de insinuar-se sob a cadeia significante, acaba desaparecendo como horizonte de análise: é o nível da realidade social. A referência ao ecossistema, à organização social, só tem sentido quando inserida numa cadeia significante, construída por definição à margem de uma realidade referencial sempre mantida à distância. As oposições características situam-se no interior da estrutura, constitutivas da estruturalidade da cadeia significante.

Da mesma maneira que para Saussure o sujeito é excluído dessa perspectiva científica: "O sujeito constitui um obstáculo epistemológico"[11]

8 Idem, *La pensée sauvage*, p.155.

9 Idem, *Anthropologie structurale*, p.248.

10 Idem, *La pensée sauvage*, p.32.

11 Benoist, *La révolution structurale*, p.260.

para Lévi-Strauss. Não há lugar para um "Eu penso": "Os mitos não têm autor".[12] E Lévi-Strauss dá prosseguimento à sua obra de descentramento de um sujeito dominado por um universo mitológico que fala nele, sem que se aperceba disso. O homem só é pertinente como nível de análise para revelar as coerções orgânicas inerentes ao seu modo de pensamento: "O problema é, nesse caso, definir e inventariar essas coerções mentais".[13] Por meio de outros objetos de estudo, Lévi-Strauss persegue, de fato, o mesmo objetivo, desde a análise das relações de parentesco. Não há, portanto, ruptura significante numa obra muito coerente que se situa na costura da natureza e da cultura para fundar as bases naturais da cultura (e permitir assim que se faça da antropologia uma ciência da natureza, liberta, emancipada da tutela de uma filosofia renegada a cada etapa, objeto de irrisão e de repetida polêmica).

O mito de referência

Após ter estabelecido as bases do seu método, Lévi-Strauss inaugura verdadeiramente sua investigação no vasto campo mitológico ameríndio com *Le cru et le cuit*, publicado em 1964. Ele parte de um mito de referência, o mito bororo do Brasil central do "desninhador de pássaros", que serve de base ao estudo de 187 mitos pertencentes a uma vintena de tribos, formando em conjunto uma série que responde à questão sobre a origem da cozedura dos alimentos, da cozinha. A história é a seguinte.

Um filho, culpado de incesto com sua mãe, é enviado por seu pai a enfrentar as almas dos mortos. Ele se desincumbe de sua tarefa graças a uma bondosa avó e à ajuda de alguns animais. Furioso por ver seus planos frustrados, o pai convida o filho para ir com ele capturar as araras que fazem ninho na vertente do rochedo. Os dois homens chegam ao sopé do paredão: o pai alça uma longa vara e ordena ao filho que suba por ela. Assim que este chega à altura dos ninhos, o pai deixa cair a vara e os urubus abatem-se sobre o filho. Uma vez saciadas, depois de lhe terem comido as fezes, as aves o salvam. De regresso à aldeia, o

12 Lévi-Strauss, *Le cru et le cuit*, p.26.
13 Idem, L'avenir de l'ethnologie, 1959-1960. In: *Paroles données*, p.34.

filho vinga-se. Transforma-se em cervo e investe contra o pai, matando-o à força de chifradas. Do festim macabro, só restam ossos descarnados no fundo da água e pulmões que flutuam sob a forma de plantas aquáticas. O filho também se vingará das esposas de seu pai, entre as quais a sua própria mãe.

A decodificação: a meditação culinária

O método de Lévi-Strauss se aproxima da análise freudiana dos sonhos, pois cada sequência será recortada do seu contexto e comparada com outras sequências em outros mitos. Entretanto, o modo de questionamento difere fundamentalmente da psicanálise, pois a interpretação se revelará indiferente à falta cometida pelo filho, ao incesto, concentrando-se na exploração das oposições entre as qualidades sensíveis a partir da organização binária de suas posições. Os bororos parecem indiferentes, neste mito, à falta incestuosa. O verdadeiro culpado não é tanto o autor do incesto, que figura como herói, quanto o pai, que quis vingar-se do seu filho e será punido de morte. Segundo Lévi-Strauss, o objeto do mito não está no conteúdo do seu dizer explícito, mas na explicação da origem, da cozedura dos alimentos – cujo motivo, entretanto, está aparentemente ausente –, sendo a cozinha a operação de mediação por excelência entre o Céu e a Terra, entre natureza e cultura. Os mitos de origem do fogo traduzem uma dupla oposição binária entre cru e cozido, entre fresco e podre. O eixo que une cru e cozido depende da cultura, ao passo que aquele que une cru e podre depende da natureza. O fogo, mediador essencial para o nascimento da cozinha, exerce a sua função de duas maneiras. Evita a disjunção pela união do Sol e da Terra, preserva o homem do podre, mas também afasta os riscos de uma conjunção da qual resultaria um mundo queimado. A regra fundamental da interpretação lévi-straussiana consiste em centrar a decodificação na organização interna do mito, para chegar assim a conjuntos paradigmáticos a partir de diversos mitemas. A fim de esclarecer o sentido desse mito de referência, é imprescindível usar uma racionalidade mais profunda extraída da investigação dos conjuntos permutantes, das articulações de sistemas de signos manifestadas numa longa série mítica; daí essa extensa pesquisa comparativa, constitutiva da série significante.

Partindo de categorias empíricas observáveis, como o cozido, o cru, o molhado, o apodrecido, o queimado, Lévi-Strauss oferece-nos, subentendidas nessas observações etnográficas, ferramentas conceituais, noções abstratas que elucidam o modo de pensar das sociedades primitivas. Se Lévi-Strauss considera seriamente a observação etnográfica, nem por isso deixa de manter a prevalência de um horizonte teórico. As qualidades sensíveis identificáveis no discurso mítico são promovidas a uma existência lógica que duplica os cinco sentidos por cinco códigos fundamentais. O pensamento mítico é estruturado como uma linguagem, à maneira como Lacan estuda o inconsciente: "Ao colher sua matéria na natureza, o pensamento mítico procede como a linguagem, que escolhe os fonemas entre os sons naturais".[14]

A infraculinária e a supraculinária

Com o segundo volume de seus *Mythologiques, Du miel aux cendres*, Lévi-Strauss passa das oposições entre qualidades sensíveis às oposições de formas: vazio/cheio, continente/conteúdo, interno/externo. Assiste-se a uma complexificação da análise, que adota então por objeto mitos menos transparentes, os quais dizem, não obstante, a mesma coisa, mas com maior número de desvios. Esses mitos refletem uma dimensão nova, a da passagem da cultura para a sociedade, da economia paleolítica para a neolítica, da sociedade coletora e caçadora para a agrícola. Com o mel e o fumo, Lévi-Strauss explora o mesmo domínio, o da cozinha, mas em suas circunvizinhanças, uma vez que se apresentam como "paradoxos culinários".[15] O mel é considerado pelos índios um alimento pronto, uma dádiva da natureza; é, portanto, um produto natural infraculinário. Símbolo da descida para a natureza, o mel pode ser bom, mas também venenoso. Portanto, é ambivalente e, como tal, comporta riscos que são ilustrados pelo mito da "moça louca de mel",

14 Idem, *Le cru et le cuit*, p.346.
15 Idem, *Du miel aux cendres*, p.259.

o qual remete para a sedução exercida pela ordem natural sobre a cultura humana, e o perigo de dissolução desta. Ao contrário, o fumo, produto supraculinário, tem por função restabelecer a relação que pode ser desfeita pelo mel entre a ordem da natureza e a da cultura. Pela elevação das espirais de fumaça, ele refaz, de um modo ascensional, o que o mel desfez – mediante uma nova escalada na direção da cultura. O segundo deslocamento que Lévi-Strauss realiza é a distinção de um plano simbólico de imagens imediatamente perceptíveis e de uma categoria do imaginário, nova, que intervém quando há necessidade de uma imagem que o simbolismo não contém: "Percebemos todos os grandes temas míticos ao contrário [...] um pouco como se fosse necessário decifrar o tema de uma tapeçaria pelos fios entremeados e confusos que se veem no avesso".[16]

A vida humana deve, pois, encontrar um equilíbrio precário entre os dois perigos que representam uma natureza sem cultura e uma cultura sem natureza, os quais redundam no risco de inópia. Essa dialetização das relações natureza/cultura, admitida primeiro como um fato, como ordem natural das coisas, em *Les structures élémentaires de la parenté*, é apreendida agora como um mito de que a cultura tem necessidade para constituir-se com e contra a natureza: "Evoluí muito, desde então, sob a influência dos progressos da psicologia animal e da tendência para fazer intervir nas ciências da natureza noções de ordem cultural".[17] A oposição natureza/cultura desloca-se, então, e passa do estatuto de propriedade imanente no real para uma antinomia própria do espírito humano: "A oposição não é objetiva, são os homens que têm necessidade de formulá-la".[18] O contexto etnográfico é apenas uma moldura, o ponto de partida de uma reflexão que deve desligar-se de costumes, crenças e ritos das populações das quais provém o mito, a fim de atingir um mais alto nível de abstração, de tal maneira que "o contexto de cada mito consiste cada vez mais em outros mitos".[19] Assim é que mel e fumo, diferentemente das noções estáticas de cru e cozido, representam desequilíbrios dinâmicos, oposições não em termos de espaço, mas em termos temporais.

---

16 Ibidem, p.201.

17 Idem, entrevista com Bellour, *Lettres Françaises*, n.1165, 12 jan. 1967, reimpressa em *Le Livre des autres*, 10-18, p.38, 1978.

18 Ibidem, p.38.

19 Idem, *Du miel aux cendres*, p.305.

A moral culinária

Com o terceiro volume, *L'origine des manières de table*, Lévi-Strauss amplia sua área espacial até então confinada à América do Sul. Ele integra em seu estudo comparativo mitos dos índios da América do Norte e atinge um nível ainda superior de complexificação ao substituir o estudo dos termos pela oposição entre as diversas maneiras segundo as quais eles são utilizados, ou em conjunto ou separados. Permanecemos no domínio da mediação culinária, com um objeto novo e central que é o aparecimento da moral. É o terceiro nível de exposição das lógicas, após a do sensível, a das formas; trata-se agora de uma lógica das proposições.

O mundo ordenado é também um mundo ameaçado, por muito pouco que se desloquem nele as linhas fronteiriças, que se transgridam as boas distâncias. Os bons usos desempenham nesse nível um papel regulador. Toda infração está sujeita a perturbações que se refletem no universo tanto natural quanto cultural, e Lévi-Strauss opõe duas éticas: a do ocidental, em que se respeitam as medidas de higiene para proteger o indivíduo, e a das chamadas sociedades primitivas, na qual elas são respeitadas para que os outros não sejam vítimas de sua própria impureza. O "selvagem", ao contrário do "civilizado", dá assim provas de mais humildade diante da ordem do mundo. Portanto, após a origem da cozinha e de suas dependências, Lévi-Strauss dedica-se a identificar os seus contornos: as diversas maneiras de preparar e consumir as refeições. Cada etapa ilustra o fato de que "a cultura não se define como um domínio, mas como uma operação, aquela que faz da natureza um verdadeiro universo. [...] Essa operação é uma mediação que separa e une simultaneamente".[20] Assim, a natureza é constantemente culturalizada e a cultura é, inversamente, naturalizada, servindo o pensamento mítico, neste caso, de operador nos dois sentidos.

20 Pouillon, *La Quinzaine Littéraire*, p.21, 1-31 ago. 1968.

A tetralogia

A publicação em 1971 do quarto e último volume dessa tetralogia, *L'homme nu*, encerra toda uma aventura que durou sete anos e deu à luz uma obra excepcional, *Mythologiques*. A imprensa saudou o evento à altura de sua dimensão. *Le Monde* publica todo um caderno especial no qual se pode ler, ao lado de uma entrevista dada por Lévi-Strauss a Raymond Bellour, artigos de Hélene Cixous, "Le regard d'un écrivain", dos historiadores Marcel Detienne e JeanPierre Vernant, "Eurydice, la femme-abeille", e do linguista-musicólogo Nicolas Ruwet, "Qui a hérité?", bem como um artigo de Catherine Backès-Clément.

A televisão oferece aos telespectadores o que *Le Figaro* qualifica de "Domingo estudioso": Lévi-Strauss é o convidado de domingo! Ele decide deixar a estrela principal no laboratório de antropologia social que criara e vemo-lo desfilar uma série de pesquisas de campo conduzidas por François Zonabend, Pierre Clastres, Maurice Godelier e François Izard. Consagra-se por unanimidade *L'homme nu* e o conjunto da tetralogia de Lévi-Strauss, que se junta assim a Wagner no registro das ciências sociais.

Esse quarto volume parece *a priori* deslocado em relação aos três primeiros, visto que já não se trata mais da cozinha ou de metáforas culinárias. Mas, de fato, uma profunda unidade liga o conjunto, e está claro desde o começo para Lévi-Strauss que, se o primeiro termo de *Mythologiques* era "cru", o último seria "nu": pois ao término dessa viagem mitológica Lévi-Strauss reencontra o equivalente do seu mito de referência bororo do Brasil. Por outro lado, "se para os índios da América tropical a passagem da natureza à cultura é simbolizada pela passagem do cru para o cozido, para esses índios da América do Norte ela é simbolizada pela invenção dos enfeites, dos ornamentos, das vestimentas e, também, pela invenção das trocas comerciais".[21] Ao herói reduzido ao estado de natureza – ou seja, ao estado de cru – da América tropical corresponde na América do Norte o herói reduzido ao estado de nudez.

Esse livro retorna aos determinismos próprios da infraestrutura econômica. A tetralogia conclui-se com *L'homme nu*: "Assim se encerra

21 Lévi-Strauss, entrevista com Bellour, *Le Monde*, 5 nov. 1971.

um vasto sistema cujos elementos invariantes podem sempre ser representados sob a forma de um combate entre a Terra e o Céu para a conquista do fogo".[22] O evento decisivo, fundador, é portanto a conquista do fogo roubado do céu por um herói terrestre que a isso se aventurou, voluntariamente ou não. O forno de barro aparece como operador principal da dupla conquista do fogo e da água pela arte culinária do cozimento. Verdadeiro eixo dessas narrativas míticas, o forno de terra, como operador central, desempenha o papel de um esquema formal: "A imagem antecipada do forno de terra [...] determina a passagem do estado de natureza ao estado de sociedade".[23]

No "Finale" de *L'homme nu*, que responde à maneira de um motivo musical à "abertura" do primeiro volume, Lévi-Strauss recorda a necessidade metodológica de supressão do sujeito para ter acesso à estrutura do mito. Ao repelir o sujeito, ele reata a polêmica que nunca deixara de alimentar contra as pretensões do discurso filosófico. Às críticas que lhe são feitas de dissecar e empobrecer o universo humano, por suas reduções formais das mensagens formuladas pelas sociedades que estuda, ele responde:

> A filosofia conseguiu por tempo demais manter as ciências humanas aprisionadas num círculo, não lhes permitindo descortinar para a consciência outro objeto de estudo senão a própria consciência. [...] O que, na esteira de Rousseau, Marx, Durkheim, Saussure e Freud, o estruturalismo procura realizar é desvendar para a consciência um outro objeto: colocá-la, portanto, frente aos fenômenos humanos, numa posição comparável àquela em que as ciências físicas e naturais provaram que somente elas podiam permitir ao conhecimento se exercer.[24]

No horizonte dessa crítica, vislumbra-se a esperança de adquirir o *status* de ciência da natureza, tendo acesso às condições de funcionamento do espírito humano graças, entre outros, ao saber antropológico. A tensão interna entre natureza e cultura desdobra-se, no interior do discurso do próprio Lévi-Strauss, na tensão entre sua ambição de ganhar

22 Idem, *L'homme nu*, p.535.
23 Ibidem, p.556.
24 Ibidem, p.562-3.

acesso às leis intangíveis da natureza neuronal do cérebro humano e a vontade jamais enterrada do criador que escolheu o terreno de investigação das ciências humanas para fazer uma obra artística.

Essa tensão é perceptível na própria composição de *Mythologiques*, concebida segundo o modelo da tetralogia de Wagner, com uma única exceção, como mostra Catherine Backês-Clément:[25] *Le cru et le cuit* trata da origem da cozinha e retoma assim o tema da gênese do mundo, da Lei de O *ouro do Reno*. *L'origine des manières de table* corresponde à *Valquíria* em seu tratamento das relações de parentesco, de incestos e modo de evitá-los. *Du miel aux cendres* corresponde ao *Siegfried* como aculturação da selvageria, e *L'homme nu*, evidentemente, ao *Crepúsculo dos deuses*, retorno às origens, após o desaparecimento do sistema construído para chegar ao "Finale". A analogia musical é constante desde a definição do projeto de estudo dos mitos em "La structure des mythes", em que Lévi-Strauss compara o objeto mitológico a uma partitura de orquestra que se deve ler vertical e horizontalmente. *Le cru et le cuit* é dedicado à música e adota a figura de uma fuga. A referência musical é ainda mais explícita em *L'homme nu*: "É manifestamente certo que tentei edificar com os sentidos uma obra comparável àquelas que a música cria com os sons".[26]

Música e mitologia apresentam-se aos olhos de Lévi-Strauss como imagens inversas uma da outra, desde a invenção da fuga, cuja composição se reencontra na narrativa mítica. A música tomou o lugar do mito: "Quando morre o mito, a música torna-se mítica da mesma forma que as obras de arte".[27] Por outro lado, a perspectiva científica, senão cientista, do programa da antropologia estrutural, é incessantemente reiterada com muito mais otimismo acerca de suas capacidades de análise: "O estruturalismo propõe às ciências humanas um modelo epistemológico de uma potência incomparavelmente superior à dos modelos de que elas dispunham antes".[28] Na verdade, o que está sendo visado é a filosofia, ela, que sempre privilegiou o sujeito, esse "insuportável *enfant gâté* que por demasiado tempo ocupou a cena filosófica".[29]

25 Backès-Clément, *Le Magazine Littéraire*, nov. 1971.
26 Lévi-Strauss, *L'homme nu*, p.580.
27 Ibidem, p.584.
28 Ibidem, p.614.
29 Ibidem, p.614.

Um estruturalismo naturalista

Se Lévi-Strauss reencontra o homem, é como natureza humana, e apoia-se, em *L'homme nu*, nas pesquisas sobre a visão, sobre o córtex cerebral, que mostram que os dados da percepção são retomados sob a forma de oposições binárias. Portanto, o binarismo não seria um simples aparelho lógico exterior aplicado sobre o real, mas apenas reproduziria, de fato, a natureza do funcionamento do corpo humano, "e se ele [o binarismo] constitui uma propriedade imediata da nossa organização nervosa e cerebral, não causaria surpresa se também fornecesse o mais adequado denominador comum para fazer coincidir entre si experiências humanas que superficialmente poderiam parecer irredutíveis".[30]

No horizonte de sua aventura, Lévi-Strauss espera, portanto, despertar-se entre as ciências da natureza no dia do juízo final. O preço a pagar por tal ascensão é eliminar da cadeia significante os conteúdos narrativos dos mitos e, à maneira dos fonemas, reduzir os mitemas a um valor opositivo. A conquista científica baseia-se, então, em relações de compatibilidade ou incompatibilidade, mas conduz Lévi-Strauss a "um formalismo lógico"[31], que contribui para o relacionamento entre os mitemas no interior de um mito. Esse formalismo fundamenta o encadeamento sintagmático e a sobreposição de mitemas tomados dos mitos diferentes, os quais constituem os conjuntos paradigmáticos. O espírito repete a natureza porque ele é natureza; o isomorfismo é total e questiona o corte tradicional entre essas duas ordens da realidade. A esse respeito, pode-se falar de um materialismo radical de Lévi-Strauss, que declara que, se lhe perguntarem para que significado último remetem as suas cadeias significantes, "a única resposta que esse livro sugere é que os mitos significam o espírito, que os elabora por intermédio do mundo de que ele próprio faz parte".[32]

Há, por conseguinte, um causalismo em ação nessas cadeias mitológicas, mas é de natureza neuronal e implica, por definição, uma colocação à distância máxima do conteúdo semântico, das proposições mitológicas, do referente social para o qual ele remete. Sem dúvida, esse

30 Idem, *Le Magazine Littéraire*, nov. 1971.

31 Duvignaud, *Le langage perdu*, p.243.

32 Lévi-Strauss, *Le cru et le cuit*, p.346.

referente social não está ausente da tetralogia dos *Mythologiques*, a qual integra todas as informações etnográficas de que dispõe Lévi-Strauss, mas sua pertinência é reduzida a um simples pano de fundo, um simples material de base de que se serve, sem que influa de maneira decisiva no modo de pensar, pois é somente no nível gramatical que o mito revela as limitações lógicas de sua enunciação, e ele representa, portanto, o único plano pertinente de sua necessidade. Somente esse nível gramatical permite o acesso aos âmbitos mentais e revela pelo sintoma que representa o que ele evita dizer. A verdade do mito consiste em "relações lógicas desprovidas de conteúdo ou, mais exatamente, cujas propriedades invariantes esgotam o valor operatório".[33] Assim, Lévi-Strauss pode evitar a relação especular entre realidade social e mito. Ele escapa, com razão, aos mecanismos próprios de um pensamento do reflexo, mas para substituí-lo por uma lógica interna da mitologia que se esquiva de toda e qualquer restrição exterior, diferente da neuronal.

A autonomização necessária do campo cultural em relação ao social é levada ao extremo de sua lógica, até converter-se num horizonte independente deste último. O modelo fonológico serve de fundamento teórico para essa extração do conteúdo social da mensagem em proveito do código: "A proposição segundo a qual os elementos que compõem o mito carecem de significação independente é uma consequência da aplicação de métodos fonológicos aos mitos. De fato, a ausência de significação é uma característica dos fonemas".[34] A analogia da mitologia e da música sustenta, desse ponto de vista, em Lévi-Strauss, a ambição de uma teoria construída, desligada do objeto. Daí resulta, sem a menor dúvida, um monumento fascinante, a própria obra de Lévi-Strauss, mas à custa de uma perda, pelo abandono, em princípio, de toda perspectiva hermenêutica. A redução logicista procede a uma evitação do afeto na cadeia significante, do mesmo modo que em Lacan. Assim, a sexualidade das sociedades ameríndias serve para tudo, salvo para fins sexuais; ela responde a "uma dialética de abertura e de fechamento"[35] e abre, portanto, para um mundo dessexualizado, quando não é de outra coisa que se trata. A semelhança da postura estrutural de Lévi-Strauss e Lacan

---

33 Ibidem, p.246.

34 Pavel, *Le mirage linguistique*, p.48.

35 Lévi-Strauss, *Le cru et le cuit*, p.144.

encontra-se mais uma vez manifesta e revelada pela afirmação similar de Lacan, para quem "as relações sexuais não existem". Esse desvio resulta igualmente de uma negação do sujeito entendido como lugar insubstancial, oferecido a um pensamento anônimo que se desenrola nele com a promessa de um melhor conhecimento deste último, mas na condição de que o sujeito "se dissolva, qual aranha, nas malhas da teia estrutural".[36]

Uma máquina de suprimir o tempo

O outro horizonte morto de *Mythologiques* é a história, e Lévi-Strauss percebe uma relação particular dos mitos com a temporalidade. A mitologia e a música "são, com efeito, máquinas de suprimir o tempo".[37] O objeto escolhido por Lévi-Strauss tem valor de demonstração em sua polêmica com os filósofos para desestabilizar o privilégio, que ele considera exorbitante, concedido à historicidade. Mas nem por isso a história está ausente, e já vimos que Lévi-Strauss recriminava ao funcionalismo o fato de ignorá-la, dependendo, porém, do registro da simples contingência.

O lugar da história é "aquele que cabe de direito à contingência irredutível. [...] Para ser viável, uma pesquisa inteiramente voltada para as estruturas começa por inclinar-se diante da potência e inanidade do acontecimento".[38] Ocorre, pois, uma rejeição de Clio, que se apresenta como preliminar de uma iniciativa científica à medida que as dicotomias estabelecidas por Lévi-Strauss – necessidade/contingência, natureza/cultura, forma/conteúdo... – colocam a estrutura do lado da ciência e o evento do lado da contingência. Ora, esse relegar da historicidade não é próprio das sociedades frias: Lévi-Strauss vê assim "o milagre grego" (passagem do pensamento mítico para o filosófico) como uma simples concorrência histórica que não significa outra coisa a não ser que se produziu ali e, de fato, poderia muito bem ter ocorrido em qualquer outro lugar, visto que nenhuma necessidade o tornava inelutável. Ao término

36 Frank, *Qu'est-ce que le néo-structuralisme?*, p.56.
37 Lévi-Strauss, *Le cru et le cuit*, p.23-4.
38 Idem, *Du miel aux cendres*, p.408.

de sua aventura mitológica, Lévi-Strauss radicaliza sua posição na etapa final de sua pesquisa. A ordem do tempo desvendado pelos mitos não é somente o tempo reencontrado, proustiano, é também o tempo "suprimido";[39] "levada até o seu término, a análise dos mitos atinge um nível em que a história anula a si mesma".[40]

Reencontra-se aqui um traço importante do paradigma estruturalista: a prevalência conferida à presença, mas uma presença estacionária, na qual se dissolvem passado e futuro numa temporalidade presa ao solo, estática, pensamento que tanto refuta a teleologia histórica quanto a ideia de fuga do tempo, num presente reconciliado. Lévi-Strauss atribui a Marcel Proust a ideia de "um homem emancipado da ordem do tempo".[41] Essa emancipação do tempo, essa refutação da história, conduz Lévi-Strauss até à "reinstalação de uma filosofia da presença".[42] Essa presença nada mais é do que a da natureza que exclui a história, a do cérebro, do genótipo universal que funciona como uma máquina binária, reinserção do pensamento humano na matéria viva e presente.

O crepúsculo dos homens

Esse fim da história serve de introdução ao tema crepuscular do "Finale" de *L'homme nu*. Ao término dessa grande obra de elucidação do universo mitológico, Lévi-Strauss deixa entrever ao leitor o pessimismo histórico que o anima desde o começo do empreendimento. Tudo o que foi sabiamente estudado nunca passa de eflorescência passageira de um mundo condenado a perder-se, condenado à morte inevitável. As *Mythologiques* terminam, pois, com um crepúsculo dos homens que redobra o wagneriano crepúsculo dos deuses. Esses mitos deixam transparecer um edifício complexo que "se expande lentamente e volta a se fechar para submergir ao longe como se nunca tivesse existido".[43]

---

39 Idem, *L'homme nu*, p.542.
40 Ibidem, p.542.
41 Ibidem, p.502, citação extraída de Proust, *Le temps retrouvé*, II, p.15.
42 Benoist, *La révolution structurale*, p.275.
43 Lévi-Strauss, *L'homme nu*, p.620.

O tempo desenrola-se na própria lógica do seu desaparecimento, ele mesmo se anula numa atmosfera crepuscular. Ele realiza assim plenamente a sua concepção inicial de uma antropologia como entropia: "O lirismo da morte é o mais belo, mas também o mais temível".[44] A estrutura, após revelar a si mesma, ao preço do desenvolvimento de um dispositivo conceitual muito complexo, não tem, portanto, mensagem alguma, salvo a de que se deve morrer: "Esse gigantesco esforço chegou, portanto, ao seu fútil limite; ele desemboca nesse NADA, que é a última palavra colocada, não por acaso, ao termo desse suntuoso '*finale*'".[45] A polêmica com os filósofos, sobretudo com Sartre, e o tom zombeteiro e distante de Lévi-Strauss diante da filosofia em geral não devem, entretanto, deixar supor a inexistência de uma filosofia nele.

Lévi-Strauss jamais deixou de conceber o estruturalismo não só como método científico ou como uma nova sensibilidade que encontra alguns ecos no plano da criação literária, pictórica e musical, mas também como uma filosofia do fim de uma história doravante extinta. Ele contribuiu nesse plano, segundo Jean-Marie Domenach, "para essa destruição quando matou, pelo saber, essa vivacidade, esse vigor da cultura. O que é atroz é o lado mortífero dessa filosofia. [...] Em vez de sair pelo alto, pela esperança ou a renascença, sai pelo que chamei de um *requiem* ou um *de profundis*. Nada mais resta senão deixar a escritura ser tragada e consumida na entropia".[46] Existe manifestamente nesse crepúsculo dos homens uma forma de abdicação perante a história.

Sinal da decomposição das ideologias de que se alimenta, o estruturalismo é, nesse plano, o esboço de reconstituição de uma ideologia globalizante, sem resíduos, demonstração do espírito de síntese e, ao mesmo tempo, destruição desse espírito numa espiral vertiginosa e fúnebre.

---

44 Domenach, Le requiem structuraliste. In: *Le sauvage et l'ordinateur*, p.81.

45 Ibidem, p.85.

46 Idem, entrevista com o autor.

28

África

UM CONTINENTE-LIMITE DO ESTRUTURALISMO

Lévi-Strauss e numerosos antropólogos na sua esteira trilharam o continente americano utilizando a grade estrutural para melhor avaliar o inconsciente das práticas sociais das populações indígenas. Tudo leva a crer que aqueles que optaram pelo campo de investigação africano se distanciaram mais do paradigma estrutural, que não lhes oferecia uma explicação satisfatória sobre sociedades em confronto direto com a história colonial. Os investigadores devem, por outro lado, trabalhar com populações muito mais importantes do que as magras comunidades índias que conseguiram escapar ao genocídio. A imbricação das crenças e dos costumes locais e de instituições coloniais induz fenômenos de aculturação que tornam difícil uma redução binária da organização social africana e relativiza, portanto, a área geográfica de aplicação do paradigma estrutural. Existem, no entanto, antropólogos africanistas estruturalistas, mas pode-se formular a hipótese de uma binaridade no campo antropológico que adotaria as fronteiras dos terrenos de investigação entre os americanistas lévi-straussianos e os africanistas discípulos de Georges Balandier, mesmo que tal configuração seja fortemente redutora.

Georges Balandier: o africanismo

Georges Balandier foi o iniciador de toda uma geração de africanistas. Formado em etnologia por Michel Leiris, que foi seu modelo, Balandier fez parte do pequeno círculo de sociólogos que se reunia na rue Vaneau na casa de Georges Gurvitch, com Jean Duvignaud, Roger Bastide e outros. Ele concebe a sociologia da África Negra numa perspectiva militante, anticolonial. O horizonte do seu trabalho leva frontalmente em conta, portanto, a dimensão política. Vítima do estruturalismo, Georges Balandier terá pago caro por suas posições críticas em relação ao paradigma dominante dos anos 1960: "Tive de ceder no Collège de France. Claude Lévi-Strauss fez de tudo para promover candidaturas equivalentes àquelas que eu podia propor".[1]

Contudo, esteve muito ligado a Lévi-Strauss, durante seis ou sete anos, até o ingresso deste último no Collège de France. Parece que a desavença entre os dois homens deveu-se a um acontecimento sem importância, um infeliz jogo de palavras levado ao conhecimento de Lévi-Strauss, que lhe causou forte e profundo ressentimento. O divórcio entre os dois não era, porém, insuperável, apesar da escolha de métodos e campos diferentes. Ambos estavam associados a um mesmo organismo vinculado à Unesco desde 1954, o Conselho Internacional de Ciências Sociais, do qual Lévi-Strauss era secretário-geral e Georges Balandier, responsável por um departamento de pesquisa. "Isso tudo se deteriorou por causa de um incidente trivial, uma espécie de mexerico",[2] e a polêmica foi desencadeada por uma contundente crítica sobre a inconsequência de Georges Balandier no encadeamento de suas proposições desde 1962.[3] O rompimento nunca seria superado mas, para além dos incidentes, das suscetibilidades machucadas, ele simboliza bem duas orientações divergentes.

Georges Balandier foi, com efeito, fortemente influenciado pelo existencialismo do pós-guerra. Membro da Resistência durante a Segunda Guerra Mundial, ligado ao Museu do Homem e a Michel Leiris, é introduzido por este na *entourage* de Sartre em *Les Temps Modernes*. Está

---

1 Georges Balandier, entrevista com o autor.

2 Ibidem.

3 Lévi-Strauss, *La pensée sauvage*, p.311.

ausente, porém, dos grandes debates do pós-guerra, uma vez que em 1946 parte como antropólogo para a África Negra e se instala em Dacar, onde exerce as funções de redator-chefe da revista *Présence Africaine*. Participa intensamente da descolonização na África, da qual se torna "um agente ativo junto a certos líderes africanos".[4] Diretamente envolvido na história em processo de construção, Balandier convive quase diariamente com Léopold Sédar Senghor, Sékou Touré, Houphouet-Boigny, Nkrumah. E se descobre a figura do outro, da alteridade, da negritude reinvindicada como cultura diferente, ele tem o sentimento de participar de uma história em plena ebulição, não só por sua hostilidade aos quadros coloniais, pelo seu desejo de emancipação política, mas também pela reinvidicação histórica desses povos que aspiram a um reatamento com sua própria história, para além do corte colonial.

O seu campo de investigação está em plena mutação. Depois de Bandung, o continente africano subleva-se, os confrontos multiplicam-se, ao mesmo tempo que as populações conhecem a escalada do pauperismo, o recrudescimento das favelas... Os partidos, os sindicatos fazem sua aparição num universo até então tribal. Portanto, o que Georges Balandier descobre é o contrário de uma sociedade imobilizada no tempo: "Não posso, por conseguinte, aderir de maneira nenhuma à ideia segundo a qual nessas sociedades o mito dá forma a tudo, e a história não estaria presente, em nome do fato de que tudo é sistema de relações e de codificações, com uma lógica das permutações possíveis que permite à sociedade manter o equilíbrio".[5] Pelo contrário, Balandier descobre o movimento, a fecundidade do caos, o caráter indissociável da diacronia e da sincronia: "O que eu entendo é que as sociedades não são produzidas, elas se produzem; é que nenhuma escapa à história, mesmo que a história se faça de outro modo, mesmo que seja plural".[6]

De regresso à França, Balandier ingressa na sexta seção da École Pratique des Hautes Études (Ephe), na qual inicia estudos de sociologia da África Negra; participa igualmente, em 1954, do gabinete do secretário de estado Henri Longchambon, do governo Mendes France, respondendo pelas ciências humanas. Em 1961, é convidado por Jean

4 Georges Balandier, entrevista com o autor.
5 Ibidem.
6 Ibidem.

Hyppolite para realizar um seminário na École Normale Supérieur, na rua de Ulm, o qual coordenará até 1966: "O estruturalismo era um fluido que inundava tudo, após ter arrebatado muita coisa em seu fluxo".[7] Foi nesse templo do estruturalismo triunfante nos anos 1960 que ele conseguiu induzir alguns geógrafos, historiadores, homens de letras e filósofos a trabalhar em proveito da antropologia, como Jean-Noel Jeanneney, Régis Debray, Emmanuel Terray, Marc Augé...

O fascínio que ele exerce sobre toda uma geração que combateu a guerra da Argélia está ligado à sua capacidade para confrontar a sua prática teórica com as turbulências da história, para evitar o encerramento na torre de marfim do laboratório científico. No início do ano letivo de 1962, ele realiza o seu primeiro curso na Sorbonne: "O africanismo que eu expunha não fazia concessão nenhuma à moda estruturalista".[8] O que impressiona de imediato Balandier, ao chegar à África, é a miséria social. Considera desde logo a política como o meio de atingir a emancipação, e essa dimensão se tornará para ele um objeto de estudo privilegiado que o distingue também da postura estruturalista. Em 1967, publica *Anthropologie politique* e ultrapassa a visão clássica do poder como simples gestão da força repressiva. Inclui aí as dimensões do imaginário e do simbólico. Equipara-se, assim, no território africano, ao estudo de Marc Bloch sobre *Les rois thaumaturges*, colocando no coração da análise o corpo transformado do detentor do poder político. Acentua, portanto, uma dimensão largamente ocultada na tradição estruturalista que se constrói à margem do político, ângulo morto da antropologia estrutural na França. Balandier tem de se apoiar nos trabalhos de africanistas políticos anglo-saxões desde 1945: Meyer Fortes, John Middleton, Siegfried-Frederick Nadel, Michael-Garfield Smith, D. Apter, J. Beattie...

Retoma as críticas formuladas por Edmund Leach em relação à abordagem estruturalista aplicada ao estudo dos sistemas políticos. No caso da organização política dos *kachin*, Edmund Leach identifica uma oscilação entre os polos aristocrático e democrático que requer variações e ajustamentos constantes da estrutura sociopolítica: "O rigor de

---

7 Balandier, *Histoire d'autres*, p.187.
8 Ibidem, p.183.

várias análises estruturalistas é aparente e enganador",[9] porque elas são fundamentadas em situações irreais de equilíbrio. Por um caminho diferente do adotado por Lévi-Strauss, Balandier não deixa de estar, porém, em continuidade com ele no plano do questionamento do etnocentrismo ocidental que, no domínio da reflexão sobre a política, tendia para uma definição limitativa, reduzindo-o ao aparelho do Estado. Já em 1940, Edward Evans-Pritchard, nos nuer do Sudão, e Meyer Fortes, nos *tallensi* de Gana, tinham estabelecido uma dicotomia entre sistemas segmentários sem Estado e sistemas de Estado.[10]

Mas Balandier vai mais longe ao questionar uma tipologia baseada num princípio único, o da coerção. Substitui-a por uma abordagem sintética do político que inclui num único conjunto o exame das estratificações sociais, das regras de parentesco. Rechaça, portanto, o postulado estruturalista de isolamento das variáveis para estudá-las em sua lógica endógena, e opõe-lhe um enfoque global em que os diversos níveis do real, do imaginário e do simbólico se misturam num equilíbrio dinâmico e, por definição, instável. Tal concepção permite conferir um lugar e uma pertinência a noções como a de estratégias abertas que deixam a seus autores certa latitude nas opções; pode incluir o parentesco nas relações de poder por meio de todo um jogo de alianças matrimoniais, concebidas como outras tantas peças do dispositivo político.

Segundo Balandier, não se pode afirmar, pois, como o faz a antropologia até aí, que a política começa onde o parentesco termina. Semelhante enfoque permite uma abertura para as problematizações históricas: "A antropologia, a sociologia política e a história foram conduzidas a coligar seus esforços".[11] Também permite um diálogo com os historiadores, o que efetivamente acontece, em 1968, com uma edição dos *Lundis de l'histoire* dedicada à obra de Balandier, que debate com Jacques Le Goff e Pierre Vidal-Naquet.[12] A abordagem sintética e diacrônica de Balandier aproxima-se, com efeito, das investigações dos historiadores, em especial dos medievalistas, cujas fontes, como as canções de gesta, descrevem as guerras de linhagens e famílias como outros

9 Idem, *Anthropologie politique*, p.22.
10 Evans-Pritchard; Fortes, *African Political Systems*.
11 Balandier, *Anthropologie politique*, p.27.
12 Lundis de l'histoire. *France-Culture*, 11 mar. 1968.

tantos lances políticos. A definição que Balandier dá do político é, portanto, de grande amplitude: "Cumpre diferençar a política como meio de assegurar o governo dos homens e o político como veículo de estratégias de que os homens fazem uso. Há uma tendência excessiva a misturar os dois níveis".[13]

Os filhos de Balandier e de Lévi-Strauss

Não teria interesse algum avaliar a irradiação de Lévi-Strauss e de Balandier para saber qual foi o que teve maior influência. É certo que a onda estruturalista levou Lévi-Strauss para o fastígio da glória, deixando Balandier numa relativa sombra. Entretanto, cumpre reparar uma injustiça da história e reavaliar a influência, tão decisiva quanto, por vezes, desconhecida, de Balandier, que foi o organizador de um grande número de formaturas e carreiras. Se existem os filhos de Lévi-Strauss, numerosos são os de Balandier, especialmente os africanistas, entre os quais se contam os "bastardos" que reconhecem uma dupla paternidade.

Entre os que seguiram a dupla filiação está Marc Augé. Em 1960, ele se candidata na École Normale Supérieure ao magistério superior de letras e, não sabendo muito bem que direção tomar, duplamente atraído pela filosofia e a literatura, ouvirá Lévi-Strauss e Balandier. Conclui então que a etnologia pode ser para ele o caminho mediano, reconciliador de seu gosto pelas letras e do seu desejo de uma reflexão mais especulativa. Graças a Balandier, apresenta-se-lhe a ocasião de fazer parte da Orstom e, em 1965, Marc Augé embarca, assim, para o continente africano, com destino à Costa do Marfim: "Foi meu amigo Pierre Bonnafé quem me aconselhou a procurar Balandier; deparei com alguém muito atento, seduzido por seu curso não clássico".[14] É no seminário de Balandier que Marc Augé recebe sua formação de africanista, mas nem por isso terá a impressão de que uma importante cisão opõe as perspectivas oferecidas por Balandier às do estruturalismo lévi-straussiano: "É verdade que nesses anos se esboçava uma crítica a Lévi-Strauss nos

13 Ibidem.

14 Marc Augé, entrevista com o autor.

seminários de Balandier, mas eu era inexperiente demais para atribuir--lhe uma importância fundamental".[15]

No campo, na Costa do Marfim, Marc Augé vê-se sensibilizado pelo fenômeno colonial e neocolonial que marcou profundamente essas populações lagunares dos aladians, o que o aproximou de Balandier na consideração da perspectiva histórica. Mas o seu primeiro objeto de pesquisa situa-o mais ao lado de Lévi-Strauss, visto que a monografia em que ele trabalha tem por finalidade reconstituir a lógica das relações de parentesco dos aladians. Esta

> [...] terá lembrado aos mais míopes que os sistemas de transformação existem efetivamente. [...] Há numerosas variantes, mas a partir de modelos de referência comuns na ocupação do espaço, nos modos de resistência, nas formas de transmissão do poder. Nas sociedades do oeste, temos as sociedades mais puramente familiares sem autoridade central e, no outro extremo, um soberano à testa de um poder político autônomo; e, entre os dois, todos os sistemas intermediários.[16]

Se a investigação das regras de parentesco é a sua primeira preocupação ao chegar à terra africana, Marc Augé evoluirá rapidamente para uma reflexão concentrada no poder, nos vínculos entre o político e o religioso, temas mais próximos das pesquisas de Balandier, sem que por isso conteste a fecundidade do estruturalismo.

Dan Sperber também foi duplamente formado por Balandier e Lévi-Strauss, num itinerário que o levou do primeiro ao segundo. É o militantismo terceiro-mundista que conduz Dan Sperber, tradutor de um dos primeiros textos de Mandela em 1963, à antropologia, como ciência de complemento, a fim de apreender a dimensão cultural dos problemas políticos do Terceiro Mundo: "Portanto, estive primeiro com Balandier. Era uma época em que os estruturalistas, em que Lévi-Strauss, não faziam parte do meu horizonte".[17] Concluiu a sua licenciatura em 1962, matriculando-se depois com Balandier para uma pós-graduação.

---

15 Ibidem.

16 Ibidem.

17 Dan Sperber, entrevista com o autor.

Tendo partido para a Inglaterra em 1963, Dan Sperber trabalha com Rodney Needham, que o inicia, de fato, no estruturalismo: "Por fim, foram Needham, por um lado, e a atmosfera empirista da Inglaterra, por outro, que suscitaram em mim um interesse muito vivo pelo estruturalismo".[18] Dan Sperber multiplica então as exposições de defesa e ilustração do estruturalismo em terras britânicas:

> Lembro-me de uma exposição num colégio de Oxford em que defendi o estruturalismo no momento em que o general De Gaulle recusara o ingresso dos ingleses no Mercado Comum. Um dos professores disse então: "Sperber nos fez no plano intelectual o que De Gaulle nos faz no plano político". Na época, eu tinha o ar de quem estava defendendo algo bastante exótico e duvidoso.[19]

Somente quando do seu regresso à França em 1965 é que Dan Sperber, readmitido no Centre National de la Recherche Scientifique (CNRS), acompanha com regularidade os seminários de Lévi-Strauss. Considera hoje que se a antropologia o reteve foi graças a Lévi-Strauss, "não no sentido de que teria havido em mim, simplesmente, uma espécie de concordância, de convicção, mas porque ele permitia formular questões gerais de maneira científica".[20]

Dos africanismos rebeldes ao estruturalismo

Entretanto, muitos africanistas permaneceram rebeldes ao estruturalismo. É o caso de Claude Meillassoux, cujo itinerário pouco comum revela, uma vez mais, a que ponto a profissão de antropólogo foi a resultante da conjunção de acasos, de oportunidades, mais do que de um percurso universitário predeterminado. No caso de Meillassoux, temos um africanista que não veio do círculo particular das ciências naturais, mas de uma formação e de atividades muito deslocadas em relação ao ofício de etnólogo. Após ter cursado direito e ciências políticas,

18 Ibidem.
19 Ibidem.
20 Ibidem.

Meillassoux parte para os Estados Unidos em 1948 para frequentar uma *business school* na Universidade de Michigan. No regresso, ocupa-se da administração da empresa familiar de têxteis em Roubaix. Mas pouco satisfeito com as funções de gestão empresarial, retorna aos Estados Unidos, contratado pelo Comissariado da Produtividade. De novo na França, faz-se intermediário entre os especialistas norte-americanos e as empresas francesas. Engajado na Nova Esquerda, no começo dos anos 1950, Meillassoux milita no Centre d'Action de la Gauche Independante (Cagi), ao lado de Claude Bourdet, Pierre Naville, Daniel Guérin. Desempregado, busca um emprego e encontra uma oportunidade graças a Balandier, que precisa de alguém para fazer resenhas de obras de funcionalistas britânicos sobre a África Negra: "Foi assim que recebi minhas aulas de etnologia. Tinha um escritório na avenida de Lena. Preenchia os meus verbetes e tinha discussões intermináveis com Georges Balandier".[21] Uma vez formado, após ter seguido todo o curso de Balandier, Meillassoux recebe a proposta, em 1956, de um estudo de campo na Costa do Marfim, onde deveria ocupar-se, sobretudo, dos aspectos econômicos da pesquisa.

Nos anos 1960, após um seminário sob a égide do Institutional African Institute (IAI) sobre o comércio e os mercados na África ocidental, Meillassoux organiza um colóquio internacional para o qual convida, entre outros, Emmanuel Terray, Michel Izard e Marc Piot. Esse colóquio deveria acontecer na Costa do Marfim, mas, estando Terray proibido de entrar nesse país, e não querendo Meillassoux ceder às condições impostas pelo governo do país, o colóquio realiza-se em Serra Leoa. Na sequência desse evento, Michel Izard sugere a Meillassoux a organização de um seminário sobre a África que nunca será reconhecido oficialmente, mas será identificado como o Seminário Meillassoux. Esse local de debates, de confrontos, revelava por sua própria existência que as divisões teóricas podiam passar a segundo plano, em proveito de considerações mais empíricas sobre o material etnográfico trazido do campo. Entretanto, Meillassoux, na filiação de Balandier, manteve-se sempre muito crítico em relação ao estruturalismo triunfante em antropologia: "Serviram-se das sociedades primitivas para todos os fins, e o estruturalismo utilizou-as para fazer valer suas ideias acerca

21 Claude Meillassoux, entrevista com o autor.

do pensamento estruturante que é, em definitivo, o pensamento dos computadores. O pensamento binário é um pensamento burocrático".[22]

Paramentado com os brilhantes atavios da cientificidade, o estruturalismo lévi-straussiano funciona, aos olhos de Meillassoux, por analogias. Na impossibilidade de construir sua própria problemática, sua própria axiomática, Lévi-Strauss apoia-se sucessivamente em tal ou tal ciência para sustentar suas teses, e seus discípulos são sempre surpreendidos no contrapé. Devem acompanhar o ritmo infernal de seu mestre, que se conserva sempre à sua frente: "Ouvi as aulas de Lévi-Strauss no Collège de France. É um mago que entreabre uma porta. Crê-se na descoberta da pedra filosofal, e ele volta logo a fechar a porta para falar de outra coisa na aula seguinte. Mas é fascinante, porque ele sugere aproximações e combinações intelectuais estimulantes".[23]

Em outra região da África, o Magrebe, Jean Duvignaud fica decepcionado com o modelo estruturalista, que não consegue explicar a complexidade e as mutações dos sistemas de parentesco: "O que me distanciou do estruturalismo foi trabalhar em Chebika (Tunísia)".[24] Esse longo trabalho de quatro anos sobre Chebika foi publicado em 1968[25] e dará lugar ao belíssimo filme de Bertucelli, *Remparts d'argile*. Se Duvignaud é criticado pela revista de Lévi-Strauss, *L'Homme*, por ter fugido das estruturas de parentesco, não foi, contudo, por falta de tentativas de aplicação das categorias de análise elaboradas por Lévi-Strauss, mas sem o menor êxito. Jean Duvignaud, próximo do grupo de sociólogos gurvitchianos e de Balandier, também é muito crítico em relação às ambições do paradigma estruturalista: considera-o a retomada da herança positivista comtiana, a qual culmina numa "espécie de ontologia do instituído".[26] O *a priori* estruturalista une-se ao funcionalismo por seu pressuposto de uma positividade da coerência social, por sua visão holística do social: "Não há certeza de que as contestações, desvios, formas de subversão, de revolta, idiotismos, atipismos, figuras

22 Ibidem.
23 Ibidem.
24 Jean Duvignaud, entrevista com o autor.
25 Duvignaud, *Chebika*.
26 Idem, Après le fonctionnalisme et le structuralisme, quoi?. In: *Une anthropologie des turbulences*, p.151.

da anomia sejam integráveis numa totalidade e servissem, em última análise, para a sobrevivência do conjunto".[27]

No coração de Chebika, Jean Duvignaud descobre justamente um lugar que não corresponde a nenhuma finalidade ou regra, uma zona vazia, de errância e de espera, como um desafio a todo reducionismo, irredutível à grade estrutural de uma totalidade fechada sobre si mesma. A perspectiva fenomenológica permanece válida, segundo Duvignaud, em sua vontade de definir a consciência pela consciência de algo. Ela nos recorda da dimensão da vivência escondida por trás das lógicas formais. Sem recusar a validade do método estruturalista em certos pontos, Jean Duvignaud sugere que se abra essa epistemologia para a parte da experiência coletiva que não se deixa reduzir a um determinismo qualquer.

A África recuperada pelo estruturalismo

Parece ter havido, portanto, uma espécie de divisão espacial implícita do trabalho: quando Michel Izard reingressa no CNRS e no laboratório de antropologia social em 1963, parece mais uma exceção como africanista. O africanismo é então sustentado, de um lado, por Balandier e, de outro, pelo setor de estudos dos sistemas de pensamento da África Negra estabelecido, na esteira de Marcel Griaule, por Germaine Dieterlin e reatado por Michel Cartry. Mas o êxito do estruturalismo é tamanho que em 1968 a situação tinha mudado: o africanismo conseguiu penetrar no laboratório de antropologia social de Lévi-Strauss, "o que deve ter relação com a entrada de Tarditz, que foi o primeiro africanista a se aproximar de Lévi-Strauss".[28] A integração de africanistas no laboratório de Lévi-Strauss revela, portanto, que não existe incompatibilidade entre o método estruturalista e o universo africano, como uma certa geopolítica da pesquisa poderia fazer pensar. O fato de o laboratório ser hoje dirigido por uma africanista como Françoise Héritier-Augé é, nesse plano, altamente simbólico. Há muitos compartimentos na casa africana, e, para Jean Pouillon, também ele um

27 Ibidem, p.152.
28 Michel Izard, entrevista com o autor.

africanista seguidor de Lévi-Strauss, "a África de Balandier não é, em absoluto, aquela que conheço".[29] Por outro lado, o interesse de numerosos antropólogos africanistas marxistas pelo estruturalismo reforçará, no transcorrer dos anos 1960, a influência dessa corrente de análise, com pesquisadores como Emmanuel Terray e Maurice Godelier.

Situa-se a África nos confins, nas fronteiras do estruturalismo? Isso não é, portanto, um dado tão seguro quanto se supõe, mas certamente induz a uma análise mais voltada para os fenômenos políticos, para o exame do dinamismo social e da história, outras tantas perspectivas que, apesar de tudo, permaneceram marginalizadas, quando não reprimidas, na corrente estruturalista.

29 Jean Pouillon, entrevista com o autor.

29

O apogeu das revistas

Uma das características desse período, sintoma de uma efervescência intelectual verdadeiramente excepcional, é a vitalidade das revistas, seu número crescente e sua influência cada vez maior. Elas constituem o lugar de sociabilidade privilegiado e o quadro ideal para fazer a força do paradigma estruturalista. Contornar as instituições tradicionais passa por esses reagrupamentos interdisciplinares que as revistas permitem, locais de confluências e de trocas, sólidos núcleos a partir dos quais a influência progride em círculos concêntricos.

A flexibilidade estrutural inerente à organização de uma revista, a capacidade para refletir nos mais breves prazos de tempo os debates e combates teóricos, os avanços conceituais permitiram ampliar os êxitos estruturalistas antes que estes fossem retransmitidos pela grande imprensa diária e hebdomadária. Entre as revistas que transformarão os eleitores de ciências humanas em multidão de partidários do estruturalismo, podem-se distinguir aquelas que se dirigem ao público especializado de uma determinada disciplina, as que se apresentam como a própria expressão da interdisciplinaridade reivindicada e, enfim, as que, vinculadas a uma corrente política, sentem-se "interpeladas" pelo fenômeno e abrem suas páginas para um diálogo com os seus representantes. Já mencionamos o lançamento, em 1956, do primeiro número da revista de Lacan, *La Psychanalyse*, em que se encontra publicado o famoso relatório de Roma, um texto de Heidegger e um importante artigo de Émile Benveniste sobre a função da linguagem na descoberta freudiana.

A publicação das teses do filósofo e do linguista numa revista de psicanálise revela a ambição de abertura da Sociedade Francesa de Psicanálise: "Se a psicanálise reside na linguagem, ela deve abrir-se ao diálogo. [...] Essa abertura da psicanálise para as ciências humanas é um ato que põe fim à posição de extraterritorialidade de que a psicanálise se prevaleceu por muito tempo".[1] Portanto, *La Psychanalyse* não tem a intenção de se isolar no estrito domínio limitado pelo freudismo e nos debates internos da corporação analítica, mas pretende apresentar-se como um dos órgãos da modernidade estrutural capazes de reformular o freudismo, a partir de um diálogo com as outras ciências humanas. Mencionou-se também a criação desde o início do decênio, em 1961, da revista *L'Homme* por Lévi-Strauss, que se cerca de colaboradores do nível de Pierre Gourou e Émile Benveniste. Se ela se apresenta como uma revista francesa de antropologia, seus objetivos também ultrapassam o estrito meio profissional, ampliando sua base para acolher um geógrafo e o mais respeitado linguista do período: Benveniste.

Langages

O vetor da renovação estruturalista situa-se, não obstante, do lado da linguística; nesse domínio, os anos 1960 veem nascer novos meios de difusão. Se entre 1928 e 1958 uma única revista de linguística veio à luz, *Le Français Moderne*, o período de 1959-1969 é particularmente fecundo: são criadas nada menos do que sete revistas. Elas são o ponto culminante da efervescência da reflexão linguística que se desenvolveu em certos lugares privilegiados.

Em 1966, ano da sagração estruturalista, nasce a revista *La Linguistique*,[2] sob a direção de André Martinet, e Larousse lança a sua própria revista de linguística com *Langages*,[3] a qual reúne os nomes de maior

1 *La Psychanalyse*, n.1, p.IV, 1956.
2 *La Linguistique*, n.l, 1966.
3 *Langages*, n.1, mar. 1966.

prestígio da modernidade linguística, e a equipe que nela trabalha tem sua origem essencialmente formada nos encontros, seminários e colóquios de Besançon. O homem que concebeu o projeto, verdadeiro porta-bandeira da reflexão estrutural, é Algirdas-Julien Greimas, que propõe uma fórmula temática cuja responsabilidade será confiada cada vez a um ou dois linguistas especializados no domínio tratado. As reuniões preparatórias realizam-se na casa dele e o projeto pode vingar graças a Jean Dubois, da Larousse.

Se a revista de Martinet se dirige estritamente a um público de linguistas profissionais, a ambição de *Langages* é outra. Trata-se, desde o começo, de estender o método estruturalista ao vasto campo das ciências humanas, de confrontar, de unificar as redes de pesquisas das diversas disciplinas. O primeiro número afirma os próprios princípios da linguística como ciência-piloto: "O estudo da linguagem é fundamental para as ciências humanas, para os filósofos, os psicanalistas, os homens de letras, e essa exigência pede uma vasta informação científica – esse estudo estende-se ao conjunto dos sistemas significantes".[4] Essa concepção muito ampla de um projeto semiológico englobante, incluindo a linguística como subcontinente, corresponde inteiramente ao programa definido por Roland Barthes em 1964. Ele é, aliás, o autor anônimo da abertura do primeiro número da revista: "Tratava-se efetivamente de um tipo muito novo de revista 'linguística'. [...] Ela inseria a linguística no grande campo cultural, uma concepção muito significativa na Paris de 1965".[5] O projeto é ambicioso, sólido, apoia-se em grupos que já trabalham há vários anos nessa perspectiva e está aberto aos diferentes domínios de reflexão em torno da linguagem – musical com Nicolas Ruwet, lógico com Oswald Ducrot, médico com Henry Hécaen, literário com Roland Barthes, informático com Maurice Gross.

A preparação do lançamento da revista ocorre, assim, num ambiente de euforia, mas o primeiro número ocasionará um sério conflito, pois várias escolas já disputam a paternidade da reflexão moderna sobre a linguagem. Todorov é o responsável por esse número inaugural, dedicado às "pesquisas semânticas". Estas concedem um lugar importante às teses de Chomsky e isso provoca a irritação de Greimas ("Ele [Todorov]

---

4 Ibidem, Présentation.

5 Chevalier; Encrevé, *Langue Française*, n.63, p.95, set. 1984.

fez um número americano"[6]), que se retira do conselho de redação da revista. Esse rompimento nunca será superado. Jean Dubois e Nicolas Ruwet adotarão posições cada vez mais chomskianas; com a saída de Greimas, Barthes quer evitar envolver-se na disputa e, "por conseguinte, só procurava uma coisa, evadir-se".[7] Portanto, o conselho de redação de *Langages*, exposto a uma verdadeira implosão, não se reúne, e a responsabilidade de dar prosseguimento à iniciativa cabe então a Jean Dubois, que dispõe de poder editorial na Larousse. Apesar dessa crise, ele pode lançar, a favor da moda estrutural, uma coleção *Langages* na Larousse. Nos momentos de maior repercussão, a revista atingirá até 5 mil exemplares! – sinal de um êxito ainda mais notável se considerado o caráter muito técnico do discurso linguístico.

Communications

Outra revista desempenhará importante papel na difusão das teses estruturalistas: é a *Communications*. Essa revista nasce em 1961 e provém do Centre d'Études et de Communication de Masse (Cecmas) da sexta seção da École Pratique des Hautes Études (Ephe), constituído em janeiro de 1960 por iniciativa de Georges Friedmann. Trata-se, nesse caso, de uma simbiose entre sociologia e semiologia. O título expressa bem a principal preocupação do momento, que é decifrar o sentido das mensagens transmitidas pelos modernos meios de difusão da informação: a imprensa, o rádio, a televisão, a publicidade, ou seja, o conjunto da mídia que assume então uma importância crescente. Trata-se, portanto, de interrogar a modernidade, em que "a civilização técnica e a cultura de massa estão organicamente ligadas. [...] Os conteúdos, as substâncias passam, mas a forma, o ser e, por conseguinte, o sentido da coisa permanecem".[8]

A revista, dirigida por Georges Friedmann, é animada por um comitê de redação diversificado quanto às relações dos seus membros

6 Greimas, *Langages*, n.1, p.96, mar. 1986.

7 Jean Dubois, entrevista com o autor.

8 Présentation, *Communications*, n.1, p.1-2, 1961.

com o estruturalismo.[9] Mas *Communications* publicará, em especial, dois números programáticos preparados por um grupo em torno de Roland Barthes – verdadeiras sínteses das ambições estruturalistas –, sucessivamente em 1964, com o quarto número, no qual são publicados, em particular, "Les éléments de sémiologie", de Barthes, e sobretudo o número 8, publicado em 1966, consagrado à análise estrutural da narrativa e que figurará como autêntico manifesto da escola estruturalista francesa.[10]

Tel Quel

Em 1960, é publicada pelas edições Le Seuil uma revista que depressa se converte na expressão dessa ambição sincrética que o estruturalismo representa: *Tel Quel*.[11] Essa revista revela ainda melhor a preocupação de síntese da época, uma vez que não procede de nenhuma disciplina em particular entre as ciências do homem. É lançada por escritores e tem por alvo o público intelectual de vanguarda. Projeto em gestação desde 1958, "François Wahl tinha dito que esse seria o Parnaso de Napoleão III, esse novo Napoleão III que era o general De Gaulle em 1958".[12]

Como epígrafe da revista, *Tel Quel* retoma uma expressão de Nietzsche: "Quero o mundo e quero-o TAL QUAL, e quero-o ainda, quero-o eternamente".[13] A declaração liminar do primeiro número denota uma intenção essencialmente literária que coloca a poesia "no mais alto lugar do espírito".[14] Todo esse grupo tem um objetivo essencialmente literário, mas se o termo "ciência" é colocado em epígrafe na capa, o

9 *Communications* (comitê de redação: Roland Barthes, Claude Brémond, Georges Friedmann, Edgar Morin, Violette Morin).

10 *Communications*, n.8 (participaram nesse número: Barthes, Greimas, Brémond, Eco, Gritti, Morin, Metz, Todorov, Genette).

11 *Tel Quel* (secretário-geral e diretor: Jean-Edern Hallier; comitê de redação: Boisrouvray, J. Coudol, J.-E. Hallier, J.-R. Huguenin, R. Matignon, P. Sollers).

12 Jean-Pierre Faye, entrevista com o autor.

13 *Tel Quel*, n.1, 1960, citação de Nietzsche.

14 *Tel Quel*, n.1, 1960. Declaração, p.3.

projeto visa apropriar-se de todas as formas vanguardistas e modernistas das ciências humanas a fim de promover uma nova escritura. E nos anos 1960 é o estruturalismo que encarna essa modernidade científica, daí um subtítulo muito abrangente: "Literatura/filosofia/ciência/política". Mas o objetivo continua sendo literário: "Essa atividade política, periódica e de atualização, sempre foi exercida em nome da criação literária e por escritores".[15] É sua finalidade, portanto, influenciar a criação literária, mudar o modo de escritura, alicerçando a nova estilística nas contribuições do estruturalismo. A meta da revista é, pois, de imediato, transdisciplinar, lugar de trocas por excelência, cujo princípio único consiste em refletir a *avant-garde*. A pedra angular do projeto situa-se, não obstante, num continente particular do saber, posto em voga pelo estruturalismo, que é a retórica.

Tel Quel designa como adversário a combater a história literária clássica do século XIX e início do século XX: "Libertar-se da ideia de literatura que reina da França no pós-guerra, ou seja, uma literatura de restauração psicológica".[16] Nesse sentido, só podia ser tranquila a comunhão intelectual entre o paradigma estruturalista que investe contra os esquemas da consciência, do sujeito, do domínio histórico, e o projeto da revista *Tel Quel*, que recorria às ciências humanas para destruir a ideia de uma história literária harmoniosa, positivista. A revista será, pois, uma encruzilhada, mistura surpreendente e explosiva de lacaniano-althusseriano-barthesianismo. A tal ponto que *Tel Quel* é vista frequentemente como o próprio órgão de uma imaginária internacional estruturalista; nos anos 1960, Marcelin Pleynet é chamado por uma revista de médicos, como responsável da revista, para escrever um artigo sobre o estruturalismo. O privilégio concedido ao inconsciente, às estruturas formais, serve de bomba-relógio para fazer explodir o psicologismo: "A melhor maneira de dizer que a psicologia em literatura está liquidada é interessar-se pela psicanálise".[17]

A força de *Tel Quel* é não estar enfeudada em nenhum partido ou instituição e não defender, por outro lado, nenhuma pretensão disciplinar. A lógica promovida pela equipe de *Tel Quel* consiste em manter

---

15 Marcelin Pleynet, entrevista com o autor.
16 Ibidem.
17 Ibidem.

sempre uma posição de vanguarda. Mas como esta pode ser recuperada a todo momento, ingerida, digerida pelo sistema – "Corre, camarada, o velho mundo está atrás de ti" –, disso resulta uma concepção na maioria das vezes terrorista, que consiste em abater o adversário (em geral, aquele que está mais próximo) e em crer-se o objeto de um eterno complô. *Tel Quel* dará livre curso a um verdadeiro terrorismo aterrorizado, resumido nesta fórmula de Marcelin Pleynet: "Trata-se, a cada vez, de evitar o cerco".[18] Entretanto, nascida em 1960, a revista *Tel Quel* fica muda diante da Argélia, antes de se tornar um dos núcleos mais pró-chineses da França.

A história da revista é de rupturas muito brutais de linha que deixam fora de ação um número cada vez maior de valiosos colaboradores: "Na verdade, a história de *Tel Quel* não é uma história de exclusões. É uma história de exclusões de indivíduos para permitir a inclusão de campos de investigação muito maiores".[19] A primeira abertura é realizada graças às tomadas de posição em face do *nouveau roman* por parte de Sollers, o que suscita o ingresso de Thibaudeau e de Ricardou no grupo. A segunda é a inclusão do domínio poético com a introdução de Denis Roche e de Marcelin Pleynet. Aliás, este último assume o cargo de secretário da revista, que ficou vago em 1962 com a saída de Jean-Edern Hallier, ruptura que será divulgada em 1971, no momento do triunfo maoísta, como "o fracasso de uma tentativa da direita de se apoderar da revista".[20]

De 1962 a 1967, a revista alimenta-se da onda estruturalista crescente, período qualificado *a posteriori* como "época formalista" da revista.[21] Barthes, que travou relações de amizade muito sólidas com Philippe Sollers e Julia Kristeva, aproxima-se da revista: "Isso provocou uma ruptura entre pessoas como Genette, Todorov e eu, de um lado, e *Tel Quel* de outro".[22] Barthes sentiu-se, pois, fortemente seduzido pelo grupo *Tel Quel*, que para ele encarnava a modernidade. Os laços de amizade eram reforçados pelo fato de todas pertencerem à casa Le Seuil, editora da obra de Barthes e também da revista *Tel Quel*. Em 1966, é

---

18 Ibidem.

19 Ibidem.

20 *Tel Quel*, n.47, p.142, outono 1971.

21 Ibidem.

22 Claude Brémond, entrevista com o autor.

aliás na coleção "Tel Quel" que se publica *Critique et vérité*, de Barthes, para quem "a revista *Tel Quel* é um empreendimento vital";[23] Jacques Derrida também está muito próximo de *Tel Quel*, na qual publica artigos e cujas posições apoia. O discurso lacaniano está muito presente na revista com os artigos de Sollers e de Kristeva, ouvintes fiéis do seminário de Lacan.

Quanto ao althusserianismo, também é influente na releitura de Marx que prevalece nesse grupo, familiarmente mencionado como TQ, em particular na ocasião do diálogo travado com o PCF a partir de 1967, com *La Nouvelle Critique*. Depois, as posições pró-chinesas, adeptas da revolução cultural, se valerão de althusserianismo duro e puro. No momento da virada maoísta, Jean-Pierre Faye, que ingressara na revista em 1963, rompe com o grupo, ruptura que será vivida dramaticamente, numa enxurrada de injúrias e impropérios. Se as grandes rupturas na história de *Tel Quel* se enxertam em orientações políticas, estas são, no entanto, secundárias para uma revista cuja estratégia e finalidade continuam sendo literárias.

O degelo comunista

A ambição literária não é a principal preocupação dos órgãos de imprensa do PCF que são dominados pela aplicação da linha política oficial, o que não impede, vez por outra, algumas aberturas para aumentar a audiência do PCF nos meios intelectuais. Nesses anos de degelo, de coexistência pacífica, de começo da desestalinização, o semanário literário do PCF, dirigido por Louis Aragon e Pierre Daix, *Les Lettres Françaises*, abre-se para as expressões de *avant-garde*, para as reflexões formais, a fim de sair do molde realista-socialista: "Portanto, é em torno de *Les Lettres Françaises*, em torno de uma certa vanguarda do PCF, que se realizam os primeiros encontros entre o movimento literário de vanguarda, o estruturalismo e a universidade, antes de 1968".[24]

23 Barthes, *Océaniques*, FR3 (1970-1971), 27 jan. 1988.
24 Kristeva, Le bon plaisir. *France-Culture*, 10 dez. 1988.

Jean-Pierre Faye, membro da equipe de *Tel Quel*, escreve com regularidade em *Les Lettres Françaises* e consegue convencer a direção do jornal a interessar-se pelo formalismo, a ponto de esta lhe pedir que publique uma entrevista com Jakobson: "Tornamo-nos grandes amigos, Jakobson e eu. Sempre que ele vinha a Paris, avisava-me".[25]

A segunda revista do PCF aberta ao debate foi *La Nouvelle Critique*. Fundada em dezembro de 1948 como órgão do combate teórico posterior à constituição do Kominform, a revista hebdomadária dos intelectuais do PCF é então o instrumento de uma verdadeira normalização em torno do seu redator-chefe, Jean Kanapa. É a época stalinista, a das duas ciências (burguesa/proletária), do jdanovismo e do lyssenkismo. Tal revista teria sido estranha ao desafio estruturalista, mas outra lógica surge em março de 1966, quando da sessão do Comitê Central de Argenteuil, seguida em janeiro de 1967 pelo 18º Congresso de Levallois. Daí resultou uma nova política diante dos intelectuais. À política de fortaleza sitiada sucede uma "lógica de abertura".[26] *La Nouvelle Critique* desfruta então, numa fórmula lançada em 1967, de uma relativa autonomia em relação à direção do PCF, e tem a incumbência de desempenhar o papel de sonda exploradora no campo das ciências sociais. Essa busca de novas alianças leva sobretudo os intelectuais do PCF a valorizar o lugar de uma história fecundada pelas ciências sociais, e Antoine Casanova dirige toda uma reflexão coletiva na revista. Publica numerosas intervenções sobre esse tema que serão reimpressas numa coletânea publicada em 1974, *Aujourd'hui l'histoire*, na qual, ao lado dos historiadores comunistas, pode-se ler André Leroi-Gourhan, Jacques Le Goff, Jacques Berque, Georges Duby e Pierre Francastel.

La Nouvelle Critique torna-se, a partir de 1967, um lugar de debates, de abertura para a modernidade e, por conseguinte, de confrontação com o estruturalismo. É certo que a revista do PCF não adota as teses estruturalistas, mas as discute e comenta. Antes mesmo da guinada de 1967, certas posições e certos debates essenciais já tinham ocorrido em *La Nouvelle Critique*. É aí que Althusser publica em 1964 o seu famoso artigo "Freud et Lacan", que abre o marxismo para o saber psicanalítico

---

25 Jean-Pierre Faye, entrevista com o autor.

26 Matonti, Entre Argenteuil et les barricades: *La Nouvelle Critique* et les sciences sociales. *Cahiers de l'Institut d'Histoire du Temps Présent*, n.11, p.102, abr. 1989.

e para o lacanismo.[27] É ainda nesse quadro que se realizaram os debates de 1965-1966 sobre as relações entre humanismo e marxismo. Após a publicação pela editora Maspero da nova leitura de Marx por Althusser e os althusserianos, esses debates de *La Nouvelle Critique* correspondiam à necessidade de "decidir, em primeiro lugar, entre a assimilação do marxismo a um humanismo filosófico, como pensavam Garaudy e Schaff, e a afirmação do seu caráter anti-humanista teórico, como Althusser sustentava".[28]

Em 1967, *La Nouvelle Critique* renovada é solicitada por *Tel Quel* a participar conjuntamente na obra de modernização intelectual. A revista do PCF responde mais do que positivamente ao pedido que lhe é feito; é com entusiasmo que ela aceita a oferta do grupo *Tel Quel*, cujo trabalho é qualificado então "de um alto nível literário e científico", a tal ponto que os comunistas se declaram dispostos a ouvir e a aprender com esses escritores de *Tel Quel*, a cujo respeito se enfatiza "o quanto essa pesquisa merece a nossa simpatia e quanto podemos aprender com ela".[29]

Se uma era de diálogo se abre com as diversas formas de estruturalismo, não significa que a revista do PCF adote todas as suas teses. Em 1967, *La Nouvelle Critique* publica quatro artigos atacando o estruturalismo, embora evitando criticar diretamente Althusser, que é membro do partido.[30] Pierre Vilar e Jeannette Colombel censuram na obra de Michel Foucault, *Les mots et les choses*, sua supressão da história; George Mounin critica a divulgação exagerada e pouco escrupulosa do modelo linguístico; Lucien Sève defende um humanismo científico contra o anti-humanismo teórico dos althusserianos.[31] Se não ocorre a adoção do paradigma, *La Nouvelle Critique* contribui, não obstante, para

27 Althusser, Freud et Lacan, *La Nouvelle Critique*, n.161-162, 1964.

28 Milhau, Les débats philosophiques des années soixante, *La Nouvelle Critique*, n.130, p.50-1, 1980.

29 *Tel Quel* répond: présentation. *La Nouvelle Critique*, p.50, nov.-dez. 1967.

30 Levantamento realizado por Matonti, Entre Argenteuil et les barricades: *La Nouvelle Critique* et les sciences sociales. *Cahiers de l'Institut d'histoire du temps présent*, n.11, p.108, abr. 1989.

31 Colombel, Les mots de Doucault et les choses. *La Nouvelle Critique*, n.4; Vilar, Les mots et les choses dans la pensée économique, *La Nouvelle Critique*, n.5; Mounin, Linguistique, structuralisme et marxisme, *La Nouvelle Critique*, n.7; Sève, Marxisme et sciences de l'homme, *La Nouvelle Critique*, n.2.

torná-lo conhecido, difundi-lo, ao discuti-lo sob múltiplos aspectos, e essa estratégia culminará na adesão de um certo número de intelectuais ao PCF, visto como o lugar de um possível debate: Catherine Backês-Clément, Christine Buci-Glucksmann, Élisabeth Roudinesco... Essa reviravolta nas relações do PCF com os intelectuais é o resultado de um certo degelo internacional, ao mesmo tempo que se tornou necessária para a direção do partido, pela concorrência que representa a efervescência cultural e política de uma juventude estudantil que romperá com ele e lançará as bases de seus próprios locais de elaboração teórica.

O polo maoísta

A matriz da contestação situa-se na École Normale Supérieure da rua de Ulm, em torno do filósofo Louis Althusser. É aí que alguns dos seus discípulos lançam, no final de 1965, os *Cahiers Marxistes-Léninistes (CML)*. Divulgados pela União dos Estudantes Comunistas, os *CML* ostentam em epígrafe esta citação de Lenin: "A teoria de Marx é todo-poderosa porque é verdadeira". O sucesso é imediato, e a primeira tiragem de um milhar de exemplares esgotou-se num abrir e fechar de olhos. O número 8 da revista suscita, porém, uma grave crise, e Robert Linhart bloqueia sua distribuição, pois não se reconhece mais numa revista que deveria colocar o combate político como sua prioridade absoluta, e que elabora um número inteiramente consagrado aos poderes da literatura, com artigos sobre Aragon, Borges, Gombrowicz. Jacques-Alain Miller é acusado por Robert Linhart: "Tudo o que você procura é uma carreira acadêmica, uma posição burguesa de autoridade!".[32] Nesse meio ulmiano, o ano de 1966 é de um duplo rompimento: o do grupo liderado por Jacques-Alain Miller para fundar em Ulm um círculo de epistemologia que editará *Les Cahiers pour l'Analyse* e o que atingirá a União dos Estudantes Comunistas em novembro de 1966, no momento em que o setor "pró-chinês" é dissolvido e deve fundar a sua própria organização, a União das Juventudes Comunistas Marxistas-Leninistas (UJCML). A partir do número 9-10 dos *Cahiers*

32 Linhart apud Hamon; Rotman, *Génération I*, p.313.

Marxistes-Léninistes, o diretor da publicação passa a ser Dominique Lecourt, e a referência a Althusser é cada vez mais acentuada; o número 11 é dedicado a ele, inclusive com a publicação de extratos de *Matérialisme historique et matérialisme dialectique*.

A partir do número 14, os *Cahiers Marxistes-Léninistes* tornam-se o órgão teórico e político das JC(ML), e esse número é consagrado à grande revolução cultural proletária chinesa. Dessa vez, está consumada a ruptura com um PCF qualificado como revisionista, segundo a linha chinesa. Ora, Althusser, que permanece no PCF, dá sua bênção, entretanto, a seus alunos ao publicar nesse mesmo número um artigo sobre a revolução cultural, embora sem assiná-lo. Por mais paradoxal que isso possa parecer, levando-se em conta o distanciamento das posições respectivas de exaltação da China maoísta, por um lado, e as posições estruturalistas, por outro, essa simbiose duplamente fascinará política e teoricamente toda uma geração estudantil.

O diretor dos *Cahiers Marxistes-Léninistes*, Dominique Lecourt, simboliza bem, na época, esse duplo engajamento reconciliado. Tendo ingressado na ENS em 1965 como helenista, converteu-se à filosofia. Militante no início dos anos 1960 contra a guerra da Argélia no quadro da Union Nationale des Etudiants de France (Unef), é por meio dessa ação militante que ele é seduzido pelas posições de Althusser. Será em 1966 um dos cinco fundadores da UJCML: "Havia nos temas da revolução cultural ecos de um certo número de teses de Althusser".[33] As preocupações teóricas constituem para Dominique Lecourt um vetor essencial do seu combate político; a partir de 1967, acompanha assiduamente o seminário de Georges Canguilhem, que "desempenhou um papel absolutamente decisivo na minha formação".[34] Estando Lacan em Ulm, não perde esse espetáculo, embora esses militantes maoístas ficassem, de toda maneira, "um pouco aturdidos pela atmosfera pouco conciliável com os nossos ideais proletários".[35]

O objetivo desses jovens normalistas era alcançar na interpretação de Marx o mesmo rigor científico irretocável que Lévi-Strauss conseguira obter com o pensamento selvagem. Mas era preciso ter seguras

33 Dominique Lecourt, entrevista com o autor.

34 Ibidem.

35 Ibidem.

as duas pontas da corrente: o combate teórico e o combate político. Foi o que certo número de althusserianos, entre os quais Dominique Lecourt e Robert Linhart, não suportou a propósito do número 8 dos *Cahiers Marxistes-Léninistes*, preparado por Jacques-Alain Miller, François Regnault e Jean-Claude Milner: "O número tinha-nos parecido de um esoterismo total e houve uma cisão no final de uma série de sessões surpreendentes que duravam até às três horas da madrugada. Discutimos a ruptura epistemológica e o Significante. Eu me lembro principalmente da grande sessão da ruptura, em que Robert Linhart discutia com Jean-Claude Milner sobre o significante e o insignificado do Significante durante horas a fio, para saber em que isso era materialista. Toda essa polêmica, lembro-me bem, desenrolava-se num ambiente de impecável elegância".[36]

É dessa ruptura que nasce a revista da jovem geração althusseriana, *Les Cahiers pour l'Analyse*, que pode ser qualificada como revista althusseriano-lacaniana. Ela se situa na perspectiva de um estruturalismo de combate como filosofia abrangente, e vale-se ao mesmo tempo de Althusser, Lacan, Foucault e Lévi-Strauss. Aí se encontram os filhos de Althusser e de Lacan, uma vez que todos os membros do conselho de redação, composto de Alain Grosrichard, Jacques-Alain Miller, Jean-Claude Milner e François Regnault, são membros da organização de psicanálise lacaniana, a Escola Freudiana de Paris.

De 1966 a 1969, *Les Cahiers pour l'Analyse* conduzirão um trabalho epistemológico e interrogarão, portanto, a cientificidade da psicanálise, da linguística e da lógica, a fim de construir a ciência, no singular, concebida como teoria do discurso, como filosofia do conceito. Como divisa, os números da revista ostentam em epígrafe uma citação de Georges Canguilhem, abrindo a reflexão coletiva: "Trabalhar um conceito é fazer variar a sua extensão e compreensão, generalizá-lo pela incorporação dos traços de exceção, exportá-lo para longe de sua região de origem, tomá-lo como modelo ou, inversamente, procurar-lhe um modelo, em suma, conferir-lhe progressivamente transformações reguladas pela função de uma forma".[37]

---

36 Ibidem.

37 *Les Cahiers pour l'Analyse*, n.1-2, 1969.

Com *Les Cahiers pour l'Analyse*, nesse lugar sagrado da ENS da rua de Ulm, estamos diante da emanação mais sintomática da efervescência estruturalista desses anos 1960, em suas ambições mais desmedidas, em suas experiências científicas mais radicais, em seu aspecto mais elitista de uma dialética vanguarda/massa que pretende falar em nome do proletariado mundial e encontrar-se legitimada, dessa forma, nas práticas teóricas mais terroristas e aterrorizantes.

Trata-se de uma caricatura, de uma paródia ubuesca ou, pelo contrário, de um empreendimento sério que se alterna com o primeiro estruturalismo? As duas coisas, sem dúvida, e é essa mistura explosiva que servirá de alimento intelectual a uma geração inteira de filósofos.

30

Ulm ou Saint-Cloud

Althu ou Touki?

O desafio das ciências humanas é enfrentado nos anos 1960 pelos filósofos que se reapropriarão do programa estruturalista e conservarão assim uma posição predominante no campo intelectual, evitando a marginalização que, por outro lado, as humanidades clássicas conhecem. O estruturalismo, portanto, encontrará ligações essenciais em sua difusão com a École Normale Supérieure (ENS), lugar privilegiado de legitimidade científica, o que permite contornar e ganhar relevo em relação às instituições universitárias clássicas (mesmo que a ENS esteja perdendo terreno em relação à École Nationale d'Administration – ENA na concorrência viva que se trava para a reprodução dos quadros dirigentes da nação).

Os normalistas integram uma estrutura de formação binária, conforme se orientem para Ulm ou Saint-Cloud. De um lado, em Saint-Cloud, assistem às aulas de Jean-Toussaint Desanti, que prefere converter seus alunos às novas disciplinas das ciências humanas. Aconselha-os a que se formem de acordo com o seu saber científico e abandonem eventualmente a filosofia. Pelo contrário, Louis Althusser constrói uma teoria que reserva o lugar mais importante para a filosofia, e incita seus alunos a testar a validade das diversas ciências humanas em relação aos critérios de uma filosofia do concreto. Althusser tem, portanto, em comum com Desanti, uma estratégia de inclusão do paradigma estruturalista, mas sob formas diferentes, visto que com Althusser se é solicitado a falar em nome da filosofia, ao passo que com Desanti se é mais chamado a realizar uma reconversão.

Saint-Cloud

Jean-Toussaint Desanti é filiado à fenomenologia. Herdeiro de Merleau-Ponty, que o fez ler Husserl desde 1938, inscreve-se no PCF no pós-guerra: "Foi a experiência das lutas políticas que me aproximaram de Marx e de seus sucessores".[1] Antigo ulmiano, Desanti, cujo ingresso na ENS ocorreu em 1935, conheceu também Jean Cavaillés; encontro decisivo, visto que Desanti adotará como objeto filosófico privilegiado as matemáticas, dedicando-se, portanto, essencialmente a uma obra epistemológica. Daí extrai a ideia de que a filosofia não é um discurso autônomo que seria fundamental, mas secundário: "Se se quer fazer filosofia seriamente, é preciso instalar-se no âmago das positividades, são palavras de Desanti".[2]

Nos anos 1960, havia uma situação de conflituosidade latente, de concorrência entre os dois filósofos, dos quais um, Althusser, estava cada vez mais engajado no marxismo-leninismo, e o outro, Desanti, desfazia-se de compromissos, tendo rompido com o PCF desde 1958. Entretanto, este último tinha ajudado os candidatos de Ulm, entre eles Althusser, a passar no concurso para a docência superior: "Fui eu quem o fez aderir ao partido [...] Como o lamento"!.[3] Arrepende-se de tê-lo conduzido para o que, desde o final dos anos 1950, considera um impasse. Vê a obra de Althusser como um verdadeiro trabalho filosófico de complexificação do marxismo, mas que teria apenas "uma função de retardamento, pois essa tarefa muito elaborada de manutenção do marxismo-leninismo está pouquíssimo adaptada aos problemas do nosso tempo. Quem é leninista nos dias de hoje, além dos albaneses?".[4]

Desanti conjuga o estruturalismo e a fenomenologia da sua investigação das idealidades matemáticas. Estas, entretanto, não são a

1 Desanti, *Un destin philosophique*, p.129.

2 Sylvain Auroux, entrevista com o autor.

3 Jean-Toussaint Desanti, entrevista com o autor.

4 Ibidem.

resultante de uma evasão para fora do mundo, para fora do campo da experiência: "Elas são o modo de exigência que leva a perceber a produtividade desse gênero de objetos, os objetos ideais".[5] Elas se enraízam num campo originariamente simbolizável, não dependendo, pois, diretamente nem da esfera da inteligibilidade nem da do mundo sensível, mas de um entremeio de ambas. Desanti apoia-se, em sua investigação dos objetos matemáticos, na contribuição que, desde meados do século XIX, constitui a emancipação das estruturas e, depois, já no início do século XX, nas contribuições do grupo Bourbaki que permitiram construir objetos problemáticos simbolicamente definidos: "É uma estrutura pobre, mas a partir da qual é possível obter teoremas muito poderosos que permitem dominar as cadeias de propriedades em campos de objetos inicialmente diferenciados".[6]

Assim, Desanti foi estimulado pelo desejo de soltar a estrutura, de destacar a forma, a unidade. O seu projeto teórico de estabelecimento de conexões significantes com os princípios de fechamento e de regras de passagem assemelha-se ao projeto estruturalista. Mas isso não significa que renuncie aos atos propiciadores de sentido e a essa busca eidética de uma região em que o sentido é pré-constituído e, por conseguinte, suscetível de reativação. Nesse particular, Desanti permanece fundamentalmente fenomenologista:

> A exigência de ter de ligar os comportamentos à determinação de uma estrutura subjacente repousa na questão do sujeito. O sujeito não é abolido porque não significa nada, carece de estrutura. A estrutura é a estrutura disto, disto que se faz, que é feito, que se quer fazer, e é preciso compreender essa relação. É esse o problema que hoje se apresenta.[7]

Sylvain Auroux, epistemologista das ciências da linguagem e discípulo de Desanti, conheceu um itinerário revelador da relação que se processou no seu mestre entre filosofia e ciência. Tendo ingressado na ENS em 1967, Auroux assiste às aulas de Desanti, que o inicia no estruturalismo: "O estruturalismo era a anticultura, e nele mergulhamos,

5 Idem, *Autrement*, n.102, p.116, nov. 1988.

6 Idem, entrevista com o autor.

7 Ibidem.

dele nos impregnamos".[8] Ele integra a ENS de Saint-Cloud, é aprovado no concurso de professores, depois num doutorado em filosofia, leciona durante algum tempo num liceu e finalmente ingressa no Centre National de la Recherche Scientifique (CNRS), na área de ciências da linguagem. Realiza, assim, o conselho de Desanti de instalar-se no interior de uma positividade, e torna-se diretor de pesquisas do CNRS, no meio dos linguistas: "Pessoas como eu perceberam sempre Althusser como um fabricante de ideologia. [...] Ele cometeu a façanha de dar uma versão platônica do marxismo".[9]

Ao contrário da construção de uma epistemologia em situação de exterioridade crítica em relação às ciências, Desanti incitava, portanto, à condução de um trabalho de epistemologia das ciências no interior destas, o que Sylvain Auroux realizará: "Como dizia Desanti nessa época, ser filósofo das matemáticas é situar-se no campo das matemáticas".[10] A conversão de Auroux a uma positividade específica, a da linguística, não quer dizer que a filosofia tenha sido abandonada por parte dos normalistas de Saint-Cloud, visto que Martial Guérout os inicia, por outro lado, numa história muito estrita dos textos filosóficos.

Ulm

Em Ulm, a figura tutelar da nova geração é Louis Althusser. Licenciado em filosofia em 1948, assume as responsabilidades de professor-explicador secretário da instituição, chamado *caïman* de filosofia da École Normale Supérieure. Mais do que Desanti, Althusser considera que a filosofia tem um papel a desempenhar diante das ciências sociais modernas, como teoria das práticas teóricas, capaz de avaliar a validade científica das positividades a fim de testar-lhes a verdade. Assim, para Althusser, a filosofia não deve renunciar ao seu papel tradicional de disciplina-rainha, mesmo que tenha de renovar o seu discurso e abrir-se para novas problematizações.

8 Sylvain Aurox, entrevista com o autor.
9 Ibidem.
10 Ibidem.

O papel de destaque que Althusser e os althusserianos desempenharão na preponderância da influência estruturalista dos anos 1960 está relacionado com essa capacidade para enfrentar o desafio das ciências humanas que se fazem passar por rigorosas, e que permitem assim vangloriar-se de modernidade, mas canalizando-as para o molde tradicional de um discurso filosófico abrangente, portador da verdade.

Ulm torna-se então o epicentro da ideologia estruturalista, sintoma franco-francês do peso das humanidades no currículo da formação universitária. Ulm, desse ponto de vista, é o lugar ideal de superação da velha Sorbonne. Expressão de excelência, a escola encarnará a dupla vantagem de sua tradicional legitimidade científica e do modernismo mais de ponta: "Lembro-me muito bem de que havia uma sensação de grande cansaço diante da filosofia universitária, misto de humanismo e de espiritualismo",[11] conta o antigo ulmiano Jacques Bouveresse. O surgimento do que na época era qualificado de "boas" ciências humanas foi vivido, portanto, como uma lufada de oxigênio, uma verdadeira libertação intelectual. Entretanto, o remédio não consistia em encampar todas as ciências humanas: as "boas" eram três – a psicanálise, a antropologia e a linguística –, trio constitutivo do paradigma estruturalista, e alimentava-se o mais soberano desprezo pelas ciências humanas já consideradas tradicionais, ciências empíricas de simples classificação: a psicologia e a sociologia.

Os filósofos tentaram, portanto, uma OPA baseada nessas três ciências inovadoras: "isso foi aceito pelos cientistas interessados, como acontece com frequência, porque a filosofia dispõe, mesmo quando menosprezada, de uma vantagem que é poder conquistar um público muito mais vasto do que o que os cientistas podem esperar, habituados que estão a um público muito restrito".[12] A filosofia tinha, portanto, ao renovar suas problemáticas, a possibilidade de socializar ciências sociais que tinham a vantagem de ser portadoras de um discurso legível, rigoroso, formalizável. A operação teve tanto êxito que os filósofos abstiveram-se prudentemente de conduzir seu empreendimento em nome da filosofia, que então se compraziam em dar como morta, liquidada;

11 Jacques Bouveresse, entrevista com o autor.
12 Ibidem.

substituíam-na pelo termo "teoria", como a coleção lançada com esse nome por Maspero, e cujo diretor era justamente Louis Althusser.

Não se tratava, para tanto, de tornar-se antropólogo, linguista ou psicanalista, mas de servir-se do rigor dessas disciplinas para desmontar-lhes simultaneamente o cientismo em nome de uma teoria superior a essas práticas teóricas, obra de subversão interna tanto quanto de apropriação levada a efeito em benefício dos filósofos. Tal operação precisa avançar camuflada, e isso tem um custo alto, segundo Jacques Bouveresse: "É um período em que se tem a impressão de um jogo sem regra. Você pode dizer não importa o quê, sem regra argumentativa, a partir do momento em que aceitou certo número de pressupostos dogmáticos".[13]

Marx em Ulm!

A primeira inovação do *caïman* de Ulm foi integrar Marx entre os autores estudados nesse santuário da reprodução das elites que é a École Normale Supérieur. Após a publicação em 1960 dos *Manifestes philosophiques de Feuerbach*, de Althusser, ele inicia, em 1961-1962, um seminário sobre o "jovem Marx": a pedido de seus alunos: "O livro sobre Montesquieu é de 1959, seus primeiros textos acerca da sobredeterminação, no jovem Marx, são de 1960. Foi-lhe pedido que organizasse um seminário interno sobre o jovem Marx na escola".[14]

No seminário, vamos encontrar, entre os ouvintes de Althusser, Pierre Macherey, Roger Establet, Michel Pêcheux, François Regnault, Étienne Balibar, Christian Baudelot, Régis Debray, Yves Duroux, Jacques Rancière. Ler os textos de Marx como se lê Aristóteles ou Platão era para os normalistas um acontecimento bastante surpreendente para a época, ainda que o método literal da explicação de texto se mantivesse fiel a cânones bem conhecidos. Se existia essa "originalidade perturbadora"[15] que entusiasmava os discípulos de Althusser, o desejo político de derrotar a linha Garaudy também estava no centro das preocupações

13 Ibidem.
14 Pierre Macherey, entrevista com o autor.
15 Ibidem.

desses jovens normalistas em processo de ruptura com a direção do PCF. Essa dimensão política era essencial para essa geração que militava contra a guerra da Argélia. O sentimento de comunhão era, aliás, acentuado pelo ambiente de sociabilidade intensa que representava o internato na École: "Era uma comunidade militante. Quando Althusser publicou os seus primeiros artigos sobre o jovem Marx, comentou-se: eis um marxista apresentável, rigoroso".[16] Acentuando ainda mais a intensidade da vida social no interior da École, todo um trabalho teórico em comum organizava-se no âmbito da preparação para o concurso; foi assim que "se decidiu que se ajudariam mutuamente para obter a aprovação nos exames do concurso para professor".[17]

O ano de 1962-1963 foi dedicado por Althusser às origens do pensamento estruturalista. Nessa ocasião, fala de Lévi-Strauss, Montesquieu e Foucault. Jacques-Alain Miller trata da arqueologia do saber em Descartes; Pierre Macherey, das origens da linguagem. Também participam desse seminário Jacques Rancière, Étienne Balibar, Jean-Claude Milner, Michel Tort.[18] É em 1964 que Althusser orienta o seu seminário com os seus discípulos para a leitura coletiva de *O capital* de Marx: "Tudo isso é feito sem pensar que haveria uma possível publicação. Era uma atividade livre e desinteressada".[19] Ora, esse trabalho, que devia permanecer confinado a um estrito cenáculo confidencial, conhecerá uma extraordinária repercussão quando, em 1965, vier a público pela Maspero a obra coletiva *Lire Le capital*, ao mesmo tempo de uma coletânea de artigos de Althusser, *Pour Marx*:

> Encontramo-nos numa situação incrível, célebres de um dia para outro sem que tivéssemos procurado isso. [...] Foi a época em que os examinadores do concurso para professor encontravam nas provas escritas dos candidatos os nossos nomes citados como os dos grandes filósofos contemporâneos. Tivemos uma notoriedade imediata que nos atingiu justamente em 1968, e lhe asseguro que pagamos muito caro por isso.[20]

16 Roger Establet, entrevista com o autor.
17 Ibidem.
18 Informações extraídas de Roudinesco, *Histoire de la psychanalyse en France*, v.2, p.386.
19 Pierre Macherey, entrevista com o autor.
20 Ibidem.

Esse trabalho e sua publicação inserem-se, evidentemente, numa lógica extrauniversitária como lance político importante no quadro das confrontações internas do PCP, no qual as posições althusserianas são objeto de vigorosas críticas de Garaudy desde 1963. O estruturalismo também se vê utilizado, como no caso dos linguistas diante da história literária clássica, como modo de contestação das autoridades dirigentes, cuja imprecisão e falta de transparência se denuncia em nome do rigor, da cientificidade. Também em Ulm, nesse cadinho do conceito estruturalista, é praticada a simbiose entre diversos continentes do saber. Michel Pêcheux tinha adquirido uma sólida formação linguística, muitos frequentavam as aulas de Georges Canguilhem e interessavam-se, portanto, pela epistemologia. A obra de Lévi-Strauss era conhecida por todos: "Eu me interessara por Lévi-Strauss um pouco por reação contra a norma imposta para obtenção do diploma de moral e sociologia. Havia nisso um lado de contracultura".[21] Althusser acrescentava a esse paradigma estruturalista um Marx revisitado, efetuando um retorno a... Marx, à maneira dos "retornos a" Saussure e Freud. Havia o sentimento estimulante de que se poderia realizar, enfim, uma síntese filosófica capaz de explicar as diversas formas da racionalidade contemporânea, para além das ciências sociais.

De maneira confusa, Althusser retomava as orientações estruturalistas, sem deixar de adotar certa distância crítica, em nome do marxismo. De saída, havia uma tensão interna nos conceitos referidos que permite compreender por que Althusser falará mais tarde de um "flerte" exagerado com o estruturalismo. Tratava-se então de utilizar sua força propulsora, o lado cientista de um positivismo linguístico bem-sucedido, que se julga capaz de interpretar todos os domínios do saber numa semiologia global, a partir de um modelo fonológico simples. Mas Althusser e os althusserianos, numa filiação nietzschiana passando por Canguilhem, eram, ao mesmo tempo, críticos em relação àqueles que se julgavam capazes de edificar semelhante metalinguagem. Reencontra-se essa ambivalência de uma captação que permite surfar na onda estruturalista a partir de temas unificadores, ao mesmo tempo que se destrói de dentro para fora: "As oposições um pouco pesadas do gênero sujeito/estrutura, noção de processo sem sujeito, adquiriram

21 Jacques Rancière, entrevista com o autor.

essa importância porque serviram para encobrir essa ambiguidade conceitual em que nos movíamos".[22]

Os althusserianos inclinam-se para o lado do cientismo, nesses primeiros anos de seu trabalho de elaboração teórica. A mudança de orientação política que eles desejavam por parte da direção do PCF devia passar pela ciência: "Era preciso colocar a ciência no posto de comando, como se dizia na época".[23] O clima cientista predominante acentuava ainda mais esse entusiasmo. Foi vivido como uma emancipação por toda uma geração que acreditou poder realizar a síntese entre a racionalidade moderna e a problematização filosófica. Jacques Rancière, normalista em 1960, é imediatamente seduzido pela "dinâmica intelectual que se criou em torno de Althusser",[24] quando até então a cultura filosófica se limitava a Husserl e Heidegger. Quando ele chega à ENS, "a geração que se tornava docente era toda a velha guarda heideggeriana";[25] foi o último ano do curso dado por Jean Beaufret, discípulo de Heidegger. Com a nova guarda althusseriana, é a abertura aos novos campos do saber, a ampliação da cultura filosófica a novos objetos e a concretização de uma ruptura radical com tudo o que depende da psicologia clássica: "Para a minha geração, isso correspondia a uma espécie de libertação em relação à cultura universitária".[26]

Se os linguistas investem contra o homem e a obra, se os antropólogos e os psicanalistas contornam os modelos conscientes, os filósofos althusserianos optam por atacar o humanismo, que é sepultado com júbilo e deleite como um traste obsoleto que datava dos tempos idos da burguesia triunfante. O homem é objeto de um ato de deposição, deve entregar as armas e a alma a fim de deixar lugar para as diversas lógicas de condicionamento de que ele é apenas uma das facetas mais irrisórias. Nesse sentido, o empreendimento althusseriano adere totalmente, em sua contestação da validade e da própria existência do sujeito, ao conjunto do movimento estruturalista.

22 Ibidem.
23 Ibidem.
24 Ibidem.
25 Ibidem.
26 Ibidem.

O reforço de Lacan

Contra o humanismo, contra o psicologismo, um aliado de peso acaba de dar entrada no recinto da ENS, rua de Ulm, graças a Althusser, que o convida a instalar-se aí em 1963: é Jacques Lacan. Ele também está em plena guerra dentro de outra instituição, a psicanalítica. Proscrito, ele também é o excluído do aparelho. Lacan constituirá com Althusser uma dupla tão curiosa quanto fascinante para uma geração que se tornará, em boa parte, althusseriano-lacaniana. Jacques-Alain Miller, atual dirigente da escola da causa freudiana, declara ter lido Lacan por incitamento de Althusser,[27] no seu seminário dedicado em 1963-1964 aos fundamentos da psicanálise, mas, no essencial, consagrado a Lacan. Como vimos, muitos althusserianos vão de Marx a Freud, de Althusser a Lacan; *Les Cahiers pour l'Analyse* constituem essencialmente a expressão desse lacanismo ulmiano, oriundo do althusserismo. Os althusserianos, portanto, encontrar-se-ão divididos entre os que, numa estrita filiação em relação ao mestre, permanecerão no campo da filosofia, como Étienne Balibar, Pierre Macherey e Jacques Rancière, e os que se converterão à psicanálise, escolhendo o exercício de uma prática, de uma positividade particular.

A filosofia terá, portanto, uma vez mais, perdido uma boa parte de suas forças vivas, as quais desertarão em nome de uma nova e triunfante ciência humana. Toda uma corrente althusseriano-lacaniana se identificará numa posição dita antirrevisionista: simultaneamente contrária à revisão do marxismo pelos soviéticos e pela direção do PCF, e à revisão do freudismo pelos herdeiros oficiais da International Psychoanalytical Association. A simbiose entre as duas correntes é, ao mesmo tempo, teórica e estratégica, sendo levada a apoiar-se num dogma sólido, em textos sacralizados. Em meados da década de 1960, multidões chinesas brandem o pequeno livro vermelho na praça Tiananmen, que representa para eles a esperança do fim do velho mundo. A figura do mestre logo assumirá a fisionomia de Mao Tsé-Tung, o timoneiro da nova China, saudando o nascimento do novo mundo.

27 Miller. In: Roudinesco, *Histoire de la psychanalyse en France*, v.2, p.387.

O pensamento-Mao, o pensamento-Lacan, o pensamento-Althusser, todos unidos contra o pensamento-Moa (*Moi...*). O coquetel Molotov estava pronto para acolher a radicalização da juventude escolarizada francesa do final dos anos 1960.

31

A explosão althusseriana

Nem Deus, nem César, nem tribuno... nem por isso Louis Althusser deixa de se apresentar, aos olhos de muitos, como um salvador supremo do marxismo. Ele tenta levar a bom termo um empreendimento difícil, uma verdadeira aposta que equivale a colocar o marxismo no centro da racionalidade contemporânea ao preço de seu desligamento da práxis, da dialética hegeliana, a fim de suplantar a vulgata stalinista em uso, sustentada num economicismo mecânico.

Para realizar esse deslocamento, Althusser se apoia no estruturalismo e apresenta o marxismo como o único capaz de realizar a síntese global do saber e de instalar-se no âmago do paradigma estrutural. O preço a ser pago implica, portanto, participar no afastamento do vivido, do psicológico, dos modelos conscientes, assim como da dialética da alienação. Esse afastamento do referente adquire a forma de um "corte epistemológico", segundo o modelo da ruptura de Bachelard. O corte efetua a divisão entre ideologia, de um lado, e ciência, de outro, encarnada pelo materialismo histórico. Todas as ciências devem, portanto, ser questionadas a partir do que fundamenta a racionalidade científica, a filosofia do materialismo dialético, a fim de se libertarem de seus resíduos ideológicos. De acordo com o modelo do arbitrário do signo em relação ao referente, a ciência deve "satisfazer exigências puramente internas",[1] e

1 Descombes, *Le même et l'autre*, p.147.

o critério de verdade não passa, portanto, por uma possível falsificabilidade das proposições.

Esse desligamento do marxismo do seu próprio destino histórico no início dos anos 1960 era um meio de salvá-lo de sua rápida decomposição, instalando-o no cerne da ciência. Responde à necessidade de sair de um marxismo oficial pós-stalinista, portador de uma herança funesta, encerrado no dogma. Althusser permitia complexificar o marxismo, cruzar a sua aventura com a das ciências sociais em pleno desenvolvimento, e colher todos os frutos, dando-se como discurso dos discursos, a própria teoria das práticas teóricas. Ressuscitar um marxismo científico desembaraçado das escórias dos regimes que se valem dele é o desafio estimulante que Louis Althusser apresentava a uma geração militante, temperada nos combates anticolonialistas.

De Jesus a Marx

Louis Althusser nasceu em 16 de outubro de 1918 em Birmandreis, na Argélia. É normalista em 1939. Prisioneiro na Alemanha de 1940 a 1945 no *stalag* XA do Schleswig-Holstein, corresponde-se com René Michaud, que o inicia no marxismo, retomando a preparação para o concurso de professores com a Libertação, aos 27 anos. É licenciado em 1948, data em que se alia ao PCF, e permanece na École Normale Supérieure da rua de Ulm, na qual se torna *caïman*, preparador de concurso para os normalistas da instituição. Apresenta um projeto de tese de doutorado de Estado a Jean Hyppolite e Jankélévitch sobre "La politique et philosophie au XVIIIe siècle français".

Na sua origem, contudo, Althusser é católico praticante, participa da Ação Católica e é estimulado em suas convicções religiosas por Jean Guitton, seu professor em Lyon entre 1937 e 1939, que o preparou para a admissão à École Normale Supérieure. Para Guitton, Althusser, que retorna da guerra metamorfoseado, ateu e comunista, manteve-se fundamentalmente fiel ao seu desejo de absoluto religioso, que teria, de fato, deslocado do catolicismo para o marxismo. A cumplicidade amistosa dos dois homens nunca foi desmentida, apesar do distanciamento de suas respectivas posições e da contestação que podia sofrer um Jean

Guitton na Sorbonne, onde ocupava a cadeira de história da filosofia: "Você me ensinou a relacionar-me com um conceito, com dois, a combiná-los, a opô-los, a uni-los, a separá-los, como crepes na frigideira, e a servi-los para que sejam comestíveis".[2] De 1945 a 1948, ele tinha sido duplamente atraído pelo PCF e por um pequeno grupo de católicos originários de Lyon, fundado por Maurice Montuclard e instalado em Paris.

Esse fascínio pela religião, pela pureza mística, perseguirá Althusser até o fim, pois nas vésperas do drama de 1980 pede ao seu amigo Jean Guitton que interceda em seu favor para um encontro com o papa João Paulo II. Obtém uma entrevista com o cardeal Garrone. Jean Guitton, ao encontrar-se com o Santo Padre, percebe que este se dispunha a receber Althusser. Mas o assassinato de sua esposa, Hélène, pouco depois, fez abortar o projeto. Grande leitor de Pascal, Althusser é, pois, transpassado pela inquietação de uma mística tradicional, pelo caráter insolúvel da contradição. Tendo, porém, abandonado o caminho cristão, ele desloca sua busca de absoluto para um marxismo purificado, filosofia cristalina, capaz de opor-se à fé religiosa, instrumento de superação da metafísica, substituindo-a por uma ciência total, exclusiva, rigorosa: "No seu quarto, vejo as obras de Lenin ao lado das de Santa Teresa d'Ávila e formulo-me intimamente, a seu respeito, o problema que sempre me obcecou: o da mudança. Terá Althusser mudado em sua intimidade secreta e profunda?".[3]

A ontologização da estrutura em voga nos anos 1960 permitia a Althusser deslocar o sistema de causalidade em uso na vulgata marxista. Tratava-se até então de limitar os esquemas de explicação à concepção monocausal do reflexo. Tudo devia derivar do econômico, e as superestruturas eram concebidas, portanto, como simples traduções do substrato infraestrutural. Romper com esse enfoque puramente mecânico tinha a dupla vantagem de complexificar o sistema de causalidade, ao substituir uma relação causal simples do efeito por uma causalidade estrutural em que é a própria estrutura quem designa a dominância. Mas o modelo de análise althusseriano também permite, como diz Vincent Descombes, salvar o modelo econômico soviético, que continua sendo considerado em conformidade com o modelo

2 Carta de Althusser a Guitton, jul. 1972, em *Lire*, n.148, p.85, jan. 1988.

3 Guitton, p.89.

socialista, dissociado de uma realidade política autonomizada e contestável. Althusser podia assim analisar uma crítica do stalinismo que ia mais longe do que a simples contestação oficial do culto da personalidade, mas a um menor custo, uma vez que sua crítica preservava, em nome da autonomia relativa das instâncias do modo de produção, a base socialista do sistema. Ele compreende, pois, rapidamente, a utilidade que pode representar o estruturalismo para um marxismo a renovar e para continuar considerando a União Soviética um país socialista – "A doutrina estruturalista esteve a ponto de ser elaborada na École Normale Supérieure (ENS) sob a batuta de Althusser"[4] – e representada principalmente por seus discípulos dos *Cahiers pour l'Analyse*. Cada um dos avanços estruturalistas situava-se até aí no interior de uma esfera particular do saber: a antropologia para Lévi-Strauss, a psicanálise para Lacan, a linguística para Greimas.

Althusser representa a possibilidade de ampliar a ambição no sentido de uma filosofia estruturalista que se põe simultaneamente como tal e como expressão do fim da filosofia, como possível superação desta em nome da teoria. A separação conceitualizada por Althusser entre ciência e ideologia permite, por outro lado, redobrar a divisão em curso de generalização entre a tecnoestrutura e os executantes. Os althusserianos "fortaleciam largamente a divisão entre a elite e a multidão subalterna e realizavam-na em suas revistas, em seu movimento maoísta, hierarquizadas em Estados-Maiores que têm seus canais de transmissão, seus comitês de base: organização calcada sobre a da administração francesa".[5] O projeto inscreve-se, portanto, numa perspectiva de unificação do campo de reflexão das ciências do homem colocadas sob a direção vigilante dos filósofos: "Houve uma tentativa de construção de uma problemática unitária das ciências sociais".[6]

4 Vincent Descombes, entrevista com o autor.
5 Ibidem.
6 Étienne Balibar, entrevista com o autor.

Um objetivo estratégico

A intervenção althusseriana também se inscreve no âmbito de uma outra lógica, esta política, para contestar a validade das posições oficiais sustentadas pela direção do PCF. Como se viu, *La Nouvelle Critique* torna-se, de março de 1965 a fevereiro de 1966, o lugar de um grande debate entre intelectuais comunistas sobre as relações entre marxismo e humanismo. É o momento do grande confronto entre as teses de Roger Garaudy, partidário de um humanismo marxista, e as de Althusser, que defende o anti-humanismo teórico: "Essa controvérsia [...] parece-nos apresentar em termos concisos as questões essenciais do *status* teórico do materialismo histórico".[7] É Jorge Semprun quem inicia a crítica da posição althusseriana ao dissociar o pensamento marxista, que é um pensamento dialético, do pensamento althusseriano, que funciona em termos de ruptura. Apoiando-se na *Crítica da filosofia do direito de Hegel*, escrita por Marx em 1843, ele mostra que mesmo o jovem Marx nunca teve uma concepção abstrata do homem; que, pelo contrário, desde essa época, sempre o definiu como um ser plenamente social. Michel Simon insiste no caráter indissolúvel do marxismo e do humanismo, mesmo quando adere à posição althusseriana ao criticar o uso da noção de alienação fora do vago domínio da ideologia. Tem o cuidado de distinguir claramente o humanismo abstrato e universalizante da burguesia em ascensão e as posições marxistas, mas "o humanismo designa algo que, no fundo, é essencial ao marxismo".[8] Pierre Macherey, por sua vez, defende posições althusserianas puras, e opõe ao discurso de síntese esboçado por certos ideólogos da direção do partido uma clara posição de ruptura: "Entre a abordagem de Semprun e a de Althusser há ruptura".[9] Recusa toda possibilidade de diálogo entre dois discursos que não atribuem o mesmo significado aos conceitos utilizados. A aparência de utilização de uma mesma terminologia é enganadora, uma vez que encobre concepções opostas. É o que ocorre com o termo "prática", que em Semprun se refere a um objeto real, ao passo

7 Ouverture d'un débat: marxisme et humanisme, *La Nouvelle Critique*, n.164, p.1, mar. 1965.

8 Simon, Marxisme et humanisme (suite), *La Nouvelle Critique*, n.165, p.127, abr. 1965.

9 Macherey, Marxisme et humanisme (III), *La Nouvelle Critique*, n.166, p.132, maio 1965.

que é objeto de teoria em Althusser. Michel Verret também toma com entusiasmo o partido de Althusser: "Esse humanismo, Althusser sublinha enfaticamente, não pode deixar de acompanhar o destino teórico da alienação".[10] A posição de Roger Garaudy, que desde 1963 vinha prevenindo contra a destruição deliberada do jovem Marx por Althusser, é fortemente questionada, portanto, por numerosos intelectuais do partido. Mas a reunião dos filósofos de Choisy, que ocorreu em janeiro de 1966 sem a presença de Althusser, permite reagrupar solidariamente a equipe de ideólogos da direção em torno de Garaudy: Lucien Sève, Guy Besse, Gilbert Mury, Paul Boccara e Jean Texier expressam nessa oportunidade suas discordâncias, em registros diferentes, com as posições de Althusser. Garaudy aproveitou a ocasião para atacar com firmeza a concepção de ciência veiculada por Althusser, qualificada como "caduca": "obsoleta", "simplória, escolar e mística", assim como o seu "doutrinarismo descarnado".[11]

Sendo Althusser apresentado, pois, como marxista herético, isolado diante do aparelho do partido, compreende-se o interesse estratégico que pode representar para ele a suturação de suas posições sobre as da onda estruturalista que arrasta a adesão entusiástica dos intelectuais de meados da década de 1960. Althusser apresentava a vantagem de defender um "marxismo cartesiano, constituído de ideias claras e distintas"[12] que proporcionava aos intelectuais orgulho de ser comunista. O retorno a Marx, aos textos fundadores num enfoque puramente teórico, exegético, permite sair da culpabilização de ser comunista, após a descoberta manifesta dos crimes stalinistas: "Os trabalhos de Althusser representaram, na verdade, uma lufada de ar puro".[13] O contexto é favorável ao sucesso das teses althusserianas, visto que o PCF tenta instaurar um novo relacionamento com os intelectuais desde fins da década de 1950, a fim de sair pouco a pouco do stalinismo. Abre-se para novas formas de expressão artística, para as vanguardas, rompendo assim com o realismo socialista, e para novas exigências teóricas, abandonando o delírio lyssenkista no passado. Maurice Thorez anuncia, inclusive, a

10 Verret, Marxisme et humanisme (IV), *La Nouvelle Critique*, n.168, p.96, jul.-ago. 1965.

11 Garaudy, relato integral da reunião dos filósofos de Choisy de janeiro de 1966, p.125, 128, 148 apud Verdès-Leroux, *Le réveil des somnambules*, p.296.

12 Lindenberg, *Le marxisme introuvable*, p.38.

13 Entrevista 64, em Verdès-Leroux, *Le réveil des somnambules*, p.297.

criação em 1959 do Centre de Étude et Recherche Marxiste (o Cerm), de que Roger Garaudy será o primeiro diretor. O PCF procura então compensar as perdas do ano traumático de 1956, reatando o diálogo interrompido com os intelectuais. Althusser chegava, pois, a propósito, como o remate de um processo que começa no início do decênio e que atribui aos intelectuais um lugar de eleição na definição da nova política pós-stalinista. Mas isso não significa que as suas teses sejam adotadas *incontinenti* pelo Comitê Central do PCF, que se reúne em março de 1966 e conclui que, de fato, "o marxismo é o humanismo do nosso tempo".[14]

A partir dessa vitória da linha Garaudy, os trabalhos de Althusser são cuidadosamente selecionados pela direção do partido, que os faz desaparecer da bibliografia da Escola Central de Quadros. Esse insucesso devia ser compensado, no entanto, pela influência máxima exercida pelo próprio lugar onde Althusser podia retomar a iniciativa teórica: a ENS da rua de Ulm. Daí podia ele opor à direção do partido um discurso marxista fecundado pelo estruturalismo e digno de ter acesso à categoria de racionalidade moderna.

Roger-Pol Droit foi aluno de Michel Pêcheux, discípulo de Althusser, no curso de filosofia em 1965-1966, e entusiasma-se juntamente com Guy Lardreau, Cristian Jambet e muitos outros pelo que então lhes parece ser a encarnação da filosofia do conceito: o althusseriano-lacanismo. Hoje, essa época de formação, a de suas mamadeiras filosóficas, apresenta-se aos olhos de Roger-Pol Droit como uma

> [...] época gradeadora: grade no sentido de um quadro conceitual de elucidação. A sensação que se tinha era de que se o escantilhão fosse colocado na posição adequada, destacar-se-ia aquilo que sem a grade não se teria visto. A estrutura depende disso: ela é da natureza daquilo que só se vê em relevo contra um fundo neutro, em oco e vazio, e da diversidade colorida do real. E, ao mesmo tempo, são grades no sentido celular do termo.[15]

---

14 Comitê Central do PCF, 11-13 mar. 1966, *Cahiers du Communisme*, maio-jun. 1966 apud Verdès-Leroux, *Le réveil des somnambules*, p.119-20.

15 Roger-Pol Droit, entrevista com o autor.

Os althusserianos tinham conseguido a façanha de colocar a epistemologia em moda. Era a época em que se fazia a epistemologia de qualquer coisa, o que permitia dizer que já não se fazia mais filosofia, mas ciência. Essa situação era ainda mais paradoxal porquanto a epistemologia, por seu discurso hermético e o elevado grau de competência exigido em diversos domínios, está geralmente limitada a pequenos círculos: "Ouvi até, certa vez, Derrida, a quem lhe era perguntado se o que ele fazia era ciência, responder que não, mas que poderia muito bem vir a sê-lo".[16] É nessa perspectiva cientista que se inscreve o projeto althusseriano. Ele respondia também a esse desejo de corte de uma nova geração que não queria carregar o fardo dos crimes stalinistas e tinha sede de absoluto. O que permite a conciliação paradoxal de um voluntarismo político muitas vezes delirante, de um militarismo encarniçado, com a concepção de um processo sem sujeito que se une ao engajamento místico: "Como ocorre em todas as religiões, o sujeito aparta-se de si mesmo a fim de ser o agente de um processo. Eu fui educado pelos jesuítas. É evidente, apartávamo-nos de nós mesmos, não sendo mais sujeitos perante o grande Sujeito que era o Processo, e assim salvávamos as nossas almas. Isso era inteiramente conciliável".[17] Para uma geração inteira, Althusser se tornará o polo de convergência de todos os que querem sair dos academismos, encontrando nele o porta-bandeira, o ponto de ligação: "Realizei os meus estudos em 1955-1960, e Althusser forneceu-nos uma espécie de iluminação. Era extraordinariamente estimulante".[18]

O retorno a... Marx

Em 1965, vêm a público as duas obras que se tornarão imediatamente a mais importante referência do período: uma coletânea de artigos de Althusser, *Pour Marx*, e um livro coletivo, *Lire Le capital*, que reagrupa em torno de Althusser contribuições de Jacques Rancière, Pierre Macherey, Étienne Balibar e Roger Establet. Essas duas obras

---

16 Jacques Bouveresse, entrevista com o autor.
17 Dominique Lecourt, entrevista com o autor.
18 Pierre Macherey, entrevista com o autor.

são publicadas pelas Éditions Maspero, e o sucesso é imediato e espetacular: *Pour Marx*, incluído na coleção Théorie, venderá 32 mil exemplares. Resta saber se a escolha da editora Maspero (criada em 1959) por Louis Althusser é deliberada, ou se é o resultado de uma recusa prévia das Éditions Sociales. Segundo Guy Besse, de um lado, Althusser não teria querido, com uma publicação nas Éditions Sociales, comprometer o partido como um todo no apoio às suas posições e, de outro, a preocupação com a eficácia teria redundado na escolha da Maspero, cuja penetração permitia atingir um público muito mais vasto do que o do PCF. Mas parece que, na verdade, por trás dessa atitude simultaneamente audaciosa e tímida, teria havido um bloqueio da direção do partido: "Em 1979, Althusser me afirmou que só editara na Maspero após ter recebido uma recusa".[19]

Os althusserianos efetuam, portanto, um "retorno ao..." próprio Marx, separado dos comentários e exegeses elaborados até então sobre sua obra e que encobriam, como uma cortina, um conhecimento direto de suas teses. É no ato de ler Marx que se inscreve o primeiro deslocamento dos althusserianos que participam plenamente, nesse ponto, do paradigma estrutural, pois privilegiam a esfera do discurso e a lógica interna de um sistema fechado em si mesmo. É certo que o ponto de vista de Althusser não deriva da linguística, mas participa dessa autonomização da esfera discursiva que deve ser abordada a partir de uma nova teoria do Ler, inaugurada pelo próprio Marx, ignorada pela vulgata e retomada por Althusser.

Essa nova prática da leitura é denominada leitura sintomal, qualificativo tomado diretamente da psicanálise, em particular de Lacan. Aí se reencontra o caráter mais essencial do que não é visível e que se refere à falta, à ausência. Althusser distingue dois modos de leitura dos clássicos da economia política em Marx. Em primeiro lugar, lê o discurso do outro, Ricardo, Smith etc., no interior de suas próprias categorias de pensamento, para captar as insuficiências e estabelecer a diferencialidade, mostrando assim o que não foi percebido pelos seus predecessores. O resultado dessa primeira leitura possibilita "um levantamento de concordâncias e discordâncias".[20] Por detrás dessa primeira abordagem,

---

19 Verdès-Leroux, *Le réveil des somnambules*, p.295.
20 Althusser, *Lire Le capital*, v.I, p.16.

perfila-se uma leitura mais essencial de Marx, para além das faltas, lacunas e silêncios que foram assinalados; essa releitura permite a Marx perceber o que a economia política clássica não via, embora visse. Torna manifestas positividades não problematizadas, não questionadas por seus predecessores. Marx dá respostas para perguntas que não foram feitas num jogo puramente intratextual em que ele vê o não visto do visto da economia política clássica: "O não ver é, pois, interior ao ver, é uma forma do ver e, portanto, está numa relação necessária com o ver".[21] Do mesmo modo que o indivíduo exprime certo número de sintomas da sua neurose sem poder referir o que pode observar do seu próprio comportamento àquilo que o provoca, também a economia política não pode ver e combinar o que faz.

Esse modo de leitura combina uma dupla vantagem: de um lado, inscrever-se no interior de uma exigência de rigor linguístico, ao procurar a chave da problematização no interior do próprio texto, em sua economia interna; de outro, oferecer um método que, à maneira da análise freudiana, considera que a realidade mais essencial é a mais escondida, não se situando nem na ausência do discurso, nem no explícito deste, mas no entremeio de sua latência, necessitando, portanto, de uma escuta ou leitura particular a fim de revelá-lo a si mesmo. Se o erro implica o ver, a vista depende das condições estruturais, de existência do dizer, do campo de possibilidades do dizer e do não dizer. Esse deslocamento apoia-se tanto em Michel Foucault quanto em Lacan: "Althusser nada mais fez do que demarcar os conceitos de Foucault e de Lacan".[22] Essa dialetização do espaço do visível e do invisível adota como modelo o trabalho de Foucault em sua *Histoire de la folie*, invocada como exemplar no início de *Lire Le capital*, não só a propósito da relação de interioridade da sombra, das trevas e da luz, mas também a propósito da atenção às condições, aparentemente heterogêneas, que constituem as positividades do saber em unidades: "Termos que provêm de notáveis passagens do prefácio de M. Foucault para a sua *Histoire de la folie*".[23]

---

21 Ibidem, p.20.

22 Daniel Becquemont, entrevista com o autor.

23 Althusser, *Lire Le capital*, v.1, p.26.

O corte epistemológico

Althusser utiliza também a noção de ruptura epistemológica que retoma de Bachelard, radicalizando-a sob o termo de corte para acentuar-lhe o caráter decisivo, terminante. Buscará, portanto, o seu modelo de análise na epistemologia científica para utilizá-la em sua leitura da obra de Marx. Bachelard aplicava particularmente a sua noção de ruptura ao domínio da física, com destaque para a mecânica quântica, a fim de exprimir a diferença entre conhecimento científico e conhecimento sensível.

Althusser estende essa noção de ruptura ao valor do conceito geral, passível de transposição para toda a história das ciências, sublinhando a necessidade de discernir as descontinuidades a partir das quais se ergue este ou aquele edifício científico. Em seu afã de apresentar Marx como o portador de uma ciência nova, Althusser percebe um corte radical entre um jovem Marx ainda impregnado de idealismo hegeliano e um Marx científico da maturidade. Ora, "jamais Bachelard teria falado de corte entre uma ciência e um edifício e um edifício filosófico anterior".[24] Segundo Althusser, Marx atinge o nível científico quando consegue operar com êxito um corte com a herança filosófica e ideológica de que estava impregnado. Althusser estabelece, inclusive, as fases de gestação desse processo, e data com precisão o momento dessa cesura que o faz ingressar no campo científico: 1845. Tudo o que precede essa data pertence às obras da juventude, a um Marx antes de Marx.

O jovem Marx é marcado, então, pela temática feuerbachiana da alienação, do homem genérico. É a época de um Marx humanista, racionalista, liberal, mais próximo de Kant e de Fichte que de Hegel: "As obras do primeiro momento supõem uma problemática do tipo kantiano-fichtiano".[25] A sua problemática gravita então em torno de um homem consagrado à liberdade, que deve restaurar a sua essência perdida na trama de uma história que o alienou. A contradição a superar situa-se, portanto, na alienação da razão, encarnada por um estado que permanece surdo à reivindicação de liberdade. A seu malgrado, o homem realiza a sua essência pelos produtos alienados do seu trabalho,

---

24 Dominique Lecourt, entrevista com o autor.

25 Althusser, *Pour Marx*, p.27.

e deve concluir a sua realização mediante a recuperação dessa essência alienada para tornar-se transparente para si mesmo, homem total, finalmente realizado e perfeito ao termo da história. Essa inversão é diretamente proveniente da obra de Feuerbach: "O fundo da problemática filosófica é feuerbachiano".[26]

Segundo Althusser, é em 1845 que Marx rompe com essa concepção que fundamenta a história e a política numa essência do homem, a fim de substituí-la por uma teoria científica da história, articulada com base em conceitos inteiramente novos de elucidação, como os de formação social, de forças produtivas, de relações de produção... Ele esvazia então as categorias filosóficas de sujeito, de essência, de alienação, e efetua uma crítica radical do humanismo, atribuído ao estatuto mistificador da ideologia da classe dominante. Esse Marx, o do amadurecimento, abrange o período de 1845-1857 e permite a grande obra científica da maturidade, *O capital*, verdadeira ciência dos modos de produção, portanto, da história humana.

Essa cesura fundamental percebida no interior da obra de Marx é possibilitada pelo deslocamento do marxismo do terreno da práxis para o da epistemologia. Marx teria definitivamente rompido, graças a *O capital*, que, como contribuição científica, ocupa um lugar igual ao dos *Principia* de Newton, com o ideológico: "Sabemos que só existe ciência pura na condição de purificá-la incessantemente. [...] Essa purificação, essa libertação só são adquiridas à custa de uma incessante luta contra a própria ideologia".[27] Enquanto até então a obra de Marx era percebida como a retomada da dialética hegeliana de um ponto de vista materialista, Althusser opõe termo a termo a dialética em Hegel e em Marx. Este não se contentou em reconstituir o idealismo hegeliano, mas teria construído uma teoria cuja estrutura é totalmente diferente, ainda que a terminologia da negação, da identidade dos contrários, da superação da contradição, leve a pensar numa grande semelhança de enfoque: "É decididamente impossível manter, em seu aparente rigor, a ficção da inversão. Pois, na verdade, Marx não conservou, ao invertê-los, os termos do modelo hegeliano da sociedade".[28]

26 Ibidem, p.39.
27 Ibidem, p.171.
28 Ibidem, p.108.

Essa descontinuidade que Althusser percebe entre Hegel e Marx permite-lhe romper com a vulgata economicista stalinista, que se contentava em substituir a essência político-ideológica de Hegel pela esfera do econômico como essência. Mas essa crítica do mecanicismo em uso no pensamento marxista faz-se em nome da construção de uma teoria pura, descontextualizada. É como tal que ela tem acesso à condição de ciência. Para Althusser, o materialismo dialético é a teoria que fundamenta a cientificidade do materialismo histórico, e deve preservar-se, portanto, de toda contaminação ideológica que incessantemente a assedia: "Vê-se que não se trata mais, em última análise, de uma questão de inversão. Pois não se obtém uma ciência invertendo uma ideologia".[29]

O materialismo histórico é, pois, a ciência da cientificidade das ciências. Um cientismo evidente impregna, portanto, a abordagem althusseriana, o que só pode deixar perplexo um historiador, mesmo que esteja fortemente comprometido na construção de uma história marxista, como Pierre Vilar: "Há uma progressão no pensamento de Marx que não se situa, em absoluto, em torno de um corte. Não estou de acordo com semelhante concepção, que se liga, de fato, à obra de Foucault".[30] Althusser quis certamente escapar à vulgata stalinista, propensa a entender tudo como reflexo do econômico, ao autonomizar um campo científico purificado. Ele suscitou, pois, uma verdadeira renovação do pensamento marxista.

Mas, ao oferecer-lhe um sistema fechado em si mesmo, precipitou a crise:

> Isso anunciou o fim de um certo marxismo porque, após esse fechamento sistemático, ele nada mais produziu. Se o marxismo está vivo, não é contentando-se em exumar conceitos científicos. Esse aspecto contribui para um certo declínio do marxismo que ele quis, entretanto, salvar. Como construir um marxismo que é fundamentalmente um pensamento da história com um método que é profundamente a-histórico?[31]

29 Ibidem, p.196.
30 Pierre Vilar, entrevista com o autor.
31 Paul Valadier, entrevista com o autor.

Se, no limite, Althusser serrou o galho sobre o qual estava sentado, nem por isso deixou de alimentar um segundo alento temporário do pensamento marxista e de reforçar toda uma corrente intelectual modernista em conformidade com a busca de uma ruptura radical tanto teórica quanto institucional e política.

Uma totalidade estruturada

Althusser substituiu a vulgata mecanicista da teoria do reflexo por uma totalidade estruturada na qual o sentido é função da posição de cada uma das instâncias do modo de produção. Assim, Althusser reconhece uma eficácia própria da superestrutura que pode se encontrar, em certos casos, em posição de dominância, e em todos os casos figurar numa relação de autonomia relativa em comparação com a infraestrutura. É essa desvinculação da esfera ideológico-política que permite a Althusser salvaguardar a base socialista da União Soviética, pois a sua autonomia relativa "explica muito simplesmente, em teoria, que a infraestrutura socialista tenha podido, quanto ao essencial, desenvolver-se sem danos, durante esse período de erros que afetaram a superestrutura".[32] Como se dizia na época, não se joga fora o bebê com a água do banho, e se se pode falar legitimamente dos crimes stalinistas, da repressão feroz exercida pelo poder sobre as massas, não se pode falar ainda de exploração e fracasso de um sistema que permaneceu fundamental e milagrosamente preservado no nível de sua infraestrutura, indene em face da degenerescência burocrática, afetando somente as altas esferas da sociedade soviética. Althusser opôs à totalidade ideológico-política hegeliana a totalidade estruturada do marxismo, estrutura complexa e hierarquizada diferentemente, segundo os momentos históricos, pelo lugar respectivo que as diversas instâncias (ideológica, política...) ocupam no modo de produção, entendendo-se que o econômico permanece determinante, em última instância.

Com Althusser, a estrutura pluraliza-se e decompõe-se a temporalidade unitária em temporalidades múltiplas: "Não existe história em

32 Althusser, *Pour Marx*, p.248.

geral, mas estruturas específicas de historicidade".[33] Só há, portanto, temporalidades diferenciais, situadas numa relação de autonomia a respeito do todo: "A especificidade de cada um desses tempos, de cada uma dessas histórias, por outras palavras, sua autonomia e independência relativas baseiam-se num certo tipo de articulação no todo".[34]

Althusser participa, portanto, de uma desconstrução da história, própria do paradigma estrutural, não mediante a negação da historicidade, mas decompondo-a em unidades heterogêneas. A totalidade estruturada em Althusser é desistoricizada e descontextualizada, visto que se deve desligá-la do ideológico para que tenha acesso à ciência. O conhecimento (Generalidade III) só é possibilitado pela mediação de um corpo de conceitos (Generalidades II) que trabalha sobre a matéria-prima empírica (Generalidade I). Tal abordagem assimila o objeto de análise do marxismo aos objetos das ciências físicas e químicas, o que implica um total descentramento do sujeito: "É confundir ciências experimentais com as chamadas ciências humanas".[35]

A causalidade estrutural

O estruturalismo tentou escapar globalmente dos sistemas simplistas de causalidade e, desse ponto de vista, Althusser contribui para essa orientação, rompendo com a teoria do reflexo, opondo-lhe a combinatória interna à estrutura do modo de produção. Mas nem por isso renuncia à busca de um sistema de causalidade, indispensável para postular o caráter científico de sua teoria. Ele define, portanto, uma determinação nova, que qualifica de causalidade estrutural ou de causalidade metonímica: "Creio que, entendido como o conceito da eficácia de uma causa ausente, esse conceito convém de modo admirável para designar a ausência em pessoa da estrutura nos efeitos considerados".[36]

33 Idem, *Lire Le capital*, v.2, p.59.
34 Ibidem, p.47.
35 Naîr, Marxisme ou structuralisme? In: *Contre Althusser*, p.192.
36 Althusser, *Lire Le capital*, v.2, p.171.

Esse conceito de eficácia de uma ausência, essa estrutura definida como causa ausente para seus efeitos, à medida que ela excede cada um de seus elementos, da mesma maneira que o significante excede o significado, aproxima-se a essa estrutura a-esférica que define o Sujeito em Lacan, esse Sujeito construído a partir da falta, da perda do primeiro Significante. Essa dialética em torno do vazio encontra-se paralelamente em Althusser e Lacan, e o princípio de explicação, obviamente infalsificável, pode acomodar-se a todos os molhos como o gergelim. A purificação do marxismo atinge aí o mais alto grau de uma metafísica que "também sacrifica um Deus oculto, e isso em nome da luta contra a teologia".[37] Essa filosofia estruturalista, que se exorna de todos os adereços da cientificidade para renovar o marxismo ou o freudismo, reforça-se, portanto, com uma ontologização das estruturas, graças ao conceito de causalidade estrutural. Apresenta-se então o fato de que "as estruturas são causas profundas e os fenômenos observáveis, simples efeitos de superfície; [...] essas estruturas têm, pois, um *status* ambíguo".[38] São, com efeito, entidades ocultas, não suficientemente sólidas para agir, dado que, como estruturas, elas não passam de puras relações; mas, por outro lado, são demasiado sólidas para serem estruturas no sentido de Lévi-Strauss e permitem assim explicar fenômenos observáveis em termos de causalidades.

Os recursos a Lacan são onipresentes em Althusser, e a existência de uma forte corrente althusseriano-lacaniana na rua de Ulm baseia-se, portanto, numa matriz teórica que permite operar a simbiose entre as duas abordagens: da leitura sintomatista, passando pela causalidade estrutural ausente em seus efeitos, para culminar num outro instrumento conceitual fundamental do althusserianismo, importado da psicanálise: a sobredeterminação. "Eu não forjei esse conceito. Como já indiquei antes, fui buscá-lo em duas disciplinas existentes – especificamente, a linguística e a psicanálise."[39]

Esse conceito é central porque confere à contradição marxista sua especificidade, permite explicar a totalidade estruturada, a passagem de uma estrutura à outra, numa formação social concreta. Com

37 Vincent, Le théoricisme et sa rectification. In: *Contre Althussser*, p.226.

38 Vincent Descombes, entrevista com o autor.

39 Althusser, *Pour Marx*, p.212, note 48.

a sobredeterminação, Althusser importa outros conceitos freudianos, como o de condensação, de deslocamento, que fazem sua entrada no campo do marxismo, o que permite pluralizar a contradição, quando não a dissolve. Ela "vem corroer [...] as disposições confortáveis do logos da contradição".[40]

O anti-humanismo teórico e o anti-historicismo

O fascínio pelas teses althusserianas corresponde também a um momento do pensamento em que o Sujeito se volatiliza do horizonte teórico. O programa estruturalista já logrou reduzir o Sujeito, destroná-lo, clivá-lo, torná-lo insignificante, e Althusser situa Marx do lado daqueles que, a partir das ciências sociais, operam e ampliam esse descentramento do homem sob todas as suas formas: "No que se refere estritamente à teoria, pode-se e deve-se falar abertamente de um anti-humanismo teórico de Marx".[41] A noção de homem perde toda a significação; ela é devolvida ao *status* de mito filosófico, de categoria ideológica contemporânea da ascensão da burguesia como classe dominante. A leitura de *O capital*, concebida na perspectiva do anti-humanismo teórico, empregará categorias estruturais, essencialmente lacanianas em Althusser, lévi-straussianas em Étienne Balibar: "Em *Lire Le capital*, eu tinha imitado um pouco um certo número de modelos de construção de conceitos que, sem serem de Lévi-Strauss, permitiam descobrir com espanto nos textos de Marx um método comparável. Existem em Marx aspectos que decorrem de um estruturalismo *avant la lettre*".[42]

Étienne Balibar escreveu, com efeito, uma contribuição essencial na obra coletiva *Lire Le capital*, em que estuda os conceitos fundamentais do materialismo histórico. Essa explicação das teses de Marx parte de um aparelho teórico no qual é fácil encontrar os pressupostos metodológicos do estruturalismo lévi-straussiano. Os conceitos marxistas são reconstituídos a partir de determinações puramente formais, evoluem

40 Benoist, *La révolution structurale*, p.85.
41 Althusser, *Pour Marx*, p.236.
42 Étienne Balibar, entrevista com o autor.

segundo um sistema de diferenças pertinentes puramente espaciais que excluem a natureza material, a substância concreta dos objetos considerados, à maneira do modelo fonológico. Tal como no estudo das estruturas elementares do parentesco, não se trata de descrever empiricamente o real observável, mas de definir o modo de produção como "a determinação diferencial de formas, e definir um 'modo' como um sistema de formas que representa um estado da variação".[43] O abandono do referencial confere portanto à abordagem um caráter essencialmente formal que permite aspirar à maior amplitude de aplicação para todos os casos de figura: "Essa combinação – quase uma combinatória – [...] nos incitará a falar aqui de um estruturalismo perfeitamente insólito".[44] Nesse puro jogo combinatório de formas, de diferenças pertinentes, Étienne Balibar reconhece, não obstante, numa instância particular, a econômica, o lugar determinante, o da relação de relações, o da causalidade estrutural.

A partir dessa elaboração teórica, torna-se possível uma ciência dos modos de produção, visto que ela pode atingir simultaneamente um alto nível de abstração, de generalização, e dispor de um sistema de causalidade pertinente. Numa tal ciência, o Sujeito brilha por sua impertinência, é simplesmente impossível de ser encontrado, cadáver delicado que se foi com a água do banho ideológico: "Os homens só aparecem na teoria sob a forma de suportes das relações implícitas na estrutura, e as formas de sua individualidade como efeitos determinados da estrutura".[45] Esse descentramento encontra, pois, no paradigma estruturalista, onde se escorar. Também se vale de uma filiação filosófica, a de Spinoza, em sua definição dos atributos que funcionam à maneira das pertinências distinguidas no interior do modo de produção em Marx. É, por conseguinte, um processo sem sujeito que, segundo os althusserianos, anima o curso da história.

Simultaneamente com o Sujeito, toda a concepção historicista é assim rechaçada, uma vez que ela viria também perverter o horizonte teórico, científico, a que se quer ter acesso. "A queda da ciência na

43 Balibar, *Lire Le capital*, v.2, p.204.
44 Ibidem, v.2, p.205.
45 Ibidem, v.2, p.249.

história é apenas, neste caso, o indício de uma queda teórica".[46] Esse anti-historicismo passa pela decomposição das temporalidades e a construção de uma totalidade articulada em torno de relações pertinentes numa teoria geral. Mas essa totalidade encontra-se agora imobilizada no seu estado de estrutura, à maneira das sociedades frias, sem poder ser apreendida em suas contradições internas, em suas superações possíveis. O estado de estrutura substitui, segundo uma *démarche* metonímica, o cadáver do sujeito desaparecido e de sua historicidade. Como é preciso vincular essa estrutura atrofiada, coagulada, a algum ponto de sutura, Althusser dá-lhe um porto de ancoragem, graças ao *status* que confere ao conceito de ideologia: este desempenhará um papel de pivô semelhante ao papel que desempenha o simbólico em Lacan ou Lévi-Strauss. Althusser fez dele uma categoria invariante, atemporal, à maneira do inconsciente freudiano. Isso lhe permite complexificar o tipo de relação puramente instrumental em uso na vulgata marxista, quando esta considera a ideologia dominante como o simples instrumento da classe dominante.

Um sujeito de substituição: a ideologia

Althusser eleva a instância ideológica ao estágio de verdadeira função, desfrutando de uma autonomia relativa que não permite mais sua inclusão, de maneira mecânica, no que a subentende. Mas esse distanciamento da ideologia é reforçado pela hipertrofia desta última, a qual assume a forma de uma estrutura trans-histórica, a que Althusser recorre para construir a teoria. A eficácia do ideológico redunda, pois, na criação, pelas práticas induzidas, de sujeitos em situação de enfeudação absoluta diante do lugar que lhes é atribuído, transforma-os em objetos mistificados de forças ocultas representadas por um novo sujeito da história: a ideologia.

É a época em que tudo é ideologia: os sentimentos, os comportamentos... Nada escapa ao crivo da crítica da ideologia, categoria abrangente em cujo interior se movimenta, impotente, o indivíduo. A única

46 Althusser, *Lire Le capital*, v.1, p.170.

escapatória para o que poderia muito bem ser um círculo vicioso num sistema fechado, a única maneira de sair desse labirinto, encontra-se portanto, para Althusser, no corte epistemológico, único fio de Ariadne que permite o advento da ciência. O marxismo como teoria das práticas teóricas, como detergente do ideológico em nome da ciência, permite a uma geração reconciliar o seu engajamento político com uma verdadeira exigência científica que se une, por sua pureza, ao desejo de absoluto metafísico. Compreende-se que tal máquina de pensar tenha entusiasmado uma juventude ávida de armas da crítica.

32

O SEGUNDO ALENTO DO MARXISMO

A nova leitura althusseriana permitirá um verdadeiro rejuvenescimento para o marxismo, que se vê renovado e expurgado de seu destino funesto. De todos os lados, apodera-se desse Marx da maturidade para fazer dele o estandarte da cientificidade de sua disciplina, como testemunha o extraordinário êxito comercial de *Pour Marx*, obra, no entanto, eminentemente teórica. Além disso, a concepção globalizante do althusserianismo permite a cada continente do saber sentir-se parte diretamente envolvida numa aventura comum. Marx encontra-se na interseção de todas as pesquisas, verdadeiro denominador comum de todas as ciências sociais.

Do campo da filosofia, Althusser suscita a adesão, tão exemplar quanto inesperada, de um brilhante filósofo, próximo de Sartre, Alain Badiou, que publica um artigo entusiástico sobre o (re)começo do materialismo dialético na revista *Critique*:[1] "Esse artigo era muito favorável e todo mundo ficou deveras surpreendido com essa reviravolta".[2] Sartre perde mais um dos seus discípulos, arrebatado pela onda estrutural. Alain Badiou regozija-se com a harmonia que ressalta das novas teses althusserianas e da conjuntura política. Percebe três tipos de marxismo, distinguindo um marxismo fundamental que se apoia exclusivamente

1 Badiou, Le (re)commencement du matérialisme dialectique, *Critique*, n.240, maio 1967.
2 Pierre Macherey, entrevista com o autor.

no jovem Marx dos *Manuscritos de 1844*, um marxismo totalitário baseado nas leis dialéticas, e entende o althusserianismo como a realização de um marxismo analógico para o qual *O capital* é o objeto privilegiado que "utiliza os conceitos marxistas de tal modo que lhes desfaz a organização. Com efeito, concebe a relação entre as estruturas de base e as superestruturas [...] como puro isomorfismo".[3] Após a publicação desse artigo, Badiou é chamado pelo grupo de trabalho de Althusser a participar no curso de filosofia para cientistas que se realiza na École Normael Supérieure (ENS) em 1967. É então que, perante uma audiência incrivelmente numerosa, Badiou dá uma série de lições acerca da ideia de modelo.

Essa simbiose entre engajamento político, reflexão epistemológica e nova abordagem do marxismo não se limita, aliás, ao quadrado do Quartier Latin, mas estende suas ramificações à maioria dos *campus* universitários da França. Em Aix-en-Provence, Joëlle Proust, que nessa época tem vinte e poucos anos e trabalha sob a direção de Gilles-Gaston Granger em epistemologia, descobre *Pour Marx* com paixão e discute essas novas teses num grupo de trabalho: "Estávamos totalmente convencidos. Era para nós a descoberta de um horizonte teórico vinculado a posições políticas e indissociável do estruturalismo, que se apresentava como a chave de interpretação de numerosos domínios diferentes. O que era fascinante é que isso funcionava em linguística, de modo que todos faziam um pouco de linguística".[4]

Esse retorno aos textos de Marx, à sua construção interna, que não deixa de recordar os princípios do método de Martial Guéroult, representava para uma geração de filósofos a possibilidade de romper com um ensino no qual havia a tendência para dissolver a especificidade da própria problematização filosófica, em proveito de uma análise de influências, puramente doxográfica. Se um marxismo estrutural althusseriano pôde apresentar-se como a base de uma nova era da filosofia, todos os continentes do saber conheceram o abalo telúrico de 1965, e o modelo althusseriano que se apoiava na onda estruturalista foi, por sua vez, a rampa de lançamento de iniciativas de transformação das ciências sociais.

---

3 Badiou, Le (re)commencement du matérialisme dialectique, p.441.

4 Joëlle Proust, entrevista com o autor.

O althusserianismo em linguística

Michel Pêcheux, um íntimo de Althusser entre os seus discípulos, pensava que a melhor maneira de fazer filosofia nos anos 1960 era no campo das ciências sociais. Nesse sentido, era um pouco como uma exceção entre os discípulos da ENS. É nomeado no Centre National de la Recherche Scientifique (CNRS) para um laboratório de psicologia social da Sorbonne, sob a direção de Pages, numa disciplina que era vista naquela época como o pior dos horrores aos olhos dos althusserianos. Ele se integra, é claro, em semelhante ambiente como discípulo de Althusser e de Canguilhem, numa perspectiva crítica, como cavalo de Troia do psicologismo. Encontra-se em 1966 com dois pesquisadores de um outro laboratório de psicologia social, o da sexta seção da École Pratique des Hautes Études (Ephe), dirigido por Serge Moscovici: Michel Plon e Paul Henry. Os três elaborarão uma crítica do interior das formas clássicas das ciências humanas: "Constituíra-se uma espécie de equipe informal e trabalhávamos juntos praticamente a semana inteira".[5]

Michel Plon era um técnico de laboratório que se tornara pesquisador; quanto a Paul Henry, tivera uma formação de matemático, mas, interessado pela etnologia, fora visitar Lévi-Strauss em 1962, ao concluir sua licenciatura em matemáticas, a fim de manifestar-lhe o seu desejo de trabalhar na área de etnologia. Lévi-Strauss chamava a atenção pelo fato de utilizar modelos matemáticos e pela vontade que manifestava de construir uma teoria global da comunicação. Paul Henry é aconselhado a fazer linguística e a obter um certificado de estudos de etnologia. Quando ingressa nesse laboratório de psicologia social, situa-se, como Pêcheux, numa perspectiva crítica. Surpreende-se com a utilização das matemáticas, com a proliferação de equações sem construção conceitual, e seus projetos de pesquisa são cada vez mais orientados para a linguística, para as estruturas da linguagem, para as noções de implícito, de pressuposto... que o colocavam no centro da problematização estruturalista: "interessava-nos o estruturalismo porque era um meio de criticar a psicologia social, em particular a ideia de sujeito".[6]

5 Paul Henry, entrevista com o autor.
6 Ibidem.

Esse pequeno grupo de trabalho, coordenado por Pêcheux, tentará aplicar as teses althusserianas à linguística. Terá múltiplos prolongamentos, particularmente em Nanterre, com as pesquisas de Régine Robin, Denise Maldidier, Françoise Gadet, Claudine Normand... É inicialmente sob um pseudônimo, o de Thomas Herbert, que Michel Pêcheux assina dois artigos em *Les Cahiers pour l'Analyse* em 1966 e depois em 1968.[7] Esse trabalho teórico inscreve-se na linha do duplo retorno a Marx, tal como foi empreendido por Althusser, e do retorno a Freud realizado por Lacan. É esse trabalho de elaboração teórica que servirá de quadro de referência para a publicação da obra que se apresenta como manifesto metodológico, *L'analyse automatique du discours*, publicado em 1969.[8] Esse trabalho servirá de via de acesso do althusserianismo ao campo das pesquisas linguísticas. Michel Pêcheux também defende a tese do corte no processo de construção de uma ciência, e dá o exemplo de práticas técnicas transformadas somente num segundo tempo em práticas científicas, como os alambiques e as balanças... Antes de serem com Galileu o objeto da teoria da física, as balanças estavam há muito tempo em uso nas transações comerciais: "Esse processo é, precisamente, o que Pêcheux designa por 'reprodução metódica' do objeto de uma ciência".[9]

Michel Pêcheux, que vê nesse segundo estágio a verdadeira realização da ciência, está convencido de que as ciências sociais são apenas ideológicas e de que são desnecessárias as críticas que, do ponto de vista filosófico, lhes possam ser endereçadas. Espera ser capaz de transformá-las de dentro para fora ao dotá-las de instrumentos propriamente científicos, aplicáveis aos seus campos específicos. Ora, a proximidade dessa ideologia própria das ciências sociais com a prática política na sua função reprodutora de relações sociais implica fazer prevalecer a análise do próprio instrumento do poder político que é o discurso. Portanto, cumpre elucidar esse vínculo oculto entre prática política e ciências

7 Herbert, Réflexions sur la situation théorique des sciences sociales, spécialment de la psychologie sociale, *Cahiers pour l'Analyse*, n.2, mar.-abr. 1966; idem, Remarques pour une théorie générale des ideologies, *Cahiers pour l'Analyse*, n.9, p.74-92, verão 1968.

8 Pêcheux, *L'analyse automatique du discours*.

9 Henry, Êpistémologie de *L'analyse automatique du discours* de Michel Pêcheux. In: *Introduction to the Translation of M. Pêcheux's Analyse automatique du discours* (texto apresentado por Paul Henry).

sociais: "Pêcheux recusa inteiramente a concepção da linguagem que a reduz a um instrumento de comunicação de significações que existiriam e poderiam ser definidas independentemente da linguagem".[10]

A orientação que Pêcheux dá à análise do discurso inscreve-se no interior da concepção althusseriana de ideologia, tornada em verdadeiro sujeito do discurso, elemento universal da existência histórica. É para explicitar o vínculo entre linguagem e ideologia que Pêcheux constrói o seu conceito de discurso. Ele "colocou-se entre o que se pode chamar o sujeito da linguagem e o sujeito da ideologia",[11] no âmago da problemática de um marxismo estruturalizado.

O althusserianismo em antropologia

A conversão de Alain Badiou ao althusserianismo acarretará a do antropólogo Emmanuel Terray, também de tendência mais sartriana no começo, grande admirador que era da *Critique de la raison dialectique*. Com Emmanuel Terray, um ramo estrutural-marxista transformará a antropologia. Terray tivera Althusser como professor na ENS, mas deixara Ulm em 1961, pouco antes de Althusser dar início ao seu ensino de Marx. No momento da publicação das teses althusserianas, Terray está na Costa do Marfim realizando pesquisa de campo, e seu amigo Alain Badiou o mantém a par do evento: "Li então *Pour Marx* e *Lire Le capital* com muita atenção e paixão".[12] O que lhe parece mais essencial é o artigo de Althusser publicado em *Pour Marx*, "Contradiction et surdétermination", na medida em que permite arrancar o marxismo dos problemas de origem, da metafísica, para fazer dele um instrumento de análise científica. Mas o que sobretudo influenciará a sua perspectiva de antropólogo é a contribuição de Étienne Balibar, "Les concepts fondamentaux du matérialisme historique", em *Lire Le capital*.

Terray testará a validade dos conceitos de modo de produção, de relação de produção, de forças produtivas, sua articulação com os

10 Ibidem.
11 Ibidem.
12 Emmanuel Terray, entrevista com o autor.

estudos de campo da antropologia: "Foi depois de ler esse texto que escrevi a segunda parte do meu livro, *Le marxisme devant les sociétés primitives*,[13] isto é, uma releitura do trabalho de Claude Meillassoux por meio da grade conceitual proposta por Étienne Balibar".[14] Antes da publicação, envia o seu texto a Althusser, que o julga não só pertinente, mas avalia imediatamente o interesse do aparecimento de suas teses no domínio da antropologia. A partir desse momento, Terray se encontra, por conseguinte, integrado no círculo dos althusserianos.

Na mesma época, trabalhava na Costa do Marfim outro etnólogo que, amigo de Terray, também compartilharia da problemática althusseriana: Marc Augé. "Althusser teve uma enorme influência porque aparecia como um libertador, um modelo de nuanças em relação à vulgata marxista".[15] Em sua monografia sobre os aladianos, ele também testava, mas somente em notas, a pertinência do modelo althusseriano,[16] embora depois reconheça que não se sentira muito à vontade nessa ginástica de projeção teórica sobre uma realidade mal adaptada à grade de leitura que era a sua na época: "Isso não correspondia ao que empiricamente tinha sob os olhos, a saber, pessoas que se interrogavam sobre a morte, sobre a doença, sobre o além".[17] Esses modos de questionamento estavam, pois, muito descentrados em relação aos instrumentos em uso no estrutural-marxismo althusseriano, o que não deixou de permitir uma real abertura da antropologia a toda uma reflexão sobre o social e o econômico.

O althusserianismo em economia

O althusserianismo também se desenvolveu na área de estudos dos economistas. Suzanne de Brunoff, sob a influência direta de Althusser, escreve *La monnaie chez Marx*, livro contemporâneo de *Lire Le capital*. Mas há sobretudo a divulgação espetacular, na época, do trabalho de

13 Idem, *Le Marxisme devant les sociétés primitives*.
14 Idem, entrevista com o autor.
15 Marc Augé, entrevista com o autor.
16 Idem, *Le rivage alladian*.
17 Idem, entrevista com o autor.

Charles Bettelheim, que se inspira nas categorias althusserianas das contradições entre relações de produção e forças produtivas para demonstrar – e nesse ponto separa-se de Althusser – o restabelecimento do modo de produção capitalista na União Soviética. Apoiando-se numa invariante, a da separação entre produtores e detentores dos meios de produção que constitui o fundamento da organização da empresa na economia soviética, Bettelheim deduz daí a dominância capitalista da formação social. Numa perspectiva estrutural-marxista, tem-se um sentido de posição definido por uma bipolaridade que opõe o proletário ao burocrata, o qual, à semelhança do capitalista, encontra-se do outro lado da estrutura. O interesse da obra de Bettelheim residia também numa atenuação do papel dominante atribuído, na vulgata marxista, às forças produtivas, acentuando, pelo contrário, o importante papel desempenhado pelas relações sociais de produção na própria organização da produção.[18] Concorda nesse ponto com Balibar por considerar que o nível das forças produtivas é também uma relação de produção. Questiona a neutralidade das forças produtivas, tese que será retomada mais tarde por Robert Linhart no seu estudo sobre as contradições inerentes ao desenvolvimento do socialismo soviético, *Lénine, les paysans, Taylor*.

Robert Linhart mostra a oposição entre a construção de uma realidade socialista e a aplicação pretendida por Lenin, desde 1918, do modelo taylorista que subentendia uma divisão nítida entre uma tecnocracia dirigente e os executores. Essa aplicação do taylorismo subverte a divisão técnica do trabalho, ao mesmo tempo que retira dos operários o seu saber próprio a fim de transferi-lo para uma burocracia patronal.

Entretanto, o caráter muito teórico das teses althusserianas não permite realizar uma brecha decisiva e imediata no território dos economistas, que só serão verdadeiramente sacudidos pelo althusserianismo após a onda de choque do movimento de maio de 1968.

18 Bettelheim, *Calcul économique et formes de propriété*.

Althusser: introdutor de Lacan

Althusser também teve o mérito de instalar a psicanálise no cerne da vida intelectual francesa, graças à publicação do seu artigo "Freud et Lacan", em 1964, no momento em que Lacan desloca o seu seminário para a ENS da rua de Ulm.[19] Ele permite, por sua tomada de posição, abrir o marxismo para o freudismo, e derrubar assim os tabiques erguidos e impostos pelo stalinismo, fechado para o discurso psicanalítico. O retorno a Freud assume em Althusser a forma de recurso a Lacan. O combate que eles travam, um e outro, contra o humanismo, o psicologismo, em nome da ciência, é, com efeito, similar e apresenta-se de maneira análoga como uma renovação do tipo de leitura dos textos fundadores de Marx e de Freud.

Um mesmo trabalho de elucidação epistemológica e de crítica ideológica aproxima as duas iniciativas, althusseriana e lacaniana: "O retorno a Freud não é um retorno ao nascimento de Freud, mas um retorno à sua maturidade".[20] O que Althusser saúda na abordagem lacaniana é, portanto, a realização de um corte na obra de Freud semelhante àquele que discerniu no interior da obra de Marx: "A primeira palavra de Lacan é para dizer: no seu princípio, Freud fundou uma ciência".[21] Ora, uma ciência deve ter seu objeto próprio; ela não pode constituir-se como simples arte de acomodar os restos. Após a descoberta freudiana desse objeto específico, o inconsciente, Lacan representa, segundo Althusser, um passo adiante da constituição da psicanálise como ciência, ao situar a passagem da existência biológica para a existência humana no registro da Lei da Ordem, que é a da linguagem. Segundo Althusser, a contribuição de Lacan situa-se na prevalência que concede ao simbólico sobre o imaginário: "O ponto capital que Lacan elucidou: esses dois momentos são dominados, governados e marcados por uma única Lei, a do simbólico".[22]

Essa descentralização do ego, sua subordinação a uma ordem que lhe escapa, junta-se à leitura que Althusser faz de Marx, segundo a

19 Althusser, Freud et Lacan, *La Nouvelle Critique*, n.161-162, dez. 1964-jan. 1965.
20 Idem, Freud et Lacan. In: *Positions*, p.16.
21 Ibidem, p.15.
22 Ibidem, p.26.

qual a história é um processo sem sujeito. Assim, um althusseriano--lacanismo podia ganhar impulso e fazer do par Marx/Freud a grande máquina de pensar dos anos 1960, dando a um marxismo renovado um segundo alento de que se beneficiaria sobretudo no pós-1968.

33

1966 – O ANO-LUZ I

O ANO ESTRUTURAL

Tudo se desarticulou a partir de 1966. Um amigo emprestara-me *Les mots et les choses*, que cometi a imprudência de abrir [...]. Abandonei de uma só vez Stendhal, Mandelstam e Rimbaud, tal como se deixa um belo dia de fumar Gitanes, para consumir as pessoas com que Foucault nos alimentava: Freud, Saussure e Ricardo. Eu tinha contraído a peste. A febre não me largava e gostava dessa peste. Evitava cuidar-me. Da minha ciência tinha tanto orgulho quanto do piolho na cabeça do papa. Discutia filosofia. Dizia-me estruturalista, mas não ficava gritando isso sobre os telhados, porque o meu saber ainda era frágil, friável, uma leve brisa tê-lo-ia dispersado. Usava as minhas noites para estudar sozinho, em segredo, os princípios da linguística, e estava muito contente. [...] Empanturrava-me de sintagmas e morfemas. [...] Se debatia com um humanista, esmagava-o com um golpe de episteme. [...] Pronuncio, com voz comovida, quase trêmula, e de preferência nos fins de tarde outonais, os nomes de Derrida ou de Propp, como um soldado veterano acaricia as bandeiras tomadas ao inimigo. [...] Jakobson é meu trópico ou meu equador, É. Benveniste minha Guadalupe e o código proairético [*code proaïrétique*] o meu Clube Méditerranée. Vejo Hjelmeslev como um estepe. [...] Creio não ser o único a me perder nesses desvios.[1]

---

1 Lapouge, Encore un effort et j'aurai épousé mon temps, *La Quinzaine Littéraire*, n.459, p.30, 16-30 mar. 1986.

É nesses termos burlescos que Gilles Lapouge descreve, vinte anos depois, o que foi a verdadeira febre de sábado à noite nesse ano de 1966 para um estruturalismo que atinge então o seu apogeu. Toda a efervescência das ciências humanas converge nesse momento para irradiar o horizonte de pesquisas e publicações em torno do paradigma estruturalista. Esse ano (1966) é a "referência central. [...] Pode-se dizer que, pelo menos no nível parisiense, houve nesse ano uma grande fermentação, provavelmente decisiva, dos mais agudos temas da pesquisa".[2] Por isso ele pode ser consagrado como o ano santo estruturalista. E se se pode falar dos filhos de 1848 ou dos de 1968, cumpre adicionar-lhes os filhos, igualmente turbulentos, de 1966: "Eu sou um filho de 1966".[3]

O movimento editorial no país da estrutura

A atualidade editorial do ano traduz em todos os domínios a força da explosão estruturalista que, em 1966, adquire as características de um verdadeiro abalo telúrico. Julgue-se pela profusão de importantes obras editadas só no ano de 1966. Roland Barthes publica a sua famosa resposta ao panfleto de Picard, *Critique et vérité* (Le Seuil), o que leva Renaud Matignon a declarar em *L'Express*: "É o caso Dreyfus do mundo das letras; ele também teve um Picard, quase com a mesma ortografia, e acaba de divulgar o seu *J'accuse*";[4] e ele compara o lugar da obra de Barthes na história do pensamento crítico ao da declaração dos direitos do homem na história da sociedade. Se os franceses não mergulharam numa verdadeira guerra civil para saber quem – se Barthes ou Picard – tinha razão, o mundo intelectual dividiu-se, de fato, nesse ano, segundo essa linha de clivagem.

Por seu lado, Greimas publica na Larousse sua *Sémantique structurale*: "A minha semântica tornou-se, graças a Dubois, estrutural em letras vermelhas. Disse-me ele: 'Mais mil exemplares vendidos se você

2 Barthes, Avant-propos: 1971. In: *Essais critiques*, p.7.
3 Philippe Hamon, entrevista com o autor.
4 Matignon, *L'Express*, 2 maio 1966.

acrescentar estrutural ao título".[5] Esse qualificativo "estrutural" no catálogo é um bom argumento de venda em meados dos anos 1960. Todos os ambientes sociais são afetados pelo fenômeno, até o "técnico da equipe de futebol da França declarou ter o propósito de reorganizar a seleção segundo princípios estruturalistas".[6]

François Wahl, grande amigo e editor de Roland Barthes em Le Seuil, consegue convencer Lacan a reunir seus escritos numa coletânea: "Os *Écrits* foram publicados porque era eu, para falar a verdade: eu me encontrava de fato numa posição central, no sentido simplesmente topográfico".[7] Esse enorme volume de novecentas páginas em estilo barroco, hermético a mais não poder, consagra Lacan em 1966 como o "Freud francês". Quando os comentários críticos começam a aparecer na imprensa, Lacan já vendera 5 mil exemplares e Le Seuil tem de reimprimir com urgência a obra que não conclui sua longa carreira, visto que mais de 36 mil volumes serão vendidos até 1984. Passando para edição de bolso em 1970, e dividida em dois volumes, todos os recordes são batidos ainda que se trate de uma obra de tal natureza: 94 mil exemplares para o primeiro volume, 65 mil para o segundo.

Sempre na Seuil, na coleção Tel Quel, Todorov dá a conhecer ao público francês a obra dos formalistas russos com a sua *Théorie de la littérature*, prefaciada por R. Jakobson. Gérard Genette publica *Figures* na mesma coleção.

O acontecimento do ano, que relega por seu êxito as outras obras a segundo plano, é, sem dúvida alguma, a publicação na Gallimard da obra de Michel Foucault: *Les mots et les choses*. Proeza sem precedente, a edição esgota-se em poucos dias: "Foucault vende como pãezinhos: oitocentos exemplares de *Les mots et les choses* vendidos em cinco dias durante a última semana de julho (9 mil exemplares ao todo)".[8] Somente no ano de 1966, embora o livro só chegue às livrarias em abril, *Les mots et les choses* venderão 20 mil exemplares, e em 1987 a venda eleva-se a 103 mil exemplares,[9] número verdadeiramente excepcional se levarmos em conta a dificuldade da obra em questão.

---

5 Greimas apud Chevalier; Encrevé, *Langue Française*, n.63, p.97, set. 1984.
6 Jean Pouillon, entrevista com o autor.
7 François Wahl, entrevista com o autor.
8 *Le Nouvel Observateur*, n.91, p.29, 10 ago. 1966 apud Perriaux, *Le structuralisme en France*.
9 Informações fornecidas por Pierre Nora.

O livro de Foucault permite o lançamento da Bibliothèque des Sciences Humaines por Pierre Nora, que acaba de ingressar na Gallimard no final de 1965:

> Eu tinha o sentimento profundo da existência de um movimento cuja unidade geral era o que se chamava de ciências humanas. Esboçavam-se pesquisas convergentes entre disciplinas separadas em torno de uma problemática comum baseada no fato de que os homens falam para dizer coisas de que não são forçosamente responsáveis, que chegam a atos que não são forçosamente deliberados, que são penetrados por determinações de que não são conscientes e que os comandam. [...] Por outro lado, um segundo movimento tomava conta dessas pesquisas: é o conteúdo sociopolítico desse saber, ao qual se atribuía um valor, em última análise, subversivo.[10]

Pierre Nora publica simultaneamente na mesma coleção, ao lado do livro de Michel Foucault, a obra de Elias Canetti, *Masse et puissance*, a de Geneviève Calame-Griaule, *Ethnologie et langage*, e uma obra que se tornará a grande referência do momento, saindo o seu autor do isolamento em que estivera confinado no Collège de France: refiro-me ao livro de Émile Benveniste, *Problemes de linguistique générale*.

Pierre Nora não quer, porém, limitar-se ao papel de porta-voz, de simples eco do estruturalismo: pede ao mesmo tempo a Raymond Aron, cujo seminário acompanha, que lhe prepare um livro que virá à luz em 1967: *Les étapes de la pensée sociologique*. Mas a sua situação de responsável pela área de ciências humanas na Gallimard em 1966 faz dele, mesmo a contragosto, o chantre do estruturalismo. Tenta, aliás, uma *démarche* que fracassará junto de Lévi-Strauss: "Quando ingressei na casa Gallimard, fui vê-lo com o propósito de atraí-lo. Por razões anedóticas, não se mostrou interessado".[11] Em 1966, Payot decide publicar um livro originalmente previsto para um editor alemão, *La religion romaine archaïque*, de Georges Dumézil. Pierre Nora percebeu imediatamente o partido que poderia tirar como editor da obra de Dumézil

10 Pierre Nora, entrevista com o autor.
11 Ibidem.

nesse clima estruturalizante; procurará, portanto, Dumézil em sua casa: "Pierre Nora interveio. Foi ele quem me fabricou. Sou uma criação Gallimard".[12]

Embora certas editoras, como Le Seuil ou Gallimard, apresentem-se como pontas-de-lança do empreendimento editorial estruturalista, outros editores participam da festa nesse ano de 1966. As Éditions de Minuit publicam uma obra de Pierre Bourdieu, *L'amour de l'art*, escrita com Alain Darbel. Quanto às Éditions François Maspero, que tinham criado o choque em 1965 com a dupla publicação de *Lire Le capital* e *Pour Marx*, editam uma obra do althusseriano Pierre Macherey, *Pour une théorie de la production littéraire*. As Presses Universitaires de France (PUF) reeditam a tese de Georges Canguilhem, *Le normal et le pathologique*, publicada inicialmente em 1943. Os historiadores, por sua vez, não permanecem mudos diante dessa maré alta da estrutura, e a escola dos *Annales* também publica nesse ano de 1966 um certo número de importantes obras, como a tese de Emmanuel Le Roy Ladurie, *Les paysans de Languedoc*, publicada pela Sevpen (École Pratique des Hautes Études), e a obra de Pierre Goubert, *Louis XIV et vingt millions de Français*, editada pela Fayard. Quanto ao mestre da escola dos *Annales*, Fernand Braudel, aproveita essa sofreguidão pela longa duração e pelas estruturas para reeditar a sua tese na Armand Colin, *La Méditerranée et le monde méditerranéen à l'époque de Philippe*.

Para o leitor estruturalista aprendiz, o ano de 1966 não é, portanto, um ano de folga, mas, pelo contrário, exige uma atividade de leitura quase stakhanovista. Cada dia traz seu lote de alimento conceitual, e cumpre acrescentar a esse milésimo as obras recentes, exumadas em 1966 e consideradas indispensáveis no percurso balizado do bom estruturalista. É o caso do livro de Gilles-Gaston Granger, *Pensée formelle et science de l'homme* (Aubier, 1960): "Quando cheguei à Sorbonne em 1965-1966, perguntei às pessoas que tinham dois ou três anos mais do que eu o que era aconselhável ler. Todas me disseram que era necessário ler aquele livro que, aliás, era citado em toda parte".[13] O mesmo ocorre com o livro de Jean Rousset, primordial para toda uma geração, *Forme*

---

12 Dumézil, entrevista com Jean-Pierre Salgas, *La Quinzaine Littéraire*, 16 mar. 1986.

13 Philippe Hamon, entrevista com o autor.

et signification (Corti, 1962), no qual o autor se propõe a analisar a produção de uma significação no interior dos textos, a partir de sua estruturação interna, apreendida em termos formais.

As revistas no país da estrutura

O ano de 1966 é também de uma intensa atividade estruturalista do lado das revistas. Houve, em primeiro lugar, a criação de algumas delas. A revista *Langages* publica seu primeiro número em março de 1966, apresentando o estudo científico da linguagem como uma dimensão essencial da cultura. Declara o seu projeto como aberto para a interface das diversas disciplinas que utilizam uma reflexão sobre a língua. É também no início de 1966 que aparecem os *Cahiers pour l'Analyse*, publicados pelo círculo de epistemologia da École Normale Supérieure, cujo anúncio de lançamento, assinado por Jacques-Alain Miller em nome do comitê de redação, atribui-se o ambicioso objetivo de constituir uma teoria do discurso a partir de todas as ciências de análise: a lógica, a linguística e a psicanálise. O primeiro número é consagrado à verdade e publica o famoso texto de Lacan, "La science et la vérité", que será reimpresso nos *Écrits*, edição Le3 Seuil. No número 3 dos *Cahiers pour l'Analyse*, publicado em maio de 1966, Lacan situa-se claramente no movimento estruturalista, numa resposta que dá aos estudantes de filosofia: "A psicanálise como ciência será estruturalista, até o ponto de reconhecer na ciência uma recusa do sujeito".[14] O discurso analítico deve, portanto, servir para a construção de uma teoria da ciência.

Communications 8: um vasto programa

Mas o maior evento foi a publicação do número 8 da revista *Communications*, dedicado à análise estrutural da narrativa e que reúne os

14 Lacan, *Cahiers pour l'Analyse*, n.3, p.5-13, maio 1966.

grandes nomes da semiologia do momento: Roland Barthes, Algirdas-Julien Greimas, Claude Brémond, Umberto Eco, Jules Gritti, Violette Morin, Christian Metz, Tzvetan Todorov e Gérard Genette. Mais do que um número de revista entre outros, este possui valor programático. Além da introdução à análise estrutural da narrativa, redigida por Barthes, que dá como modelo fundador a própria linguística para "descronologizar" e "relogificar" a narrativa numa trama estrutural, Greimas situa o empreendimento na interseção da semântica e da análise lévi-straussiana dos mitos. A sua contribuição é escrita em homenagem a Lévi-Strauss, e situa o seu estudo numa perspectiva complementar à do antropólogo, como a da constituição de elementos para uma teoria da interpretação da narrativa mítica: "Os progressos realizados recentemente nas pesquisas mitológicas, graças sobretudo aos trabalhos de Claude Lévi-Strauss, constituem uma contribuição de materiais e de elementos de reflexão considerável para a teoria semântica".[15] Greimas instala-se, portanto, no próprio terreno de Lévi-Strauss, e retoma o mito de referência bororo que servira de base para o primeiro volume de *Mythologiques, Le cru et le cuit*. Desloca, entretanto, o ângulo de análise da narrativa mitológica considerada como unidade narrativa, e não como unidade do universo mitológico, a fim de explicitar-lhe os procedimentos de descrição.

Contudo, esse enfoque hjelmsleviano do material estudado por Lévi-Strauss para distinguir as estruturas imanentes não satisfaz particularmente Lévi-Strauss, que considera não ter lições de rigor a receber de ninguém, nem mesmo da parte de um semanticista do valor de Greimas. Pouco depois, Lévi-Strauss, que dava guarida à equipe de semioticistas dirigida por Greimas no seu laboratório de antropologia social do Collège de France, despede-a sem aviso prévio. Não podia abrigar por mais tempo uma equipe que pretendia fazer melhor do que ele, ao realizar a síntese entre a abordagem paradigmática que era a dele e a análise sintagmática de Propp: "Greimas não compreendeu que as duas coisas eram completamente diferentes".[16] Pagou um alto preço por isso. As estruturas de Lévi-Strauss não são, com efeito, as da narrativa. O que ele estuda não é o encadeamento linear, sintagmático, de um mito

15 Greimas, L'analyse structurale du récit, *Communications*, v.8, 1966.
16 Claude Brémond, entrevista com o autor.

de que aproveita aqui e ali elementos constitutivos de uma estrutura paradigmática: "A estrutura do mito é algo totalmente exterior à forma narrativa, é algo inteiramente capital".[17]

O outro grande modelo de análise narrativa encontra-se no trabalho de Vladimir Propp sobre os contos maravilhosos. Seu livro, *Morphologie du conte populaire,* publicado em 1928 na União Soviética, tornar-se-á a grande fonte de inspiração do método estruturalista, sobretudo a partir de sua tradução francesa, editada em 1965 pela Seuil. Traduzido anteriormente para o inglês, em 1958, o livro já atraíra a atenção de Lévi-Strauss em 1960.[18] No seu artigo, Lévi-Strauss expõe o método de Propp, entusiasma-se com suas antecipações qualificadas de proféticas, mas critica a distinção estabelecida entre conto e mito, tal como a define Propp. Para Lévi-Strauss, o conto é um pouco a versão degradada, enfraquecida, do mito primordial, e seu aspecto mais maleável às mais diversas permutações torna-o menos apropriado do que o mito para a análise estrutural. Mas, sobretudo, Lévi-Strauss critica vigorosamente o formalismo de Propp, ao qual opõe o método estruturalista: "O formalismo aniquila o seu objeto. Em Propp, culmina na descoberta de que, na realidade, existe um único conto".[19] Lévi-Strauss censura no formalismo o fato de ignorar a complementaridade entre significante e significado assinalada por Saussure. Se o essencial da argumentação de Lévi-Strauss consiste numa crítica de método, nem por isso ele deixou de sublinhar a importância indiscutível da obra de Propp, que se converterá numa das matrizes de reflexão no âmbito da semiologia literária.

Propp responde a essas críticas por ocasião da edição italiana do seu livro em 1966: "*Morphologie* e *Les racines historiques* constituem as duas partes, ou os dois termos, de uma grande obra".[20] Com efeito, as críticas de Lévi-Strauss não levam em conta o fato de que a morfologia do conto apresenta-se como prelúdio de um estudo histórico que é o complemento indissociável; publicada na União Soviética em 1946, essa segunda obra[21] será cuidadosamente ignorada na França, pois será

17 Ibidem.
18 Lévi-Strauss, La structure et la forme, *Cahiers de l'Isea,* n.9, mar. 1960, série M, n.7, p.3-36.
19 Ibidem.
20 Propp, Apêndice. In: *Morphologia della fiaba.*
21 Idem, *Les racines historiques du conte.*

necessário esperar até 1983 para que a Gallimard a edite, sinal do esvaziamento deliberado da abordagem histórica nos anos 1960.

Claude Brémond, que já sustentara seu estudo sobre a mensagem no método proppiano em *Communications* número 4, em 1964, retoma em 1966 a obra de Propp para definir a lógica dos possíveis narrativos:

> Tive primeiro em mãos a tradução de Vladimir Propp feita pela sra. Jakobson, e achei que a obra era, de fato, muito interessante, visto que descentrava a mecânica da narrativa da personagem para as funções. Comecei então a refletir sobre essa abordagem, sem considerar jamais que o que fazia se inseria num projeto estruturalista. Sem dúvida, existem estruturas da narrativa, mas representam apenas simples coerções lógicas ou conveniências com finalidade dramática. Para mim, não há mais nada a procurar.[22]

Claude Brémond define, em sua contribuição em 1966, um esboço de tipologia das formas narrativas elementares que correspondem às categorias universais do comportamento humano e, a partir daí, constrói uma classificação possível dos tipos de narrativa em torno de uma estrutura referencial de base que, num segundo tempo, sofre um processo de complexificação, de adaptação a tal ou qual enraizamento espacial ou temporal.

A contribuição de Umberto Eco revela uma das ambições do programa estruturalista que consiste em decifrar tudo, não limitar o *corpus* às habituais resenhas dos grandes textos da história literária. Eco escolhe os romances policiais populares de Fleming, a sua série 007 com seu herói James Bond. Ele já discerne no primeiro volume da série, *Casino Royal*, escrito em 1953, a matriz invariante de todos os livros posteriores, e interroga-se sobre os mecanismos geradores do êxito popular da figura heroica de James Bond. Eco desloca então a análise habitual das obras de Fleming, que valoriza os aspectos ideológicos, ao mostrar que eles respondem sobretudo a uma exigência retórica. O mundo de Fleming é um mundo maniqueísta por comodidade, na arte de persuadir o leitor: "Fleming não é reacionário pelo fato de preencher a casa 'mal' do seu esquema com um russo ou um judeu; ele é reacionário porque

22 Claude Brémond, entrevista com o autor.

procede por meio de esquemas".[23] Eco desloca, portanto, a caracterização do reacionário, atribuída a Fleming, para qualificar um gênero particular que é o da fábula, cujo dogmatismo que lhe é inerente induz um pensamento por esquemas inevitavelmente reacionários.

Por seu lado, Todorov se apoia no deslocamento efetuado pelos formalistas russos para estabelecer as categorias da narrativa literária no quadro do que já não é um estudo da literatura mas da literalidade; não mais a apreensão direta das obras, mas das virtualidades do discurso literário que as tornaram possíveis: "Assim é que os estudos literários poderão vir a ser uma ciência da literatura".[24]

Quanto a Gérard Genette, ele se interroga acerca das fronteiras da narrativa a partir das definições que dá à tradição clássica de Aristóteles e de Platão, até o uso que lhe é dado na escrita romanesca contemporânea em Philippe Sollers ou Jean Thibaudeau: estes exprimem o esgotamento do modo representativo e anunciam, talvez, a saída definitiva da idade da representação. A conjunção de todas essas contribuições oferece um imenso campo de pesquisa para os homens de letras, que se apoderarão dessas novas orientações para contestar o discurso dominante da história literária clássica com um entusiasmo ainda maior, uma vez que o projeto parece, ao mesmo tempo, coletivo e promissor da edificação de uma verdadeira ciência nova.

Les Temps Modernes

Sinal de um êxito que permite transbordar todos os diques, a revista de Sartre, *Les Temps Modernes*, dedica em 1966 um número especial ao estruturalismo.[25] Jean Pouillon, que se encarrega de apresentar o número, parte da constatação inegável de que o estruturalismo está na moda: "A moda tem isso de exasperador – que ao criticá-la também a aceitamos".[26] Define o fenômeno como a expressão de duas grandes

23 Eco, James Bond: une combinatoire narrative, *Communications*, n.8, 1966, p.98.

24 Todorov, Les catégories du récit littéraire, *Communications*, n.8, 1966, p.131.

25 *Les Temps Modernes*, n.246 (Problemes du structuralisme), nov. 1966 (contribuições de Pouillon, Barbut, Greimas, Godelier, Bourdieu, Macherey e Ehrmann).

26 Pouillon, Les Temps Modernes, n.246, nov. 1966, p.769.

ideias: totalidade e interdependência, ou seja, a busca de relações entre termos diferentes aproximados, não a despeito de, mas em virtude de suas diferenças. O estruturalismo consiste, portanto, "em procurar as relações que dão aos termos que elas unem um valor de posição num conjunto organizado".[27] Marc Barbut interroga-se sobre o sentido da palavra estrutura em matemática e evoca a utilização analógica que Lévi-Strauss faz do sistema das quatro classes na sua análise de parentesco *kariera*.

Quanto a Greimas, analisa as relações entre "estrutura e história" para sublinhar a ausência de pertinência da dicotomia saussuriana entre diacronia e sincronia, a que opõe a concepção de Hjelmslev da estrutura como mecanicismo acrônico. Responde assim à crítica de anti-historismo feita ao estruturalismo, e cita a decomposição da temporalidade em Fernand Braudel em três temporalidades – estrutural/conjuntural/eventual – para saudar aí um esboço reflexivo e uma tentação de integração da estrutura nos historiadores, mas sem aderir por esse fato ao uso que dela é feito: "Tal concepção não resiste infelizmente ao exame. Não se vê, inicialmente, como estabelecer a equação postulando que o que dura mais é mais essencial do que o que dura pouco".[28] Para um estruturalista, segundo Greimas, tudo se situa no nível do modelo metalinguístico, e numa tal perspectiva, a dimensão histórica é relegada ao papel de "pano de fundo".[29]

No mesmo número de *Les Temps Modernes*, Maurice Godelier afirma a pertinência da filiação entre Marx e o estruturalismo. Marx "anuncia a corrente estruturalista moderna".[30] Portanto, Marx é visto a partir da obra de Lévi-Strauss como o verdadeiro precursor do paradigma estruturalista, uma vez que permitiu dissociar as relações sociais visíveis e sua lógica escondida, quando rejeitou o historicismo para fazer prevalecer o estudo estrutural e, por fim, desdobrou a contradição de que ele não se situa no seio de uma só estrutura, mas na combinação de "duas estruturas irredutíveis uma à outra, as forças produtivas

27 Ibidem, p.772.
28 Greimas, *Les Temps Modernes*, n.246, nov. 1966.
29 Ibidem, p.107.
30 Godelier, Système, structure et contradiction dans *Le capital*, *Les Temps Modernes*, n.246, p.832, nov. 1966.

e as relações de produção".[31] Por seu lado, Pierre Bourdieu anuncia as bases de uma sociologia do pensamento intelectual e da criação artística que deve superar a oposição tradicional entre estética interna e externa, graças a um método estrutural rigoroso: "[...] o campo intelectual (e por isso mesmo o campo cultural) possui uma autonomia relativa, que autoriza a autonomização metodológica efetuada pelo método estrutural ao tratar o campo intelectual como um sistema regido por leis próprias".[32]

Aléthéia

A revista *Aléthéia* também dedica ao estruturalismo um número especial, o de fevereiro de 1966. Aí se encontra um artigo de Maurice Godelier sobre a contradição, um artigo de Lévi-Strauss sobre os critérios científicos nas disciplinas sociais e nas humanas. Kostas Axelos escreve acerca da tentativa de conciliação entre marxismo e estruturalismo proposta por Lucien Sebag, e Georges Lapassade a respeito de Hegel. E, numa entrevista, Roland Barthes apresenta o estruturalismo como a possibilidade de "desfetichizar os saberes antigos – ou ainda concorrentes".[33]

Esprit

A revista *Esprit*, que dedicara um dos seus números em 1963 a uma discussão das teses de Lévi-Strauss, reuniu um congresso em dezembro de 1966 cujo teor será publicado um pouco mais tarde, em maio de 1967, num número especial consagrado ao estruturalismo.[34] É um panorama bastante completo que *Esprit* oferece aos seus leitores. Jean-Marie Domenach percebe o fenômeno estruturalista como

---

31 Ibidem, p.829.

32 Bourdieu, Champ intellectuel et projet créateur, *Les Temps Modernes*, n.246, p.866, nov. 1966.

33 Barthes, Entretien, *Aléthéia*, p.218, fev. 1966.

34 *Esprit*, n.360 (Structuralismes, idéologies et méthodes), maio 1967 (contribuições de Domenach, Dufrenne, Ricœur, Ladrière, Cuisenier, Burgelin, Bertherat e Cornilh).

um empreendimento de desestabilização dos termos em que a filosofia assentava até então e, em particular, do lugar atribuído à consciência. Ele se pergunta como esse questionamento por parte de homens de esquerda que contestam as bases do sistema estabelecido pode conciliar-se com o seu combate político, pois se os homens são acionados por um sistema coercitivo sem poder recuperar uma parte de consciência autônoma, então em nome de quê podem dar prosseguimento à sua contestação? O fenômeno estruturalista é complexo e contraditório, o que explica o fascínio de que é objeto: "O estruturalismo tem duas faces: uma exprime a suficiência epistemológica da nossa época, e a outra fala da angústia de uma ausência, o retorno da noite".[35]

É sempre a morte do homem, a sua dissolução nas estruturas, o que provoca as reticências e críticas da revista *Esprit*. Por um lado, Mikel Dufrenne coloca num mesmo plano o neopositivismo em voga numa França que descobre com atraso o positivismo lógico anglo-saxão, e que o interpreta à sua maneira, e o anti-humanismo: "A filosofia contemporânea manifesta sua indignação contra o homem!".[36] Por outro lado, Paul Ricœur reconhece que a conquista do ponto de vista estrutural é uma conquista da cientificidade, mas é especialmente onerosa, e o ganho que ela permite paga-se bem caro com duas importantes exclusões que são o ato de falar – a fala expulsa por Saussure do estudo da língua – e a história. Propõe ele que se ultrapasse essa amputação sem por isso recair nos antigos erros do mentalismo ou do psicologismo, e, portanto, "pensar a linguagem seria pensar a unidade daquilo que Saussure separou, a unidade da língua e da fala".[37]

Sartre sai da sua reserva

Essa paixão transbordante pelo estruturalismo deixa sem voz Jean-Paul Sartre, que se recolhe no mutismo da sua travessia do deserto, enquanto cada novo sucesso editorial abala um pouco mais as bases da

35 Domenach, Le système et la personne, *Esprit*, n.360, p.771-80, maio 1967.
36 Dufrenne, La philosophie du néo-positivisme, *Esprit*, n.360, p.781-800, maio 1967.
37 Ricœur, La structure, le mot, l'événement, *Esprit*, n.360, p.801-21, maio 1967.

sua filosofia existencialista. Em 1966, o extravasamento estruturalista o faz sair do seu silêncio. O perigo é grande, pois Foucault, no auge da glória, acaba de colocá-lo no Museu Grévin dos filósofos do século XIX. Isso foi demais: Sartre decide sair do mutismo e travar combate por ocasião de um número especial que lhe dedica a revista *L'Arc* no final de 1966.[38] Bernard Pingaud escreve a introdução, constatando a mudança radical dos últimos quinze anos, que assistiram ao eclipse da filosofia em proveito das ciências humanas: "Não se fala mais de consciência ou de sujeito, mas de regras, de códigos, de sistemas; não se diz mais que o homem faz o sentido, mas que o sentido advém ao homem; não se é mais existencialista, mas estruturalista".[39] Jean-Paul Sartre responde às perguntas de Bernard Pingaud, e essa intervenção revela, pelo seu tom polêmico, a cólera reprimida do filósofo e a situação difícil em que ele se encontra. Ao grande êxito de 1966, *Les mots et les choses*, de Michel Foucault, Sartre contrapõe que

> [...] o sucesso do seu livro prova bem que ele era esperado; ora, um pensamento verdadeiramente original nunca é esperado. Foucault fornece às pessoas aquilo que elas precisavam: uma síntese eclética em que Robbe-Grillet, o estruturalismo, a linguística, Lacan e *Tel Quel* são utilizados sucessivamente para demonstrar a impossibilidade de uma reflexão histórica. Para além da história, bem entendido, é o marxismo que está sendo visado. Trata-se de constituir uma ideologia nova, a última barragem que a burguesia pode ainda erguer contra Marx.[40]

Após esse ataque um tanto redutor, Sartre pondera acerca de seus pontos de vista, afirmando que não é, de forma alguma, hostil ao método estruturalista, quando este se mantém consciente dos seus limites. Se, para Sartre, o pensamento não se reduz à linguagem, nem por isso deixa de ser uma peça fundamental da sua filosofia que corresponde a um elemento constitutivo do prático-inerte. Se a obra de Lévi-Strauss é vista com benevolência aos olhos de Sartre, este responde, não obstante, à polêmica travada contra ele em *La pensée sauvage* ao

38 *L'Arc*, n.30, 4. trim. 1966, número especial J.-P. Sartre.
39 Pingaud, *L'Arc*, n.30, 4. trim. 1966, p.1.
40 Sartre, *L'Arc*, n.30, 4. trim. 1966, p.87-8.

considerar que "o estruturalismo, tal como o concebe e o pratica Lévi--Strauss, muito contribuiu para o descrédito atual da história".[41] Para Sartre, Lacan participa totalmente do estruturalismo, uma vez que o seu descentramento do sujeito está ligado ao mesmo descrédito da história: "Se já não existe práxis, tampouco pode haver sujeito. O que nos dizem Lacan e os psicanalistas que se valem dele? O homem não pensa, é pensado, tal como é falado para certos linguistas".[42] Reconhece, não obstante, a filiação freudiana da ideia de Lacan, pois o lugar atribuído ao sujeito em Freud já era ambíguo, e a cura analítica pressupõe, por princípio, que o paciente se deixa agir, abandonando-se às associações livres. A mesma crítica de a-historicismo é endereçada a Althusser, que privilegia o conceito em sua atemporalidade à custa da noção, sem perceber a "contradição permanente entre a estrutura prático-inerte e o homem que descobre estar condicionado por ela".[43]

Enfim, Sartre atribui essa explosão das ciências humanas em torno do paradigma estruturalista a uma importação norte-americana; tratar--se-ia da adaptação ideológica a uma civilização tecnocrática na qual já não há lugar para a filosofia: "Veja o que se passa nos Estados Unidos: a filosofia foi substituída pelas ciências humanas".[44] Nesse ano de 1966, durante o qual as B-52 do presidente Johnson bombardeiam cotidianamente o Vietnã do Norte, compreende-se a que ponto essa apreciação pode ser infamante para os mosqueteiros estruturalistas.

O caso provoca, aliás, grande alvoroço, pois se desejava vivamente que Sartre desse o seu ponto de vista sobre os sucessivos questionamentos à sua filosofia desde o início dos anos 1960. *Le Figaro Littéraire* pratica a dramatização máxima com esta manchete de primeira página: "Lacan julga Sartre". Lacan responde a uma entrevista na qual ironiza e relativiza a tomada de posição de Sartre: "Não me situo absolutamente em relação a ele".[45] A linha de defesa de Lacan consiste em recusar a validade da referência a um grupo estruturalista qualquer que tenha alguma homogeneidade: "Quem acreditará que nós fizemos um

41 Ibidem, p.89.
42 Ibidem, p.91-2.
43 Ibidem, p.93.
44 Ibidem, p.94.
45 Lacan, *Le Figaro Littéraire*, p.4, 29 dez. 1966.

trato"?.[46] Claro que não se trata de complô, mas de debate de ideias, e Jean-François Revel, virulento crítico das teses estruturalistas em suas crônicas de *L'Express*, para comentar a respeito do número de *L'Arc* dedicado a Sartre, escolhe o título "Sartre no pelourinho". Cita, a propósito, "o rei Lear, renegado, despojado por suas filhas",[47] e acrescenta à analogia sartriana da correspondência entre o advento de uma tecnoestrutura e o sucesso de uma doutrina anti-histórica e negadora do sujeito, uma correspondência de ordem política com o gaullismo no qual o cidadão francês é citado quando o seu papel se limita a ouvir o general encarnar a fala da França no decorrer de suas famosas conferências de imprensa.

O estruturalismo cruza o Atlântico

O ano de 1966 é também dos grandes encontros, simpósios e colóquios. O palácio de Cerisy permanece como um centro importante de atividade intelectual, e acolhe nesse ano um colóquio sobre "Os rumos atuais da crítica", cujas atas serão publicadas em 1968 pela Editora Plon.

Nas margens do lago Léman, realiza-se em Genebra, em setembro de 1966, um congresso de filosofia da língua francesa sobre a linguagem, cujos debates gravitam em torno das exposições apresentadas por Émile Benveniste e Mircea Eliade. Mas a efervescência francesa do momento começa também a suscitar interesse fora da Europa: em outubro de 1966, uma grande cerimônia estruturalista é organizada nos Estados Unidos sob os auspícios do Centro de Humanidades da Universidade John Hopkins. É a primeira vez que o estruturalismo atravessa o Atlântico para conquistar o Novo Mundo. Os americanos percebem muito bem o fenômeno do pensamento crítico na França como plurisdisciplinar e convidam os representantes das diversas ciências humanas:[48] Lucien Goldmann e Georges Poulet são convidados para representar a crítica literária de tipo sociológico, Roland Barthes, Tzvetan Todorov e Nicolas Ruwet para a semiologia literária, Jacques Derrida na qualidade

46 Ibidem, p.4.

47 Revel, Sartre en ballottage. *L'Express*, n.802, p.97, 7-13 nov. 1966.

48 Informações extraídas de Roudinesco, *Histoire de la psychanalyse en France*, v.2, p.414.

de filósofo por seu trabalho sobre Saussure e sobre Lévi-Strauss publicado no final de 1965 na revista *Critique*,[49] Jean-Pierre Vernant por sua antropologia histórica da Grécia antiga, e Jacques Lacan por sua releitura estruturalista de Freud. Esse simpósio será editado alguns anos mais tarde nos Estados Unidos.[50]

Roland Barthes é convidado, evidentemente, como uma das estrelas essenciais da gesta que se desenrola na França. Ele fala do recalque da retórica no século XIX e de sua substituição pelo positivismo, que separou duradouramente o destino da literatura e da teoria da linguagem. Demonstra, desse modo indireto, o enraizamento histórico da recuperação do interesse por uma reflexão sobre a linguagem, e essa nova conjunção entre literatura e linguística, qualificada como semiocrítica, baseada na escritura como sistema de signos, numa relação de objetivação. Indica as novas fronteiras a conquistar na exploração da linguagem, a partir da moderna simbiose entre linguística, psicanálise e literatura, realizada pelo estruturalismo.

Jean-Pierre Vernant faz uma intervenção sobre "A tragédia grega: problema de interpretação", na qual mostra que não se pode compreender a tragédia sem recorrer ao contexto, mas não no sentido clássico do termo: "Aquilo a que chamo contexto não é algo que está fora do texto, mas que está sob o texto. É na leitura do próprio texto, decifrando-o, que se percebe, em razão dos campos semânticos, que se é obrigado a fazer intervir elementos que são exteriores à tragédia e que vêm nutri-la".[51] Jean-Pierre Vernant insiste na necessidade de partir do texto em sua estrutura interna, em seu fechamento sobre si mesmo, mas na condição de exumar o que ele recobre de jogos verbais, semânticos, ideológicos, que permitem obter os efeitos específicos do discurso trágico.

É em Baltimore que Vernant se encontra pessoalmente com Lacan pela primeira vez – encontro sem sequência, ainda que, um pouco mais tarde, de férias em Belle-Île, Vernant veja chegarem com estupefação três lacanianos que tentam lhe explicar ser indispensável que assista ao seminário do mestre Lacan ("Eles argumentavam que, na realidade, eu

49 Derrida, De la grammatologie, *Critique*, n.223-4, dez. 1965.

50 Marksey; Donato (eds), *The Structuralist's Controversy. The Langages of Criticism and the Sciences of Man*.

51 Jean-Pierre Vernant, entrevista com o autor.

fazia a mesma coisa que Lacan mas sem o saber. O que provava fartamente que eu tinha necessidade de uma boa psicanálise. Respondi-lhes que era um pouco tarde, mas repetiram que Lacan estava muito interessado no meu trabalho, que acompanhava atentamente.").[52] Lacan, cujo discurso já era dificilmente inteligível em sua língua natal, empenhou-se em falar em inglês em Baltimore, quando não dominava a língua, o que acentuava ainda mais o hermetismo de sua intervenção, que nem por isso deixaria de ser a do grande guru do estruturalismo.

---

52 Ibidem.

34

1966 – O ANO-LUZ II

FOUCAULT VENDE COMO PÃEZINHOS

Como se viu, o acontecimento editorial do ano, a melhor venda do verão, é incontestavelmente *Les mots et les choses* de Michel Foucault. Se Sartre pôde dizer que essa obra era esperada, nem por isso o seu sucesso causou menor surpresa ao editor Pierre Nora e ao próprio autor, visto que a primeira tiragem foi modesta: 3.500 exemplares, rapidamente esgotados. Colocado à venda em abril de 1966, foi necessário reimprimir 5 mil exemplares em junho, depois 3 mil em julho, mais 3.500 em setembro... Michel Foucault é carregado pela onda estruturalista e sua obra apresenta-se como a síntese filosófica da nova reflexão levada a efeito há uma quinzena de anos. Mesmo que o autor se distancie mais tarde do rótulo estruturalista, que considera infamante, situa-se, porém, de imediato, em 1966, no cerne do fenômeno: "O estruturalismo não é um método novo; é a consciência desperta e inquieta do saber moderno".[1]

Convidado por Pierre Dumayet para o grande programa literário de produção da televisão da época, "Lectures pour tous", ele se exprime em nome de um "Nós" fundador de uma ruptura em que toma lugar ao lado de Lévi-Strauss e de Dumézil numa posição distante da obra de Sartre, "que é ainda um homem do século XIX, visto que todo o seu empreendimento tem por finalidade tornar o homem adequado à sua

---

1 Foucault, *Les mots et les choses*, p.221.

própria significação".[2] O depoimento prestado a Pierre Dumayet para ilustrar sua obra perante o vasto público de telespectadores insere-se inteiramente na nova ambição estruturalista. M. Foucault afirma aí o desaparecimento da filosofia, a sua dissipação em outras atividades do pensamento: "Chegamos a uma idade que é, talvez, a do pensamento puro, do pensamento em ato, e disciplinas tão abstratas e gerais quanto a linguística, tão fundamentais quanto a lógica ou ainda a literatura depois de Joyce, são atividades de pensamento. Substituem a filosofia, não porque tomem o lugar da filosofia, mas porque são o próprio desdobramento do que era outrora a filosofia".[3]

O seu projeto de arqueologia das ciências humanas (originalmente a obra deveria ter por subtítulo "Arqueologia do estruturalismo") é definido por Foucault nesse programa como a expressão da vontade de fazer aparecer a nossa cultura numa posição de estranheza semelhante à maneira como percebemos os nhambiquara descritos por Lévi-Strauss. Portanto, não se trata, em absoluto, de traçar as linhas de continuidade do desdobramento de um pensamento numa lógica contínua e evolutiva, mas, pelo contrário, de sinalizar as descontinuidades que fazem com que a nossa cultura passada nos pareça fundamentalmente outra, estranha a nós próprios, numa distância restaurada: "Foi essa situação etnológica que eu quis reconstituir";[4] e Foucault investe contra toda e qualquer iniciativa de identificação com a figura puramente efêmera do homem, ao mesmo tempo recente e destinada a desaparecer proximamente. Deus está morto, e o homem segue-o para um desaparecimento irresistível, para o qual trabalham, em especial, as ciências que se valem de sua existência: "Paradoxalmente, o desenvolvimento das ciências humanas convida-nos mais ao desaparecimento do que a uma apoteose do homem".[5]

É manifestamente essa morte do homem que fascina a época, e numerosos são aqueles que se comprimem atrás do cortejo fúnebre. As negações sucessivas do sujeito na linguística saussuriana, na antropologia estrutural e na psicanálise lacaniana acabam de encontrar em

---

2 Foucault, Lectures pour tous, 1966, *Océaniques*, FR3, 13 jan. 1988.

3 Ibidem.

4 Ibidem.

5 Ibidem.

Foucault aquele que reinstala no próprio âmago da história cultural ocidental essa figura como ausência, como falta em torno da qual se dobram as epistemes.

O efeito Foucault

A repercussão é a mesma do evento: fulgurante. Jean Lacroix saúda em *Le Monde* a obra de M. Foucault como "uma das mais importantes deste tempo";[6] é "uma obra impressionante",[7] consagra Robert Kanters em *Le Figaro*. François Châtelet, como filósofo, anuncia o acontecimento que revoluciona o pensamento em *La Quinzaine Littéraire*. A leitura da obra de Foucault faz surgir "um olhar radicalmente novo sobre o passado da cultura ocidental e uma concepção mais lúcida da confusão do seu presente".[8] Em *L'Express*, Madeleine Chapsal abre um extenso artigo de três páginas do jornal sob o título sugestivo: "A maior revolução desde o existencialismo".[9] E em *Le Nouvel Observateur* é Gilles Deleuze quem comenta o livro de M. Foucault ao longo também de três páginas: "A ideia de Foucault: as ciências do homem não são absolutamente constituídas quando o homem é tomado por objeto de representação, nem mesmo quando ele descobriu uma história – mas ao contrário, quando ele se desistoricizou".[10]

Evidentemente, Foucault é muito solicitado a responder por essa morte do homem, da qual toda a imprensa lhe atribui generosamente a paternidade. À questão de saber quando ele deixou de acreditar no sentido, feita numa entrevista que concedeu a *La Quinzaine Littéraire*, Foucault responde:

> O ponto de ruptura situa-se no dia em que Lévi-Strauss e Lacan, o primeiro no que se refere às sociedades e o segundo no que diz respeito ao inconsciente, mostraram que o sentido não era, provavelmente, mais do

6 Lacroix, La fin de l'humanisme, *Le Monde*, 9 jun. 1966.
7 Kanters, Tu causes, tu causes, c'est tout ce que tu sais faire, *Le Figaro*, 23 jun. 1966.
8 Châtelet, L'homme, ce Narcisse incertain, *La Quinzaine Littéraire*, 1º abr. 1966.
9 Chapsal, *L'Express*, n.779, p.119-21, 23-9 maio 1966.
10 Deleuze, L'homme, une existence douteuse, *Le Nouvel Observateur*, 1º jun. 1966.

que um efeito de superfície, uma reverberação, uma espuma, e que o que nos penetrava profundamente, o que estava antes de nós, o que nos sustentava no tempo e no espaço era o sistema.[11]

Raymond Bellour traz seu decidido apoio às teses foucaultianas, ao passo que o acolhimento que lhe dará o seu partido (o PCF) será nitidamente mais reservado; mas ele desfruta de certa autonomia em *Les Lettres Françaises*, na qual entrevista Foucault. Vê neste o iniciador de uma verdadeira revolução no domínio da história das ideias, quando ele restabelece a totalidade lógica dos conceitos de uma época, relegando para os porões da história o que até então passava por ser a bíblia nesse domínio, o famoso "Hazard" e sua *Crise da consciência europeia*. Com lucidez, Raymond Bellour percebe, sob a filosofia, o escritor de estilo fulgurante: "Esta época terá visto nascer, sob o rosto dos decifradores do sentido, um novo tipo de escritores".[12]

Em todas as suas intervenções, múltiplas nesse ano de 1966, Foucault não se cansa de remeter Sartre para o século XIX e de situar-se firmemente ao lado de Lévi-Strauss, Dumézil, Lacan e Althusser, ou seja, da modernidade do século XX, o que justifica plenamente a apreciação de Didier Éribon: "Parece evidente que Foucault se põe em pé de igualdade na galáxia estruturalista",[13] ainda que se trate de um estruturalismo muito particular, uma vez que o estruturalismo de Foucault não está fundamentado na existência de estruturas. É "um estruturalismo sem estruturas",[14] o que faz François Ewald dizer que Foucault jamais foi estruturalista, e que seu projeto era mesmo combater a ideia de estrutura e, por conseguinte, o estruturalismo. Segundo François Ewald, todo o empreendimento foucaultiano visa a uma possibilidade política, por isso a sua hostilidade à própria ideia de estrutura: "A estrutura é uma das formas do grande sujeito histórico, da grande identidade que atravessa a história, ao passo que Foucault explica muito bem ser justamente isso o que ele quer destruir".[15] Essa tensão interna, ainda não sentida pelo Foucault de 1966, provém da sua posição ambígua de

11 Foucault, entrevista, *La Quinzaine Littéraire*, n.5, 15 maio 1966.
12 Bellour, *Les Lettres Françaises*, n.1125, 31 mar. 1966.
13 Éribon, *Michel Foucault*, p.189.
14 Piaget, *Le structuralisme*, p.108.
15 François Ewald, entrevista com o autor.

filósofo que se instala no núcleo das ciências sociais para subvertê-las desde o interior. Mas essa posição, longe de ser a de uma contestação do fenômeno estruturalista, alimenta-se dele, embora Foucault não compartilhe do cientismo próprio dos outros defensores do movimento, que procuram, por sua vez, a legitimação de suas respectivas disciplinas.

O homem: figura transitória e efêmera

Les mots et les choses situa-se, sobretudo, na linha do trabalho de Georges Canguilhem. Foucault analisa aí igualmente a história científica a partir das descontinuidades e da desconstrução nietzschiana das disciplinas estabelecidas. Essa base nietzschiana da abordagem de Foucault se reconhece numa rejeição radical do humanismo. O homem-sujeito de sua história, atuante, consciente de sua ação, desaparece. A sua figura só aparece em data recente, e sua descoberta anuncia seu fim próximo. A sua posição central no pensamento ocidental não passa de ilusão, dissipada pelo estudo dos múltiplos condicionamentos que ele sofre. O homem é assim descentrado, engolido de novo na periferia das coisas, sob influências, até perder-se na espuma dos dias: "O homem [...] nada mais é, sem dúvida, que uma certa fenda na ordem das coisas. [...] O homem não passa de uma invenção recente, uma figura que não tem dois séculos, uma simples dobra em nosso saber".[16] Foucault dedica-se, pois, a historicizar o advento dessa ilusão que seria o homem e que só nasceria neste mundo no século XIX. O que existia na idade grega eram os deuses, a natureza, o cosmo; não havia lugar para um pensamento do sujeito responsável. Na problemática platônica, a culpa é atribuível a um erro de julgamento, à ignorância, e não à responsabilidade individual.

O homem tampouco tem lugar na episteme clássica. Tanto a Renascença quanto o racionalismo dos clássicos não puderam pensar o homem. Foi preciso aguardar uma abertura na configuração do saber para que o homem viesse a ocupar o centro do campo do saber. A cultura ocidental é, então, aquela que confere ao homem o seu melhor

16 Foucault, *Les mots et les choses*, p.15.

papel. Ele se apresenta numa situação central, a de rei da criação, referente absoluto de todas as coisas. Essa fetichização exprime-se, em particular, numa forma filosófica, com a introdução pelo ego cartesiano do sujeito como substância, receptáculo de verdades. Ela inverte a problemática do erro e da culpa tal como funcionava na Antiguidade e ainda na escolástica medieval: "A subordinação inverte-se e é o esquema do erro que se relativiza ao da culpa: enganar-se [...] é afirmar livremente, por meio de sua vontade livre e infinita, conteúdos de sentido do entendimento que permanecem confusos".[17] Entretanto, como observa Foucault, segundo Freud, esse homem conheceu na história do pensamento ocidental certo número de grandes feridas narcísicas. Copérnico, ao descobrir que a Terra não está no centro do universo, revoluciona o campo do pensamento e desloca a soberania primitiva do homem. Darwin, descobrindo em seguida que no limiar do homem está o símio, recoloca o homem no estágio de episódio num tempo biológico que o ultrapassa. Depois, Freud descobre que o homem não pode conhecer-se sozinho, que não está plenamente consciente e conduz-se sob a determinação de um inconsciente a que não tem acesso e que, no entanto, torna inteligíveis seus fatos e gestos.

Por conseguinte, o homem viu-se despojado, por etapas, de seus atributos, mas reapropriou-se dessas rupturas no campo do saber para fazer delas outros tantos instrumentos de recuperação do seu reino. Apresentou-se, pois, ao século XIX em toda a sua nudez, na confluência de três formas de saber, como objeto concreto, perceptível, com o surgimento da filologia de Propp, de uma economia política com Adam Smith e Ricardo, de uma biologia com Lamarck e Cuvier. Aparecia então a figura singular de um sujeito vivo, falante e trabalhador. O homem seria, portanto, fruto dessa tríplice resultante, ocupando o lugar central desses novos saberes, figura indefectível desses dispositivos de conhecimento, seu significado comum. Pôde então reinstalar-se numa posição soberana em relação à natureza. A astronomia permitiu a física, a biologia permitiu a medicina, o inconsciente permitiu a psicanálise. Mas essa soberania é, para Foucault, simultaneamente recente, condenada a desaparecer e ilusória. Na esteira de Freud, que descobriu o inconsciente das práticas cotidianas do indivíduo, e de Lévi-Strauss,

17 Benoist, *La révolution structurale*, p.202.

que se liga ao inconsciente das práticas coletivas das sociedades, Foucault parte em busca do inconsciente das ciências que se crê habitadas por nossas consciências.

Tal é a revolução copernicana que ele quer realizar para desmistificar o humanismo que é, para ele, a grande perversão do período contemporâneo: "A nossa Idade Média na época moderna é o humanismo".[18] O principal papel do filósofo, segundo Foucault, consiste, portanto, em derrubar o obstáculo epistemológico formado pelos privilégios concedidos ao *cogito*, ao sujeito como consciência e substância. Foucault teoriza plenamente a constituição de uma verdadeira base filosófica em que se interligam as diversas semióticas, tendo todas o texto por ponto cardeal e submetendo o homem a uma rede que o dissolve a contragosto: "Acabar com o velho filosofema da natureza humana, com esse homem abstrato"[19] – tal é a perspectiva foucaultiana. Junta-se à de Lévi-Strauss, que evocava também a figura fugitiva do homem: "O mundo começou sem o homem e acabará sem ele".[20] Aliás, Foucault presta homenagem a Lévi-Strauss quando permite, graças à etnologia, dissolver o homem, desfazer sucessivamente todas as suas tentativas de positividade. A etnologia e a psicanálise ocupam um lugar privilegiado no nosso saber moderno, constata Foucault: "Pode-se dizer de ambas o que Lévi-Strauss dizia da etnologia: que elas dissolvem o homem".[21]

Essa participação de falecimento de que Foucault elaborou a parábola pode parecer paradoxal na hora da explosão das ciências humanas, mas Foucault concebe a psicanálise e a etnologia como "contraciências";[22] e o *status* valorizado que lhes confere se junta ao paradigma estruturalista que as destacou como importantes chaves da inteligibilidade moderna. A revolução estrutural é, nesse plano, "guardiã da ausência do homem".[23]

18 Foucault, *France-Culture*, retransmissão em junho de 1984.
19 Benoist, *La révolution structurale*, p.27.
20 Lévi-Strauss, *Tristes tropiques*, p.447.
21 Foucault, *Les mots et les choses*, p.390-1.
22 Ibidem, p.391.
23 Benoist, *La révolution structurale*, p.38.

Temporalidades múltiplas, descontínuas

Esse descentramento do homem, quando não a sua dissolução, induz uma outra relação com a temporalidade, com a historicidade, sua pluralização e imobilização, assim como um deslocamento do olhar para as condições exteriores que determinam as práticas humanas:

A história do homem será mais do que uma espécie de modulação comum para as mudanças nas condições de vida (climas, fecundidade do solo, modos de cultura, exploração de riquezas), para as transformações da economia (e, por via de consequência, da sociedade e das instituições) e para a sucessão das formas e usos da língua? Mas nesse caso o homem não é histórico: o tempo vem-lhe de algum outro lado, não de si mesmo.[24]

O homem está submetido, portanto, a temporalidades múltiplas que lhe escapam, não podendo nesse quadro ser sujeito, mas somente objeto de puros eventos exteriores a ele. A consciência é então o horizonte morto do pensamento. O impensado não deve ser procurado no fundo da consciência humana, ele é o Outro em relação ao homem, ao mesmo tempo nele e fora dele, ao lado dele, irredutível e incompreensível, "numa dualidade sem recurso".[25] O homem articula-se sobre o já começado da vida, do trabalho e da linguagem, e encontra fechadas, portanto, as vias de acesso ao que seria sua origem, seu advento.

Para Foucault, a modernidade situa-se aí, no reconhecimento dessa impotência e da ilusão inerente à teologia do homem do *cogito* cartesiano. Após ter feito descer o herói e fetiche de nossa cultura do seu pedestal, Foucault investe contra o historicismo, a história como totalidade, como referente contínuo. A história foucaultiana não é mais a descrição de uma evolução, noção tomada da biologia, nem a localização de um progresso, noção ético-moral, mas a análise das múltiplas transformações em curso, localização e identificação das descontinuidades como outros tantos *flashes* instantâneos. A subversão da continuidade histórica é o corolário necessário da descentralização do sujeito: "O ser humano deixou de ter história ou, melhor dizendo, uma vez que

24 Foucault, *Les Mots et les choses*, p.380.
25 Ibidem, p.337.

fala, trabalha e vive, encontra-se em seu próprio ser, todo enredado em histórias que não lhe são nem subordinadas nem homogêneas. [...] O homem que aparece no início do século XIX está desistoricizado".[26] A consciência de si dissolvese no discurso-objeto, na multiplicidade de histórias heterogêneas.

Foucault procede a uma desconstrução da história à maneira do cubismo, à sua fragmentação numa constelação desumanizada. A unidade temporal é, nesse caso, apenas ficcional, não obedece a necessidade alguma. A história pertence apenas ao registro do aleatório, da contingência como em Lévi-Strauss; ela é ao mesmo tempo incontornável e insignificante. Entretanto, ao contrário do estruturalismo lévi-straussiano, Foucault não se furta à historicidade, tomando-a até como campo privilegiado de análise, lugar por excelência de sua pesquisa arqueológica, mas para localizar aí as descontinuidades que a trabalham, a partir de grandes fraturas que justapõem cortes sincrônicos coerentes.

Epistemes

É assim que Foucault identifica duas grandes descontinuidades na episteme da cultura ocidental: a da Idade Clássica, em meados do século XVII, e a do século XIX, que inaugura a nossa Era Moderna. Essas alterações na ordem do saber foram percebidas por Foucault a partir de campos tão diferentes quanto a linguagem, a economia política, a biologia, e opera, em cada etapa, a divisão entre o que é pensável e o que não é: "A história do saber só pode ser feita a partir do que lhe foi contemporâneo".[27] As descontinuidades apontadas por Foucault, na medida em que ele rechaça toda e qualquer forma de evolucionismo, são outras tantas figuras enigmáticas. Trata-se de verdadeiros surgimentos, dilacerações, de que se contenta em anotar as modalidades e o lugar, sem se formular a questão de seu processo de emergência. Nessa abordagem, os acontecimentos-adventos mantêm-se fundamentalmente enigmáticos: "Uma tal tarefa implica o questionamento de tudo o que pertence

26 Ibidem, p.380.
27 Ibidem, p.221.

ao tempo, tudo o que é formado nele, [...] de maneira que apareça o rasgão sem cronologia e sem história de onde provém o tempo".[28] A descontinuidade apresenta-se em sua singularidade, não redutível a um sistema de causalidade, pois está cortada de suas raízes, figura etérea saída das brumas da manhã da criação do mundo.

O enfoque de Foucault implica, portanto, romper radicalmente com toda pesquisa das origens ou de um sistema qualquer de causalidade, que ele substitui por um polimorfismo que torna impossível a reconstituição de uma dialética histórica. A sua arqueologia das ciências humanas, *Les mots et les choses*, dedica-se a reconstituir a maneira como surge uma nova configuração do saber a partir de um método, o mais estruturalista no percurso de Foucault, que leva de uma episteme a outra, de um tecido discursivo a outro, num desenvolvimento em que as palavras remetem para outras palavras. Essa postura, propriamente estruturalista, de valorização da esfera discursiva em sua autonomia em relação ao referente, permite, por sua dimensão sincrônica, encontrar coerências significantes entre discursos que, na aparência, não têm relações entre si, apenas simultaneidade: "O que ele me proporcionou foi essa audácia de fazer uma aproximação inteligente entre biologia, astronomia e física. [...] Hoje, a sociologia contemporânea não é essa potência expansiva".[29]

Mas é essa noção de episteme a que formulará o maior número de indagações, não somente aquela, não resolvida, de saber como se passa de uma episteme para outra, mas também a que se apresenta ao próprio Foucault: a partir de que episteme ele fala? Essa noção, onipresente em 1966 em *Les mots et les choses*, será contestada a tal ponto que não se encontra em toda a obra ulterior de Foucault. A sua arqueologia busca no subsolo dos continentes do saber as linhas da fratura, as rupturas significativas: "O que se queria elucidar é o campo epistemológico, a episteme em que os conhecimentos, considerados fora de todo critério que se refira ao seu valor racional ou às suas formas objetivas, enterram sua positividade e manifestam assim uma história".[30]

---

28 Ibidem, p.343.

29 Pierre Ansart, entrevista com o autor.

30 Foucault, *Les mots et les choses*, p.13.

A representação do representado

A primeira configuração do saber estudado por Foucault é a episteme da Renascença até o século XVI. O saber fundamenta-se, então, no mesmo, na repetição, na representação do representado. É a semelhança que, nesse caso, desempenha o papel fundador do saber na cultura ocidental. Há desdobramento da relação da ideia com o seu objeto: "O mundo enrolava-se sobre si mesmo".[31] Os procedimentos de similitude são numerosos nessa episteme: a vizinhança de lugares, o simples reflexo, a analogia e o jogo de simpatias, tudo tem o poder de assimilar as diversas coisas a uma identidade fundamental. O século XVI sobrepôs semiologia e hermenêutica na forma de um saber simultaneamente pletórico, já que a similitude, o encaminhamento para uma semelhança, é ilimitada mas também pobre, pois esse saber constrói-se sob a forma da simples adição: "O saber do século XVI está condenado a conhecer sempre a mesma coisa".[32] A natureza é aí apenas uma figura reduplicada do cosmo; erudição e adivinhação participam de uma hermenêutica idêntica.

Essa episteme balançará no século XVI a partir de uma ruptura que afetará o velho parentesco entre as palavras e as coisas, lugar a partir do qual o homem poderá nascer para si mesmo, tornar-se objeto singular do saber. Essa mutação é simbolizada pela busca de Dom Quixote, que tenta ler o mundo para demonstrar a veracidade dos livros. Ele esbarra na não concordância dos signos e do real, no perfeito desacordo em que sua utopia se consumará. Não obstante, ele persiste em querer decodificar o mundo por meio de sua grade obsoleta. A sua aventura é duplamente significante, posto que nos revela o nascimento de uma nova configuração do saber, assim como da historicidade da linguagem. A defasagem vivida por Dom Quixote entre as palavras e as coisas, o caráter inadequado da sua forma de saber podem engendrar a loucura, uma vez que ele não faz a decifração das diferenças: "As palavras erram ao acaso, sem conteúdo, sem semelhança para preenchê-las; não marcam mais as coisas".[33]

---

31 Ibidem, p.32.
32 Ibidem, p.45.
33 Ibidem, p.61.

A nova episteme, a da Era Clássica, do século XVI, do racionalismo cartesiano, substitui a hierarquia analógica pelo trabalho de análise crítica. Toda semelhança é então submetida ao teste da comparação: "A razão ocidental entra na idade do julgamento".[34] O que possibilita, nessa episteme clássica, o projeto de uma ciência geral, de uma teoria dos signos, é o recurso a uma *mathesis* para as estruturas simples, cujo método universal é a álgebra, e uma taxonomia para as naturezas complexas. É no interior dessa construção de uma ordem crítica que nasce a gramática geral: "A tarefa fundamental do discurso clássico é atribuir um nome às coisas, e nesse nome, nomear-lhes o seu ser".[35] Uma ciência da linguagem nasce, portanto, dessa nova distância entre as palavras e as coisas, e o mesmo ocorre nessa época no tocante ao nascimento de uma história natural, não dissociável da linguagem. Essa história natural subdivide o seu campo em três classes: os minerais, os vegetais e os animais, mas o corte ainda não se situa entre o vivo e o não vivo. A episteme clássica também se caracteriza pelo nascimento da análise das riquezas, a qual obedece à mesma configuração que a história natural e a gramática geral. Enquanto o pensamento econômico da Renascença reduzia os símbolos monetários à sua exatidão da medida em quantidade de metal escolhido para estalão, o século XVII faz oscilar a análise; agora é a função de troca que serve de fundamento e o nascimento do mercantilismo. É porque o ouro é uma moeda que ele é precioso e não o inverso como se acreditava no século XVI; a moeda recebe o seu valor da sua pura função de signo.

A episteme da modernidade

Essa episteme será ainda abalada no final do século XVIII e começo do XIX para dar lugar à nossa episteme moderna. Esta nasceu de uma defasagem que abalou todo o pensamento ocidental. As novas ciências que aparecem no século XIX têm em comum o fato de construírem seu objeto num campo cujos componentes escapam à observação. No

34 Ibidem, p.75.
35 Ibidem, p.136.

século XIX, a vida, o trabalho e a linguagem convertem-se em outros tantos "transcendentais". A análise das riquezas dará lugar à economia política. A primeira flexão importante data de Adam Smith. Para o economista, o que circula sob a forma de coisas é então reportável ao trabalho: "A partir de Smith, o tempo da economia não será mais aquele, cíclico, dos empobrecimentos e enriquecimentos, [...] será o tempo do capital e do regime de produção".[36] Ricardo completará esse advento da economia política ao assegurar, no âmago do pensamento econômico, o primado do trabalho, que determina o valor não mais como signo, mas como produto.

Uma revolução semelhante afeta o domínio da história natural e permite o nascimento da biologia. Com Jussieu e Lamarck, o caráter deixará de fundamentar-se a partir do domínio visível num princípio interno, o da organização que determina as funções – o que pressupõe fazer um corte transversal no interior do organismo a fim de perceber as funções vitais subjacentes nos órgãos superficiais. A biologia é então possível, e é Cuvier quem retoma essa descoberta por sua conta para afirmar o primado da função sobre o órgão.

No domínio da linguagem, a revolução epistemológica assemelha-se ao aparecimento da filologia. É o salto da palavra fora de suas funções representativas; ela pertence doravante a uma totalidade gramatical que se torna determinante: "A língua define-se agora pelo número de suas unidades e por todas as combinações possíveis que podem, no discurso, estabelecer-se entre elas; trata-se nesse caso de um complexo de átomos".[37]

A era do relativismo

Essa sucessão de epistemes até o nosso período contemporâneo, essa historicização do saber e do homem, figura possibilitada unicamente na última configuração epistemológica, desemboca num relativismo histórico por parte de Foucault, um relativismo semelhante ao de

36 Ibidem, p.238.
37 Ibidem, p.296.

Lévi-Strauss. Da mesma forma que não existe inferioridade ou anterioridade entre sociedades primitivas e sociedades modernas, também não há verdade a procurar nas diversas etapas constitutivas do saber, apenas há discursos historicamente localizáveis: "Uma vez que o ser humano se tornou inteiramente histórico, nenhum dos conteúdos analisados pelas ciências humanas pode permanecer estável em si mesmo e escapar ao movimento da história".[38] A base do nosso saber contemporâneo, representado por disciplinas estruturadas e experimentadas numa prática científica comprovada, resume-se a figuras temporárias, configurações transitórias. Esse relativismo absoluto que historiciza totalmente o campo do saber está paradoxalmente voltado contra a abordagem histórica, em proveito de uma concepção essencialmente espacial, a do espaço epistemológico, pura sincronia cujo interior cumpre delimitar em relação ao exterior, mas cuja positividade dá as costas à duração, à história.

É a um olhar sobre uma temporalidade tão arrefecida quanto a trabalhada pelo etnólogo nas sociedades primitivas que Foucault nos convida. O mal-entendido com os historiadores provém de que Foucault não leva em conta qualquer real ou referente histórico, mas somente a esfera discursiva em suas modulações internas. Apreende apenas o nível dos discursos, numa *démarche* nominalista em que a palavra é tratada de maneira quase física como uma coisa, sendo de fato substituída. O discurso, o documento, não é concebido como documento, mas como monumento: "O texto é um objeto histórico, como o tronco de uma árvore".[39] Esse enfoque leva Foucault a valorizar a coerência interna das sucessivas epistemes, a abandonar os processos de transformação, as mediações, a dimensão diacrônica, e as descontinuidades mantêm-se então fundamentalmente enigmáticas.

Les mots et les choses consagram a fase mais estruturalista de Foucault, a da ciência dos sistemas de signos em que, por trás do descritivo da sucessão das diversas epistemes desde a Idade Clássica, ele procura o impensado de cada uma dessas etapas da cultura ocidental, sua modalidade da ordem, seu *a priori* histórico. Da mesma maneira como Lévi-Strauss percebe o impensado das práticas sociais nas sociedades primitivas, Foucault decifra o impensado da base constitutiva do saber

38 Ibidem, p.382.
39 Foucault, *France-Culture*, 10 jul. 1969.

ocidental, prolongando assim o esforço kantiano para "nos sacudir do nosso sono antropológico".[40]

É para escapar desse espaço antropológico, da análise da finitude, do plano empírico-transcendental, que Foucault atribui, no final do livro, um *status* particular a três disciplinas: a psicanálise revista e corrigida por Lacan, a etnologia em sua versão lévi-straussiana e a história numa versão nietzschiana, desconstruída. O livro termina, portanto, apoiado numa episteme bem específica: a do estruturalismo que se apresenta como a realização da consciência moderna.

Nesse programa, que se insere plenamente na conjuntura estruturalista, nota-se uma ausência de peso. É a de Marx, relegado no livro à episteme do século XIX: "No nível profundo do saber ocidental, o marxismo não introduziu nenhum corte real; alojou-se sem dificuldade [...] no interior de uma disposição epistemológica que o acolheu com indulgência [...]. O marxismo insere-se no pensamento do século XIX como peixe na água: quer dizer, ele deixa de respirar em qualquer outro meio".[41] Aí temos uma fratura importante entre a posição de Foucault, que procura constituir uma bifurcação tanto do modelo marxista quanto do fenomenológico, e a posição da corrente althusseriana que, pelo contrário, tenta proporcionar a Marx um segundo alento, fazer dele o indicador da principal ruptura na história das ciências. Foucault deverá responder por sua posição, considerada provocadora pelo grupo althusseriano do círculo epistemológico da École Normale Supérieur (ENS), e corrigirá mais tarde o tiro com a redação de *L'archéologie du savoir*: "Quando escreveu *Les mots et les choses*, desconhecia a leitura de Althusser de Marx, ao passo que *L'archéologie du savoir* nos fala de um Marx revisitado por Althusser".[42] A perspectiva do Foucault de 1966 participa plenamente do teoricismo ambiente do estruturalismo, ao qual dá uma resposta filosófica partindo do primado da razão pura, da representação das estruturas da experiência como articuladas com base na constituição de objetos epistemológicos.

É, para ele, o meio de apresentar-se como o líder potencial de todos os estruturalistas reunidos em seu combate contra a filosofia do sentido,

40 Dreyfus; Rabinow, *Foucault, un parcours philosophique*, p.71.

41 Foucault, *Les mots et les choses*, p.274.

42 Étienne Balibar, entrevista com o autor.

contra o humanismo e a fenomenologia, formulando ainda, à maneira de Kant, a questão da atualidade da filosofia enquanto presente, e de apreendê-la em sua capacidade crítica e desmistificadora.

35

1966 – O ANO-LUZ III

QUANDO JULIA CHEGA A PARIS

Uma jovem búlgara de 24 anos desembarca em Paris na véspera do Natal em 1965. Tem apenas cinco dólares no bolso quando o seu avião pousa na pista de Orly sob uma fustigante nevasca. Nesse instante, ela não tem a menor suspeita de que se tornará a inspiração do estruturalismo, sob o nome de Julia Kristeva. Esse grande momento do pensamento na França é também isto: o encontro de uma aventura cultural audaciosa e de uma mulher talentosa. O momento é propício, sua chegada à França no limiar do ano de 1966 mergulha-a num verdadeiro turbilhão cultural que ela captará com a paixão de uma estrangeira frustrada na sua Bulgária natal. As circunstâncias a colocarão no próprio centro do ciclone, ainda mais tendo em vista que os franceses, atentos ao formalismo russo cujos textos Todorov publica, estão na escuta do que se passa no Leste, tanto no plano literário quanto no político, nesse momento de degelo das relações Leste/Oeste. Foi nesse contexto privilegiado que Julia Kristeva pôde, aliás, beneficiar-se de uma bolsa concedida pelo governo francês do general De Gaulle. Mulher de letras, interroga-se sobre o que parece ser a própria expressão da modernidade na França, o *nouveau roman*. Decide escrever uma tese universitária acerca desse tema, sob a orientação de Lucien Goldmann; mas o contato direto com a reflexão semiológica, então em pleno desenvolvimento, rapidamente a levou a desconstruir o seu objeto de estudo para interrogar-se sobre a constituição do romance como gênero, sobre a narração... A partir daí, participa plenamente da efervescência em curso.

O fascínio pelo formalismo

Julia Kristeva frequenta o seminário de Barthes nos Hautes Études e no laboratório de antropologia social de Lévi-Strauss, que abriga uma seção de semiolinguística. O momento decisivo, entretanto, é o encontro com Philippe Sollers, que provoca um mútuo *coup de foudre*: "Eu a verei sempre como ela me apareceu nesse momento, muito atraente. Há nela algo de maravilhoso, que salta aos olhos – sua graciosidade, sua sensualidade, essa aliança entre a delicadeza, a beleza física e sua capacidade de reflexão. Desse ponto de vista, é um caso ímpar na história".[1]

A união dos dois sela o enraizamento intelectual de Julia Kristeva no seio do grupo mais agitado de 1966, o grupo *Tel Quel*, que a coloca no centro da Paris intelectual. Reencontra Todorov, seu compatriota, faz amizade com Benveniste, descobre Lacan por intermédio de Sollers e frequenta seu seminário. Próxima do PCF, pelo menos de suas margens intelectuais (*La Nouvelle Critique*, *Les Lettres Françaises*), defende posições marxistas. Julia Kristeva, com o correr dos meses, torna-se a porta-bandeira do estruturalismo em sua ambição generalizadora, mistura explosiva de semio-marxismo-freudismo, a própria expressão do vanguardismo intelectual em sua vontade de revolucionar o mundo... pela escritura. É uma estrangeira quem encarnará melhor essa ambição, a mais parisiense da capital. Philippe Sollers, seu marido desde 1967, interessa-se então pela semiologia literária. Redige em 1966 uma exposição apresentada no seminário de Barthes em 25 de novembro de 1965 sobre Mallarmé. O escritor aí é celebrado como o grande iniciador da aproximação em curso entre a literatura e a teoria literária: "Para Mallarmé, a literatura e a ciência estão doravante em estreita comunicação".[2]

Todo o projeto de *Tel Quel* inscreve-se no âmbito do projeto mallarmeano como experimentação da literatura, além dos gêneros e dos

1 Sollers, Le bon Plaisir de J. Kristeva, *France-Culture*, 10 dez. 1988.

2 Idem, Litterature et totalité (1966). In: *L'Écriture et l'expérience des limites*, p.73.

limites, como expressão da consciência de si na morte, verdadeiro suicídio a partir do qual a linguagem retoma os seus direitos, ultrapassando as limitações da subjetividade da consciência do outro. Mallarmé, atento à retórica, à filologia, convida à reflexão semiológica, uma vez que O Livro a escrever remete para o impossível como perspectiva. Nada mais resta além de fragmentos para fazer cintilar num futuro prescrito que, segundo Mallarmé, "nunca será mais do que o brilho daquilo que deve ter-se produzido anteriormente ou perto da origem".[3] Portanto, Mallarmé inaugura o vasto programa do pensamento formal, o da revolução em seu sentido literal, o do retorno da retórica, do retorno do Leste, do "retorno a...", e da chegada do Leste de uma certa Julia Kristeva. Esse gosto pelo formalismo é um componente muito francês, segundo Jean Dubois: "O fascínio pelo formalismo é a expressão de uma tendência profunda, antes mesmo do estruturalismo. Jovem professor concursado, eram as estruturas formais que me interessavam, e se eu era um bom gramático do grego e do latim, é porque se trata de estruturas formais".[4]

A literatura participa da festa

Se Julia Kristeva mergulhou rapidamente nesse clima do ano de 1966, a sua posição de exterioridade, de estrangeira, confere-lhe uma lucidez que lhe permitirá indicar rapidamente as duas grandes aporias do paradigma estruturalista: a história e o sujeito, em particular a partir da obra de M. Bakhtin. O ano de 1966 é decididamente um ano privilegiado de reflexão sobre a literatura. O althusserianismo apodera-se, inclusive, do objeto literário, concebido como produção, na obra que Pierre Macherey lhe consagra.[5] Ele se interroga sobre esse novo personagem que é o crítico literário no momento do estruturalismo, quase um escritor, ele deixou de ser um reserva: "O crítico é um

3 Mallarmé apud Sollers, *L'Écriture et l'expérience des limite*, p.87.
4 Jean Dubois, entrevista com o autor.
5 Macherey, *Pour une théorie de la production littéraire*.

analista".[6] A sua tarefa, feita de decifração, de reconstrução do sentido, já não está limitada a um papel de reconstituição de um sentido simplesmente depositado na obra e que cumpria recolher. Se Pierre Macherey não adere aos princípios do formalismo ambiente e até vislumbra neles "uma reminiscência platônica",[7] que culmina numa atividade desrealizadora, preconiza para a literatura uma leitura sintomatista semelhante à realizada por Althusser e seu grupo para a obra de Marx. Não se trata de procurar a pedra filosofal escondida atrás do texto, mas de dizer aquilo de que o texto fala sem dizê-lo: "Uma análise verdadeira [...] deve reencontrar um jamais dito, um não dito inicial".[8]

Decididamente, a literatura participa da festa, no centro de um importante lance teórico nesse ano da publicação da resposta de Barthes a Picard, *Critique et vérité*. Entretanto, Gérard Genette defende uma posição mais matizada e parece ter preferência por uma coexistência pacífica, baseada numa divisão complementar do trabalho entre a hermenêutica de um lado e a corrente estruturalista do outro. Haveria assim uma partilha do campo literário entre uma literatura suscetível de ser vivenciada pela consciência crítica e deixada aos cuidados da hermenêutica, e uma literatura de sentido longínquo, mal decifrável, que se tornaria o objeto privilegiado da análise do estruturalismo: "A relação que une estruturalismo e hermenêutica poderia ser não de separação mecânica e de exclusão, mas de complementaridade".[9] Genette situa bem a virada em curso quando assinala a subversão de um determinismo temporal num determinismo espacial. Essa recusa da historicidade e esse recolhimento num presente inerte, cujas linhas não se tem mais de desenhar, constituem, com efeito, a característica essencial da nova sensibilidade estrutural: "Cada unidade é definida em termos de relações e não mais de filiação".[10] Tal como Pierre Macherey, Gérard Genette critica sobretudo o aspecto individual do psicologismo que domina na história literária clássica, sua atenção exclusiva às obras e aos autores, à custa dos circuitos de produção literária e dos da leitura. Nesse plano, ele concorda inteiramente com Pierre

---

6 Ibidem, p.165.
7 Ibidem, p.167.
8 Ibidem, p.174.
9 Genette, Structuralisme et critique littéraire, *L'Arc*, n.26.
10 Ibidem, p.156.

Macherey: "Ao mesmo tempo que o livro, são produzidas as condições de sua comunicação [...], o que faz o livro faz também os seus leitores".[11]

A publicação dos *Écrits* nesse ano de 1966 provoca inúmeras conversões ao freudismo lacanizado. Membro da equipe de *Esprit* desde 1946, Gennie Lemoine abandona a revista para aderir em 1966 à escola de Lacan. Por seu lado, Antoinette Fouque, que preparava uma tese com Barthes sobre a *avant-garde*, converte-se à psicanálise após a leitura dos *Écrits*: "Eu quase poderia dizer que conheci Lacan antes de Freud".[12] No final dos *Écrits*, Lacan republica um artigo essencial, já publicado em janeiro de 1966 no primeiro número dos *Cahiers pour l'Analyse*, "La science et la vérité". Repele aí a noção em voga de "ciências humanas": para ele, essa noção devolve a um estado de servidão que Georges Canguilhem já tinha sublinhado a propósito da psicologia, a qual teria feito uma descida de tobogã desde o Panteão até à delegacia de polícia.

Mas a repugnância que lhe suscitam essas "ciências humanas" desaparece quando elas são habitadas e metamorfoseadas pelo estruturalismo, que implica uma nova concepção do sujeito: "O sujeito está, se assim se pode dizer, em exclusão interna do seu objeto".[13] Nesse ano estrutural e apesar de uma reviravolta lógica a partir de 1964, Lacan apoia-se ainda, com insistência, em Lévi-Strauss: "A fidelidade que a obra de Claude Lévi-Strauss manifesta a semelhante estruturalismo só se colocará aqui a crédito da nossa tese, contentando-nos por agora com a sua periferia".[14] Pouco depois evoca o "grafo lévi-straussiano" para fazer explodir o sujeito, o famoso *ego* de Descartes que não teria outra existência senão a de denotação. Segundo Élisabeth Roudinesco, Lacan ainda sofre em 1966 por não ser suficientemente reconhecido, o que explicaria as suas tentativas para encontrar pontos de apoio, seja em Lévi-Strauss, seja em Foucault, de quem menciona *Naissance de la clinique* nos *Écrits*,[15] sem cair no que qualificará mais tarde de "cuba estruturalista".

Julia Kristeva atravessa, pois, uma Paris sacudida pelo estruturalismo, lugar eleito de trocas entre aqueles que compartilham com

---

11 Macherey, *Pour une théorie de la production littéraire*, p.88.

12 Fouque, Le bon plaisir, *France-Culture*, jun. 1989.

13 Lacan, La science et la vérité, *Cahiers pour l'Analyse*, n.1.

14 Ibidem.

15 Lacan, *Écrits*, p.80, nota.

entusiasmo da mesma impressão de pertencer a um mundo novo, o do conceito, no mais além da noção de substância e dos enraizamentos disciplinares, na vertigem abissal do jogo infinito das relações em sua combinatória, abalando as fronteiras e instalando-o o mais perto possível dos limites, nos confins do possível sempre remoto, jamais acessível.

O percurso solitário de Maurice Godelier

As duas grandes figuras tutelares em jogo são Marx e Freud. A leitura lacaniana e seu retorno a Freud impõem-se como a renovação indispensável da obra fundadora, da mesma maneira que para Marx a leitura que dele faz Althusser tem um significado idêntico, mas existem casos híbridos de tentativas de conciliação de abordagens que podiam, no começo, parecer antagônicas. É o caso de Maurice Godelier, que tenta uma síntese entre Lévi-Strauss e Marx para um regresso – também inovador – estrutural à obra de Marx.

Em 1966, Godelier publica, na Maspero, *Rationalité et irrationalité en économie*; mas a segunda parte do seu livro é, de fato, constituída de artigos publicados entre 1960 e 1965 em *La Pensée* e em *Économie et Politique*, ou seja, antes da releitura althusseriana de Marx. Maurice Godelier já realiza aí, como franco-atirador, um retorno a Marx, ao método e à estrutura patentes em *O capital*. Ele distingue em Marx o método hipotético-dedutivo do dialético. Godelier não esperou, portanto, pelo retorno a Marx de Althusser, e seu trabalho, solitário, inscreve-se como trabalho solidário da antropologia estrutural de Lévi-Strauss: "Reli *O capital* sozinho, num momento em que ninguém se interessava por relê-lo".[16] Oriundo do concurso de filosofia, Maurice Godelier realizou um curso de três anos em economia, e tenta então constituir uma antropologia econômica que permita um estudo teórico comparado dos diferentes sistemas econômicos no tempo e no espaço, a partir de uma aceitação ampliada da economia política que incluiria todas as dimensões do

16 Maurice Godelier, entrevista com o autor.

campo social: "Não existe racionalidade econômica em si, nem forma definitiva, um modelo de racionalidade econômica".[17]

É evidente que, no contexto dos anos 1960, surpreende que não tenha havido uma elaboração conjunta entre althusserianos e Godelier, tão grande é a proximidade de ponto de vista. Godelier vai, entretanto, à rua de Ulm um domingo de manhã para uma reunião constitutiva de um vasto programa de pesquisa coletiva dirigida por Althusser: "Vi aí uma operação monstruosa ser articulada diante dos nossos olhos. Lá estava Althusser, intérprete sagrado da obra sagrada que distribuía o trabalho: a Badiou cabia fazer a teoria marxista das matemáticas, a Macherey a da literatura...".[18] Segundo Emmanuel Terray, Godelier estava ressentido com o grupo althusseriano, pois era suspeito de procurar um compromisso impossível entre Marx e Lévi-Strauss.

Se os conceitos circulam depressa nesse ano de 1966, se todos os caminhos levam à estrutura, a ocupação da posição central, potencialmente hegemônica, não é fácil de determinar nesse caldo de cultura estruturalista. Os lugares aí são caros e é grande o risco de cair na cuba. O jogo deve ser sutil. Não, decididamente, a Paris estruturalista é uma aposta impossível.

---

17 Idem, *Rationalité et irracionalité en économie*, p.95.

18 Idem, entrevista com o autor.

PARTE 3

UMA FEBRE HEXAGONAL

36

Na hora da pós-modernidade

Uma nova relação com a temporalidade instituiu-se de forma imperceptível no transcorrer do século XX no Ocidente. A Europa perdeu ao mesmo tempo a sua posição dominante e o seu papel de modelo para o resto da humanidade. Desde o começo do século, em Viena, no coração do velho e decadente império dos Habsburgos, surgiu uma cultura a-histórica.[1]

A fratura da Primeira Guerra Mundial foi decisiva tanto no plano da redistribuição das cartas econômicas a favor de potências extraeuropeias quanto no plano da crise de consciência de uma Europa que teve de passar a tocha da modernidade para as mãos da jovem potência norte-americana e interrogar-se sobre essa fratura que veio quebrar o evolucionismo linear de sua própria historicidade. Em 1920, *A decadência do Ocidente* de Spengler repôs em seu devido lugar, provincial, uma Europa que começa a ver os alicerces do evolucionismo oitocentista se abalarem.

Herdeiras do Iluminismo, do *Aufklärung*, as ciências sociais viviam então a *belle époque* dos avanços no rumo da idade da perfeição, da razão triunfante. Os defensores do imobilismo ou da mudança entendem-se então acerca de um esquema global de evolução de um progresso contínuo, quer se trate de Saint-Simon, Spencer, Comte ou Marx. Vê-se

1 Schorske, *Fin de siècle Vienna*.

perfilar no horizonte da humanidade inteira a sucessão, em Auguste Comte, do estado teológico, depois metafísico, finalmente positivo; em Karl Marx, a passagem da escravidão à servidão, ao capitalismo, para culminar no socialismo. Essas certezas de construir na perspectiva do progresso se chocarão contra o real trágico de um século XX que não deixou, em 1920, de reservar surpresas ao eurocentrismo.

A Segunda Guerra Mundial e a descoberta do Holocausto provocarão um novo traumatismo no Ocidente que, mal refeito de suas chagas, vê contestada sua situação de dominação no mundo por continentes inteiros que sacodem o jugo colonial. A Europa nua problematiza o seu passado dramático sobre um fundo de pessimismo, cada vez mais radical. A cada um desses abalos, a Europa acabou fazendo o luto da própria ideia de um futuro de ruptura.

Um presente sem devir

Resultou daí uma dilatação do presente, uma presentificação do passado e um novo modo de relação com a historicidade em que o presente já não é pensado como antecipação do futuro, mas como campo de uma possível reciclagem do passado no modo genealógico. O futuro dissolve-se e o presente imóvel permite que o passado não se distancie: "Não tendo a diferença do futuro que penetrar mais no presente, ei-la que reflui, a contrapelo".[2] É uma relação descontraída entre passado e presente que se institui, quando já não se trata de apurar o que permite construir um outro devir, quando o futuro está aferrolhado, imobilizado num equilíbrio presente que é chamado a se repetir indefinidamente. A voga do novo, cenografia publicitária do nosso cotidiano, permite diluir ainda mais toda a eventualidade de uma futura alteridade.[3] É com base na rejeição de toda a teleologia histórica, de todo o sentido atribuído à história da humanidade, que se reencontram as belezas perdidas "desse mundo que perdemos", de uma Idade Média enaltecida e magnificada como lugar de uma alteridade vinculada à busca das raízes identitárias.

2 Torres, *Déjà vu*, p.142.

3 Ver Marion, Une modernité sans avenir, *Le Débat*, n.4, p.54-60, set. 1980.

É no contexto dessa descentralização, de deslocamento da cultura europeia, de desconstrução da metafísica, que uma nova consciência, etnológica, impõe-se e vem substituir uma consciência histórica. O Ocidente interroga-se sobre o seu reverso, sobre os modos de ser da outra cena, invisível, lugar de uma presença revelada por sua própria ausência. Por trás da consciência, Freud descobre as leis do inconsciente; por trás da desordem sublunar da nossa sociedade, Durkheim decifra o inconsciente de nossas práticas coletivas. A pós-modernidade constrói-se então na busca dos mecanismos subjacentes, e propõe-se a ser desconstrutora do humanismo qualificado de Idade Média por Michel Foucault, que se apoia nessa revolução epistemológica triunfante nos anos 1960 para glorificá-la: "O estruturalismo não é um método novo; é a consciência desperta e inquieta do saber moderno".[4]

O desencanto da razão

A provincialização da razão ocidental e a descoberta da irredutibilidade da resistência de outras lógicas, da pluralidade cultural, alimentaram um profundo pessimismo, uma espécie de teologia negativa. Os "decepcionados do racionalismo ocidental"[5] adotam o contrapé do racionalismo otimista para cair numa espécie de niilismo, de pensamento do limite, nas fronteiras do sentido e do não sentido. Situação complexa porque combina ao mesmo tempo uma idiossincrasia pessoal feita de desilusão, de rejeição, mas marcada por suas bases contestatórias iniciais. A teorização da incapacidade do homem para ter o domínio sobre sua história coletiva ou pessoal, a ênfase atribuída à sua incompletude, a pavana para a razão ocidental defunta anunciam simultaneamente um trabalho mais rigoroso, mais lúcido, dessa mesma razão ocidental. É ela que está em ação em Lévi-Strauss quando ele exuma as sociedades primitivas, é ela que permite a Lacan cuidar de seus pacientes, é ainda ela que consente a Foucault encontrar-se junto

4 Foucault, *Les mots et les choses*, p.221.
5 Paul Valadier, entrevista com o autor.

dos esquecidos, dos rejeitados, dos prisioneiros. Ardis de uma razão que trabalha para sua própria descentralização.

São complexas, pois, as relações entre o paradigma estruturalista e a atmosfera desencantada do período. Não há reflexo mecânico, relação de espelho entre os dois estratos de fenômenos, mas autonomia de desenvolvimento do espírito científico em relação ao contexto. Afirmar uma relação de igualdade entre eles seria "como se se dissesse que a relatividade de Einstein é uma desilusão a partir da ideia de que tudo é relativo".[6] Cumpre, porém, adicionar uma outra peça no contexto de desencanto que prevalece na eclosão do estruturalismo: referimo-nos ao esgotamento dos paradigmas evolucionista, fenomenológico e funcionalista e à busca de uma renovação epistemológica. Revela-se aqui a própria lei de evolução da abordagem científica, feita de rupturas sucessivas, a partir da exaustão dos seus modelos e programas, verdadeira história de fracassos teóricos. Do mesmo modo que o Ocidente se descobre não linear, as ciências humanas não se pensam mais como sucessivas acumulações de camadas sedimentares.

A ideologia da suspeita

O século XX das rupturas induziu um pessimismo profundo em relação à história, e o advento dessa era pós-moderna. Pode-se datar, com Jean-François Lyotard, a ruptura do evolucionismo ocidental em 1943,[7] o momento da "solução final", queda radical no horror. Torna-se necessário, por conseguinte, pensar em termos de depois de Dachau e Auschwitz, como disse Adorno. A modernidade tecnológica, ao transformar-se em rolo compressor, máquina de morte em escala planetária, vê-se afetada de negatividade e tomada nas malhas da ideologia da suspeita. Soma-se a isso a descoberta do que existe atrás da Cortina de Ferro, sob o que era proposto como modelo e que, na realidade, se revela ser um totalitarismo. Sob a razão, ardis implacáveis que sufocam as esperanças de criação de um mundo melhor, e essa constatação de uma

6 Jean Jamin, entrevista com o autor.
7 Lyotard, *Le Maganize Littéraire*, n.225, p.43, dez. 1985.

necessária descontinuidade: "Devemos recomeçar do zero".[8] Um certo olhar ingênuo quanto à exaltação do progresso contínuo da liberdade e da lucidez humanas deixou de ser possível. O humanismo, no sentido de um homem senhor do seu destino perfectível, marchando direto para a perfeição, não é mais admissível. À visão de amanhãs que cantam sucede a abordagem de tópicos de mudanças parciais, cujos limites do possível são necessários definir.

O ano de 1956, com seu cortejo de desilusões, de Budapeste à Alexandria, passando por Argel, interrompeu na França os cânticos da Libertação e de uma certa esperança coletiva. No meado do século soa e troa, pelo contrário, a voz do condutor que vem fechar toda a esperança na expectativa de apelar, em 1958, para um novo condutor da nação, esse general que se apresentava como a encarnação do "ato de encarnar". Os anos 1950 funcionarão como uma nova fratura na paisagem intelectual francesa: "1956 [...] levou-nos a não mais sermos obrigados a esperar alguma coisa".[9]

Os anos 1960 não serão mais propícios à eclosão de rupturas positivas. Se o movimento internacional de 1968 inflamou a sociedade francesa pelo breve tempo de uma primavera, o mesmo ano deixará a lembrança cruel do esmagamento de uma outra primavera, a de Praga, sob a bota soviética. Uma nova vaga de intelectuais sofrerá em cheio o impacto desse novo sismo: "Em 1968, eu estava na Nova Guiné e chorei ao ouvir que os russos tinham invadido a Tchecoslováquia. [...] Assistia-se à legitimidade sendo feita à força de blindados e não pela democracia; estava tudo acabado".[10] Para toda uma geração, a esperança revolucionária, exposta às investidas das forças da opressão, é devolvida ao *status* de mitologia, reduzida à fantasia e confinada, reprimida como mito do século XIX. Essas grandes passagens que, em última instância, atraíam os intelectuais com suas promessas sofrem uma erosão irreversível numa sociedade ocidental que já não se pensa como decorrente de uma história quente, mas parece recorrer às sociedades primitivas a

8 Foucault, entrevista com K. Boesers: Die Folter, das ist die Vernunft, *Literaturmagazin*, n.8, 1977.

9 Foucault, numa entrevista em casa de Maurice Clavel em Vézelay, em 1977, *Océaniques*, 13 jan. 1988.

10 Maurice Godelier, entrevista com o autor.

fim de privilegiar uma relação fria com uma temporalidade pregada ao solo, na imobilidade.

Morte do evolucionismo

A escatologia revolucionária dissolve-se no molde de resistências, bloqueios e inércias próprios da nossa sociedade. Ao descrédito que afeta o engajamento e o voluntarismo político, corresponde, no plano teórico, um mesmo descrédito que afeta, dessa vez, tudo o que procede da história. É a partir dessa negação da historicidade, da busca das origens, da gênese da reflexão sobre os ritmos temporais, que o paradigma estruturalista será construído e se desenvolverá. Ele condensará o movimento, arrefecerá a história, a antropologizará quando "os indígenas se tornam indigentes".[11]

O fascínio de um Ocidente, que rompe com a sua historicidade para favorecer o modo de vida imutável dos nhambiquara reconstituído por Lévi-Strauss, revela-nos em meados dos anos 1950 que o Ocidente entra na era da pós-modernidade. É a própria ideia de progresso que é submetida à desinfecção, em todo caso como fenômeno unificador. O progresso pluraliza-se, deixa de ser a força motriz da evolução social. Sem negar certos avanços, estes já não participam de uma problematização global da sociedade. Essa desconstrução está na base de uma verdadeira revolução intelectual que o estruturalismo deflagra, em particular por meio da antropologia, por meio da ideia da equivalência da espécie humana. É a passagem decisiva de Lévy-Bruhl para Lévi-Strauss. Ela mostra que, além das latitudes, a pluralidade dos modos de ser e de pensar, todas as sociedades humanas são expressões plenas da humanidade sem valor hierárquico. Esse aspecto da revolução estruturalista permanece insuperável e inaugura uma nova percepção do mundo que descreve um traço de equivalência entre todas as formas de organização social.

A partir dessa nova visão, não há mais clivagens superiores/inferiores nem estágios anteriores/posteriores. O estruturalismo terá

11 Daniel Dory, entrevista com o autor.

contribuído fortemente para provocar a crise da ideia de progresso: "Para que exista a ideia de progresso, é necessária a presença, no começo, de primatas. [...] É uma característica do estruturalismo, da qual já não nos damos conta, uma vez que se enxerga mal a passagem. É característica e converteu-se numa espécie de evidência".[12] Sem dúvida, da relatividade ao relativismo, o passo será rapidamente transposto, mas, seja qual for a posição defendida, a apreensão do Outro como manifestação parcial do universo humano provoca a saída do esquema histórico evolucionista do século XIX. As ciências humanas tomaram então o lugar da consciência de uma Europa modelo, na vanguarda da marcha da humanidade, uma consciência crítica destitutiva do Sujeito e da História, o retorno da consciência sobre si mesma ou, melhor, sobre o seu avesso, o seu recalcado. Essa ideia de uma igualdade dos povos, que surgiu no pós-guerra para impor-se com a descolonização, é uma ideia inteiramente nova que modifica todos os pontos de referência para pensar o espaço geopolítico. A percepção da humanidade encontra-se descentrada para o intelectual ocidental. A identidade não é mais lida a partir do interior, mas projetada num espaço exterior. Essa inflexão do olhar impõe a dialetização dos espaços e precisa dos óculos do antropólogo devassando o universo do Outro.

A temporalidade cai na espacialidade

Surge, portanto, uma ruptura radical em relação ao Iluminismo e à crença num progresso contínuo, à maneira como foi pensado por um Condorcet.[13] O homem ocidental estava no centro do dispositivo de conhecimento e julgamento, antes de sofrer a descentralização do seu ponto de vista antropocêntrico. Essa revolução é preparada desde o final do século XIX por uma nova estrutura do pensamento científico, da perspectiva pictórica da escritura, que privilegia a descontinuidade, a desconstrução. Do arbitrário do signo saussuriano aos novos modelos matemáticos e físicos, à teoria dos quanta, ao deslocamento

12 Marcel Gauchet, entrevista com o autor.

13 Condorcet, *Esquisse d'un tableau historique de progrès de l'esprit humain.*

da perspectiva clássica com os impressionistas, depois os cubistas, uma nova visão do mundo impõe a descontinuidade, o distanciamento do referente.

A razão ocidental é, portanto, desde o final do século XIX, trabalhada de dentro para fora, no sentido de sua pluralização. Ela não se pensa como reflexo, mas como figuras sucessivas e descontínuas de estruturas diferentes. A psicanálise acentua esse fenômeno ao mostrar que não existe continuidade entre inconsciente e consciente, mas ruptura, que requer a presença de um terceiro na cura analítica. Assiste-se então a um desdobramento infinito de epistemes que substituem o esquema unitário do evolucionismo.

A contradança que se opera entre os séculos XIX e XX acentua ainda mais essa mutação. Ao século XIX, europeu historicista que pensa a história humana como uma emancipação das leis da natureza, opõe-se um século XX que se coloca a certa distância da história para reatar com uma natureza percebida como "ideal regulador do paraíso a reencontrar".[14] Os combates travados pelo homem em defesa dos grandes valores de liberdade e igualdade são agora considerados duvidosos, parciais e votados, na maioria das vezes, ao fracasso.

Uma consciência planetária, topográfica, reprime a consciência histórica. A temporalidade cai na espacialidade. O distanciamento da ordem natural dá lugar a uma pesquisa das lógicas invariantes oriundas da junção natureza/cultura. Em face de um futuro fechado, o olhar volta-se para a busca da imutável natureza humana percebida em suas constantes: circuitos mentais, ecossistema, longa duração, estruturas, extensão do conceito de geograficidade, o paradigma da natureza desforra-se: "Vê-se hoje como a dessacralização da história acarreta, por vaso comunicante, uma ressacralização da natureza".[15]

Se as rupturas são trágicas, recorre-se, como medida de precaução contra elas, às constantes e às forças de gravidade tanto culturais e étnicas quanto naturais. A *démarche* visa mais a precaver-se da história, a preservar-se pela solidez de uma base identitária, do que a construir a partir de uma lógica diacrônica significante. As hesitações da história, o culto do passado, as restaurações que ocultam as rupturas de superfície

14 Debray, *Critique de la raison politique*, p.290.
15 Ibidem, p.299.

transformam o homem-sujeito de sua história em objeto de uma história que o excede. A relação do homem com o homem encontra-se "submetida a um estatuto zoológico".[16]

As transformações da sociedade ocidental resultantes dos "trinta gloriosos" contribuíram também para o deslocamento da relação passado/presente/futuro. Lá onde o devir se reduz pela programação informática a uma reprodução de modelos presentes projetados no futuro, nenhum futuro diferente pode ser problematizado. O fim das terras de lavoura e o advento de uma sociedade sem solo contribuíram para criar um estado de imponderabilidade, uma relação esfriada com a temporalidade: "Aquilo que há meio século se chamava aceleração da história [...] converteu-se no esmagamento da história".[17] Do mesmo modo, essa relação atemporal fragmenta-se numa miríade de objetos sem correlação, segmentação de saberes parciais, desarticulação do campo dos conhecimentos e supressão dos conteúdos reais. Esse solo econômico--social será particularmente favorável ao sucesso e ao desenvolvimento de uma lógica estrutural, de uma leitura sintomal, de um logicismo ou formalismo que encontrará suas coerências fora do mundo das *realia* sem atrativos.

Alguns, como Henri Lefebvre, estabeleceram a esse respeito um vínculo direto entre o êxito do estruturalismo e o estabelecimento da sociedade tecnocrática. O estruturalismo desempenharia, nesse nível, o papel de uma ideologia de legitimação de uma casta social, a tecnoestrutura do novo Estado industrial, justificação do seu lugar no mais alto nível das responsabilidades do poder e teorização da liquidação do histórico. Numa tal perspectiva, o estruturalismo seria o anúncio do fim da história para uma classe média guindada a uma posição dominante. Ideologia da coerção, do peso do estrutural sobre uma liberdade humana reduzida à aquisição de bens, que seria o reflexo do consumismo em que o cidadão cede o lugar ao usuário. O universo social e a representação do mundo que ele engendra encontram-se, pois, magnificamente ligados a uma situação de infortúnios e decepções de uma esquerda europeia que nos anos 1960 se desvia da história e das ideias de progresso. O estruturalismo viu-se assim na situação de responder

16 Ibidem, p.52.
17 Chesneaux, *De la modernité*, p.50.

a uma demanda social, cristalização de uma determinada conjuntura histórica em que o deslocamento do olhar para a figura do "selvagem" já não significava a resposta a uma necessidade do exotismo, mas a busca desesperada da verdade do homem num universo do qual o futuro se encontrava excluído.

François Furet percebeu, desde 1967, o meio intelectual da esquerda marxizante como o mais receptivo à moda estruturalista.[18] Esse meio teria realizado uma relação de inversão em que pôde exprimir-se a nostalgia de um marxismo pouco a pouco desertado ao ritmo das revelações do *gulag*, e encontrar, graças ao estruturalismo, a compensação de uma mesma ambição universalista, totalizadora, determinista, mas desembaraçada da história. Nessa hipótese, o estruturalismo seria a expressão de um momento histórico muito particular, de uma conjuntura marcada pelo imobilismo político e pela consolidação dos sistemas.

O repicar de sinos do progresso, que ressoa com a onda estruturalista, traduz-se pelo questionamento do pensamento dialético. Os filósofos são portadores de uma nova leitura que deve comprometer os embasamentos hegelianos de suas análises. Estas são substituídas por uma leitura sintomatista que permite localizar um corte epistemológico entre o "jovem Marx" ainda hegeliano e o "velho Marx" da maturidade científica, estruturalista *avant la lettre*: "Está em curso de formação uma cultura não dialética".[19] No mesmo momento, François Châtelet reduz a dialética a uma retórica e Gilles Deleuze anuncia "um refluxo do pensamento dialético em favor do estruturalismo".[20] Como é hoje costumeiro dizer, o refluxo das ideologias permitiu às cem flores estruturalistas que desabrochassem. Assim como os limites da práxis provocaram a descentralização do homem, uma leitura imanentista das ciências humanas também encontra no descentramento das práticas humanas as fontes do rigor científico.

---

18 Furet, Les intellectuels français et le structuralisme, *Preuves*, n.92, fev. 1967, reproduzido em *L'atelier de l'histoire*.

19 Foucault, *Arts*, 15 jun. 1966.

20 Deleuze, *Le Nouvel Observateur*, 5 abr. 1967.

A compulsão de repetição

A pós-história faz-nos reingressar numa relação nova com um presente dilatado que se apresenta como a-histórico, eterna reciclagem das diversas configurações do passado. Esse presente, horizonte fechado sobre si mesmo, só pode autorreproduzir-se no presentismo dominante. A voga das comemorações ilustra bem essa nova relação com a historicidade. A memória reprime a história, não mais a busca das origens para desenvolver as potencialidades do devir, mas a simples recordação do universo dos signos do passado que sobrevive no presente imutável, signos que se remetem uns aos outros e não possuem outros referentes senão os lugares da memória, outros tantos traços deixados no espaço de um passado, percebido para além das linhas de uma fratura intransponível. Conhecemos "o fim do que vivíamos como uma evidência: a adequação da história e da memória".[21] Esses lugares da memória não são revisitados numa perspectiva reconstrutora, mas simplesmente considerados como os resíduos de um passado recalcado, desaparecido. Conservam ainda um valor simbólico e inauguram uma relação arquivística com o tempo pretérito.

Uma descontinuidade radical opõe a memória de um passado indefinível para sempre, invisível como real, senão na materialidade de seus signos múltiplos, ao presente imóvel que recicla, comemora e rememora. A relação com a temporalidade está cindida e a memória pluraliza-se, atomiza-se na ausência de substrato constitutivo de uma memória coletiva plena. A história reflui no instante, favorecido pela unificação dos modos de vida e das mentalidades quando não há mais verdadeiros eventos, mas profusão de "notícias". O presente mergulha suas ramificações no passado por uma relação puramente museográfica, sem se ligar aos delineamentos da definição de um futuro. É a própria função do discurso histórico como inter-relação entre passado e futuro que se encontra desestabilizada.

O pós-modernismo instaura uma relação com a história que pode ser assimilada à do indivíduo senil que só pode colecionar suas lembranças, cortado que está para sempre de toda possibilidade de projetos

21 Nora, *Les lieux de mémoire*, v.1: *La République*, p.XVIII.

futuros. O sucesso do estruturalismo corresponde, portanto, a um fenômeno global de civilização, e cumpre referi-lo tanto ao estabelecimento de uma sociedade tecnocrática quanto a esse homem unidimensional que Herbert Marcuse via nascer e a uma reificação do homem reduzido à sua dimensão de consumidor. O estruturalismo é, a esse respeito, sem que seja redutível a isso, a ideologia das não ideologias, a do fim das ideologias revolucionárias, coloniais, cristãs... Esse aspecto é, contudo, nos anos 1960, o não dito, o não consciente de transformações profundas que se revelarão transparentes nos anos 1980 e reivindicadas em sua positividade. Esse processo de pacificação, esse fim das rupturas significantes encerram o presente em si mesmo e fazem dominar o sentimento de repetição incessante, sociedade em que "o novo é acolhido como o antigo, em que a inovação é banalizada".[22]

Crise dos discursos de legitimação

Essa retirada da história, essa crise dos discursos de legitimação próprias da pós-modernidade, alimentaram-se ao mesmo tempo de um fundo pessimista, crítico das ilusões da razão, e de uma vontade desconstrutiva de tudo o que se apresentava como coerência global, imperativo categórico, ordem natural, submetido à decomposição de uma crítica radical. A própria noção de realidade vê-se questionada. Como tudo o que remete a essas categorias provoca somente desilusões, ela é reprimida na ordem da insignificância. O estruturalismo terá sido, nesse ponto, uma etapa no processo de desconstrução por sua faculdade de desrrealizar. O espaço público transforma-se insensivelmente em espaço publicitário na era do simulacro, no momento em que todos os polos de referência se dissipam, dos quadros espaço-temporais aos valores que se acreditava ser eternos e com vocação universal.

A filosofia da busca da face oculta reflete uma estética do desaparecimento, tal como Paul Virilio a vê empregada, em que o efeito de real suplanta a realidade. Um ceticismo generalizado coloca em crise toda a metanarrativa na sociedade pós-industrial ou pós-moderna. Segundo

22 Lipovetsky, *L'Ère du vide*, p.11.

Jean-François Lyotard,[23] essa passagem para uma nova economia do discurso intervém na Europa em fins da década de 1950, no momento em que termina a "reconstrução".

Com as modernas tecnologias de comunicação, com a informatização da sociedade opera-se uma queda do saber: este se converte na face indivisível do poder dos que decidem, dos programadores, que pouco a pouco relegam a um papel subalterno a antiga classe política tradicional. Num tal quadro, a questão da legitimação desvia-se para provocar uma crise das grandes narrativas: "Uma erosão interna do princípio de legitimidade do saber".[24] A desconstrução do Um, dos metadiscursos, dá lugar à proliferação de discursos múltiplos não atribuídos a um sujeito, simples jogos de linguagem, fibra sem malhas. O horizonte humano apaga-se, substituído por uma contingência de *performance*, uma "legitimação pelo fato consumado".[25]

Um olhar crepuscular

O estruturalismo respondia a essa crise dos discursos de legitimação reduzindo as ambições do homem a dimensões provinciais, simples parcela diretamente envolvida, sem quaisquer privilégios, dos seres vivos do planeta, sofrendo uma história que não mais lhe pertence, em escala geológica. Lévi-Strauss é, a esse respeito, o representante mais eminente desse profundo pessimismo, dessa aposentadoria do homem. Lança um olhar dos mais críticos sobre a evolução da modernidade ocidental, à qual opõe um ceticismo e um pessimismo profundos que o colocam na linha de uma extensa tradição do pensamento conservador, de Edmund Burke a Philippe Ariès: "Eu aceitaria de bom grado a recriminação de pessimismo, se quiserem fazer o favor de acrescentar-lhe o qualificativo de sereno".[26]

23 Lyotard, *La condition post-moderne*, p.11.
24 Ibidem, p.65.
25 Ibidem, p.77.
26 Lévi-Strauss, entrevista com Benoist, *Le Monde*, 21 jan. 1979.

O olhar desenganado é ainda acentuado pela própria oposição do antropólogo que vê desaparecer sob seus passos o seu terreno de estudos, com os violentos choques de uma aculturação frequentemente forçada. Na Austrália, passou-se de 250 mil indígenas no início do século XIX a 40 mil em meados do século XX e, ainda, trata-se essencialmente de sobreviventes atingidos pela fome e pela doença. Em cinquenta anos, de 1900 a 1950, noventa tribos desapareceram no Brasil... Esses desaparecimentos do campo específico do etnólogo obrigam-no a recuar para a sua sociedade de origem, sobre a qual pode, sem dúvida, aplicar os seus métodos de análise, mas a partir da uniformização da modernidade que impõe suas leis. É, portanto, uma atmosfera crepuscular que Lévi-Strauss examina. Após o crepúsculo dos deuses, o dos homens: "Avizinha-se o dia em que a derradeira das culturas a que chamamos primitivas terá desaparecido da face da Terra".[27] Ao final de sua tetralogia sobre os mitos, Lévi-Strauss conclui, desanimado, por uma involução dos recursos da combinatória universo/natureza/homem, os quais acabam por "aniquilar-se na evidência de sua caducidade".[28]

Desde 1955, Lévi-Strauss advertia o Ocidente sobre a ocorrência de desastres, do inverso de seu impulso ascendente nos "trinta gloriosos". Propunha-se fazer reviver com *Tristes tropiques* as sociedades primitivas tragadas sob o "nosso lixo" jogado ao rosto da humanidade, o concreto que se propaga por toda a parte como erva daninha, a pauperização das favelas, o desmatamento das florestas – triste balanço de uma civilização conquistadora e propiciadora de lições que não a da morte dada por trás do rosto hipócrita da aventura e do encontro do Outro. A antropologia estrutural de Lévi-Strauss ataca o Iluminismo, sua pretensão de ser uma mensagem com vocação universalizante.

Também Foucault exprime, no plano especulativo e não mais a partir de um terreno etnográfico, esse desejo de derrubar o universalismo: "Sonho com o intelectual destruidor das evidências e das universalidades".[29] Ao combate sartriano, otimista, em prol da liberdade, Foucault opõe uma microfísica da resistência tópica aos poderes, uma tarefa intelectual singular, especificada pelas delimitações precisas do seu campo

27 Idem, *Anthropologie structurale deux*, p.65.
28 Idem, *L'homme nu*, p.620.
29 Foucault, entrevista com Lévy, *Le Nouvel Observateur*, 12 mar. 1977.

particular do saber. Ele pressente, na hora estrutural, o fim do intelectual universal, para opor-lhe aquele que descreve o impensado das categorias oficiais do conhecimento, mediante uma transgressão permanente dos limites.

A fecundidade de um fechamento

Essa nova problematização, seja a de Lévi-Strauss ou a de Foucault, e a do conjunto do pensamento estruturalista, para além de sua diversidade extrema, consolida raízes nessa supressão da história que é própria da pós-modernidade, nesse pessimismo que foi não só sereno mas também fecundo. Na ausência de perspectiva histórica, tendo desestabilizado a condição do homem e mantido certa distância da realidade do real, o estruturalismo faz prevalecerem os sistemas fechados, lugar de refúgio de métodos com vocação científica, lugar inacessível, recalcado para outra cena, à margem da consciência. A complexificação do social e a incapacidade para apreender a lógica unificadora favoreceram esse recuo para a busca de uma unidade da face oculta do real, deslocamento do positivismo para o outro lado do espelho. O sentido desvendado soçobra na insignificância, porque já não faz parte do campo fechado desse universo dos signos, à margem do referente, os quais se remetem mutuamente entre si na ausência de toda causalidade material. A verdade do sistema fechado não será mais averiguada por uma hermenêutica a partir da significação revelada, mas deverá apreender as relações e interrelações entre signos no interior da estrutura delimitada, e do jogo que ela define entre os signos.

Desse entrelaçamento das relações, esvaziam-se tanto a contingência histórica quanto o livre jogo da iniciativa. Se o modelo de abordagem privilegiar, nesse caso, a linguística estrutural, será possível encontrar algumas semelhanças no enfoque cibernético que descentra a perspectiva finalista e antropocêntrica a fim de privilegiar os processos de autorregulação. A combinatória de uma física das relações, os jogos e rejogos do mesmo e do outro descentram o homem que apenas ocupa um lugar ilusório: "Devemos romper, a todo custo, essa rede de aparências a que damos o nome de homem".[30] No momento em que as ciências humanas parecem fascinadas pelo modelo cibernético, a variável humana, em seus componentes psicológicos e históricos, torna-se inconsistente e deve ceder o lugar a um método rigoroso que se quer eficaz como aquele em uso nas ciências exatas. O sistema fechado que se impõe pagará um alto preço por sua colocação à distância do mundo real. Entretanto, terá uma extraordinária eficácia pela abertura do campo do saber que prognosticará.

O estruturalismo, em sua busca do inconsciente de práticas sociais, se abrirá para o universo de signos do simbólico, das representações coletivas, dos ritos e costumes em sua lógica interna, da camada do não explícito dos traços da atividade humana. O acesso a esses novos objetos e sua pluralização contribuirão para a explosão dos sistemas de causalidades: "O método estrutural permitiu o triunfo dos causalismos e dos determinismos simplistas".[31] A coerência unificadora da história social dissipa-se nas areias movediças da combinatória estrutural, que se reveste do duplo aspecto da unidade e de sua pluralização, jogo dialetizado do mesmo e da alteridade que inaugura a nova era de uma pós-história.

30 Daix, *Structuralisme et révolution culturelle*, p.29.

31 Paul Valadier, entrevista com o autor.

37
As raízes nietzschiano-heideggerianas

Em pleno século do triunfo da história ocidental, o século XIX, um filósofo sente com intensidade os seus impasses: Nietzsche. A razão em ação escava curiosamente o leito de um estado despótico. Realiza-se a unidade alemã à custa, porém, da constituição de um Estado prussiano militarizado e agressivo. Nietzsche escreve então *Unzeitgemäße Betrachtungen* (1873-1874) acerca dos perigos da história em suas duas acepções de historicidade (*Geschichte*) e de conhecimento do devir histórico. Nietzsche teoriza o suicídio da história ocidental e a morte do *Homo historicus*. Opõe à teodiceia, que leva à criação do mais frio dos "monstros frios" (o Estado), a apologia dos valores plurais, locais e presentes. Preconiza o ressurgimento de uma Europa abastardada por suas sucessivas misturas de raças e por sua mensagem universalizante desfigurada por uma saída radical da historicidade. O século XIX é também o momento em que Darwin revela a origem simiesca da espécie humana. A perspectiva antropocêntrica e o pensamento metafísico são postos à prova pelas descobertas científicas.

O discurso niilista de Nietzsche pode desenvolver-se e opor-se à perspectiva do Iluminismo triunfante. Essa ferida narcísica se soma à revelação copernicano-galileana, segundo a qual a Terra não está no centro do Universo, para derrubar a metafísica ocidental. O desenvolvimento da razão culmina, portanto, no seu inverso, na tomada de consciência de um não sentido, da relatividade, e na relativização da própria figura do homem. Nietzsche despede a história e exonera a dialética da razão.

Mais tarde, Heidegger retoma a herança nietzschiana em sua crítica radical da modernidade. Seu pensamento enraíza-se no contexto de *A decadência do Ocidente* pintada por Oswald Spengler, um quadro que foi levado ao paroxismo por Heidegger, marcado pelo traumatismo da Primeira Guerra Mundial e pelo desarranjo que dela resultou na República de Weimar, nos anos 1920. Ele reconstitui o percurso do Esquecimento do Ser, de um constante recalque por trás da prevalência do ente. A revelação da verdade não é mais acessível ao homem na medida em que cada manifestação dela "é simultaneamente e em si dissimulação".[1] A história torna-se tão somente o triste desenvolvimento de uma razão mistificada desde a fenda original. A temática do eterno retorno encontra ressonância na concepção heideggeriana da filosofia *a perennis*, verdadeira ruminação do mesmo a partir da questão de saber por que, em vez do nada, existe o Ser; a resposta é que não há resposta. Filosofia da impotência, ela significa a nossa impossibilidade de responder, a não ser que nos reapropriemos das "Escrituras e da Santa Igreja apostólica e romana, sem que isso queira dizer, aliás, que Heidegger fosse crente".[2]

Um profundo pessimismo anima esses dois filósofos, que se propõem a instituir o fim da filosofia: "Parece que tudo retorna ao caos, que o antigo se perde, que o novo nada vale e se enfraquece constantemente".[3] Essa razão que permite descentrar o homem alimenta ainda, para Nietzsche, a ilusão de sua onipotência, conforta-se cada vez mais das feridas que provoca. Também o Esquecimento do Ser se acentua com o desenvolvimento da modernidade, com a generalização da tecnicidade.

Os anti-iluminismos

Esses dois pensamentos oferecem-se como o anti-iluminismo, e Nietzsche denuncia o caráter brutal e violento que a filosofia do

1 Heidegger, *Questions I*, p.188.
2 Pierre Fougeyrollas, entrevista com o autor.
3 Nietzsche, *Humain, trop humain*, v.1, p.225.

Iluminismo revelou, com seu desfecho na Revolução Francesa. Toda subversão, toda ruptura revolucionária não pode deixar de fazer surgir a imagem da barbárie: "Não foi a natureza moderada de Voltaire, com sua propensão para ordenar, purificar e reconstruir, mas os apaixonados desatinos e meias-mentiras de Rousseau que conclamaram o espírito otimista da revolução contra o qual eu clamo: Aniquilem a infame!".[4] Nietzsche se faz aqui o defensor dos Iluminismos moderados, progressivos, aqueles que trabalham pela realização da revolução. Mas em seus pontos essenciais, a obra de Nietzsche, tal como a de Heidegger, edifica-se numa crítica radical do Iluminismo. Ambos investem, em primeiro lugar, contra uma certa concepção da historicidade, como portadora de progresso. Se existe um sentido da história, é aquele que conduz inexoravelmente ao declínio. Para Nietzsche, a consciência está atravancada de história, da qual é preciso desvencilhar-se para julgar o presente: "Ele demite a dialética da razão".[5] Por trás das pretensões universalistas do Iluminismo, Nietzsche percebe as lógicas imanentes e dissimuladas da vontade de poder. O devir é um não sentido ou, melhor dizendo, é a aprendizagem do trágico das coisas que é a própria essência das coisas: "A história é, entre nós, uma teologia camuflada".[6] Evidentemente, o não sentido conduz o homem à impotência, ao niilismo, assumido por uma elite aristocrática, a dos fortes, e ela torna caduca toda ilusão da ação humana. O espírito de racionalização do homem é apreendido em continuidade com o espírito religioso. A razão substituiria Deus numa ilusão análoga. O esforço de domínio humano é, portanto, ridículo.

Nietzsche faz remontar o declínio da humanidade às origens do pensamento grego, a Sócrates, que aparece em *Ecce Homo* como o próprio sintoma da decadência. O instinto e o *hubris* dionisíacos são aí opostos à ética socrática, a qual será mais tarde continuada pela moral religiosa para reprimir e sufocar as pulsões vitais. Toda a história da civilização desenrola-se, portanto, segundo a lógica infernal de uma razão castradora e de uma moral mistificadora. Quanto à filosofia, cumpre-lhe reencontrar a pulsão criadora soterrada sob a máscara da civilização. Nietzsche preconiza o esquecimento para desprender-se do

4 Ibidem, p.327.
5 Habermas, *Le discours philosophique de la modernité*, p.105.
6 Nietzsche, *Considérations inactuelles*, 2, p.327.

ilusório e da mistificação: "É possível viver quase sem lembrança e viver feliz, como os animais demonstram. Mas é impossível viver sem esquecer".[7] Pensador fundamentalmente pessimista, hostil à historicidade, Nietzsche tem um ódio visceral às massas, à revolução.

Em sua correspondência com um oficial alemão no momento do cerco de Paris em 1870, expõe parte de suas reflexões. Considera a guerra um útil teste de virilidade, mas o que o apavora, em contrapartida, é a Comuna de Paris, a revolta dos "escravos" que infringem as regras, um espetáculo assustador. Quanto à instrução generalizada, leva diretamente à "barbárie", escreve Nietzsche em 1871-1873 nos seus rascunhos preparatórios do ensaio sobre o futuro dos estabelecimentos de ensino. Os dispensadores de felicidade terrestre, a preponderância socialista naquele final do século XIX, só podem consumar o espírito metafísico em ação em toda a história ocidental e, portanto, fazê-la cair na decadência, na catástrofe. Entretanto, o desvendamento da era metafísica deixa aparecer um indivíduo ainda despreparado, sem muletas, presa do efêmero, e que contrasta com a falsa felicidade das idades metafísicas. Daí a tentação de voltar-se para a construção de um futuro melhor, mas este participa sempre de uma ilusão reconfortante: "Todo futuro melhor que se deseja para a humanidade também é necessariamente um futuro pior sob mais de um aspecto".[8]

O verdadeiro inimigo é então o socialismo: "O socialismo é o fantasioso irmão caçula do despotismo agonizante".[9] "O veneno dessa doença que contamina agora a massa cada vez mais depressa, sob a forma de sarna socialista do coração".[10] Uma vez que a história parece, no final do século XIX, assegurar o sucesso irresistível do movimento socialista, é preciso livrar-se da história para melhor aniquilar o perigo que ameaça o Ocidente: a história é assimilada simultaneamente a uma mistificação, à decadência, a um cheiro de mofo e a uma camisa de força. Nietzsche apresenta-se assim, em pleno século historicista, como o partidário radical de uma dissolução da categoria do novo, como o pensador do fim da história.

---

7 Ibidem, p.207.

8 Idem, *Humain, trop humain*, v.1, p.219.

9 Ibidem, p.335.

10 Ibidem, v.2, p.172.

É, por isso, precursor da pós-modernidade que triunfará mais tarde, em meados do século XX. Ele já desenhava a desconstrução do quadro unitário, total, do movimento da história, para dar lugar a uma imobilidade, a um presente estagnado no qual as histórias conhecem um processo de atomização, de pluralização, quando passam a construir-se somente numa escala individual: "Nietzsche e Heidegger [...] lançaram as bases necessárias à construção de uma imagem da existência que responde às novas condições de não historicidade ou, melhor ainda, de pós-historicidade".[11]

O esquecimento do Ser

Heidegger reata a crítica nietzschiana da modernidade em suas conferências dos anos 1930, para radicalizá-la ainda mais. Restabelece a preeminência da filosofia. Também para ele a história não passa do desenrolar de um lento declínio cujas raízes mergulham, desde os gregos, no esquecimento constante do ser. Em *O princípio da razão* (1957), ele critica duas formas de pensamento da história. De um lado, o que qualifica de metafísica da história, a partir da qual a liberdade estaria atuando na evolução histórica. Essa acepção depende da metafísica na medida em que pressupõe estar o homem no centro do processo histórico. Tal crença participa, portanto, de uma ilusão, de uma metafísica da subjetividade para Heidegger. De outro, ataca o hegelianismo como teologia em que a razão se revela a si mesma, pouco a pouco, em seu autodesenvolvimento no curso da história, outra forma de metafísica que submete a história ao princípio de razão, variante que reintroduz igualmente o Sujeito num lugar central, não porque ele domine um processo no qual é, na grande maioria das vezes, vítima de seus ardis, mas porque pode ter acesso à intelecção do sentido do processo. Ora, esse sentido tem por modelo a estrutura de sua própria razão, a do homem, e não a do Ser que permanece confinado no Esquecimento.

Heidegger substitui essas abordagens, que ele qualifica como metafísicas, pela história do Ser, história sem história, simples desdobramento

11 Vattimo, *La fin de la modernité*, p.11.

do que se dá por meio de suas imagens sucessivas, sem sentido, sem filiação, sem periodização. A metáfora que ele utiliza para pensar a história é a floração de uma roseira na primavera com o surgimento de múltiplos botões, sem tronco, sem enraizamento, o que traduz bem a história fragmentada, sem sujeito que dê sentido ao desenvolvimento histórico, nem sujeito subjacente, oculto, cujo percurso seria necessário apurar.

Desde *Sein und Zeit* (1927), Heidegger situa a temporalidade do Ser como a de um progressivo declínio, levando ao apocalipse, com o qual se sabe desde agora que ele esteve diretamente envolvido. O declínio é estrutural na história humana: "Pertencendo ao próprio ser do *Dasein*, ele é um existencial".[12] Desde o discurso do reitorado até à entrevista ao *Spiegel*, Heidegger nunca deixou de reiterar suas advertências de Cassandra contra o declínio (*Verfall*) em que o Ocidente inexoravelmente mergulha: "A força espiritual do Ocidente debilita-se e seu edifício treme, a aparência morta da cultura desmorona".[13] A essa involução, Heidegger opõe a força do enraizamento, as da tradição e da pátria: elas devem ser outros tantos molhes de resistência à tecnicidade do mundo moderno que arrebata a totalidade do ente com o qual se dissolve o ser-aí do Ser. Se a história da civilização ocidental é a história de um esquecimento progressivo do Ser, o século XX é o ponto culminante dessa amnésia.

A crítica de Heidegger à modernidade, à técnica, à civilização de massa não se reveste, para Jürgen Habermas, de originalidade alguma, visto que se contenta em retomar por conta própria o repertório de ideias recebidas dos mandarins conservadores de sua geração. Jürgen Habermas situa a deriva que conduz à adesão ao nacional-socialismo da teoria heideggeriana no investimento novo das categorias da ontologia fundamental em 1933. O *Dasein* designava até essa data o ser-para-a-morte em sua singularidade. Ora, a partir de 1933, adquire uma acepção coletiva: é o do povo reunido. Ao abandonar, ele próprio, também o percurso da razão triunfante, Heidegger envereda por um caminho sinuoso, das peregrinações entre dois mundos obscuros que "não conduzirá a parte alguma". Pensamento do erradio para se aproximar dos

12 Ferry; Renaut, *Heidegger et les modernes*, p.82.
13 Heidegger, Le discours du rectorat, 27 maio 1933, *Le Débat*, n.27, p.97, nov. 1933.

caminhos que levam à religião das origens, do logos. Essa temática do encaminhamento que não encontrará ponto de chegada terrestre, essas peregrinações do "pastor do ser" que é o homem, não deixam de nos evocar toda uma variação em torno da teologia: "Daí o fato de os teólogos terem sido os primeiros a aceitar *Sein und Zeit*, e de ter sido nos teólogos [...] que o impacto de Heidegger se fez sentir, até hoje, mais incisivamente".[14] Heidegger terá separado radicalmente o Ser da realidade empírica, da mesma maneira que terá consumado o fim da história.

O anti-humanismo

Se o estruturalismo se alimenta desse anti-historicismo, ele também encontra em Nietzsche e Heidegger uma crítica radical do humanismo que permite fazer desaparecer a figura do homem com um rosto de areia nos limites do mar. Reencontra-se, na origem, a fratura que Nietzsche inaugurou com a morte de Deus, a qual desestabiliza a ideia do domínio de um homem identificável, definível, no âmago da história. Nietzsche denuncia a divinização do homem, que tomou o lugar da religião na época do Iluminismo e prosseguiu no século XIX.

Se Deus morreu, não se pode continuar fazendo referência a uma natureza humana imutável, como *aeterna veritas*, como medida de todas as coisas. Nietzsche deduz desse relativismo um niilismo radical. O julgamento moral não é mais possível, em nome do que pretenderia ele erigir-se em norma? "Que a virtude durma, ela se levantará mais viçosa".[15] O julgamento ético pressupõe uma liberdade de agir, um nível de responsabilidade que o homem não possui. Não existe outro critério senão o que o homem acredita ser bom fazer nesta ou naquela circunstância específica, tudo o mais é tão somente a escola de submissão do sujeito: "A irresponsabilidade total do homem, tanto no que se refere a seus atos quanto ao seu ser, é a gota mais amarga que o homem deve engolir do conhecimento".[16] Nietzsche ataca o humanismo como

14 Steiner, *Martin Heidegger*, p.87.
15 Nietzsche, *Humain, trop humain*, v.1, p.95.
16 Ibidem, p.112.

doutrina que atribui ao homem o papel central de sujeito como ser pleno, sede da evidência da autoconsciência. Nietzsche traduz aqui a impossibilidade de apoiar-se, com a morte de Deus, em qualquer fundamento transcendental.

Essa crítica do humanismo é retomada e radicalizada por Heidegger. O homem é fundamentalmente desprovido de todo domínio, pois a sua realidade sempre se lhe apresentará apenas como encobrimento: "A pergunta 'O que é o homem?' só pode ser formulada nas perguntas sobre o Ser.[17] Esse interrogar remete-nos de volta à indeterminação e ao inacessível, apenas com esta exceção – a de que o homem é a pista, o recolhimento, o testemunho disso. A eficácia da crítica de Heidegger está em sublinhar o fato de que o próprio do homem é não ter próprio, daí a sua capacidade para apartar-se dos códigos que o encerram em definições contingentes, em determinações particulares. A ek-sistência precede a essência, é isso o que especifica o homem em seu nada primordial, e em sua vocação para a universalidade.

Heidegger representa uma importante ruptura em relação à ideia do homem como senhor e possuidor da natureza. Sartre se inspirará nisso mais tarde: "O homem, tal como o concebe o existencialismo, se não é definível, é porque primeiramente não é nada".[18] A partir desse postulado, o problema que se apresenta e que dará lugar a duas interpretações opostas consiste em saber se o existencialismo pode ser um humanismo, o que Sartre defende, ou se induz uma posição anti-humanista, como pensa Heidegger.

Ele explicita sua tese no esclarecimento que envia a Jean Beaufret em 1946, *Über den Humanismus*. Ele rejeita nessa longa carta a interpretação humanista do seu pensamento. Para Heidegger, a ek-sistência não se dá ao homem à maneira do *cogito* cartesiano, que não passa de uma hipérbole racionalista a inverter na fórmula "Eu sou, logo penso". Mas o homem está numa situação de alienação inexcedível: "Expulso da verdade do ser, o homem gira, por toda parte, em torno de si mesmo, como *animal rationale*".[19]

---

17 Heidegger, *Introduction à la métaphysique*, p.157.
18 Sartre, *L'existencialisme est un humanisme*, p.22.
19 Heidegger, *Lettre sur l'humanisme*, p.107.

O ser-no-mundo, em vez de assumir a sua posição de pastor do Ser, perdeu-se no ente, perda que se traduz no século XIX pela tecnicização do mundo, a generalização da modernidade, o *Ge-Stell*, o arranjo técnico. O destino do homem não depende dele na concepção heideggeriana; não possui margem de autonomia em suas faculdades subjetivas, não pode deixar de estar atento à voz do Ser e, por essa razão, o filósofo e o poeta são apresentados como aqueles que conseguiram estar mais próximos desse ser-aí do Ser, aliás apresentado na maioria das vezes como um "abismo".

O Ser remete para a condição do homem como ser-para-a-morte, raiz primeira que viu surgir o mundo do pensamento. Portanto, ele desloca o ponto de vista do *cogito* cartesiano ou do psicologismo. Situa-se mais no plano em que a consciência se autodomina, mas no nível das condições de existência do *cogito*. Daí a recriminação que faz a Sartre de partir do *cogito*, ao passo que ele tenta reencontrar as condições que lhe deram origem. Nessa arqueologia do *cogito*, o homem encontra-se inexoravelmente descentrado, submetido a uma história da qual não é mais o sujeito, mas o objeto ou o joguete.

O primado da linguagem

Nessa busca das origens do pensável, Nietzsche e Heidegger concedem um valor privilegiado à linguagem e ao estudo de suas leis de funcionamento. A língua teria perdido boa parte de sua pureza original, desencaminhada pela funcionalidade do ente. A pesquisa filosófica ou poética propõe-se a suprir essa falta a fim de reencontrar o sentido do logos perdido. O ente mascara as condições que presidem à sua realidade. Heidegger preconiza, portanto, que se passe pela interpretação da linguagem, que constitui o veículo privilegiado da história do Ser: "Heidegger dá ao método fenomenológico o sentido de uma hermenêutica ontológica".[20]

Na perspectiva heideggeriana, o campo da linguagem será, portanto, o objeto de estudo privilegiado. É evidente que se reconhece aí

20 Habermas, *Le discours philosophique de la modernité*, p.172.

uma raiz essencial do que caracterizará o estruturalismo, o qual conhecerá seu pleno desenvolvimento ao generalizar o modelo linguístico a todo o campo do saber das ciências humanas – impulso fecundo mas que se edifica à distância do que depende do ente. Além disso, essa influência é marcada pela ignorância da pragmática de Charles-Sanders Peirce, assim como da filosofia linguística de Ludwig Wittgenstein ou de John L. Austin.

Para Heidegger, desconhecendo os avanços da pragmática, não é o homem quem fala, mas a linguagem, o homem contenta-se em ser falado. Resulta daí uma abordagem nominalista e uma fetichização do nível discursivo, uma vez que o homem se diferencia então do mundo vegetal e animal pela linguagem, que representa simultaneamente a sua distinção e seu fardo.

Da mesma maneira, a crítica nietzchiana da metafísica realiza essa descentralização do *cogito* para a linguagem apresentada na sua retórica "natural": Os procedimentos metafóricos ou metonímicos da linguagem criam uma crítica da verdade, impossível de atingir, em substituição do infinito labirinto das interpretações que só valem na relatividade de seu lugar de enunciação: "O mundo, para nós, tornou-se infinito, no sentido de que não podemos recusar-lhe a possibilidade de prestar-se a uma infinidade de interpretações".[21] Esse novo campo da interpretação deve escapar à metafísica, o que equivale a ampliar a busca das origens, da gênese, para estabelecer as continuidades e causalidades em torno da unidade do sujeito. Pelo contrário, Nietzsche preconiza uma genealogia desconstrutiva do sujeito para decifrar as condições dos sistemas de crença a partir do que eles ocultam ou recalcam. Essa desconstrução visa ao modelo da inscrição originária de uma verdade primeira, anterior à sua formulação; ela visa a todo o absoluto de que se considera ser portador o ser humano.

21 Nietzsche, *Le gai Savoir*, p.374.

O programa genealógico

Também aí, à semelhança de Heidegger, Nietzsche privilegia a língua, que deve ser liberta da submissão ao imperativo de verdade: "Com seus aforismos, Nietzsche estabelece o retorno com força dos elementos censurados, recalcados, colocados em perspectiva".[22] Essa genealogia nietzschiana deve desenvolver uma outra abordagem da temporalidade e da relação com a verdade. Dá-se inteiramente como a oposição da abordagem, platônica, opondo à reminiscência/reconhecimento o uso destrutivo da realidade; à tradição, o uso da irrealização e dissociativo das identidades, e a história-conhecimento é substituída pela destruição da verdade: "A genealogia é a história como carnaval premeditado".[23] A busca de verdades é duplamente inacessível. Por um lado, as verdades nada mais são do que densas nuvens de metáforas, metonímias, antropomorfismos, a tal ponto que se as crê estáveis, simples valores de troca cujo valor de uso foi esquecido. O segundo termo da ilusão encontra-se na ficção do *cogito*: "Já não existe ninguém bastante inocente para formular ainda, à maneira de Descartes, o sujeito 'Eu' como condição do 'penso'".[24] O *cogito* apresenta-se a Nietzsche como o modelo dos enunciados metafísicos, a hipóstase do sujeito fictício cuja polissemia ele analisa.

A genealogia valoriza o espaço do signo que deve ser exposto de novo num desvelamento do discurso unitário metafísico. O sentido encontra-se aí por trás da opacidade do texto, sempre negado. Cumpre, pois, após ter desconstruído as máscaras carnavalescas, reconstruir as cadeias significantes ininterruptas das sucessivas interpretações; essas cadeias não se dão em sua continuidade, mas, pelo contrário, a partir de descontinuidades, de sintomas, faltas. O enfoque genealógico privilegia o outro lado do dizer, a face escondida dos significados, define-se como um jogo de deslocamento para desinvestir, desimplicar as camadas estratificadas dos signos de seu conteúdo metafísico. Essas são mais as condições do que o conteúdo do discurso que esse enfoque pretende reconstituir. Esse deslocamento para o discursivo é comum a Heidegger e a Nietzsche.

---

22 Rey, *La philosophie du monde scientifique et industrial*, p.151-87.

23 Foucault, *Hommage à Hyppolite*, p.168.

24 Nietzsche, *La volonté de puissance*, v.I, p.79, 141.

A retomada do programa nietzschiano-heideggeriano

A busca heideggeriana do logos identifica-se, neste ponto, com a genealogia nietzschiana, e ambas encontrarão no estruturalismo um rico destino. A crítica do etnocentrismo, do eurocentrismo, se acentuará nos anos 1950 e 1960 com a voga estruturalista que retomará por sua conta o paradigma crítico nietzschianoheideggeriano. Por trás do desenrolar contínuo da razão triunfante, acompanhase de perto a imagem do louco, do primitivo, da criança, como outras tantas figuras recalcadas, para instituir o reinado da razão. Lévi-Strauss reabilita o pensamento selvagem; a infância, graças a Jean-Piaget, não será mais considerada como o negativo da idade adulta, mas apreendida como uma idade específica; Foucault reconhece a longa deriva da loucura antes de seu confinamento; quanto a Lacan, realiza uma verdadeira pulverização do Sujeito, mostrando, ao contrário do *cogito* cartesiano, que "eu penso onde não estou, logo eu estou onde não penso".

A estrutura intelectual dos anos 1960 foi corretamente sistematizada por Luc Ferry e Alain Renaut,[25] embora se equivoquem ao estabelecer uma correlação entre esse pensamento e Maio de 1968. Reencontram-se as orientações principais do nietzschiano-heideggerianismo com o tema do fim da filosofia elaborado, em particular, por Jacques Derrida, que se empenha em retirar o pensamento do seu cativeiro. Ele preconiza a escritura de um puro traço, um pensamento "que não quer dizer nada", uma pura significância liberta do significado. Em segundo lugar, reencontra-se o paradigma da genealogia, ou seja, a problematização das condições exteriores de produção dos discursos, e não mais o estudo do conteúdo destes últimos. Em terceiro lugar, a ideia de verdade, a única que poderia permitir a verificação da adequação do discurso ao seu conteúdo, perde todo fundamento e dissolve-se ao mesmo tempo que o referente, posto radicalmente à margem. Enfim, assiste-se à historicização das categorias e ao fim de toda e qualquer referência ao universal. A essa sistemática, colocada em foco por Luc Ferry e Alain Renaut, cumpre acrescentar o desaparecimento do nome do autor, da

25 Ferry; Renaut, *La Pensée 68*, p.28-36.

significância de sua existência: ele se apaga por trás das leis da linguagem, das quais é apenas um polo executante de uma composição que não lhe pertence. Essa concepção, que também ataca o sujeito, a enunciação do discurso, redunda numa nova abordagem do texto literário e do trabalho do crítico, que deve deslocar o seu olhar de autor para o texto como sistema fechado.

Ocorrem diferenças, sem dúvida, entre o nietzschiano-heideggerianismo e o estruturalismo. Assim, o anti-humanismo de Heidegger e o do estruturalismo, embora se encontrem numa posição de filiação, não são, na verdade, da mesma natureza. O ponto de vista estruturalista remete o humanismo para uma episteme do passado, encontrando dessa forma uma forte justificação epistemológica, ao passo que o anti-humanismo heideggeriano permanece de natureza metafísica: "Ele hipostasia o Ser em todas as dimensões da história".[26] Produz uma filosofia que, mais do que um pensamento do fim da história, é um pensamento da meta-história que gravita em torno do Ser, perspectiva que não será, em absoluto, a do estruturalismo em seus diversos componentes.

Foucault: "sou simplesmente nietzschiano"

A filiação nietzschiana é evidente e reivindicada como tal por Foucault: "Sou simplesmente nietzschiano".[27] Foucault escreve no interior do pensamento de Nietzsche, até à metáfora da figura do homem que se apaga no final de *Les mots et les choses*. Ele opera a mesma desconstrução do sujeito a fim de substituí-lo pelo projeto de uma genealogia: "Já é tudo interpretação".[28] Esquadrinhador dos *bas-fonds* à maneira de Nietzsche, Foucault exumará os esquecidos da história e decifrará, por trás do progresso do Iluminismo, os avanços de uma sociedade disciplinar ocultada pelo predomínio de um discurso jurídico-político libertador. A loucura foi assim recalcada pela própria manifestação da razão, de

26 Georges-Elia Sarfati, entrevista com o autor.
27 Foucault, *Les Nouvelles Littéraires*, 28 jun. 1984.
28 Idem, *Actes du Colloque de Royaumont*, p.189.

uma cultura ocidental que vacila em pleno século XX. O ensino nietzschiano será integralmente assumido por Foucault com a dissolução da figura do homem, entendida como simples passagem fugidia entre dois modos de ser da linguagem: "Mais do que a morte de Deus, [...] o que o pensamento de Nietzsche anuncia é o fim do seu matador, é a desintegração do rosto do homem".[29] Também extraiu desse ensino o primado de uma filologia, de um estudo discursivo, empreendimento anunciado por Nietzsche e anteriormente retomado por Mallarmé.

A hermenêutica transforma-se numa semiologia quando se converte em interpretação das interpretações ao infinito, tendo o signo quebrado as amarras que o prendiam ao significado original. O humanismo se edificara sob a falsa base da falta, da inexistência, como forma de consolo. A questão central passa então a ser por que, e em que condições, o homem pensa o que para sempre lhe estará numa posição de exterioridade.

Nietzsche, aos olhos de Foucault, terá representado o primeiro desarraigamento da antropologia, cujo desabamento anuncia "a iminência da morte do homem".[30] A genealogia nietzschiana inspira também um trabalho que tem raízes não na investigação impossível das origens, mas numa atualidade, no presente histórico. Ele não procura apreender as continuidades que anunciam o nosso mundo ao enunciá-lo, mas, pelo contrário, indica as descontinuidades, as oscilações das epistemes. O saber histórico considera que a eficácia está em problematizar, em quebrar as constâncias, o jogo consolador dos reconhecimentos.

O trabalho de arqueólogo levará Foucault a prestar atenção especial ao arquivo, ao documento entendido como monumento para traçar de novo as linhas de clivagem, assinalar a singularidade dos eventos desembaraçados de toda finalidade teológica. O fato de Foucault ter travado um diálogo com os historiadores, na maioria das vezes carregado de incompreensão mútua, e de ter privilegiado a história como campo de investigação, chegando até a colaborar com historiadores (Michelle Perrot, Arlette Farge) e a se aconselhar, enfim, nos últimos anos de sua vida, com Paul Veyne, não é fortuito, mas corresponde ao enfoque genealógico de Michel Foucault: "O genealogista tem necessidade

29 Idem, *Les mots et les choses*, p.396-7.

30 Ibidem, p.353.

da história para conjurar a quimera da origem".[31] Colocar em foco a heterogeneidade, desconstruir a história, trabalhar no sentido de uma acontecimentalização [*évènementialisation*] da miríade de eventos desaparecidos: tais são as orientações de um Foucault que transporta o nietzschianismo para o terreno da história.

Também se pode apreender, em menor grau, a influência de Nietzsche na obra de Lévi-Strauss. Foi o que vislumbrou Jean Duvignaud, especialmente em *Tristes tropiques* e no "Finale" de *L'homme nu*, onde a visão global de Lévi-Strauss está impregnada de uma vontade profundamente estética, cuja origem estaria em Nietzsche: "A estética emerge sempre, desde que se elimine a história".[32] Assim, a circularidade do estruturalismo de Lévi-Strauss, a partir da qual os mitos se reportam uns aos outros numa construção lógica magnífica, remeteria para o eterno retorno nietzschiano.

O arrazoamento da razão

A influência de Heidegger é ainda mais transparente e extensa em todos os componentes do estruturalismo. Foucault declarou: "Heidegger foi sempre para mim o filósofo essencial".[33] Entretanto, a obra de Foucault traz poucas referências explícitas a Heidegger. Ao contrário de Nietzsche, que é uma referência constante, Heidegger influi de maneira implícita nas orientações de Foucault. Ele se familiarizou, contudo, muito rapidamente com a obra do filósofo alemão. O seu amigo Maurice Pinguet descreve[34] seu primeiro encontro na rua de Ulm com o jovem Michel Foucault, ouvindo-o discorrer sabiamente, com sua voz metálica, num pequeno grupo de colegas, a respeito das noções de *Dasein*, do ser-para-a-morte. Nada que não fosse de certo modo banal para um jovem normalista em 1950, momento em que o

31 Idem, *Hommage à Hyppolite*, p.150.
32 Duvignaud, *Le langage perdu*, p.225.
33 Foucault, *Les Nouvelles Littéraires*, entrevista 28 de junho de 1984.
34 Pinguet, *Le Débat*, n.41, set. 1986.

heideggerianismo representava a *koïné* de todo filósofo. Mas a marca de Heidegger pode ser encontrada na própria obra de Michel Foucault.

Em *Les mots et les choses*, Foucault retoma a expressão, tipicamente heideggeriana, a propósito de Kant, "analítica da finitude", segundo a qual o homem descobre que "já está sempre" no mundo e é inútil, portanto, procurar as origens: "Ele, separado de toda origem, já está aí".[35] O fracionamento em epistemes descontínuas também provém da herança heideggeriana, ao mesmo tempo que da genealogia nietzschiana. Também se reencontra Heidegger em *L'histoire de la folie*, em que "toda a temática da razão que só pela exclusão se constitui como razão é tipicamente heideggeriana".[36] *L'archéologie du savoir* é um debate implícito com *La lettre sur l'humanisme*, de Heidegger. Da mesma maneira, o modo de ver uma sociedade disciplinar que se desenvolve por trás da sociedade iluminista em *Surveiller et punir* corresponde ao arrazoamento da razão de Heidegger, remetendo, portanto, para uma visão fundamentalmente pessimista do destino ocidental, sem assimilação alguma, evidentemente, quanto aos ensinamentos a extrair desse diagnóstico, uma vez que há poucas relações, no plano da práxis, entre o envolvimento de Foucault no sentido da resistência aos poderes e o "engajamento" de Heidegger!

No caso de Lévi-Strauss, a influência de Heidegger, diferentemente do caso de Foucault, não é direta nem reivindicada. Nem por isso está menos difundida e presente no forte ceticismo de Lévi-Strauss a respeito da modernidade, em sua crítica à tecnicização do mundo, na denúncia do seu caráter destrutivo, portador de etnocídio. A rejeição da homogeneização planetária, da supressão das diferenças, é fruto de uma mesma sensibilidade.

Lacan e Heidegger

A influência de Heidegger sobre Lacan também é decisiva. Como observa Élisabeth Roudinesco, ele está, como toda a *intelligentsia*

35 Foucault, *Les mots et les choses*, p.343.
36 Marcel Gauchet, entrevista com o autor.

francesa do pós-guerra, fascinado pelo estilo de Heidegger. O seu primeiro contato data de 1950. Mas há, sobretudo, o discípulo francês do pensamento heideggeriano, Jean Beaufret, que começa a fazer análise com Lacan por volta de 1946. Portanto, este último tem acesso à própria fonte da difusão do heideggerianismo na França, uma vez que, além de ter essa fonte no seu divã de analista, Jean Beaufret e Jacques Lacan criam laços de mútua amizade, facilitando a impregnação da linguagem heideggeriana pelo analista.

A primeira referência a Heidegger data precisamente desse período: "Em setembro de 1946, no colóquio de Bonneval, em que ele profere sua comunicação 'Propos sur la causalité psychique'. A alusão mostra que Lacan leu *Platon et la doctrine de la vérité*, publicado por Heidegger em 1941-1942".[37] Depois, Lacan visitará Heidegger em Friburgo.[38] Traduz pouco depois o artigo *Logos*, que é submetido à aprovação de Heidegger e publicado no primeiro número de sua revista, *La psychanalyse*, em 1953. Lacan presta nessa ocasião uma vibrante homenagem ao filósofo: "Quanto à presença aqui do sr. Heidegger, ela é por si só, para todos aqueles que sabem onde subsiste a mais soberba meditação sobre o mundo, a garantia de que existe, pelo menos, um modo de ler Freud que, a ser fruto de um pensamento manifestadamente trivial, não mereceria ser repetido por um defensor declarado da fenomenologia".[39]

Apesar desse entusiasmo, é significativo que ele só traduza quatro quintos do texto e ampute o final em que Heidegger vislumbra na escritura poética uma saída para o drama da existência humana. Para Lacan, não existe saída possível, salvação possível, não vê solução alguma para o Ser. Élisabeth Roudinesco relata a primeira viagem de Heidegger à França, à qual não faltou um lado pitoresco naquele mês de agosto de 1955. Ele foi participar das entrevistas de Cerisy-La-Salle, organizadas por Jean Beaufret e Kostas Axelos. Nessa ocasião, Lacan organiza em Guitrancourt uma pequena homenagem ao ilustre convidado:

> Heidegger hospeda-se no na reitoria e depois visitará a catedral de Chartres. Lacan dirige o seu automóvel com a velocidade de suas sessões.

37 Roudinesco, *Les enjeux philosophiques des années cinquantes*, p.93.
38 Idem, *Histoire de la psychanalyse en France*, v.2, p.309.
39 Lacan, *La Psychanalyse I*, p.6.

> Instalado no banco dianteiro, Heidegger se mantém impassível, mas sua esposa não para de reclamar. Sylvia transmite a Lacan suas inquietações. De nada adianta: o mestre roda cada vez mais depressa. Na volta, Heidegger permanece calado e os protestos de sua esposa aumentam, enquanto Lacan segue pisando fundo no acelerador. A viagem chega ao fim e cada um volta para sua casa.[40]

Como se pode avaliar, as relações poderiam ter sido mais calorosas, mas o que conta é a adoção de uma outra fonte conceitual situada além de uma comunicação direta que se fazia difícil pelo fato de Heidegger considerar que só existe uma língua verdadeira, o alemão, que Lacan pode traduzir sem falá-la.

Lacan retoma o conceito de ek-sistência, a ideia de que o homem está separado de toda a forma de essência. Ele se inspira nesse distanciamento do Ser em relação ao ente. Sempre que cita Heidegger, é para utilizar o conceito de ek-sistência assim como o de ser-para-a-morte. A ideia lacaniana segundo a qual a vida real não é uma vida real, mas uma vida simbólica, "é uma ideia que se encontra por toda a parte em Heidegger, podendo-se considerar até o essencial de sua filosofia".[41]

Essa influência decifra-se facilmente nos próprios paradigmas de Lacan. Não só vamos encontrar aí o pessimismo profundo de Heidegger, a descentralização do homem, a desconstrução do sujeito que se acha dividido, inacessível a si mesmo para sempre, o longo percurso da perda, o Esquecimento do Ser a partir do estádio estruturador do espelho, mas também é possível assinalar o recurso ao vocabulário heideggeriano. Tudo o que diz respeito à relação com a Verdade, a autenticidade, a fala do cheio e do vazio depende de uma abordagem heideggeriana transposta para o campo da psicanálise. Todo comentário sobre a filosofia grega, sobre a *aléthéia*, lhes é comum. Em "O seminário sobre 'A carta roubada'", a circularidade da carta que remete para o modelo estruturalista é, ao mesmo tempo, sustentada por toda uma temática heideggeriana de um lugar de desvendamento da verdade que é o próprio lugar da carta, lugar onde ela se esquiva ao seu destino. Portanto, nesse início dos anos 1950, existe um real fascínio de Lacan por

40 Roudinesco, entrevista com Sylvia Lacan, *Histoire de la psychanalyse en France*, p.309-10.
41 Bertrand Ogilvie, entrevista com o autor.

Heidegger, fascínio não compartilhado, aliás, pois este último se desinteressará sempre pelos trabalhos de Lacan. Não se pode dizer, portanto, que "Lacan nunca foi heideggeriano"[42] e reduzir essa influência à mera questão de vocabulário, mesmo que efetivamente, no tocante ao problema da ciência, suas posições sejam antinômicas. Quanto ao essencial, a saber, o fato de que Heidegger tenha proposto uma filosofia como língua comum para todas as ciências humanas, existe uma ligação que supera de longe Lacan e o lacanismo.

A impregnação heideggeriana de Jacques Derrida

Essa influência manifesta-se ainda mais em Jacques Derrida, seja o que for que se diga depois do "caso Farias". Considera ele que o epíteto heideggeriano é uma inépcia que rejeita,[43] ao mesmo tempo que afirma que Lévi-Strauss, Althusser e Foucault jamais foram influenciados por Heidegger! E para corroborar a sua tese sobre a total ausência de impregnação do heideggerianismo na França, Jacques Derrida conta um episódio que remete aos anos de 1967-1968. Enquanto passeava de automóvel com Foucault, perguntou-lhe por que nunca falava de Heidegger. Foucault respondeu-lhe que era, ao mesmo tempo, importante demais e difícil demais, fora do seu alcance.

Mas se nos reportamos aos próprios textos de Derrida, a impregnação heideggeriana é não só transparente mas também reivindicada como tal: "Nada do que eu tenho teria sido possível sem a abertura das questões heideggerianas, [...] sem a atenção ao que Heidegger chama de diferença entre o Ser e o ente, a diferença ôntica-ontológica tal como permanece, de uma certa maneira, impensada pela filosofia".[44] Jacques Derrida não se alia servilmente ao pensamento de Heidegger; por certo, a sua desconstrução também questiona os próprios núcleos desse pensamento e visa, como no caso de Lacan, à radicalização de suas teses.

42 Élisabeth Roudinesco, entrevista com o autor.
43 Derrida, *France-Culture*, 21 mar. 1988.
44 Idem, *Positions*, p.18.

Para Derrida, o *Ereignis* e o homem como pastor do Ser são em Heidegger uma sobrevivência de um humanismo a desconstruir. O ponto de partida de Derrida, entretanto, nem por isso deixa de ser o privilégio concedido por Heidegger à linguagem como veículo do Ser, e a passagem da filosofia da consciência para a da linguagem. Reencontramos o mesmo fascínio pelo comentário a partir do qual Derrida, embora participando na orientação geral do estruturalismo, diferenciar-se-á dele ao criticar, um por um, Claude Lévi-Strauss em *La grammatologie*, Michel Foucault em *L'écriture et la différence* e Jacques Lacan em *Le facteur de la vérité*. Essas críticas, a respeito das quais voltaremos a falar, introduzem-nos na multiplicidade dos ecos do nietzschianoheideggerianismo francês que adotaram por emblema o estruturalismo para desenvolver as potencialidades de investigações particularmente diversas em todo o campo do saber das ciências humanas.

38

A crise de crescimento das ciências sociais

Para compreender o êxito do estruturalismo, não basta ressituar o amplo contexto histórico do fenômeno, nem assinalar algumas filiações de ordem filosófica; é necessário evocar também o estado do próprio campo das ciências sociais, sua morfologia, sua especificidade, pois, ao contrário do que pensam todos os reducionismos, existe, de fato, uma vasta autonomia da história de cada disciplina, de cada ciência em relação à história que as produziu. Pode-se falar, nesse nível, de uma vida autônoma dos conceitos, como diz Gilles Gaston-Granger. As condições sociais de aparecimento e de transformação de uma teoria como o estruturalismo podem ser parcialmente elucidadas pelo exame dos contatos interdisciplinares no interior do campo da pesquisa e do ensino e, em termos mais amplos, da própria paisagem intelectual.

A socialização intensa das ciências sociais

O período que vê florescer a atividade estruturalista é de um desenvolvimento espetacular das ciências sociais e, em particular, de todos os novos brotos que tentam encontrar um lugar ao sol num canteiro já bem cheio. Ora, essas novas ciências sociais estão em busca de uma legitimidade. Para conquistá-la se dotarão de uma identidade baseada na ruptura e procurarão atrair para elas um público intelectual crescente, nesses anos 1950 e 1960, a fim de contornar as tradicionais posições estabelecidas. A ruptura estruturalista que aqui se apresentará como uma revolução científica, arregimentando sob a sua bandeira numerosos campos disciplinares, busca uma socialização intensa para ganhar a partida. Daí o caráter indivisível dos aspectos científicos e ideológicos nesse período, pois essa socialização intensamente procurada induz a ideologização do discurso científico. Relegar à sombra os componentes ideológicos para reter apenas o método estrutural procede, portanto, de uma postura falsa, porquanto é lícito indagar-se se "as revoluções científicas não constituem justamente essa intensa socialização".[1]

Nenhuma ciência está, a esse respeito, imune à ideologização, a salvo da socialização. Assim, a observação física foi plenamente uma aposta ideológica na época de Copérnico e Galileu com os conflitos teológicos que provocou, em virtude da passagem de um modelo geocêntrico para um modelo heliocêntrico. Paul Rivet viu a necessidade dessa socialização para obter a institucionalização da jovem etnologia francesa. Nascida sob o condicionamento do colonialismo, a etnologia estava plenamente inserida no ideológico, e Paul Rivet viu que podia servir-se dessas condições para reformulá-las e permitir uma mudança radical na percepção da alteridade social e cultural. De condicionada, a etnologia se tornará condicionante, portadora de uma ética, de uma política antirracista. Paul Rivet fez, portanto, da etnologia uma arma deliberadamente ideológica, um importante elemento no debate intelectual dos anos 1930, permitindo assim a sua institucionalização. É esse, incontestavelmente, o caso das ciências do signo das décadas de 1950 e 1960, e de maneira muito mais espetacular do que para a etnologia dos anos 1930, porque elas dispõem então do apoio da mídia, que desempenha um papel crescente no campo intelectual, permitindo desmultiplicar as capacidades de socialização.

Com efeito, a mídia apoderou-se do debate no transcurso dos anos 1960 para apresentar seus lances em praça pública. Falou-se até do caso Dreyfus a propósito do famoso duelo Picard/Barthes. Essa mediatização sem limites é considerada por alguns a única realidade tangível do estruturalismo. Se for desembaraçado do alarido midiático,

1 Jean Jamin, entrevista com o autor.

"o estruturalismo deixa de existir".[2] Da mesma maneira que entre Descartes, Spinoza, Pascal ou Hobbes são mais as divergências, as contradições que importam, também para os estruturalistas, se existem pontos comuns, decorrentes do fato de se pensar na mesma época, as oposições seriam mais pertinentes, e, por trás do engodo de sua homogeneidade, os conflitos e polêmicas que agitaram todos esses investigadores foram particularmente veementes. Mas esse dispositivo midiático foi procurado com a preocupação de difusão, de reconhecimento, de obtenção de legitimidade científica.

Numa outra tentativa de dissociação entre o pensamento e a ciência, de um lado, e a ideologia, do outro, Maurice Godelier[3] opera uma distinção radical entre o método estrutural, por um lado, que consiste na análise pertinente, rigorosa, científica, dos vínculos de parentesco, das estruturas dos mitos, e o estruturalismo, por outro, que depende do ideológico, das declarações especulativas gerais sobre a humanidade, a sociedade e o progresso do pensamento. A dissociação entre o método estrutural e o estruturalismo é total, mesmo quando o método e o ideológico se conjugam nos mesmos investigadores: "Afirmo que, na análise estrutural dos mitos, o método de Claude Lévi-Strauss não implique, em absoluto, o seu estruturalismo, é ele quem detém o seu método, não porque este seja limitado, mas porque ele quer detê-lo por outras razões".[4] Ciência, ideologia, socialização, mediatização, o estruturalismo é tudo isso ao mesmo tempo, delicada meada a destrinçar, se não se identificarem nele os momentos, as correntes, o que está em jogo.

Os filósofos enfrentam o desafio das ciências sociais

Essa admiração exagerada pelo estruturalismo corresponde, portanto, a uma intensa socialização das ciências sociais, a um fenômeno de explosão que se transforma em verdadeira política de desenvolvimento das ciências humanas desde fins da década de 1950. É em 1958

2 Bertrand Ogilvie, entrevista com o autor.
3 Maurice Godelier, entrevista com o autor.
4 Ibidem.

que, sob o impulso de Raymond Aron, a sociologia progride em sua implantação institucional com a criação da licenciatura em sociologia. Mais globalmente, os atores das ciências sociais em plena efervescência "não buscam o reconhecimento dos filósofos, dos quais desejam, pelo contrário, manter-se afastados de maneira ostensiva".[5] Pode-se entender nesse nível o êxito do estruturalismo como uma resposta dos filósofos ao desafio lançado pelas ciências sociais, oriundas essencialmente da mesma matriz filosófica. Os filósofos, abalados pela concorrência de disciplinas de vocação mais científica, mais pragmática, realizando uma articulação entre os conceitos e o campo, reagiram apropriando-se do programa deles a fim de corrigir e reformar sua própria posição no campo intelectual.

A filosofia, nessa época, aponta dois programas cuja vitalidade tendia a esgotar-se. O primeiro, o existencialismo sartriano, articulado em torno de um sujeito constituinte do qual tudo procede, toda a espécie de sentido, sujeito transcendental, todo-poderoso, plenamente abstrato. Nos anos 1960, essa filosofia está se desmantelando ao chocar-se, como vimos, contra os recifes da história, nos quais vem a soçobrar: "Um dos últimos modelos do idealismo da universidade francesa".[6]

Os filósofos que desejaram distanciar-se desse idealismo do sujeito encontrarão no estruturalismo o meio de reagir radicalmente, pela prevalência da imobilidade das estruturas, pela descentralização, quando não pela extinção do sujeito... Sartre tinha inaugurado um novo estilo em que a filosofia é o que está em jogo em debates públicos, o que contribuiu em muito para a sua popularidade nos anos do pós-guerra e na década de 1950. Mas ele será a primeira vítima desse novo modo de relação com um público que lhe escapara em proveito dos estruturalistas, os quais utilizam contra ele as próprias armas de que Sartre se servia para impor-se. A conjuntura, o fim da guerra da Argélia, a desmobilização, as desilusões gerarão um novo tipo de intelectual que Sartre já não encarna, vítima expiatória da distensão.

O segundo polo de reflexão filosófica do qual os filósofos estruturalistas se dissociarão é a fenomenologia. Sem dúvida, o estruturalismo pôde obter na fenomenologia orientações que retomará por conta

5 Fabiani, *Les enjeux philosophiques des années cinquante*, p.125.
6 Paul Valadier, entrevista com o autor.

própria, como o privilégio concedido às estruturas, a busca do sentido, a tal ponto que Jean Viet, autor da primeira tese sobre o estruturalismo, percebe a fenomenologia como uma tendência específica do estruturalismo.[7] Entretanto, a fenomenologia continua sendo uma filosofia da consciência, e vincula-se essencialmente à descrição dos fenômenos. Para Jacques Derrida, a fenomenologia permanece encerrada no "fechamento da representação" ao manter o princípio do sujeito: "As desconstruções tomaram o lugar das descrições"[8]. O conceito de desconstrução, que orientará todo o pensamento estruturalista, foi inicialmente introduzido por Jacques Derrida para traduzir a *Destruktion* de Heidegger, termo que não deve sugerir um sentido negativo nem ser interpretado como positividade: "A finalidade da desconstrução consiste em propor uma teoria do discurso filosófico. Um tal programa é manifestamente crítico".[9]

Esse estruturalismo filosófico, oriundo da contestação da fenomenologia, coloca portanto no mais alto nível o paradigma crítico, e poderá utilizá-lo como meio de abertura e de captação em relação ao campo de investigação das ciências sociais em expansão. A maioria dos estruturalistas provém da disciplina filosófica: Claude Lévi-Strauss, Pierre Bourdieu, Jacques Lacan, Louis Althusser, Jacques Derrida e Jean-Pierre Vernant são todos de formação filosófica. Entretanto, têm em comum o rompimento com a filosofia tradicional, acadêmica. Procuram outra coisa muito diferente. É uma geração filosófica consciente do desafio das ciências sociais, e que rompe com a retórica do exercício acadêmico. Para isso, é necessário contornar, passar além dos velhos aparelhos legítimos e rotineiros da instituição para dirigir-se diretamente à *intelligentsia*, ao escolher novos objetos da filosofia mediante uma elucidação específica da atualidade, ao articular o pensamento com os campos sociais e as instituições, assim adquirindo um valor praxiológico.

Além disso, o estruturalismo, para esses filósofos, serviu para renovar um discurso que se tornou mais científico, que lhes oferecia uma forma de evitar as incursões das ciências humanas. É o que Pierre Bólide chama "efeito-logia",[10] que ele constata com o êxito obtido pela

7 Viet, *Les méthodes structuralistes*, p.11.
8 Descombes, *Le même et l'autre*, p.96.
9 Ibidem, p.98.
10 Bourdieu, *Choses dites*, p.16.

arqueologia, a gramatologia, a semiologia... Essa desinência evoca a ambição científica de um estruturalismo especulativo, que recorre tanto à lógica matemática quanto à linguística para constituir um polo científico que ocupe plenamente o seu lugar na história das ciências. Foucault descreve essa linha de clivagem, que ele acentua e que transcende toda e qualquer outra forma de oposição: "É aquela que separa uma filosofia da experiência, do sentido, do sujeito, e uma filosofia do saber, da racionalidade e do conceito. De um lado, uma filiação que é a de Sartre e de Merleau-Ponty; do outro, a que é de Cavaillès, de Bachelard, de Koyré e de Canguilhem".[11]

As ciências sociais, ao encamparem toda uma série de questões que eram, até então, privilégio de uma reflexão de ordem filosófica, levam a vanguarda filosófica, sob a bandeira do estruturalismo, a deflagrar com êxito a contraofensiva. A disciplina filosófica, aberta, renovada, respaldada por seu público crescente, sai revigorada do duelo e beneficia-se de um forte aumento do seu pessoal docente:[12] o número de cadeiras de filosofia nos liceus passa de 905 em 1960 para 1.311 em 1965 e 1.673 em 1970. No ensino superior, era de 124 em 1963 e é de 267 em 1967.

Se os gurus do estruturalismo quiseram absorver as ciências sociais, nem por isso deixaram de contestá-las em numerosos pontos, criticando sobretudo o seu modelo de positividade. Com efeito, os filósofos estruturalistas multiplicaram seus virulentos ataques contra as pretensões cientistas das ciências sociais: Lacan contra a psicologia, Althusser contra a história, Foucault contra os métodos de classificação das ciências humanas. Assiste-se a um verdadeiro tiro de barragem contra o que é apresentado como uma impostura, a das ciências humanas instaladas em suas certezas de cientificidade. Contra elas, os estruturalistas opõem uma crítica epistemológica alimentada por Gaston Bachelard e Georges Canguilhem.

Étienne Balibar descreve com detalhe essa mudança de rumo bem-sucedida que conduzirá as ciências humanas depuradas pela crítica estruturalista a buscar sua positividade a partir dos modelos e conceitos elaborados pelos filósofos: "Assim, o texto que escrevi em *Lire Le capital* (1965) seduziu os antropólogos e alguns historiadores, pois eu

11 Foucault, *Revue de métaphysique et de morale*, n.1, p.4, jan.-mar. 1985.
12 Pinto, *Les philosophes entre le lycée et l'avant-garde*, p.68.

construía um conceito de modo de produção e eles acharam-no operacional".[13] O estruturalismo, ao privilegiar um discurso essencialmente conceitual, teórico, e ao perturbar o perfil, as fronteiras e as delimitações das diversas e jovens ciências sociais em expansão podia assim preservar a primazia de uma filosofia renovada. Esta foi edificada na base de uma "fórmula de compromisso"[14] entre, por um lado, uma redefinição dinamizante e crítica do humanismo, portadora de uma ruptura radical, científica, e, por outro lado, a preservação da altura estatutária da disciplina filosófica, ainda que a referência frequente ao fim da filosofia pareça ocultar o fenômeno. É com essa preocupação que, como assinala Louis Pinto,[15] a fórmula da arqueologia em Foucault permite satisfazer a dupla existência de propor um discurso histórico sobre as ciências humanas, mas que seja também o meio de pensá-las filosoficamente, de um modo diferente e melhor do que elas podem fazê-lo por si mesmas.

Nesse nível, a vanguarda filosófica aceitou plenamente o desafio das ciências sociais; aliás, favoreceu a sua expansão nos anos 1960, ao mesmo tempo em que preservava para a filosofia o lugar mais prestigioso do dispositivo. Ela continua sendo "a disciplina de coroamento", com suas posições dominadoras no ápice do currículo do ensino secundário, e seus bastiões particularmente representativos no papel de reprodução das elites: as Escolas Normais Superiores. A esse respeito, a filosofia terá resistido bem à ofensiva, como testemunha a segurança com que Louis Althusser rejeita essas "ciências ditas sociais": anátema que "não pode explicar-se sem referência ao estado de fraqueza institucional (e frequentemente intelectual) em que elas se encontravam nos anos 1950".[16] Nesse plano, a batalha das humanidades em relação às ciências sociais reproduz o duelo que se travou na reprodução das elites entre a École Normale Supérieure (ENS) e a Ecole Nationale d'Administration (ENA), entre a elite clássica e a nova elite técnica.

---

13 Étienne Balibar, entrevista com o autor.

14 Pinto, *Les philosophes entre le lycée et l'avant-garde*, p.78.

15 Ibidem, p.96.

16 Fabiani, *Les enjeux philosophiques des années cinquante*, p.116.

A emancipação em face da história

Se o estruturalismo se opôs a uma filosofia acadêmica, também atacou uma outra e antiga disciplina, instalada, canonizada, segura de si mesma e de seus métodos: a história. É outro traço dominante do estruturalismo essa desestabilização não somente da história como disciplina universitária, mas também da historicidade em geral. Faz-se então a guerra contra o historicismo, o contexto histórico, a busca das origens, a diacronia, a teleologia, para fazer prevalecer as permanências, as invariantes, a sincronia, o texto fechado sobre si mesmo. A escola dos *Annales* reagiu a esse desafio, em dois momentos, com Fernand Braudel em 1958, que preconiza a longa duração e a tripartição temporal como linguagem comum a todas as ciências sociais, sob a batuta do historiador, e no final da década de 1960, com a desconstrução da história, a história fragmentada, a história antropologizada da terceira geração dos *Annales*.[17] A crítica literária estruturalista, a semiologia, começa a definir-se ao repudiar a história. É certo que precisava desvincular-se de uma história acadêmica, tradicional, a do homem e sua obra, mas levou muito longe a negação do esclarecimento histórico numa preocupação de formalização que cortou por inteiro o referente psicológico ou histórico.

Os historiadores não podiam, incluindo aqueles que eram os mais abertos ao diálogo com as outras ciências sociais, deixar de sentir-se agredidos pelo desafio estruturalista. Retrucaram-lhe, portanto, ressaltando o que, desde longa data, já era parte integrante do próprio programa deles, a saber, o estudo das estruturas econômico-sociais, dos ciclos e fenômenos repetitivos, sem que pudessem proclamar-se estruturalistas, pois a antinomia era grande demais. Verifica-se, portanto, uma vontade radical de emancipação em relação à história, levada ao extremo da negação absurda de todo o fundamento histórico. Assim é que Michelle Perrot, na ponta do modernismo na disciplina histórica, em Paris-VII, realizou na época um seminário com homens de letras que redundou num diálogo de surdos. Michelle Perrot pensava realizar um avanço pluridisciplinar e, no entanto, sob o

17 Dosse, *L'Histoire en miettes*.

golpe dos ataques desferidos contra toda e qualquer referência a algum contexto histórico, fosse ele qual fosse, ela tinha "o sentimento de ser muito pretensiosa". Com efeito, para os defensores da nova crítica literária, "a própria palavra contexto fazia-os pular, era um termo infamante. Cumpria manter-se no texto fechado, o que tornou o diálogo sumamente difícil".[18]

O antiacademismo

Essa vontade de desligar-se das disciplinas canonizadas, quer se trate da filosofia tradicional, da história ou da psicologia, inscreve-se num contexto mais amplo de revolta antiacadêmica, único meio, para a *avant-garde* filosófica ou para as jovens ciências do signo, de conseguir um lugar na instituição. A maioria dos defensores do estruturalismo tem, com efeito, um estatuto precário.

A inovação parte essencialmente de instituições consideradas marginais na época, como no caso da sexta seção da École Pratique des Hautes Études (Ephe) ou do Collège de France, considerado, por certo, um pináculo de legitimação científica, mas à margem do aparelho central de ensino e de pesquisa que é a Universidade.

As trajetórias dos estruturalistas são, a esse respeito, significativas, visto que se realizaram essencialmente à margem da universidade. É o caso, por exemplo, entre outros, de Lévi-Strauss, que o reconhece de bom grado: "Foi, portanto, uma carreira universitária movimentada, cujo traço mais notável é, sem dúvida, o de ter-se desenrolado sempre fora da universidade propriamente dita".[19] É também o caso de Barthes, Greimas, Althusser, Dumézil, Todorov, Lacan... Se examinarmos o organograma dos cursos da Sorbonne em 1967, verificaremos com surpresa que os ensinamentos de linguística não são da responsabilidade, com exceção de André Martinet, de nenhum dos pesquisadores que hoje conhecemos: "Em 1967, não havia sequer um departamento de linguística na Sorbonne, mas um simples instituto de linguística. [...]

18 Michele Perrot, entrevista com o autor.

19 Lévi-Strauss, entrevista, *Libération*, 2 jun. 1983.

Quando escrevi uma tese de linguística, sendo professor de liceu, era para ficar desempregado: isso não servia para nada".[20]

O peso das tradições, o conservadorismo da velha Sorbonne, fechada às influências novas, cobriram com uma chapa de chumbo a universidade francesa e encerraram-na no imobilismo. Este alimentou a revolta, a necessária ruptura. As ciências do signo, para conseguir um lugar, tinham de transpor os limites da instituição, encontrar apoios maciços e eficazes. O estruturalismo que permitia reunir as vanguardas das diversas disciplinas podia propiciar a transformação da revolta que fermentava em revolução.

É nesse contexto que as referências a Nietzsche, Marx e Saussure serão operacionais, verdadeiras armas da crítica antiacadêmica contra os defensores da ortodoxia universitária e dos mandarins. Os estruturalistas retomam, de fato, um programa mais antigo a fim de atualizá-lo e renová-lo. A vontade de fazer aparecer no campo das ciências do homem domínios que obedecem a racionalidades específicas é uma ideia que já se encontra na obra de Auguste Comte.

Quanto ao outro paradigma central do estruturalismo segundo o qual o que é determinante não são os elementos tomados isoladamente, mas suas relações objetivas sem que a consciência interfira nessas redes, a ideia de uma decalagem entre comportamento e consciência, essa visão das coisas já é a de toda a corrente durkheimiana ou hegeliana.

O que é inovador situa-se mais na atualização das virtualidades de um programa do que no conteúdo deste, assim como na aceleração da execução desses programas, que obtêm resultados científicos tangíveis.

Um programa comum: a linguística

A esperança de renovação científica das ciências sociais encontrou na linguística estrutural o método, a linguagem comum capaz de impor a mudança. A linguística apresenta-se como o modelo para toda uma série de ciências carentes de formalismo. Difundiu-se a grandes intervalos em direção à antropologia, à crítica literária, à psicanálise, e renovou

20 Louis-Jean Calvet, entrevista com o autor.

profundamente o modo de questionamento filosófico. Entretanto, certo número de ciências sociais manteve-se, quanto ao essencial, à margem dessa renovação ou só foi marginalmente afetado; sustentadas por seu profundo positivismo, evitaram entrar no próprio debate. É o caso da psicologia, que atravessou o período desenvolvendo os seus sistemas de modelização, os seus aparelhos científicos sem problema metafísico. É também, essencialmente, o caso da economia.

Os setores mais afetados pelo contágio linguístico foram as disciplinas que se encontravam numa situação ainda precária no plano institucional, ou que estavam em busca de identidade, em virtude de suas contradições internas entre suas pretensões à positividade científica e sua relação com o político, como a sociologia; e, enfim, aquelas que, como os estudos literários ou a filosofia, estavam plenamente engajadas numa disputa entre antigos e modernos. Essa conjunção contribuiu para enfraquecer as fronteiras entre disciplinas. O estruturalismo apresentou-se, pois, como projeto unificador: "Pareceu necessário, no final dos anos 1960, unificar as diversas tentativas de renovação das ciências humanas numa única corrente, quando não numa só disciplina, mais geral do que a linguística".[21] Essa tentação foi expressa com maior clareza por Roland Barthes ou Umberto Eco, que concordam em propor uma semiologia geral capaz de reagrupar todas as ciências humanas em torno do estudo do signo.

A modernização conjuga-se então com a interdisciplinaridade, pois é necessário violar as fronteiras sacrossantas para permitir a entrada do modelo linguístico em todo o campo das ciências humanas. A partir do momento em que tudo é linguagem, em que nós somos linguagem, em que o mundo é linguagem, "então tudo se torna intercambiável, permutável, transformável, conversível, tudo".[22] Essa interdisciplinaridade que infringe o modelo humboldtiano da Universidade, segundo o qual cada disciplina tem seu lugar dentro de limites estritos, provoca um verdadeiro fascínio por todas as variantes do formalismo, por um saber imanente em si mesmo. A palavra-chave do período é comunicação, a qual, além da revista com o mesmo nome [*Communication*], evoca essa euforia pluridisciplinar.

---

21 Pavel, *Le mirage linguistique*, p.61.
22 Georges Balandier, entrevista com o autor.

A ambição de uma ciência unitária

Lévi-Strauss foi o primeiro a formular esse programa unificador das ciências humanas desde o pós-guerra. É evidente que a constelação por ele elaborada gravitava em torno de uma antropologia social de que ele era o representante e que era a única suscetível de levar a bom termo esse empreendimento totalizante. O que, aos olhos de Lévi-Strauss, alicerça a vocação particular da antropologia é a sua capacidade para encontrar-se na interseção das ciências da natureza e das ciências humanas, e, por esse motivo, a antropologia "não se desespera se, na hora do Juízo Final, acordar entre as ciências naturais".[23]

Lévi-Strauss inspira-se, portanto, nas ciências naturais e exatas para extrair delas certo número de modelos lógico-matemáticos ou técnicas operacionais para a construção de sua antropologia. A sua ambição consiste em apagar a fronteira entre ciências da natureza e ciências humanas, graças ao rigor científico.

Em consequência de seu fecundo encontro nos Estados Unidos com Jakobson durante a guerra, Lévi-Strauss concede um lugar privilegiado ao modelo linguístico na sua abordagem antropológica. Em sua busca de invariantes, em suas desconstruções paradigmáticas e sintagmáticas, retoma por sua conta os ensinamentos da fonologia de Jakobson: as oposições binárias, os desvios diferenciais... Com ele, a linguística terá fecundado um campo do saber particularmente rico. Se Lévi-Strauss, graças ao privilégio concedido à linguagem, à decifração dos signos, orienta a antropologia numa direção cultural, isso não significa, de forma alguma, que tenha abandonado a sua ambição de unidade. A sua busca dos circuitos mentais também visa ao terreno do biológico. A posição concedida ao biológico na sua antropologia estrutural é sobremaneira primordial, mesmo que esse domínio não seja verdadeiramente explorado. A análise estrutural encontra já "o seu modelo no corpo. Já assinalei as pesquisas muito minuciosas sobre o mecanismo da percepção visual em diversos animais".[24] "Os dados imediatos da consciência

---

23 Lévi-Strauss, Leçon inaugurale ou Collège de France, 5 jan. 1960. In: *Anthropologie structurale deux*, p.27.

24 Idem, *L'homme nu*, p.619.

situam-se a meio caminho, já codificados pelos órgãos sensíveis e pelo cérebro, à maneira de um texto."[25]

A totalidade a que Lévi-Strauss aspira, retomando assim por sua própria conta a ambição de construção do "fato social total" de Marcel Mauss, visa portanto abranger todo o campo científico e, finalmente, fazer da antropologia estrutural a ciência do homem, federatriz de ciências que se tornaram auxiliares, apoiada em modelos lógico-matemáticos, na contribuição da fonologia, num terreno de investigação sem margens que engloba num mesmo olhar as sociedades sem história, sem escrita, de dimensões planetárias.

O antropólogo pode ter acesso ao inconsciente das práticas sociais, pode reconstituir as combinatórias complexas das regras em vigor em todas as sociedades humanas. Compreende-se que essa ambição tenha representado um desafio importante para todas as ciências que tinham o homem por objeto, e que ela tenha suscitado reações para concorrer com semelhante programa a partir de outros lugares do saber ou, pelo contrário, para apoiar-se nessa dinâmica triunfante a fim de ganhar em legitimidade. A ambição assim definida dá-nos a medida da dificuldade que a antropologia conhece em suas origens para institucionalizar-se: "É o destino das ciências jovens inscreverem-se com dificuldade nos quadros estabelecidos. [...] [a antropologia] tem, se é lícito dizer, os pés nas ciências naturais; está escorada nas ciências humanas; olha em direção às ciências sociais".[26] Se a antropologia, por si só, não conseguiu demolir as cercas que mantêm as ciências do homem isoladas em seus respectivos enclaves, o estruturalismo que lhe sucedeu foi, com efeito, o paradigma comum, na impossibilidade de vir a ser uma escola comum para todas as disciplinas que trabalham no mesmo sentido da construção de uma ciência total unificada.

---

25 Idem, *Le regard éloigné*, p.164.

26 Idem, *Anthropologie structurale*, p.395.

Um fenômeno franco-francês

A labareda estruturalista foi um fenômeno essencialmente hexagonal que obteve fulgor internacional. As múltiplas obras que ilustraram o momento estruturalista foram reagrupadas no mundo anglo-saxão sob a rubrica *French Criticism*.

Por que a França oferecia um terreno mais propício que outros países para a eclosão e expansão da atividade estruturalista? É possível, a esse respeito, levantar algumas hipóteses. Há, em primeiro lugar, o peso das humanidades na França, que desempenharam um papel de bloqueio para a implantação das *social sciences*, triunfantes, ao contrário, nas universidades norte-americanas. Na França, a reação da vanguarda filosófica ao desenvolvimento das ciências sociais, monopolizando o programa estruturalista, permitiu que as humanidades prevalecessem renovadas numa disputa dos antigos contra os modernos.

Por outro lado, o duelo entre os defensores da tradição e os do modernismo é também uma característica bem francesa, e não fez mais do que repetir os debates do começo do século XX entre a "nova" e a "antiga" Sorbonne. O peso das humanidades permite, aliás, ao intelectual francês falar em nome da humanidade, engajar-se, estar em situação de porta-voz para além de sua competência específica.

Também existe na França uma tradição que remonta, no essencial, ao século XVIII, mas que foi ampliada no século XIX com o caso Dreyfus, e encarnada no século XX por Jean-Paul Sartre. Ainda que o estruturalismo mantenha certa distância dessa figura de intelectual engajado, não é menos verdade que essa corrente se servirá amplamente da prática que consiste em ultrapassar os aparelhos a fim de dirigir-se diretamente ao leitorado, ao público, para impor suas teses, a opinião de seus pares. Nos Estados Unidos, pelo contrário, o professor de Universidade é avaliado em dólares e "não tem nenhum direito individual para falar em nome da humanidade".[27] Na Alemanha, como nos Estados Unidos, são poucos os professores universitários que se envolvem num circuito midiático em que se possa eventualmente realizar uma abertura significativa. Foi o caso do canadense McLuhan, mas a instituição universitária fez com que pagasse muito caro a ousadia.

27 Maurice Godelier, entrevista com o autor.

Na França, verifica-se, pelo contrário, um enfraquecimento da autonomia do campo universitário, que sofre a concorrência de outras instâncias de consagração. Os lances no jogo de poder subjacente no debate teórico do estruturalismo são representados pela nova ambição das jovens ciências sociais diante da situação de monopólio das humanidades tradicionais. Aí encontramos de novo a especificidade francesa de uma Universidade particularmente centralizada, rotineira, velha herança napoleônica, inalterada ao longo das décadas de 1950 e 1960. O peso das humanidades é ainda revelado pela posição central que ocupou, na elaboração do paradigma estrutural, uma instituição como a École Normale Supérieure da rua de Ulm, lugar de criação e elaboração de importantes revistas do período, os *Cahiers pour l'Analyse* e os *Cahiers Marxistes-Léninistes*. É na rua de Ulm que vamos encontrar Althusser, Derrida, Lacan...

Outro dado do período que ultrapassa o campo universitário é a relação que os intelectuais franceses alimentam com a história do seu país. Eles adquirem subitamente consciência, numa França descolonizada e pacificada, de que já não habitam mais no que se apresentava desde 1789 como guia da humanidade. A França já não é mais uma grande potência, mas simples componente modesto de uma Europa plural. Daí que, como François Furet percebeu muito bem, o intelectual francês, "apesar da retórica gaullista, não possui mais o sentimento de fazer história humana: essa França, expulsa da história, aceita bem mais facilmente expulsar a história".[28] Esse ponto de vista é corroborado por Jean Duvignaud, que percebe a especificidade francesa do sucesso do estruturalismo como "uma fuga diante da história".[29] A aglomeração no Hexágono, o *tête-à-tête* dos franceses com eles mesmos, suscitou nos intelectuais a necessidade de uma armadura ideológica capaz de criar uma coesão tranquilizadora, uma ambição nova: "Constata-se a busca de uma ordem, quase no sentido cavaleiresco, iniciático, do termo".[30]

A esse novo aspecto, que contribuirá para a desestabilização radical da história e, portanto, para o êxito do estruturalismo em terra francesa, cumpre adicionar um elemento que depende, pelo contrário, da

28 Furet, Les intellectuels français et le structuralisme, *Preuves*, p.6, fev. 1967.
29 Jean Duvignaud, entrevista com o autor.
30 Ibidem.

preeminência de uma tradição espiritualista antimoderna entre os intelectuais franceses. Essa tradição viu-se reforçada pela dominação de uma filosofia construída, senão contra a ciência, pelo menos à margem desta, subordinando-a, "o que redundou na proeza incrível de assistir a Althusser dando aulas de cientificidade a cientistas".[31] Marcel Gauchet redescobre na expressão desse antimodernismo da comunidade intelectual a velha oposição entre o espírito e a indústria, a arte e os "horrores" da civilização de massa, antigo tema recorrente da história intelectual francesa.

A outra hipótese que permite compreender por que a França foi o país de eleição do estruturalismo foi sugerida por Thomas Pavel, que privilegia como fator explicativo a lógica interna do desenvolvimento da epistemologia na França. O fascínio pelo estruturalismo proviria do atraso acumulado na França em relação aos seus vizinhos europeus. A França permaneceu à margem dos debates do começo do século em torno da problemática da linguagem. Assim, a Escola de Viena (Rudolf Carnap, Otto Neurath, Herbert Feigl, Karl Popper) foi ignorada pelos franceses nos anos 1930, tanto que no momento do exílio dessa escola, com a ascensão do nazismo, a diáspora encontrou refúgio nos países anglo-saxões, sobretudo os Estados Unidos, significando assim o afastamento epistemológico da França e acentuando-o, de fato, ao ignorá-la como possível terra de asilo: "Os trabalhos de Claude Lévi-Strauss, do primeiro Barthes, de Lacan em parte representaram na França a explosão retardada – e tanto mais visível – do debate ocultado sobre a linguagem e a epistemologia do saber".[32] Depois de Lévi-Strauss, que assimilou a linguística como modelo para a edificação de uma antropologia estrutural, os filósofos de vanguarda, cortados da corrente analítica, também se precipitaram, um pouco mais tarde, para apossar-se do modelo linguístico, mas sem precaução epistemológica, e apropriando-se de uma linguística saussuriana já superada pelos progressos da filosofia da linguagem.

A intensidade da vida parisiense, que permitiu evitar a passagem pelas triagens universitárias tradicionais de reconhecimento, fez o resto para assegurar uma pronta difusão do paradigma estruturalista no

31 Marcel Gauchet, entrevista com o autor.
32 Pavel, *Le mirage linguistique*, p.188.

mercado cultural francês, transformando os seus defensores em estrelas midiáticas, novos gurus de um público ampliado pela progressão espetacular do número de estudantes em faculdades de letras e ciências humanas nos anos 1960. É, portanto, sob a bandeira tricolor da França, e somente da França, que o estruturalismo se expandirá até fascinar os outros países, mas como produto específico do solo francês que se saboreia pela necessidade de exotismo.

Referências

ADLER, A. Souvenirs et réflexions. Petits fragments. Michel Izard, L'état en Afrique Noire et Hegel. In: HERRENSCHMIDT, O. et al. *Séminaire de Michel Izard*. Laboratoire d'anthropologie sociale, Société des Africanistes, 17 nov. 1988.

ALLOUCH, J. Um sexe ou l'autre. *Littoral*, n.23-24, p.3-24, out. 1987.

ALTHUSSER, L. *Manifestes politiques de Feuerbach*. Paris: PUF, 1960.

______. Freud et Lacan. *La Nouvelle Critique*, n.161-162, dez. 1964-jan. 1965.

______. *Lire Le capital*. v.1. Paris: Maspero, 1971 [1965]. (Petite Collection Maspero)

______. *Pour Marx*. Paris: Maspero, 1969 [1965].

______. *Carta a J. Guitton*, jul. 1972, *Lire*, n.148, p.85, jan. 1988.

ARIÈS, P. *Un historien du dimanche*. Paris: Seuil, 1982.

ARON, R. *Le Figaro*, 24 out. 1955.

ARRIVÉ, M. *Linguistique et psychanalyse*. Paris: Klincksieck, 1987.

AUGÉ, M. *Le rivage alladian*. Paris: Orstom, 1969.

AXELOS, K. Le Jeu de l'autocritique. *Arguments*, n.27-28, 1962.

BACKÈS-CLÉMENT, C. (Ed.). *Le Magazine littéraire*, nov.1971.

BADIOU, A. Le (re)commencement du matérialisme dialectique. *Critique*, v.23, n.240, p.438-67, maio 1967.

BALANDIER, G. *Histoire d'autres*. Paris: Stock, 1977.

______. *Anthropologie politique*. Paris: PUF, 1967.

BALIBAR, É. *Lire Le capital*. v.2. Paris: Maspero, 1967 [1965].

BALLY, C. *Le langage et la vie*. Paris: Droz, 1965 [1913].

BARTHES, R. *Mythologies*. Paris: Seuil, 1957.

______. Histoire et littérature: à propos de Racine. *Annales*, v.3, n.15, p.524-37, maio-jun. 1960.

______. De part et d'autre. *Critique*, n.17, p.915-22, 1961.

______. L'imagination du signe. *Arguments*, 1962.

______. Sociologie et socio-logique. *Informations sur les Sciences Sociales*, n.4, dez. 1962.

______. L'activité structuraliste. *Lettres Nouvelles*, 1963.

______. Éléments de sémiologie. *Communications*, Paris: Seuil, n.4, 1964.

______. *Aléthéia*, p.218, fev. 1966.

______. *Critique et vérité*. Paris: Seuil, 1966.

______. De la science à la littérature. *Times Literary Supplement*, 1967.

______. Entrevista com Georges Charbonnier. *France-Culture*, dez. 1967, reapresentação em 21-22 nov.1988.

______. *Ras le boi*. [s.1.]: Roblot, 1967.

______. *Essais critiques*. Paris: Seuil, 1971

______. De part et d'autre. In: *Essais critiques*. Paris: Seuil, 1971.

______. Mère courage aveugle. [1964]. In: *Essais critiques*. Paris: Points-Seuil, 1971.

______. *Océaniques*. FR3, nov. 1970-maio 1971.

______. Théâtre populaire [1955]. In: *Essais critiques*. Paris: Points-Seuil, 1971.

______. *Le degré zéro de l'écriture*. Paris: Points-Seuil, 1972 [1953].

______. *Le système de la mode*. Paris: Points-Seuil, 1973 [1967].

______. Saussure, le signe, la démocratie. *Le Discours Social*, n.3-4, abr. 1973.

______. Entrevista com J.-M. Benoist e B.-H. Lévy. *France-Culture*, fev. 1977, reapresentação em 1º dez. 1988.

______. *Sur Racine*. Paris: Points-Seuil, 1979 [1963].

______. Avant-propos: 1971. *Essais critiques*. Paris: Point-Seuil, 1981.

______. De la science à la littérature. In: *Le bruissement de la Langue*. Paris: Seuil, 1984.

______. *L'aventure sémiologique*. Paris: Seuil, 1985.

______. Éléments de sémiologie. In: *L'aventure sémiologique*. Paris: Seuil, 1985.

BARTOLI, H. *Économie et création collective*. Paris: Économica, 1977.

BASTIDE, R. *Sens et usage du terme de structure*. Colóquio de 10-12 jan. 1959. Paris: Mouton, 1972 [1962].

BATAILLE, G. *Critique*, n.115, fev. 1956.

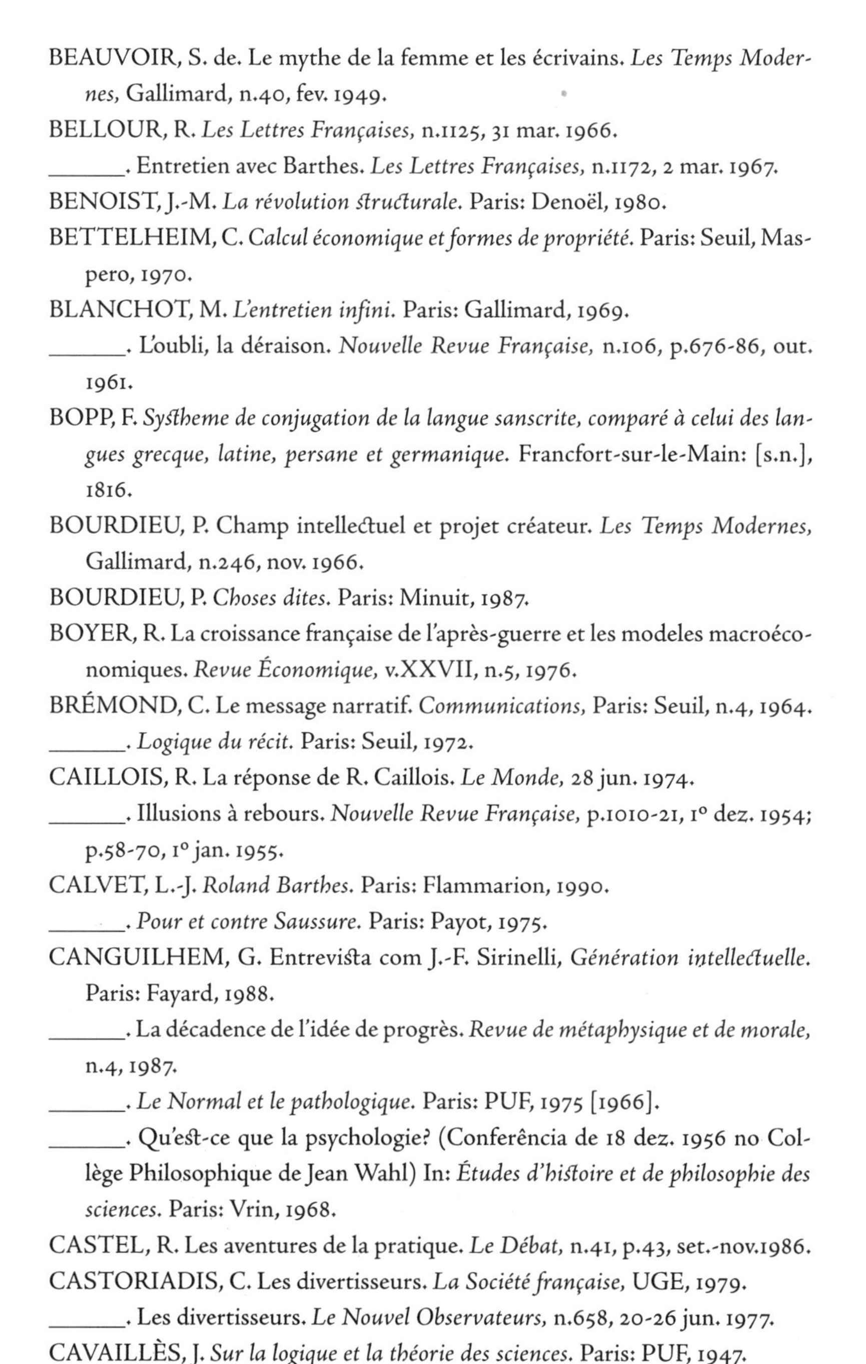

BEAUVOIR, S. de. Le mythe de la femme et les écrivains. *Les Temps Modernes*, Gallimard, n.40, fev. 1949.

BELLOUR, R. *Les Lettres Françaises*, n.1125, 31 mar. 1966.

______. Entretien avec Barthes. *Les Lettres Françaises*, n.1172, 2 mar. 1967.

BENOIST, J.-M. *La révolution structurale*. Paris: Denoël, 1980.

BETTELHEIM, C. *Calcul économique et formes de propriété*. Paris: Seuil, Maspero, 1970.

BLANCHOT, M. *L'entretien infini*. Paris: Gallimard, 1969.

______. L'oubli, la déraison. *Nouvelle Revue Française*, n.106, p.676-86, out. 1961.

BOPP, F. *Systheme de conjugation de la langue sanscrite, comparé à celui des langues grecque, latine, persane et germanique*. Francfort-sur-le-Main: [s.n.], 1816.

BOURDIEU, P. Champ intellectuel et projet créateur. *Les Temps Modernes*, Gallimard, n.246, nov. 1966.

BOURDIEU, P. *Choses dites*. Paris: Minuit, 1987.

BOYER, R. La croissance française de l'après-guerre et les modeles macroéconomiques. *Revue Économique*, v.XXVII, n.5, 1976.

BRÉMOND, C. Le message narratif. *Communications*, Paris: Seuil, n.4, 1964.

______. *Logique du récit*. Paris: Seuil, 1972.

CAILLOIS, R. La réponse de R. Caillois. *Le Monde*, 28 jun. 1974.

______. Illusions à rebours. *Nouvelle Revue Française*, p.1010-21, 1º dez. 1954; p.58-70, 1º jan. 1955.

CALVET, L.-J. *Roland Barthes*. Paris: Flammarion, 1990.

______. *Pour et contre Saussure*. Paris: Payot, 1975.

CANGUILHEM, G. Entrevista com J.-F. Sirinelli, *Génération intellectuelle*. Paris: Fayard, 1988.

______. La décadence de l'idée de progrès. *Revue de métaphysique et de morale*, n.4, 1987.

______. *Le Normal et le pathologique*. Paris: PUF, 1975 [1966].

______. Qu'est-ce que la psychologie? (Conferência de 18 dez. 1956 no Collège Philosophique de Jean Wahl) In: *Études d'histoire et de philosophie des sciences*. Paris: Vrin, 1968.

CASTEL, R. Les aventures de la pratique. *Le Débat*, n.41, p.43, set.-nov.1986.

CASTORIADIS, C. Les divertisseurs. *La Société française*, UGE, 1979.

______. Les divertisseurs. *Le Nouvel Observateurs*, n.658, 20-26 jun. 1977.

CAVAILLÈS, J. *Sur la logique et la théorie des sciences*. Paris: PUF, 1947.

CHAPSAL, M. *L'Express*, n.779, p.119-21, 23-29 maio 1966.
CHARBONNIER, G. *Entretiens avec Claude Lévi-Strauss*. Paris: Les Belles Lettres, 1969 [1961].
CHÂTELET, F. L'homme, ce Narcisse incertain. *La Quinzaine Littéraire*, 1º abr. 1966.
CHESNEAUX, J. *De la modernité*. Paris: Maspero, 1973.
CHEVALIER, J.-C. *La notion de complement chez les grammairiens*. Genève: Droz, 1968.
CHEVALIER, J.-C.; ENCREVÉ, P. *Langue Française*, n.63, set. 1984.
CLEMENS, R. Prolégomenes d'une théorie de la structure. *Revue d'Économie Politique*, n.6, 1952.
COHEN-SOLAL, A. *Sartre*. Paris: Gallimard, 1985.
COLOMBEL, J. Les mots de Foucault et les choses. *La Nouvelle Critique*, n.5, 1967.
COMMUNICATIONS. Paris: Seuil, n.8, 1966.
______. Paris: Seuil, n.4, 1964.
______. Paris: Seuil, n.1, 1961.
CONDORCET, J.-A. de. *Esquisse d'un tableau historique de progrès de l'esprit humain*. [s.l.: s.n.], 1793.
COQUET, J.-C. La Sémiotique. In: POTTIER, B. (Dir.). *Les sciences du langage en France au XXe siècle*. Paris: Selaf, 1980.
DAIX, P. *Structuralisme et révolution culturelle*. Tournai: Casterman, 1971.
DEBRAY, R. *Critique de la raison politique*. Paris: Gallimard, 1981.
DEFERT, D. *France-Culture*, 7 jul. 1988.
DEHOVE, M. *L'état des sciences sociales en France*. Paris: La Découverte, 1986.
DELEUZE, G. *Le Nouvel Observateur*, 5 abr. 1967.
______. L'homme, une existence douteuse. *Le Nouvel Observateur*, 1º jun. 1966.
DERRIDA, J. *France-Culture*, 21 mar. 1988.
______. *Positions*. Paris: Minuit, 1972.
______. De la grammatologie. *Critique*, n.223-224, dez. 1965.
DESANTI, J.-T. *Autrement*, n.102, p.116, nov.1988.
______. *Un destin philosophique*. Paris: Grasset, 1982.
DESCOMBES, V. *Les enjeux philosophiques des années cinquante*. Paris: Centre Georges-Pompidou, 1989.
______. L'équivoque du symbolique. *Confrontations*, n.3, p.77-95, 1980.
______. *Le même et l'autre*. Paris: Minut, 1979.
DOMENACH, J.-M. Le requiem structuraliste. In: *Le Sauvage et l'ordinateur*. Paris: Seuil, 1976.

______. Le système et la personne. *Esprit*, n.360, p.771-80, maio 1967.
DOR, J. *Introduction à la lecture de Lacan*. Paris: Denoël, 1985.
DOSSE, F. *L'histoire en miettes*. Paris: La Découverte, 1987.
DREYFUS, H.-L.; RABINOW, P. *Foucault, un parcours philosophique*. Paris: Gallimard, 1984.
DUCROT, O.; TODOROV, T. *Dictionnaire encyclopédique des sciences du langage*. Paris: Seuil, 1972.
DUFRENNE, M. La philosophie du néo-positivisme. *Esprit*, n.360, p.781-800, maio 1967.
DUMÉZIL, G. *Entretiens avec D. Éribon*. Paris: Gallimard, 1987.
______. Entrevista com Jean-Pierre Salgas. *La Quinzaine Littéraire*, 16 mar. 1986.
______. Introduction. In: *Mythe et Épopée*. Paris: Gallimard, 1973.
______. La préhistoire des flamines majeurs. *Revue d'Histoire des Religions*, CVIII, p.188-220, 1938.
DURKHEIM, É. La prohibition de l'inceste. *L'Année Sociologique*, v.I, 1898.
DUVIGNAUD, J. Après le fonctionnalisme et le structuralisme, quoi? *Une anthropologie des turbulences*. In: MAFFESOLI, M.; RIVIÈRE, C. (dir.). *Hommage à G. Balandier*. [s.l.]: Berg International, 1985.
______. *Le langage perdu*. Paris: PUF, 1973.
______. *Chebika*. Paris: Gallimard, 1968.
______. *Les Lettres Nouvelles*, n.62, 1958.
ECO, U. *Communications*, Paris: Seuil, n.8, 1966.
ÉRIBON, D. *Michel Foucault*. Paris: Flammarion, 1989.
ESPRIT, n.360 (Structuralismes, ideólogies et methods), maio 1967.
ETIEMBLE, R. *Évidences*, abr. 1956.
FABIANI, J.-L. *Les enjeux philosophiques des années cinquante*. Paris: Centre Georges-Pompidou, 1989.
FERRY, L.; RENAUT, A. *Heidegger et les modernes*. Paris: Grasset, 1988.
______.; ______. *La Pensée 68*. Paris: Gallimard, 1985.
FOUCAULT, M. *Entretien avec André Berten*, Université catholique de Louvain, 1981; FR3, 13 jan. 1988.
______. Entrevista em casa de Maurice Clavel em Vézelay, em 1977. *Océaniques*, 13 jan. 1988.
______. Lectures pour tous [1966]. *Océaniques*, FR3, 13 jan. 1988.
______. Le structuralisme et l'analyse. *Mission culturelle française Information*, embaixada da França na Tunísia, 10 abr.-10 maio 1987 (1965), registros

inéditos de duas conferências no Clube Tahar Haddad, p.11, Centre Michel Foucault, Biblioteca de Saulchoir.

______. *Revue de Métaphysique et de Morale* [1977], n.1, p.4, jan.-mar. 1985.

______. Entrevista. *Les Nouvelles Littéraires*, 28 jun. 1984.

______. *Ethos*, p.5, outono 1983.

______. Structuralism and Post-Structuralism. Entrevista com Georges Raulet. *Telos*, v.16, p.195-211, 1983.

______. Entrevista com B.-H. Lévy. *Le Nouvel Observateur*, 12 mar. 1977.

______. Entrevista com K. Boesers: Die Folter, das ist die Vernunft. *Literaturmagazin*, Reibek: Rowohlt, n.8, 1977.

______. Entrevista. *Politique-Hebdo*, 4 mar. 1976.

______. *L'histoire de la folie*. Paris: Gallimard, 1972 [1961].

______. *Hommage à Hyppolite*. Paris: PUF, 1971.

______. *France-Culture*, 10 jul. 1969.

______. Jean Hyppolite, 1907-1968. *Revue de Métaphysique et de Morale*, v.14, n.2, p.131, abr.-jun. 1969.

______. *Actes du Colloque de Royaumont:* Nietzsche, Freud, Marx. Paris: Minuit, [1964] 1967.

______. *Arts*, 15 jun. 1966.

______. Entrevista. *La Quinzaine Littéraire*, n.5, 15 maio 1966.

______. *Les mots et les choses*. Paris: Gallimard, 1966.

______. *Folie et déraison*. Paris: Plon, 1961.

______. *Le Monde*, 22 jul. 1961.

______. Vérité et pouvoir. Entrevista com M. Fontana. *L'Arc*, n.70.

FOUGEYROLLAS, P. *Contre Claude Lévi-Strauss, Lacan, Althusser*. [s.l.]: Lavelli, 1976.

FOUQUE, A. Le bon plaisir. *France-Culture*, jun. 1989.

FRANK, M. *Qu'est-ce que le néo-structuralisme?* Paris: Cerf, 1989.

FREGE, G. *Les fondements de l'arithmétique*. Paris: Seuil, 1969.

FURET, F. Les intellectuels français et le structuralisme. In: *L'atelier de l'histoire*. Paris: Flammarion, 1982.

______. Les intellectuels français et le structuralisme. *Preuves*, n.92, fev. 1967.

GADET, F. Le signe et le sens. *DRLAV, Revue de Linguistique*, n.40, 1989.

GANDILLAC, M.; GOLDMANN, L.; PIAGET, J. *Entretiens sur la notion de genèse et de structure*. Colloque de Cerisy. Paris: Mouton, 1965 [1959].

GASTON-GRANGER, G. *Pensée formelle et science de l'homme*. Paris: Aubier, 1960.

GAUCHET, M.; SWAIN, G. *La pratique de l'esprit humain:* l'institution asilaire et la révolution démocratique. Paris: Gallimard, 1980.

GENETTE, G. Structuralisme et critique littéraire. *Figures I.* Paris: Seuil, 1976 [1966].

GEORGE, F. *L'effet'yau de poêle.* Paris: Hachette, 1979.

GEORGIN, R. *De Lévi-Strauss à Lacan.* Petit Roeulx: Cistre, 1983.

GODELIER, M. *Rationalité et irracionalité en économie.* Paris: Maspero, 1966.

______. Système, structure et contradiction dans *Le capital. Les Temps Modernes,* Gallimard, n.246, nov.1966.

GOLDMANN, L. *Le Dieu caché.* Paris: Gallimard, 1956.

GRANGER, G.-G. Evénement et structure dans les sciences de l'homme. *Cahiers de l'Isea,* dez. 1959.

GREEN, A. Le bon plaisir. *France-Culture,* 25 fev. 1989.

______. Le langage dans la psychanalyse. *Langages,* Les Rencontres psychanalytiques d'Aix-en-Provence [1983]. Paris: Les Belles Lettres, 1984.

______. *L'Affect.* Paris: PUF, 1970.

______. La psychanalyse devant l'opposition de l'histoire et de la structure. *Critique,* n.194, jul. 1963.

GREIMAS, A.-J. *Langages,* n.1, p.96, mar. 1986.

______. *Du sens.* Paris: Seuil, 1970.

______. L'analyse structurale du récit. *Communications,* Paris: Seuil, n.8, 1966.

______. Préface. In: HJELMSLEV, L. *Le langage.* Paris: Minuit, 1966 [1963].

______. *Sémantique structurale.* Paris: Larousse, 1966.

GROSS, M. La création de revues dans les années soixante. In: CHEVALIER, J.-C.; ENCREVÉ, P. *Langue Française,* n.63, p.91, set. 1984.

GUÉROULT, M. *Philosophie de l'histoire de la philosophie.* Paris: Aubier, 1979.

______. *Descartes selon l'ordre des raisons.* Paris: Aubier, 1953.

______. *Leçon Inaugurale au Collège de France,* 4 dez. 1951.

GURVITCH, G. Le concept de structure sociale. *Cahiers Internationaux de Sociologie,* n.XIX, 1955.

HABERMAS, J. *Le discours philosophique de la modernité.* Paris: Gallimard, 1988.

HAGÈGE, C. *Le Monde,* 14 out. 1986.

______. *L'homme de parole.* Paris: Gallimard, 1985. (Col. Folio.)

HAMON, H.; ROTMAN, P. *Génération I.* Paris: Seuil, 1987.

HAMON, P. Littérature. In: POTTIER, B. (dir.). *Les sciences du langage en France au XXe siècle.* Paris: Selaf, 1980

HEIDEGGER, M. *Lettre sur l'humanisme.* Paris: Aubier, 1983 [1946].

______. *Introduction à la métaphysique*. Paris: Gallimard, 1967 [1958].
______. *Essais et conférences*. Paris: Gallimard, 1958.
______. Le discours du rectorat, 27 maio 1933. *Le Débat*, n.27, nov.1933.
______. *Questions I*. Paris: Gallimard, [19--].
HENRY, P. Êpistémologie de *L'Analyse automatique du discours* de Michel Pêcheux. In: *Introduction to the Translation of M. Pêcheux's Analyse automatique du discours*. [s.l.: s.n, s.d.]
HERBERT, T. Remarques pour une théorie générale des ideologies. *Cahiers pour l'Analyse*, n.9, p.74-92, verão 1968.
______. Réflexions sur la situation théorique des sciences sociales, spécialment de la psychologie sociale. *Cahiers pour l'Analyse*, n.2, mar.-abr. 1966.
HERRENSCHMIDT, O. *Séminaire de Michel Izard*, Laboratoire d'anthropologie sociale, Société des Africanistes, 17 nov. 1988.
HERTZ, R. *Mélanges de sociologie religieuse et folklore*. Paris: F. Alcan, 1928.
HJELMSLEV, L. *Prolégomênes à une théorie du langage*. Paris: Minuit, 1968 [1943].
______. *Le langage*. Paris: Minuit, 1966 [1963].
HYPPOLITE, J. *La psychanalyse I*. Paris: PUF, 1956.
IPOLA, E. R. *Le structuralisme ou l'histoire en exil*, thèse. [s.l.:s.n.], 1969.
JAKOBSON, R. Entrevistas 10 fev. 1972, 2 jan. 1973, 14 set. 1974. *Archives du XXe Siècle, La Sept*, out. 1990.
______. Entrevista realizada por T. Todorov. *Poétique*, n.57, fev. 1984.
______. *Six leçons sur le son et le sens*. Paris: Minuit, 1976.
______. Texto conclusivo da Conferência de Antropólogos e Linguistas realizada na Universidade de Indiana em 1952. In: *Essais de linguistique générale. Essais de linguistique générale*. Paris: PointsSeuil, 1970 [1963].
______. Préface. In: TODOROV, T. *Théorie de la littérature*. Paris: Seuil, 1965.
______. Deux aspects du langage et deux types d'aphasie [1956]. In: *Essais de linguistique générale*. Paris: Seuil, 1963.
______. Les douze traits de sonorité. [1956]. In: Phonologie et phonétique. In: *Essais de linguistique générale*. Paris: Minuit, 1963.
______. *Essais de linguistique générale*. Paris: Seuil, 1963.
JAMIN, J. *Les enjeux philosophiques des annés cinquante*. Paris: Centre Georges-Pompidou, 1989.
JURANVILLE, A. *Lacan et la philosophie*. Paris: PUF, 1988 [1984].
KANTERS, R. Tu causes, tu causes, c'est tout ce que tu sais faire. *Le Figaro littéraire*, n.1067, 23 jun. 1966.

______. Shéhérazade et quelques autres. *Le Figaro Littéraire*, n.842, 3-23 jun. 1962.

KOYRÉ, A. *De la mystique à la science; cours, conférences et documents, 1922-1962*. Édité par Pietro Redondi. Paris: Ehess, 1986.

KRISTEVA, J. Le bon plaisir. *France-Culture*, 10 dez. 1988.

______. Le Sens et la mode. *Critique*, n.247, p.1008, dez. 1967.

L'ARC. Número especial J.-P. Sartre. n.30, 4. trim. 1966.

LA PSYCHANALYSE, Revue de la Société Française de Psychanalyse, n.1, 1956.

LABROUSSE, E. *Actes du congres historique du centenaire de la révolution de 1848*. Paris: PUF, 1948.

______. *La crise de l'économie française à la finde l'Ancien Regime et au début de la crise révolutionnaire*. Paris: PUF, 1944.

LACAN, J. *Séminaire*. Livre III: *Les psychoses (1955-1956)*. Paris: Seuil, 1981.

______. L'excommunication. *Ornicar?* Paris AMP, n.8, 1977.

______. *Séminaire*. Livre XX: *Encore (1973-1974)*. Paris: Seuil, 1975.

______. Position de l'inconscient. *Écrits*. v.II. Paris: Points-Seuil, 1971.

______. Situation de la psychanalyse en 1956. In: *Écrits*. v.II. Paris: Points--Seuil, 1971.

______. Subversion du sujet et dialectique du désir dans l'inconscient freudien. Colloque de Royaumont, 19-23 set. 1960. In: *Écrits*. v.II. Paris: Points-Seuil, 1971.

______. *Cahiers pour l'Analyse*, Paris, n.3, p.5-13, maio 1966.

______. La chose freudienne [1956]. In: *Écrits*. Paris: Seuil, 1966.

______. *Écrits*. 2 vols. Paris: Seuil, 1966.

______. Entrevista com Gilles Lapouge. *Le Figaro Littéraire*, n.1076, 29 dez. 1966.

______. L'instance de la lettre dans l'inconscient. In: *Écrits*. v.I. Paris: Seuil, 1966.

______. *Interview*, RTB, 14 dez. 1966.

______. Rapport de Rome, 1953. In: *Écrits*. v.I. Paris: Seuil, 1966.

______. Remarques sur le rapport de Daniel Lagache [1958]. In: *Écrits*. Paris: Seuil, 1966.

______. La science et la vérité. *Cahiers pour l'Analyse*, n.1, 1966.

______. Séminaire sur *La lettre volée*. In: *Écrits*. v.I. Paris: Seuil, 1966.

______. *La psychanalyse I*. Paris: PUF, 1956.

LACROIX, J. La finde l'humanisme. *Le Monde*, 9 jun. 1966.

______. *Le Monde*, 13-14 ago. 1957; 27 nov.1962.

LANGAGES, Paris: Larousse, n.1, mar. 1966.

LAPLANCHE, J. *Psychanalyse à l'Université*, v.4, n.15, p.523-8, jun. 1979.

______. Une révolution sans cesse occultée. *Communication aux journées scientifiques de l'Association Internacionale d'histoire de la psychanalyse*, 23-24 abr. 1988.

LAPOUGE, G. Encare un effort et j'aurai épousé mon temps. *La Quinzaine Littéraire*, n.459, 16-30 mar. 1986.

LE FIGARO, 1º dez. 1956.

LE GOFF, J.; PERROT, M.; CHARTIER, R.; LEVILLAIN, P. Lundis de l'histoire. *France-Culture*, 11 mar. 1968.

LECLAIRE, S. L'objet a dans la cure. In: *Rompre les charmes*. Paris: Inter Éditions, 1981 [1971].

______. L'inconscient, une étude psychanalytique. In: *Psychanalyser*. Paris: Points-Seuil, 1968.

______. L'inconscient, une étude psychanalytique. In: *L'inconscient*. Paris: Desclée de Brouwer, 1966.

LEFORT, C. L'échange et la lutte des hommes. *Les formes de l'histoire*. Paris: Gallimard, 1978.

______. Le marxisme de Sartre. *Les Temps Modernes*, Gallimard, n.89, abr. 1953.

______. L'échange et la lutte des hommes. *Les Temps Modernes*, Gallimard, fev. 1951

LEMAIRE, A. *Lacan*. Bruxelles: Mardaga, 1977.

LES CAHIERS POUR L'ANALYSE, Société du Graphe, n.1-2, Paris: Seuil, 1969.

LES THESES DE 1929. In: MUKAROVSKY, J. *Change*, Paris: Seuil, n.3, 1971 [1969].

LÉVI-STRAUSS, C. *De près et de loin*. Paris: Odile Jacob, 1988.

______. *Leroi-Gourhan ou les vales de l'homme*. Paris: Albin Michel, 1988.

______. *La potière jalouse*. Paris: Plon, 1985.

______. L'avenir de l'ethnologie, 1959-1960. In: *Paroles données*. Paris: Plon, 1984.

______. *Paroles données*. Paris: Plon, 1984.

______. Entrevista. *Libération*, 2 jun. 1983.

______. Preface. In: *Le Regard éloigné*. Paris: Plon, 1983.

______. *Le regard éloigné*. Paris: Plon, 1983.

______. Entrevista com J.-M. Benoist. *Le Monde*, 21 jan. 1979.

______. Entrevista com R. Bellour [1972]. *Idées-Gallimard*, 1979, p.205.
______. Réponse à Dumézil reçu à l'Academie française. *Le Monde*, 15 jul. 1979.
______. Dumézil et les sciences humaines. *France-Culture*, 2 out. 1978.
______. Entrevista com R. Bellour. In: *Le livre des autres*, 10-18, 1978.
______. *Anthropologie structurale deux*. Paris: Plon, 1973.
______. La structure et la forme. In: *Anthropologie structurale deux*. Paris: Plon, 1973.
______. Leçon inaugurale ou Collàge de France, 5 jan. 1960. In: *Anthropologie structurale deux*. Paris: Plon, 1973.
______. Race et histoire [1952]. In: *Anthropologie structurale deux*. Paris: Plon, 1973.
______. Note sur l'emploi du mot "structure" en histoire de l'art. In: BASTIDE, R. *Sens et usage du terme de structure*. Paris: Mouton, 1972 [1962].
______. Entrevista com R. Bellour. *Le Monde*, 5 nov.1971.
______. *L'homme nu*. Paris: Plon, 1971.
______. *Le Magazine Littéraire*, nov.1971.
______. Introduction à l'oeuvre de Marcel Mauss. In: MAUSS, M. *Sociologie et anthropologie*. Paris: PUF, (1950) 1968. p.X.
______. Entrevista com R. Bellour. *Lettres Françaises*, n.1165, 12 jan. 1967.
______. *Les structures élémentaires de la parenté*. Paris: Mouton, 1967.
______. *Du miel aux cendres*. Paris: Plon, 1966.
______. *Le cru et le cuit*. Paris: Plon, 1964.
______. *La pensée sauvage*. Paris: Plon, 1962.
______. *Le totémisme aujourd'hui*. Paris: Plon, 1962. p.25.
______. La structure et la forme. *Cahiers de l'Isea*, n.9, série M, n.7, p.3-36, mar. 1960.
______. *Anthropologie structurale*. Paris: Plon, 1958.
______. L'analyse structurale en lingustique et en anthropologie. In: *Anthropologie structurale*. Paris: Plon, 1958.
______. L'efficacité symbolique. In: *Anthropologie structurale*. Paris: Plon, 1958.
______. La notion de structure en ethnologie. In: *Anthropologie structurale*. Paris: Plon, 1958.
______. La structure des mythes [1955]. In: *Anthropologie structurale*. Paris: Plon, 1958. p.227-56.
______. Langage et parenté. In: *Anthropologie structurale*. Paris: Plon, 1958.
______. Le sorcier et sa magie. In: *Anthropologie structurale*. Paris: Plon, 1958.
______. Le droit au voyage. *L'Express*, 21 set. 1956.

______. Des indiens et leur ethnographe. *Les Temps Modernes*, Gallimard, n.116, ago. 1955.
______. Diogene couché. *Les Temps Modernes*, Gallimard, n.195, p.1.187-21, 1955.
______. Entrevista com Jean-José Marchand. *Arts*, 28 dez. 1955.
______. *Tristes tropiques*. Paris: Plon, 1955.
______. Linguistique et anthropologie. *Supplement to International Journal of American Linguistics*, v.19, n.2, abr. 1953.
______. Histoire et ethnologie. *Revue de Métaphysique et de Morale*, n.3-4, p.363-91, 1949.
______. L'efficacité symbolique. *Revue d'Histoire des Religions*, n.1, 1949.
______. Le sorcier et sa magie. *Les Temps Modernes*, Gallimard, n.41, mar. 1949.
______. *Les structures élémentaires de la parenté*. Paris: PUF, 1949.
______. *La vie familiale et saciale des Indiens Nambikwara*. Paris: Société des Américanistes, 1948.
______. L'analyse structurale en lingustique et en anthropologie. *Word*, v.I, n.2, p.1-21, 1945.
______.; JAKOBSON, R. *L'homme*, Paris: Mouton, II, n.1, jan.-abr. 1962.
LIBÉRATION, enquête, 30 jun. 1984.
LINDENBERG, D. *Le marxisme introuvable*. Paris: Calmamn-Lévy, 1979.
LINHART, R. *Lénine, les paysans, Taylor*. Paris: Seuil, 1976.
LIPOVETSKY, G. *L'Ère du vide*. Paris: Gallimard, 1983.
LOWIE, R. H. Exogamy and the Classificatory Systems of Relationship. *American Anthropologist*, v.1, n.6, p.346-9, jun. 1915.
LYOTARD, J.-F. *Le Maganize Littéraire*, n.225, dez. 1985.
______. *La condition post-moderne*. Paris: Minuit, 1979.
MACHEREY, P. *Pour une théorie de la production littéraire*. Paris: Maspero, 1966.
______. Marxisme et humanisme. *La Nouvelle Critique*, n.166, p.132, maio 1965.
______. La philosophie de la science de Canguilhem. *La Pensée*, n.113, jan. 1964.
MANDROU, R. Trois clés pour comprendre l'histoire de la folie à l'époque classique. *Annales*, n.4, p.761-71, jul.-ago. 1962.
MARCHAL, A. Note complémentaire: les préférences de structure. In: BASTIDE, R. *Sens et usage du terme de structure*. Paris: Mouton, 1972 [1962].

______. *Systèmes et structures économiques*. Paris: PUF, 1959.
______. *Méthode scientifique et science économique*. Paris: Médicis, 1955.
MARION, J.-L. Une modernité sans avenir. *Le Débat*, n.4, p.54-60, set. 1980.
MARKSEY, R.; DONATO, E. (eds.). *The Structuralist's Controversy*. The Langages of Criticism and the Sciences of Man. [London 1972]. Baltimore: The John Hopkins Press, 1970.
MARTIN, S. *Langage musical, sémiotique des systèmes*. Paris: Klincksieck, 1978.
MARTINET, A. (dir.). Entrevista com J.-C. Chevalier e P. Encrevé. In: CHEVALIER, J.-C.; ENCREVÉ, P. *Langue Française*, n.63, p.61, set. 1984.
______. *La Linguistique*, n.l, 1966.
______. *Éléments de linguistique générale*. Paris: Armand Colin, 1960.
______. Exposição sobre os *Prolegômenos* de L. Hjelmslev. *Bulletin de la Société de Linguistique*, v.42, p.17-42, 1946.
MARX, K. *Le capital*. Livro II, v.3. Paris: Editions Sociales, 1960.
MATIGNON, R. Le maintien de l'ordre. *L'Express*, 2 maio 1966.
MATONTI, F. Entre Argenteuil et les barricades: *La Nouvelle Critique* et les sciences sociales. *Cahiers de l'Institut d'Histoire du Temps Présent*, n.11, abr. 1989.
MENDEL, G. *Enquête par um psychanalyste sur lui-même*. Paris: Stock, 1981.
______. *La chasse structurale*. Paris: Payot, 1977.
MERLEAU-PONTY, M. *L'inconscient*. VIe Colloque de Bonneval (Coordenação geral de Henry Ey). Paris: Desclée de Brouwer, 1966.
______. Le philosophe et la sociologie. In: ______. *Signes*. Paris: Gallimard, 1960.
______. *Signes*. Paris: Gallimard, 1960.
______. Sur la phénoménologiedu langage. Comunicação no Primeiro Colóquio Internacional de Fenomenologia, Bruxelas, 1951. In: *Signes*. Paris: Gallimard, 1960.
______. Le philosophe et la sociologie. *Cahiers Internationaux de Sociologie*, v.X, p.55-69, 1951.
______. *Phénomenologie de la perception*. Paris: Gallimard, 1945.
______. *Structure du comportement*. Paris: PUF, 1942.
MÉTRAUX, A. *L'Ile de Pâques*. 2.ed. Paris: Gallimard, [1941] 1956.
MEYRIAT, J. *Revue Française de Science Politique*, v.6, n.2.
MILHAU, J. Les débats philosophiques des années soixante. *La Nouvelle Critique*, n.130, p.50-1, 1980.
MILLER, J.-A. Encyclopédie. *Ornicar?*, Paris AMP, n.24, 1981.

MORIN, E. *Arguments, trente ans apres* (entrevistas). *La Revue des revues*, n.4, p.19, outono 1987.

______. *Le vif du sujet*. Paris: Seuil, 1969.

______. *L'esprit du temps*. Paris: Grasset, 1962.

MOUNIN, G. Linguistique, structuralisme et marxisme. *La Nouvelle Critique*, n.7, 1967.

MUKAROVSKY, J. *Change*. Paris: Seuil, n.3, 1971 [1969].

NADEAU, M. *Les lettres nouvelles*, Paris: Les Lettres Nouvelles Editions, jul. 1953.

NAÎR, K. Marxisme ou structuralisme? *Contre Althusser*. Paris: 10-18, 1974.

NASIO, J. D. *Les sept concepts cruciaux de la psychanalyse*. Paris: Rivages, 1988.

NICOLAI, A. *Comportement économique et structures sociales*. Paris: PUF, 1960.

NIETZSCHE, F. *Humain, trop humain*. v.1. Paris: Gallimard, 1968 [1878].

______. *Le gai savoir*. Paris: Gallimard, 1950.

______. *La volonté de puissance*. v.I. Paris: Gallimard, [19--].

______. *Considérations inactuelles*. Paris: Aubier, 1876.

NORA, P. *Les lieux de mémoire*. v.1: *La République*. Paris: Gallimard, 1984.

______. *Les français d'Algérie*. Paris: Julliard, 1961.

______. *Notion de structure e structure de la connaissance*. Paris: Albin Michel, 1957.

OGILVIE, B. *Lacan, le sujet*. Paris: PUF, 1987.

ORTIGUES, E. *Critique*, n.189, fev. 1963.

ORY, P.; SIRINELLI, J.-F. *Les intellectuels en France, de l'affaire Dreyfus à nos jours*. Paris: Armand Colin, 1986.

OUVERTURE d'un débat: marxisme et humanisme. *La Nouvelle Critique*, n.164, mar. 1965.

PAVEL, T. *Le mirage linguistique*. Paris: Minuit, 1988.

PÊCHEUX, M. *L'analyse automatique du discours*. Paris: Dunod, 1969.

PERRIAUX, A.-S. *Le structuralisme en France* (DEA thesis directed by Jacques Julliard). [s.l.: s. n.], set. 1987.

PERROT, M. *Essais d'ego-histoire*. Paris: Gallimard, 1987.

PERROUX, F. L'attitude structuraliste et le concept de structure en économie politique. In: BASTIDE, R. *Sens et usage du terme de structure*. Paris: Mouton, 1972 [1962].

______. *Comptes de la nation*. Paris: PUF, 1949.

PIAGET, J. *Psychologie et épistémologie*. Paris: PUF, 1970.

______. *Éléments d'épistémologie génétique*. Paris: PUF, 1950.

______. *Le structuralisme*. Paris: PUF, [19--]. (Que sais-je?)

PICARD, R. *Nouvelle critique ou nouvelle imposture*. Paris: J.-J. Pauvert, 1965.

PINGUET, M. *Le Débat*, n.41, p.125-6, set.-nov. 1986.

PINTO, L. *Les philosophes entre le lycée et l'avant-garde*. Paris: L'Harmattan, 1987.

POMMIER, R. *Assez décodé*. [s.l.]: Roblot, 1978.

POTTIER, B. Entrevista com J.-C. Chevalier e P. Encrevé. In: CHEVALIER, J.-C.; ENCREVÉ, P. *Langue Française*, n.63, set. 1984.

POUILLON, J. et al. Problemes du structuralisme. *Fétiches sans fétichisme*. Paris: Maspero, 1975.

______. L'oeuvre de Claude Lévi-Strauss. In: *Fétiches sans fétichisme*. Paris: Maspero, 1975.

______. *La Quinzaine Littéraire*, 1-31 ago. 1968.

______. *Les Temps Modernes*, Gallimard, n.246, nov.1966.

______. L'oeuvre de Claude Lévi-Strauss. *Les Temps Modernes*, Gallimard, n.126, jul. 1956

PRITCHARD. E.; FORTES. M. (dirs.). *African Political Systems*. Oxford: Oxford University Press, 1964 [1940].

PROPP, V. *Les racines historiques du conte*. Paris: Gallimard, 1983.

______. Apêndice. In: *Morphologia de-la fiaba*. Turim: [s.n.], 1966.

PROUST, J. Problèmes d'histoire de la philosophie: l'idée de topique comparative. *Bulletin de la Société Française de Philosophie*, v.3, n.82, jul.-sét. 1988.

PROUST, M. *Le temps retrouvé*, II. Paris: Gallimard, 1954.

RADCLIFFE-BROWN, A. R. The Study of Kinship Systems. *Journal of the Royal Anthropology Institute*, v.71, n.1-2, p.17, 1941.

RÉGIS-BASTIDE, F. *Demain*, 29 jan. 1956.

RENAUD, P. A. *France-Observateur*, 29 dez. 1955.

REVEL, J.-F. Le rat et la mode. *L'Express*, 22 maio 1967.

______. Sartre en ballottage. *L'Express*, n.802, p.97, 7-13 nov.1966.

REY, J.-M. *La philosophie du monde scientifique et industrial*. Sous la direction de F. Châtelet. Paris: Hachette, 1973. p.151-87. (Histoire de la Philosophie.)

RICOEUR, P. La structure, le mot, l'événement. *Esprit*, v.5, n.360, maio 1967 [nov.1963].

ROCHE, A. (dir.). *Boris Souvarine et "La Critique Sociale"*. Paris: La Découverte, 1990.

RODINSON, M. *Nouvelle Critique*, n.66, 1955; n.69, nov.1955.

______. Racisme et civillisation. *Nouvelle Critique*, n.66, p.130, 1955.

ROUDINESCO, É. *Histoire de la psychanalyse en France*. Paris: Seuil, 1986.

______. *Les enjeux philosophiques des années cinquantes*. Paris: Centre Georges-Pompidou, 1989.

ROUSSET, J. *Forme et signification*. Essais sur les structures littéraires de Corneille à Claudel. Paris: José Corti, 1962.

ROUSTANG, F. *Lacan*. Paris: Minuit, 1986.

ROY, C. Un grand livre civilisé: *La pensée sauvage*. *Libération*, 19 jun. 1962.

______. Claude Lévi-Strauss ou l'homme en question. *La Nef*, n.28, p.70, 1959.

______. *Libération*, 16 nov. 1955.

SAINT-SERNIN, B. Légitimité et existence de la philosophie de la nature? *Revue de Métaphysique et de Morale*, n.43, jan. 1985.

SARTRE, J.-P. *L'existencialisme est un humanisme*. Paris: Nagel, 1966.

______. Réponse à Claude Lefort. *Les Temps Modernes*, Gallimard, n.89, abr. 1953.

SAUSSURE, F. de. *Cours de linguistique générale*. Paris: Payot, 1986 [1972].

SCHORSKE, C. *Fin de siècle Vienna*. Paris: Seuil, 1983.

SERRES, M. *La Traduction*. Paris: Minuit, 1974.

______. Géométrie de la folie. In: *Hermès I*: La communication. Paris: Minuit, 1968.

______. Structure et importation: des mathématiques aux mythes. In: ______. *Hermès I*: La Communication. Paris: Minuit, 1968.

______. Géométrie de la folie. *Mercure de France*, n.1188, p.683-96, ago. 1962; n.1.189, p.63-81, set. 1962.

SÈVE, L. *Structuralisme et dialectique*. Paris: Éd. Sociales, 1984.

______. Marxisme et sciences de l'homme. *La Nouvelle Critique*, n.2, 1967.

SICHÈRE, B. *Le moment lacanien*. Paris: Grasset, 1983.

SIMON, M. *La Nouvelle Critique* , n.165, p.127, abr. 1965.

SIMONIS, Y. *Lévi-Strauss ou la passion de l'inceste*. Paris: Champs-Flammarion, 1980 [1968].

SOLLERS, P. Le bon Plaisir de J. Kristeva. *France-Culture*, 10 dez. 1988.

______. *L'écriture et l'expérience des limites*. Paris: Seuil, 1971.

______. Litterature et totalité [1966]. In: *L'écriture et l'expérience des limites*. Paris: Seuil, 1971 [Points,1968].

SPERBER, D. *Le structuralisme en anthropologie*. Paris: Seuil, 1968. (Qu'est-ce que le structuralisme?)

STAROBINSKI, J. *Les mots sous les mots*. Paris: Gallimard, 1971.

______. *Mercure de France*, fev. 1964.

STEINER, G. *Martin Heidegger.* Paris: Flammarion, 1981.
STOCKING, G. W. *Histoires de l'anthropologie:* VIe-XIXe siecles. Paris: Klincksieck, 1984. p.421-31.
TEL QUEL RÉPOND: présentation. *La Nouvelle Critique*, nov.-dez. 1967.
TEL QUEL. Paris: Seuil n.47, outono 1971.
______. Paris: Seuil, n.1, 1960.
TERRAY, E. *Le marxisme devant les sociétés primitives*. Paris: Maspero, 1969.
TODOROV, T. *Théories du symbole*. Paris: Seuil, 1977.
______. La description de la signification en littérature. *Communications*, Paris: Seuil, n.4, p.36, 1964.
TORRES, F. *Déjà vu*. Paris: Ramsay, 1986.
TROUBETZKOY, N. La phonologie actuelle. In: *Psychologie du langage*. Paris: Alcan, 1933.
VATTIMO, G. *La fin de la modernité*. Paris: Seuil 1987 [1985].
VERDES-LEROUX, J. *Le Réveil des somnambules*. Paris: Fayard, 1987.
VERNANT, J.-P. Le mythe hésiodique des races. Essai d'analyse structurale. [1960]. In: *Mythe et pensée chez les Grecs*. v.1. Paris: Maspero, 1971.
______. *Genèse et structure*. Paris: Mouton, 1965 [1959].
VERRET, M. *La Nouvelle Critique*, n.168, p.96, jul.-ago. 1965.
VERSTRAETEN, P. Violence et éthique. *Les Temps Modernes*, Gallimard, n.206, jul. 1963.
VIET, J. *Les méthodes structuralistes*. Paris: Mouton, 1965. p.11.
VILAR, P. Les mots et les choses dans la pensée économique. *La Nouvelle Critique*, n.5, 1967.
______. *La Catalogne dans l'Espagne moderne*. Recherches sur les fondements économiques des structures nationales. Paris: Sevpen, 1962.
VINCENT, J.-M. Le théoricisme et sa rectification. *Contre Althussser*. Paris: 10-18, 1974.
WAGEMANN, E. *La stratégie économique*. Paris: Payot, 1938.
______. *Introduction à la théorie du mouvement des affaites*. Paris: Payot, 1932.
WOLFF, É. Structure en linguistique. In: BASTIDE, R. *Sens et usage du terme de structure*. Paris: Mouton, 1972 [1962].
WORD, éditorial, s.l.: s.n., v.1, n.1, 1945.

Anexo

LISTA DAS ENTREVISTAS REALIZADAS

Marc ABÉLÈS, antropólogo, pesquisador no laboratório de antropologia social, Ehess.

Alfred ADLER, antropólogo, pesquisador no laboratório de antropologia social, EHESS.

Michel AGLIETTA, economista, professor de economia na Universidade Paris-X.

Jean ALLOUCH, psicanalista, diretor da revista *Littoral*.

Pierre ANSART, sociólogo, professor na Universidade Paris-VII.

Michel ARRIVÉ, linguista, professor na Universidade Paris-X.

Marc AUGÉ, antropólogo, diretor de estudos na Ehess, presidente da Ehess.

Sylvain AUROUX, filósofo e linguista, diretor de pesquisa no CNRS.

Kostas AXELOS, filósofo, antigo redator-chefe da revista *Arguments*, docente na Sorbonne.

Georges BALANDIER, antropólogo, professor na Sorbonne, diretor de estudos na Ehess.

Étienne BALIBAR, filósofo, mestre de conferências na Universidade de Paris-I.

Henri BARTOLLI, economista, professor na Universidade Paris-I.

Michel BEAUD, economista, professor na Universidade Paris-VIII.

Daniel BECQUEMONT, anglicista e antropólogo, professor na Universidade de Lille.

Jean-Marie BENOIST, filósofo, subdiretor da cadeira de História da Civilização Moderna no Collège de France (falecido em 1990).

Alain BOISSINOT, homem de letras, professor de letras no ciclo preparatório do Liceu Louisle-Grand.

Raymond BOUDON, sociólogo, professor na Universidade Paris-IV, diretor do grupo de estudos de métodos de análise sociológica (Gemas).

Jacques BOUVERESSE, filósofo, professor na Universidade Paris-I.

Louis-Jean CALVET, linguista, professor na Sorbonne.

Jean-Claude CHAVALIER, linguista, professor na Universidade Paris-VII, secretário-geral da revista *Langue Française*.

Jean CLAVREUL, psicanalista.

Claude CONTÉ, psicanalista, antigo chefe de clínica na Faculdade de Medicina de Paris.

Jean-Claude COQUET, linguista, professor na Universidade Paris-VIII.

Maria DARAKI, historiadora, professora na Universidade Paris-VIII.

Jean-Toussaint DESANTI, filósofo, lecionou na Universidade Paris-I e na ENS de Saint-Cloud.

Philippe DESCOLA, antropólogo, diretor-adjunto do laboratório de antropologia social.

Vincent DESCOMBES, filósofo, professor na Universidade Johns Hopkins, Baltimore, Estados Unidos.

Jean-Marie DOMENACH, filósofo, ex-diretor da revista *Esprit*, criador do CREA.

Joël DOR, psicanalista, diretor da revista *Esquisses Psyichanalytiques*, professor da Universidade Paris-VII.

Daniel DORY, geógrafo, pesquisador do CNRS em Paris-I.

Roger-Pol DROIT, filósofo, editorialista do *Le Monde*.

Jean DUBOIS, linguista, professor na Universidade Paris-X, revista *Langages*.

George DUBY, historiador, professor no Collège de France.

Oswald DUCROT, linguista, diretor de estudos na Ehess.

Claude DUMÉZIL, psicanalista.

Jean DUVIGNAUD, sociólogo, professor na Universidade Paris-VII.

Roger ESTABLET, sociólogo, membro do Cercom (Ehess), mestre de conferência na Universidade de Aix-Marselha.

François EWALD, filósofo, presidente da associação para o Centro Michel Foucault.

Arlette FARGE, historiadora, diretora de pesquisas na Ehess.

Jean-Pierre FAYE, filósofo, linguista, professor na Universidade Filosófica Europeia.

Pierre FOUGEYROLLAS, sociólogo, professor na Universidade Paris-VII.
Françoise GADET, linguista, professora na Universidade Paris-X.
Marcel GAUCHET, historiador, responsável da redação na revista *Le Débat*.
Gérard GENETTE, linguista, semiologista, diretor de estudos na Ehess.
Jean-Christophe GODDARD, filósofo, professor da classe preparatória de HEC.
Maurice GODELIER, antropólogo, diretor científico no CNRS, diretor de estudos na Ehess.
Gilles GASTON-GRANGER, filósofo, professor no Collège de France.
Wladimir GRANOFF, psicanalista, médico-chefe do Centro Médico-Psicológico de Nanterre.
André GREEN, psicanalista, antigo diretor do Instituto de Psicanálise de Paris.
Algirdas-Julien GREIMAS, linguista, diretor de estudos honorários da Ehess.
Marc GUILLAUME, economista, professor na Universidade Paris-Dauphine, mestre de conferências na Escola Politécnica, diretor do Íris.
Claude HAGÈGE, linguista, professor no Collège de France.
Philippe HAMON, linguista, professor na Universidade Paris-III.
André Georges HAUDRICOURT, antropólogo e linguista.
Louis HAY, linguista, pesquisador no CNRS.
Françoise HÉRITIER-AUGÉ, antropóloga, professora do Collège de France, diretora do laboratório de antropologia social.
Jacques HOURAU, filósofo, professor no Centro de Formação de Professores de Monlignon.
Michel IZARD, antropólogo, diretor de pesquisas no CNRS, codiretor da revista *Gradhiva*.
Jean-Luc JAMARD, antropólogo, pesquisador do CNRS.
Jean JAMIN, antropólogo, pesquisador do laboratório de Etnologia do Museu do Homem, codiretor da revista *Gradhiva*.
Julia KRISTEVA, linguista, professora na Universidade Paris-VII.
Bernard LAKS, linguista, pesquisador do CNRS.
Jérôme LALLEMENT, economista, mestre de conferência na Universidade Paris-I.
Jean LAPLANCHE, psicanalista, professor na Universidade Paris-VII, diretor da revista *Psychanalyse à l'Université*.
Francine LE BRET, filósofa, professora no Liceu Jacques-Prévert de Boulogne-Billancourt.
Serge LECLAIRE, psicanalista.

Dominique LECOURT, filósofo, professor na Universidade PARIS-VII.
Henri LEFEBVRE, filósofo, antigo professor nas universidades de Estrasburgo, Nanterre, Paris-VIII e da Califórnia.
Pierre LEGENDRE, filósofo, professor na Universidade Paris-I.
Gennie LEMOINE, psicanalista.
Claude LÉVI-STRAUSS, antropólogo, professor no Collège de France.
Jacques LÉVY, geógrafo, pesquisador do CNRS, um dos animadores da revista *Espaces Temps*.
Alain LIPIETZ, economista, encarregado de pesquisa no CNRS e no Cepremap.
René LOURAU, sociólogo, professor na Universidade Paris-VIII.
Pierre MACHEREY, filósofo, mestre de conferências em Paris-I.
René MAJOR, psicanalista, leciona no Colégio Inernacional de Filosofia, diretor dos *Cahiers Confrontations*.
Serge MARTIN, filósofo, professor no Liceu de Pontoise.
André MARTINET, linguista, professor emérito da Universidade René Descares e da sexta seção da Ephe.
Claude MEILLASSOUX, antropólogo, diretor de pesquisa no CNRS.
Charles MELMAN, psicanalista, diretor da revista *Discours Psychanalitique*.
Gerard MENDEL, psicanalista, ex-interno do Hospital Psiquiátrico de la Seine.
Henri MITTERAND, linguista, professor na Nova Sorbonne.
Juan-David NASIO, psicanalista, anima o seminário de psicanálise de Paris.
André NICOLAÏ, economista, professor na Universidade Paris-X.
Pierre NORA, historiador, diretor de estudos na Ehess, diretor da revista *Le Débat*, editor da Gallimard.
Claudine NORMAND, linguista, professora na Universidade Paris-X.
Bertrand OGILVIE, filósofo, professor na Escola Normal de Cergy-Pontoise.
Michelle PERROT, historiadora, professora na Universidade Paris-VII.
Marcelin PLEYNET, escritor, antigo secretário da revista *Tel Quel*.
Jean POUILLON, filósofo e antropólogo, pesquisador do laboratório de antropologia social, Ehess.
Joëlle PROUST, filósofa, grupo de pesquisa sobre a cognição, Crea, CNRS.
Jacques RANCIÈRE, filósofo, docente, na Universidade Paris-VIII.
Alain RENAUT, filósofo, professor na Universidade de Caen, fundador do Collège de Philosophie.
Olivier REVAULT D'ALLONNES, filósofo, professor na Universidade Paris-I.

Élisabeth Roudinesco, escritora e psicanalista.
Nicolas RUWET, linguista, professor na Universidade Paris-VIII.
Moustafa SAFOUAN, psicanalista.
Georges-Élia SARFATI, linguista, docente na Universidade Paris-III.
Bernard SICHÈRE, filósofo, professor na Universidade de Caen, antigo membro da equipe *Tel Quel*.
Dan SPERBER, antropólogo, pesquisador do CNRS.
Joseph SUMPF, sociólogo e linguista, professor na Universidade Paris-VIII.
Emmanuel TERRAY, antropólogo, diretor de estudos na Ehess.
Tzvetan TODOROV, linguista, semiologista, pesquisador no CNRS.
Alain TOURAINE, sociólogo, diretor de pesquisa na Ehess.
Paul VALADIER, filósofo, antigo redator-chefe da revista *Études*, professor do Centre Sévres, em Paris.
Jean-Pierre VERNANT, helenista, professor honorário do Collège de France.
Marc VERNET, semiologista do cinema, professor da Universidade Paris-III.
Serge VIDERMAN, psicanalista, doutor em medicina.
Pierre VILAR, historiador, professor honorário na Sorbonne.
François WAHL, filósofo, editor na Seuil.
Marina YAGUELLO, linguista, professora na Universidade Paris-VII.

Índice onomástico

SOBRE O LIVRO

Formato: 14 x 21 cm
Mancha: 24,8 x 41,1 paicas
Tipologia: Adobe Jenson Pro Caption 10,5/13,5
Papel: Off-white 80 g/m² (miolo)
Cartão Supremo 250 g/m² (capa)
1ª edição Editora Unesp: 2018

EQUIPE DE REALIZAÇÃO

Coordenação Editorial
Marcos Keith Takahashi

Edição de texto
Gabriela Garcia
Tarcila Lucena
Alessandro Thomé

Projeto gráfico e capa
Grão Editorial

Editoração eletrônica
Sergio Gzeschnik

MUNDIALGRÁFICA
www.mundialgrafica.com.br